조충환·양건

형사소송법 

개정 형사소송법·최신 판례 및 기출문제 완벽 반영

경찰채용·승진 / 경찰간부 / 검찰직·법원직
교정보호직·승진 / 철도경찰직 / 해양경찰직

조충환·양건 편저

동영상강의 www.pmg.co.kr

조충환·양건

SPA 형사소송법

이 책의 머리말

2026 SPA 형사소송법 판례·기출증보판을 출간하면서

이번 2026 판례·기출증보판에서는 최근의 출제경향을 반영하여 다음과 같은 사안에 중점을 두었습니다.

첫째, 기출문제 반영
작년 SPA 형사소송법 출간 이후의 2024년 기출문제(경위공채, 순경 1차·2차, 경력채용, 9급 검찰·마약수사·교정·보호·철도경찰, 9급 법원직, 7급 국가직, 해경경위공채·순경 등)와 2025년 기출문제(변호사시험, 소방간부, 경찰대편입 등)를 전부 비교·분석하여 본문에 수정·교체·추가·기출표기를 하였고 기출문제(객관식)에도 추가하였습니다. 다만, 25년 경찰승진 기출문제는 시험일정 지연으로 이번 증보판에 반영하지 못하였습니다.

둘째, 판례 반영
최근 판례(2025.1.15. 대법원 판례공보 및 미간행판례)까지 빠짐없이 반영하였으며, 최근의 출제경향에 맞추어 기존 판례의 일부를 수정·교체·추가하였고, 판례마다 기출표기를 최신순으로 정리하였습니다.

셋째, 반복학습
본문 ⇨ 확인학습(OX문제) ⇨ 기출문제의 3단계 방식으로 편집하여 기본서, 판례집, 요약집(Sub-note), OX문제집, 객관식문제(기출문제)집을 별개로 공부하지 않고도, SPA 형사소송법 1회독시 3회 이상의 반복학습의 효과로 한번에 형사소송법을 끝낼 수 있도록 하였습니다.

넷째, 강약과 시간절약
법조문, 이론, 판례를 사안마다 키워드와 기출표기를 색표기하여 중요도를 파악하고, 반복학습시 시간을 단축하도록 하였습니다.

SPA 형사소송법을 이해 위주로 반복학습하신다면 본 교재 한 권만으로도 어느 시험에서든지 고득점으로 합격·승진하는 데 아무런 지장이 없을 것이라 확신합니다.
우리 모두 어려운 시기에 무엇보다도 건강에 유의하시고 초지일관하시길 바라며, 수험생 여러분의 조기 합격과 승진을 믿고 간절히 기원합니다.

2025. 2.

공편저자 조충환·양건

CONTENTS

이 책의 **차례**

형사소송법 Ⅰ

Part 01 서 론

제1장 형사소송법의 기초

제1절 형사소송법의 의의와 성격 16
- 1. 형사소송법의 의의 16
- 2. 형사소송법의 성격 16

제2절 형사소송법의 법원과 적용범위 17
- 1. 형사소송법의 법원 17
- 2. 형사소송법의 적용범위 21
- ● 기출문제 26

제2장 형사소송법의 이념과 구조

제1절 형사소송법의 기본이념 29
- 1. 실체적 진실주의 29
- 2. 적정절차의 원칙 31
- 3. 신속한 재판의 원칙 36

제2절 형사소송의 기본구조 39
- 1. 소송구조론의 의의 39
- 2. 규문주의와 탄핵주의의 소송구조 39
- 3. 직권주의와 당사자주의 40
- ● 기출문제 42

Part 02 수사와 공소

제1장 수 사

제1절 수사의 의의와 구조 48
- 1. 수사의 의의 48
- 2. 수사의 구조 50
- 3. 수사의 조건 50
- ● 기출문제 62

제2절 수사기관과 피의자 67
- 1. 수사기관 67
- 2. 피의자 88
- ● 기출문제 91

제3절 수사의 개시 98
- 1. 수사의 단서 98
- 2. 불심검문 99
- 3. 변사자검시 103
- 4. 고 소 105
- 5. 고발 · 자수 126
- ● 기출문제 132

제4절 임의수사 145
- 1. 임의수사와 강제수사 145
- 2. 임의수사의 원칙과 강제수사의 규제 145
- 3. 임의수사와 강제수사의 한계영역 146
- 4. 임의수사의 유형 150
- ● 기출문제 166

제2장 강제처분과 강제수사

제1절 서 설 172
1. 강제처분의 의의 172
2. 강제처분의 법적 규제 172
3. 강제처분의 종류 174
4. 강제처분에 대한 구제 175
● 기출문제 176

제2절 피의자체포 177
1. 체포영장에 의한 체포(통상체포) 177
2. 긴급체포 183
3. 현행범인체포 191
● 기출문제 201
○ 종합문제 207

제3절 피의자와 피고인의 구속 210
1. 구속의 의의 · 목적 210
2. 구속의 요건 211
3. 구속의 절차 212
4. 구속기간의 제한 221
5. 구속영장의 효력 226
6. 관련문제 230
● 기출문제 232
○ 종합문제 238
7. 접견교통권 241
● 기출문제 249
8. 체포 · 구속적부심사제도 252
● 기출문제 259
9. 보석제도 262
● 기출문제 272

제4절 압수·수색·검증 273
1. 압수 · 수색 273
2. 수사상 검증 311
3. 수사상 감정 315
4. 통신비밀보호법과 통신제한조치 317
● 기출문제 330

제5절 판사에 대한 강제처분의 청구 349
1. 증거보전 349
2. 참고인에 대한 증인신문청구 352
● 기출문제 355

제3장 수사의 종결

제1절 수사종결의 의의·종류 357
1. 수사종결의 의의 357
2. 수사종결의 종류 357
● 기출문제 363

제2절 검사의 불기소처분에 대한 불복 366
1. 검찰항고 366
2. 재정신청 366
3. 헌법소원 375
● 기출문제 380

제3절 공소제기 후의 수사 383
1. 의의 및 필요성 383
2. 공소제기 후의 강제수사 383
3. 공소제기 후의 임의수사 384
● 기출문제 386

CONTENTS

이 책의 **차례**

제4장 공소의 제기

제1절 공소 및 공소권 388
1. 공소의 제기 388
2. 공소권남용이론 388

제2절 공소제기 391
1. 공소제기의 기본원칙 391
2. 공소제기의 방식 396
3. 공소제기의 효과 421
4. 공소시효 424
● 기출문제 438

Part 03 소송주체와 소송절차의 기본이론

제1장 소송의 주체

제1절 법 원 448
1. 법원의 의의 · 종류 448
2. 제척 · 기피 · 회피제도 449
3. 법원의 관할 459
● 기출문제 474

제2절 검 사 478
1. 검사의 의의 · 성격 478
2. 검찰조직의 특수성 478
3. 검사의 소송법상 지위 480
● 기출문제 482

제3절 피고인 483
1. 피고인의 의의 483
2. 피고인의 소송법상 지위 488
3. 진술거부권 489
4. 무죄추정의 원칙 496
5. 당사자능력과 소송능력 499
● 기출문제 505

제4절 변호인 511
1. 변호인제도의 의의 511
2. 변호인의 선임 511
3. 변호인의 지위 522
4. 변호인의 권한 523
● 기출문제 527

제2장 소송절차의 일반이론

제1절 소송절차의 기본구조 532

제2절 소송의 조건 533
1. 소송조건의 의의 533
2. 소송조건의 종류 533
3. 소송조건의 조사 534
4. 소송조건 흠결의 효과 534

제3절 소송행위 535
1. 소송행위의 의의 · 종류 535
2. 소송행위의 일반적 요소 536
3. 소송행위에 대한 가치판단 540

제4절 소송서류의 작성·송달·열람 547
1. 소송서류의 작성 547
2. 소송서류의 송달 553
3. 소송서류의 열람 · 등사 559
● 기출문제 565

형사소송법 Ⅱ

Part 04 공 판

제1장 공판절차

제1절 공판절차의 기본원칙 14
1. 공판절차의 의의 14
2. 공판절차의 기본원칙 14
● 기출문제 19
제2절 공판심리범위 20
1. 심판의 대상 20
2. 공소장변경 21
● 기출문제 56
제3절 공판준비절차 60
1. 의 의 60
2. 통상적인 공판준비절차 60
3. 집중심리를 위한 공판준비절차 68
4. 공무소 등에의 조회 73
● 기출문제 74
제4절 공판정 78
1. 공판정의 구성과 당사자의 출석 78
2. 소송지휘권과 법정경찰권 83
● 기출문제 86
제5절 공판기일의 절차 87
1. 모두절차 87
2. 사실심리절차 89
3. 판결의 선고 97
● 기출문제 100

CONTENTS

이 책의 차례

제6절 증인신문·감정·검증 103
- 1. 증인신문 103
- 2. 감 정 123
- 3. 검 증 125
- 4. 통역 · 번역 128
- 5. 전문심리위원제도 129
- ●기출문제 132

제7절 공판절차의 특수문제 138
- 1. 간이공판절차 138
- 2. 공판절차의 정지와 갱신 142
- 3. 변론의 병합 · 분리 · 재개 145
- ●기출문제 147

제8절 국민참여재판절차 150
- 1. 도입배경과 특징 150
- 2. 절차진행 개요 151
- 3. 대상사건 및 관할 151
- 4. 필요적 국선변호 152
- 5. 배심절차 또는 통상절차의 회부 153
- 6. 배심원 156
- 7. 국민참여재판의 절차 161
- 8. 평의 · 평결 · 토의 및 판결선고 164
- ●기출문제 167

제2장 증 거

제1절 증거법 일반 170
- 1. 증거의 의의 · 종류 170
- 2. 증거재판주의 174
- 3. 거증책임 184
- ●기출문제 188

제2절 증거능력 194
- 1. 서 설 194
- 2. 위법수집증거의 증거능력 194
- ●기출문제 207
- 3. 자백의 증거능력 214
- ●기출문제 221
- 4. 전문증거의 증거능력 225
- ●기출문제 274
- 5. 당사자의 동의와 증거능력 281
- ●기출문제 290
- 6. 탄핵증거 295
- ●기출문제 299
- ○종합문제 302

제3절 증명력 307
- 1. 자유심증주의 307
- 2. 자백보강법칙 318
- 3. 공판조서의 증명력 327
- ●기출문제 330

제3장 재 판

제1절 재판의 기본개념 336
1. 재판의 의의 · 종류 336
2. 재판의 성립과 재판서 338
●기출문제 343

제2절 종국재판 344
1. 유죄판결 344
2. 무죄판결 351
3. 관할위반의 판결 353
4. 공소기각의 재판 354
5. 면소판결 358
6. 종국재판의 부수효과 364
●기출문제 365

제3절 재판의 확정과 효력 369
1. 재판의 확정 369
2. 재판확정의 효력 369
3. 기판력 371
●기출문제 381

제4절 소송비용부담 및 무죄판결에 대한 비용보상 384
1. 소송비용부담 384
2. 무죄판결확정과 비용보상 386
●기출문제 389

Part 05 상소·비상구제절차·특별형사절차·재판의 집행과 형사보상

제1장 상 소

제1절 상소 일반 392
1. 상소의 의의 · 종류 392
2. 상소권 393
3. 상소의 이익 400
4. 상소제기의 방식과 효과 403
5. 일부상소 404
6. 불이익변경금지의 원칙 410
7. 파기판결의 구속력 423
●기출문제 426

제2절 항 소 434
1. 항소심의 의의 · 구조 434
2. 항소이유 436
3. 항소심의 절차 439
●기출문제 453

제3절 상 고 458
1. 상고의 의의 · 구조 458
2. 상고이유 459
3. 상고심의 절차 463
4. 비약적 상고 469
5. 상고심판결의 정정 471
●기출문제 472

제4절 항 고 474
1. 항고의 의의 · 종류 474

CONTENTS

이 책의 차례

2. 항고심의 절차 477
3. 준항고 479
● 기출문제 483

제2장 비상구제절차

제1절 재 심 485
1. 재심의 의의 485
2. 재심의 대상 485
3. 재심사유 488
4. 재심개시절차 496
5. 재심심판절차 500
● 기출문제 505

제2절 비상상고 509
1. 비상상고의 의의 509
2. 비상상고의 대상 509
3. 비상상고의 이유 509
4. 비상상고의 절차 510
● 기출문제 513

제3장 특별형사절차

제1절 약식절차 514
1. 약식절차의 의의 514
2. 약식명령의 청구 514
3. 약식절차의 심판 515
4. 정식재판의 청구 518
● 기출문제 522

제2절 즉결심판절차 525
1. 의 의 525
2. 즉결심판의 청구 526
3. 즉결심판청구사건의 심리 527
4. 즉결심판의 선고와 효력 529
5. 정식재판의 청구 530
● 기출문제 535

제3절 형사사건의 피해자보호를 위한 절차 538
1. 배상명령제도 538
2. 국가에 의한 범죄피해자 보호제도 542
● 기출문제 544

제4절 소년범의 형사절차 545
1. 소년형사범의 의의 545
2. 소년형사범의 처리절차와 형의 집행 545
● 기출문제 550

제4장 재판의 집행과 형사보상

제1절 재판의 집행 551
1. 재판집행의 의의 · 기본원칙 551
2. 형의 집행 552
3. 재판의 집행에 대한 구제방법 557

제2절 형사보상 및 명예회복 558
1. 형사보상 558
2. 명예회복 563
● 기출문제 565

형사소송법 Ⅲ

기출지문 확인학습

Part 01 서 론

제1장 형사소송법의 기초 14
제2장 형사소송법의 이념과 구조 16

Part 02 수사와 공소

제1장 수 사 19
제2장 강제처분과 강제수사 33
제3장 수사의 종결 47
제4장 공소의 제기 49

Part 03 소송주체와 소송절차의 기본이론

제1장 소송의 주체 52
제2장 소송절차의 일반이론 59

Part 04 공 판

제1장 공판절차 61
제2장 증 거 72
제3장 재 판 83

Part 05 상소·비상구제절차·특별형사절차·재판의 집행과 형사보상

제1장 상 소 85
제2장 비상구제절차 90
제3장 특별형사절차 92
제4장 재판의 집행과 형사보상 95

핵심정리

01 각종 숫자정리 98
02 각종 청구권자 108

형사소송법 관련법령

01 형사소송법 114
02 형사소송규칙 179
03 국민의 형사재판 참여에 관한 법률 216
04 검사와 사법경찰관의 상호협력과 일반적 수사준칙에 관한 규정 226

조충환·양건

형사소송법

기출지문 확인학습

CHAPTER

01 형사소송법의 기초

1 고문금지와 진술거부권은 헌법에 명문의 규정이 있다. (　)
10. 순경, 16. 순경 2차, 13 · 18. 순경 1차, 19. 경찰간부

2 영장주의(체포 · 구속 · 압수 · 수색시 검사의 신청에 의하여 법관이 발부한 영장제시)는 헌법에 명문의 규정이 있다. (　)
09. 전의경, 16. 순경 2차

3 체포 · 구속적부심사청구권은 헌법에 명문의 규정이 있다. (　)
10. 순경, 14. 경찰승진, 15 · 17. 경찰간부, 16. 순경 2차, 18. 순경 1차

4 사후영장에 의한 체포(현행범인 경우와 장기 3년 이상의 죄를 범하고 도피 또는 증거인멸의 염려가 있을 때 사후에 영장청구 가능)는 헌법에 명문의 규정이 없다. (　)
15. 경찰간부, 16. 순경 2차, 18. 순경 1차

5 변호인의 조력을 받을 권리와 국선변호인에 대한 내용은 헌법에 명문의 규정이 있다. (　)
10. 순경, 14. 경찰승진, 16. 순경 2차, 17. 경찰간부

6 자백배제법칙(피고인의 자백이 고문 · 폭행 · 협박 · 구속의 부당한 장기화 또는 기망 기타의 방법에 의하여 자의로 진술된 것이 아니라고 인정될 때 이를 유죄의 증거로 삼을 수 없다.)과 자백보강법칙(정식재판에서 피고인의 자백이 그에게 불리한 유일한 증거일 때에는 이를 유죄의 증거로 할 수 없다)은 헌법에 명문의 규정이 있다. (　)
09 · 12 · 13. 순경, 11. 9급 검찰, 14. 경찰승진, 16. 순경 2차

7 피해자의 재판절차진술권은 헌법에 규정이 있다. (　)
09. 순경, 11. 9급 검찰, 13. 순경 1차, 19. 경찰간부

8 형사보상청구권은 헌법에 규정이 있다. (　)
09 · 10. 순경, 14. 경찰승진, 15 · 17 · 19. 경찰간부

9 위법수집증거배제법칙(적법절차에 따르지 않고 수집한 증거는 증거로 할 수 없다)는 헌법에 명문의 규정이 있다. (　)
09. 순경, 11. 9급 검찰, 13 · 18. 순경 1차, 14 · 17. 경찰승진, 21. 해경, 24. 해경간부

10 전문법칙은 헌법에 명문의 규정이 있다. (　)
09. 7급 국가직, 10. 순경, 24. 해경간부

11 대한민국 내에 있는 미국문화원이 비록 치외법권지역이기는 하나, 그 곳에서 죄를 범한 대한민국 국민에 대하여 속인주의에 입각해서 우리나라의 재판권도 당연히 미친다. (　)
08. 순경, 12 · 13. 경찰승진, 16 · 18. 경찰간부

12 현행범인 경우에도 회기 중 국회의 동의 없이 체포 또는 구금되지 아니한다. (　)
08 · 13. 순경, 13. 경찰승진, 15. 경찰간부

13 국회의원의 면책특권에 해당하는 사항에 공소제기 되었을 때 면소판결을 내림이 마땅하다. (　)
12. 9급 법원직, 13. 순경 1차 · 9급 검찰 · 마약 · 교정 · 보호 · 철도경찰, 14. 경찰간부,
13 · 17. 경찰승진 · 7급 국가직, 20. 순경 2차

Answer 1. ○ 2. ○ 3. ○ 4. × 5. ○ 6. ○ 7. ○ 8. ○ 9. × 10. × 11. ○ 12. × 13. ×

14 국회의원인 피고인이, 구 국가안전기획부 내 정보수집팀이 대기업 고위관계자와 중앙일간지 사주 간의 사적 대화를 불법 녹음한 자료를 입수한 후 그 대화 내용과, 전직 검찰간부인 피해자가 위 대기업으로부터 이른바 떡값 명목의 금품을 수수하였다는 내용이 게재된 보도자료를 작성하여 국회 법제사법위원회 개의 당일 국회 의원회관에서 기자들에게 배포한 행위는 국회의원 면책특권의 대상이 되는 직무부수행위에 해당한다. (　)
12. 9급 법원직, 13. 경찰승진

15 미합중국 국적을 가진 미합중국 군대의 군속인 피고인이 범행 당시 10년 넘게 대한민국에 머물면서 한국인 아내와 결혼하여 가정을 마련하고 직장생활을 하는 등 생활의 근거지를 대한민국에 두고 있었던 경우에도, 미합중국 군대의 군속에 관한 형사재판권 관련조항이 적용될 수 있다. (　)
13. 순경 2차, 15. 경찰간부, 16. 순경 1차

16 캐나다 시민권자인 피고인이 캐나다에서 위조사문서를 행사하였다는 내용으로 기소된 경우에 외국인의 국외범이라도 우리나라에 재판권이 있다고 보아야 한다. (　)
12. 9급 법원직, 13. 순경 2차, 16. 순경 1차, 17. 경찰승진, 14 · 16 · 18. 경찰간부

17 형사절차 개시 중에 형사소송법이 개정된 경우 구법이 정하는 바에 따라 적법하게 진행된 제1심의 증거조사절차 등을 위법하다고 보아 그 효력을 부정하고 항소심이 다시 절차를 진행하는 것은 허용하지 아니한다. 다만, 이미 적법하게 이루어진 소송행위의 효력을 부정하지 않는 범위 내에서 신법의 취지에 따라 절차를 진행하는 것은 허용된다. (　)
12. 9급 법원직, 13. 경찰승진, 16. 순경 1차, 15 · 18. 경찰간부, 20. 순경 2차

Answer 14. ○ 15. × 16. × 17. ○

CHAPTER 02

형사소송법의 이념과 구조

1 직권에 의한 증거조사권은 실체적 진실주의를 구현하기 위한 제도이다. ( )
06. 9급 검찰 · 마약수사

2 자백보강법칙은 실체적 진실주의를 구현하기 위한 제도이다. ( ) 09 · 12. 경찰승진

3 헌법 제12조 제1항 후문이 규정하고 있는 적법절차란 법률이 정한 절차 및 그 실체적 내용이 모두 적정하여야 함을 말하는 것으로서 적정하다고 함은 공정하고 합리적이며 상당성이 있어 정의관념에 합치되는 것을 뜻한다. ( ) 11 · 16 · 19. 경찰승진, 19. 순경 1차, 20. 경찰간부

4 법관과 법원 직원의 제척 · 기피 · 회피제도는 적정절차의 원칙을 구현하기 위한 제도이다. ( )
93. 경찰승진, 12. 9급 교정 · 보호 · 철도경찰

5 경찰공무원이나 검사의 신문을 받으면서 자신의 신원을 밝히지 않고 지문채취에 불응하는 경우 벌금, 과료, 구류의 형사처벌을 받도록 하고 있는 경범죄처벌법 조항은 적법절차의 원칙에 위반되지 아니한다. ( ) 17. 순경 2차, 15 · 16 · 18. 경찰간부, 10 · 11 · 14 · 15 · 16 · 19. 경찰승진

6 경찰청장이 보관하고 있는 지문정보를 범죄수사목적에 이용하는 행위는 무죄추정원칙과 영장주의 내지 강제수사법정주의에 위배된다. ( ) 11 · 14 · 15. 경찰승진, 12. 순경 3차, 13 · 18. 경찰간부

7 사회보호위원회에 치료감호의 종료 여부를 결정할 권한을 부여한 구 사회보호법 규정은 재판청구권을 침해하거나 적법절차에 위배된다고 할 수 없다. ( )
12. 순경 3차, 13 · 18. 경찰간부, 11 · 12 · 14 · 21. 경찰승진

8 구속기간은 법원이 피고인을 구속한 상태에서 재판할 수 있는 기간을 의미하는 것이지, 법원의 재판기간 내지 심리기간 자체를 제한하려는 규정이라 할 수는 없으며, 구속기간을 엄격히 제한하고 있다 하더라도 공정한 재판을 받을 권리가 침해된다고 볼 수는 없다. ( )
10 · 11 · 14. 경찰승진, 16. 경찰간부

9 압수 · 수색영장 집행당시 피처분자가 현장에 없거나 현장에서 그를 발견할 수 없는 경우 등 영장제시가 현실적으로 불가능한 경우에는 영장을 제시하지 아니한 채 압수 · 수색을 하더라도 위법하다고 볼 수 없다. ( ) 15. 순경 2차, 16. 경찰간부

10 경찰관이 간호사로부터 진료 목적으로 이미 채혈되어 있던 피고인의 혈액 중 일부를 주취운전 여부에 대한 감정을 목적으로 임의로 제출 받아 이를 압수한 경우, 당시 간호사가 위 혈액의 소지자 겸 보관자인 병원 또는 담당의사를 대리하여 혈액을 경찰관에게 임의로 제출할 수 있는 권한이 없었다고 볼 특별한 사정이 없는 이상, 그 압수절차가 피고인 또는 피고인의 가족의 동의 및 영장 없이 행하여졌다고 하더라도 이에 적법절차를 위반한 위법이 있다고 할 수 없다. ( )
11. 경찰승진, 15. 경찰간부

Answer 1. ○ 2. ○ 3. ○ 4. ○ 5. ○ 6. × 7. ○ 8. ○ 9. ○ 10. ○

11 소송의 지연을 목적으로 함이 명백한 경우에 기피신청을 받은 법원 또는 법관이 이를 기각할 수 있도록 규정한 형사소송법 제20조 제1항이 헌법상 보장되는 공정한 재판을 받을 권리를 침해하였다고 할 수 있다. ( ) 11. 경찰승진, 15 · 16. 경찰간부

12 구치소 및 교도소에 수용되는 과정에서 알몸 상태로 가운만 입고 전자영상장비에 의한 신체검사기에 올라가 다리를 벌리고 용변을 보는 자세로 쪼그려 앉아 항문 부위에 대한 검사는 과잉금지원칙에 위배되어 청구인의 인격권 내지 신체의 자유를 침해한다고 볼 수 있다. ( ) 12. 경찰승진, 13. 경찰간부

13 검사가 법원의 증인으로 채택된 수감자를 그 증언에 이르기까지 거의 매일 검사실로 하루 종일 소환하여 피고인측 변호인이 접근하는 것을 차단하고, 검찰에서의 진술을 번복하는 증언을 하지 않도록 회유 · 압박하는 한편, 때로는 검사실에서 그에게 편의를 제공하기도 한 행위가 피고인의 공정한 재판을 받을 권리를 침해한 것이다. ( ) 13 · 15 · 18. 경찰간부, 11 · 15 · 19. 경찰승진

14 금치처분을 받은 사람에 대한 전면적 운동금지 규정인 '형의 집행 및 수용자의 처우에 관한 법률' 제145조 제2항은 수형자의 존엄과 가치, 신체의 자유 등을 침해한다. ( ) 11. 경찰승진, 12. 순경 3차, 15. 경찰간부

15 경찰관에게 등을 보인 채 상의를 속옷과 함께 겨드랑이까지 올리고 하의를 속옷과 함께 무릎까지 내린 상태에서 3회에 걸쳐 앉았다 일어서게 하는 방법으로 실시한 정밀신체수색은 헌법 제10조의 인간의 존엄과 가치로부터 유래하는 인격권 및 제12조의 신체의 자유를 침해하는 정도에 이르렀다고 판단된다. ( ) 15 · 16. 경찰승진

16 선거관리위원회 위원 · 직원이 관계인에게 진술이 녹음된다는 사실을 미리 알려 주지 아니한 채 진술을 녹음한 경우, 그와 같은 조사절차에 의하여 수집한 녹음파일 내지 그에 터 잡아 작성된 녹취록은 증거능력이 있다. ( ) 16. 경찰간부, 17. 순경 2차

17 헌법 제12조 제1항 후문이 규정하고 있는 적법절차란 법률이 정한 절차 및 그 실체적 내용이 모두 적정하여야 함을 말하는 것이다. ( ) 04. 순경, 19 · 20. 순경 1차, 20. 경찰간부, 11 · 16 · 22 · 24. 경찰승진

18 헌법상 영장제도와 적법절차원칙의 규정 취지에 비추어 볼 때, 형사재판 중인 피고인에 대하여 법원이 구속영장을 발부하는 경우에는 검사의 신청이 있어야 한다. ( ) 14. 7급 국가직

19 헌법 제12조 제1항 후단의 이른바 "적법절차주의"는 절차의 적법성뿐만 아니라 절차의 적정성까지 보장되어야 한다는 뜻으로 이해되어야 한다. ( ) 14. 7급 국가직

20 수사기관이 피의자를 신문함에 있어서 피의자에게 미리 진술거부권을 고지하지 않은 때라도 그 피의자의 진술이 임의성이 인정되는 경우라면 증거능력이 인정된다. ( ) 11. 경찰승진

21 음주운전과 관련한 도로교통법 위반죄의 범죄수사를 위하여 미성년자인 피의자의 혈액채취가 필요한 경우, 법정대리인은 피의자의 의사능력 유무와 관계없이 미성년자인 피의자를 대리하여 채혈에 관한 동의를 할 수 있다. ( ) 16. 경찰간부

Answer 11. × 12. × 13. ○ 14. ○ 15. ○ 16. × 17. ○ 18. × 19. ○ 20. × 21. ×

22 신속한 재판을 받을 권리는 피고인의 이익뿐만 아니라 공익적 차원에서도 근거가 있기 때문에 어느 면에서는 이중적인 성격을 갖고 있다고 할 수 있다. ( )

15. 9급 검찰 · 교정 · 보호 · 철도경찰, 17. 검찰 · 교정승진, 19. 순경 1차, 20. 순경 2차 · 7급 국가직, 16 · 21. 경찰간부

23 형사소송법은 신속재판을 위해 집중심리주의를 채택하여 심리에 2일 이상이 필요한 경우에는 부득이한 사정이 없는 한 매일 개정하고, 매일 개정하지 못하는 경우에도 특별한 사정이 없는 한 전회의 공판기일로부터 14일 이내에 다음 공판기일을 지정하도록 규정하고 있다. ( )

11. 순경 2차, 13 · 21. 경찰승진

24 형사소송법은 신속한 판결선고를 위해 제1심에서는 공소가 제기된 날로부터 6월 이내에, 항소심 및 상고심에서는 항소 또는 상고가 제기된 날로부터 각 4월 이내에 판결을 선고하도록 규정하고 있다. ( ) 11. 순경 2차

25 형사소송법은 수사의 신속한 종결을 위해 피의자가 체포 또는 구속된 날로부터 30일 이내에 공소장을 제출하도록 규정하고 있다. ( ) 11. 순경 2차, 13. 경찰승진

26 형사소송법은 신속한 재판의 원칙에 위반한 때에는 공소기각판결을 해야 한다고 규정하고 있다. ( ) 16. 경찰간부, 22 · 23. 경찰승진

27 구속만기 25일을 앞두고 제1회 공판이 있었다면, 헌법에 정한 신속한 재판을 받을 권리를 침해하였다 할 수 있다. ( ) 13. 7급 국가직, 18 · 20. 순경 1차, 20. 해경간부 · 순경 2차, 10 · 13 · 21. 경찰승진

28 위헌제청신청을 하였는데도 불구하고 재판부 구성원의 변경, 재판의 전제성과 관련한 본안심리의 필요성, 청구인에 대한 송달불능 등을 이유로 법원이 재판을 하지 않다가 5개월이 지나서야 그 신청을 기각했다면 재판을 특별히 지연시켰다고 볼 수 없다. ( ) 10 · 14. 경찰승진, 23. 해경승진

29 형사소송법상 구속기간의 제한 규정은 법원의 재판기간 내지 심리기간 자체를 제한하려는 규정이라고 할 수 있다. ( ) 17. 검찰 · 교정승진, 10 · 14 · 21. 경찰승진

30 검사와 피고인이 쌍방이 항소한 경우에 제1심 선고형기를 경과한 후에 제2심 공판이 개정되었을 경우 이는 위법으로서 신속한 재판을 받을 권리를 박탈한 것이다. ( )

13. 경찰승진, 18. 순경 1차, 20. 해경간부. 22. 9급 검찰 · 마약 · 교정 · 보호 · 철도경찰

31 탄핵주의는 피고인도 소송의 주체로서 절차에 관여하여 형사절차는 소송의 구조를 갖게 된다. ( ) 10. 9급 국가직

32 탄핵주의는 소송에서 주도적 지위를 법원에게 인정하는 직권주의 소송구조와 대립되는 개념이다. ( ) 10. 9급 국가직

33 법원의 요구에 검사가 응하지 않으면 공소장변경효과 발생하지 않은 것은 직권주의 요소가 아니다. ( ) 04. 행시, 05. 순경 2차

34 공소장일본주의는 당사자주의 요소이다. ( )

02. 경찰승진, 04. 7급 검찰, 18. 9급 검찰 · 마약 · 교정 · 보호 · 철도경찰

Answer 22. ○ 23. ○ 24. × 25. × 26. × 27. × 28. ○ 29. × 30. × 31. ○ 32. × 33. ○ 34. ○

CHAPTER

01 수 사

www.pmg.co.kr

제1절 수사의 의의와 구조

1 검사가 범죄인지절차가 이루어지기 전에 수사를 하였다면 그 수사는 위법하며, 그 수사과정에서 작성된 피의자신문조서나 진술조서 등도 인지절차가 이루어지기 전이라는 이유 때문에 증거능력을 부인하여야 한다. ( ) **15. 수사경과, 19. 경찰간부, 19 · 20. 경찰승진, 20. 순경 1차, 21. 7급 국가직**

2 수사이전 단계를 내사라 하는데 형사소송법은 피의자의 권리를 피내사자에게도 준용하는 명문의 규정을 두고 있다. ( ) **14. 순경 1차**

3 친고죄나 세무공무원 등의 고발이 있어야 논할 수 있는 죄(즉시고발사건)에 있어서, 그 수사가 장차 고소나 고발이 있을 가능성이 없는 상태하에서 행해졌더라도 위법하다고 볼 수는 없다. ( ) **10. 순경 · 7급 국가직, 10 · 16 · 24. 경찰승진, 24. 경력채용, 25. 소방간부**

4 피해자가 경찰관과 함께 범행 현장에서 범인을 추적하다 골목길에서 범인을 놓친 직후 골목길에 면한 집을 탐문하여 용의자를 확정한 경우, 그 현장에서 용의자와 피해자의 일대일 대면이 허용된다고 보기 어렵다. ( ) **10. 경찰승진, 17. 경찰간부, 24. 해경승진**

5 강간피해자가 수사기관이 제시한 47명의 사진 속에서 피고인을 범인으로 지목하자 이어진 범인식별 절차에서 수사기관이 피해자에게 피고인만을 촬영한 동영상을 보여주거나 피고인만을 직접 보여주어 피해자로부터 범인이 맞다는 진술을 받고, 다시 피고인을 포함한 3명을 동시에 피해자에게 대면시켜 피고인이 범인이라는 확인을 받은 경우, 위 피해자의 진술은 그 신빙성이 낮다. ( ) **10. 경찰승진**

6 피의자가 호흡측정 결과에 대한 탄핵을 하기 위하여 스스로 혈액채취 방법에 의한 측정을 할 것을 요구하여 혈액채취가 이루어졌다면, 그러한 혈액채취에 의한 측정 결과 역시 유죄인정의 증거로 쓸 수 있다. ( ) **14. 변호사시험, 16. 9급 교정 · 보호 · 철도경찰, 17 · 18. 경찰승진**

7 도로교통법상 음주측정에 관한 규정들을 근거로 음주운전을 하였다고 인정할 만한 상당한 이유가 있는 자에 대하여 경찰관서에 강제연행하여 음주측정을 요구할 수 있다. ( ) **15. 순경 2차**

8 경찰관이 음주운전 단속시 운전자의 요구에 따라 곧바로 채혈을 실시하지 않은 채 호흡측정기에 의한 음주측정을 하고 1시간 12분이 경과한 후에야 채혈을 하였다면, 이는 법령에 위배되는 것이다. ( ) **11. 순경, 14. 경찰승진**

Answer 1. × 2. × 3. × 4. × 5. ○ 6. × 7. × 8. ×

09 음주운전을 목격한 피해자가 있는 상황에서 경찰관이 음주운전 종료시부터 약 2시간 후, 집에 있던 피고인을 임의동행하여 음주측정을 요구하였고, 음주측정 요구 당시에도 피고인은 상당히 술에 취한 것으로 보이는 상황이었다면 그 음주측정 요구는 적법하다. ( ) 10·14. 경찰승진

10 경찰관이 술에 취한 상태에서 자동차를 운전한 것으로 보이는 피고인을 경찰관직무집행법 제4조 제1항에 따른 보호조치 대상자로 보아 경찰서 지구대로 데려온 직후 3회에 걸쳐 음주측정을 요구한 것은 적법한 음주측정요구에 해당한다. ( ) 15. 순경 2차

11 도로교통법의 음주측정불응죄를 근거로 영장없이 호흡측정기에 의해 음주측정을 하는 것은 강제수사에 해당하는 것으로 영장주의에 반한다. ( ) 15. 순경 2차

12 화물차 운전자인 피고인이 경찰의 음주단속에 불응하고 도주하였다가 다른 차량에 막혀 더 이상 진행하지 못하게 되자 운전석에서 내려 다시 도주하려다 경찰관에게 검거되어 지구대로 보호조치된 후 음주측정요구를 거부하였다고 하여 음주측정거부로 기소된 사안에서, 피고인을 지구대로 데려간 행위를 적법한 보호조치라고 할 수 있고, 음주측정요구에 불응하였다면 음주측정불응죄로 처벌할 수 있다. ( ) 16. 경찰간부

13 음주운전과 관련한 도로교통법 위반죄의 범죄수사를 위하여 미성년자인 피의자의 혈액채취가 필요한 경우에 피의자 의사능력유무와 관계 없이 미성년자인 피의자를 대리하여 채혈에 관해 동의할 수 있다. ( ) 16. 경찰간부, 17. 경찰승진, 18. 순경 3차, 20. 9급 법원직, 21. 순경 2차, 22·24. 7급 국가직

14 특별한 이유 없이 호흡측정기에 의한 측정에 불응하는 운전자에게 경찰공무원이 혈액채취에 의한 측정방법이 있음을 고지하고 그 선택 여부를 물어야 할 의무가 있다고는 할 수 없다. ( ) 14. 경찰승진

15 호흡측정기에 의한 음주측정치와 혈액검사에 의한 음주측정치가 다른 경우에 혈액검사에 의한 음주측정치가 호흡측정기에 의한 음주측정치보다 측정 당시의 혈중알코올농도에 더 근접한 음주측정치라고 보는 것이 경험칙에 부합한다. ( ) 11. 순경

16 역추산 방식에 의하여 운전시점 이후의 혈중알코올분해량을 가산함에 있어서 시간당 0.008%는 피고인에게 가장 유리한 수치이기는 하나 개인적인 차이를 무시한 것이므로, 이 수치를 적용하여 산출된 결과는 운전 당시의 혈중알코올농도를 증명하는 자료로서 증명력이 불충분하다. ( ) 10. 경찰승진

17 범의를 가지지 아니한 자에 대하여 수사기관이 사술이나 계략 등을 써서 범의를 유발케 하여 범죄인을 검거하는 함정수사는 위법함을 면할 수 없고, 이러한 함정수사에 기한 공소제기는 그 절차가 법률의 규정에 위반하여 무효인 때에 해당한다고 볼 것이므로, 법원은 무죄판결을 하여야 한다. ( ) 16. 순경 2차, 17. 변호사시험·해경간부, 18. 9급 검찰·마약·교정·보호·철도경찰·경찰간부, 17·18. 수사경과, 20. 9급 교정·보호·철도경찰, 21. 7급 국가직, 14·15·17·23. 경찰승진, 25. 소방간부

Answer 9. ○ 10. ○ 11. × 12. × 13. × 14. ○ 15. ○ 16. × 17. ×

18 범의를 가진 자에 대하여 범행의 기회를 주거나 범행을 용이하게 한 것에 불과한 경우에는 함정수사라고 말할 수 없다. ( ) 11. 순경, 15. 경찰승진, 16. 순경 2차

19 경찰관들이 손님을 가장하고 들어가 도우미를 불러줄 것을 요구하여 노래방 업주가 도우미를 불러낸 경우, 비록 도우미알선 영업에 대한 제보나 첩보가 없고 경찰관이 단속 실적을 올리기 위한 것이라 하더라도 노래방 업주가 도우미를 불러주었으므로 함정수사에 해당하지 아니한다. ( )

11·15. 순경 2차, 12. 9급 국가직, 10·16. 경찰승진, 16. 경찰간부·7급 국가직, 18. 9급 검찰·마약·교정·보호·철도경찰

20 수사기관과 직접 관련이 있는 유인자가 피유인자와의 개인적인 친밀관계를 이용하여 피유인자의 동정심이나 감정에 호소하거나, 금전적·심리적 압박이나 위협 등을 가하거나, 거절하기 힘든 유혹을 하거나, 또는 범행방법을 구체적으로 제시하고 범행에 사용될 금전까지 제공하는 등으로 과도하게 개입함으로써 피유인자로 하여금 범의를 일으키게 하는 것은 위법한 함정수사에 해당한다. ( ) 11. 경찰승진, 22. 순경 1차, 25. 변호사시험

21 경찰관이 취객을 상대로 한 이른바 부축빼기 절도범을 단속하기 위하여 공원 인도에 쓰러져 있는 취객 근처에서 감시하고 있다가, 마침 피고인이 나타나 취객을 부축하여 10m 정도 끌고 가 지갑을 뒤지자 현장에서 체포하여 기소한 경우, 위법한 함정수사라고 볼 수 있다. ( )

14. 순경 1차, 16. 7급 국가직·순경 2차, 16·18. 경찰간부, 11·14·16·17·21. 경찰승진

22 유인자가 수사기관과 직접적인 관련을 맺지 아니한 상태에서, 피유인자를 상대로 단순히 수차례 반복적으로 범행을 교사하였을 뿐, 수사기관이 사술이나 계략 등을 사용하였다고 볼 수 없는 경우는, 설령 그로 인하여 피유인자의 범의가 유발되었다 하더라도 위법한 함정수사에 해당하지 아니한다. ( ) 10. 순경 2차, 11. 순경 1차, 14. 변호사시험, 17·18. 경찰간부, 14·16·17·21·23. 경찰승진, 24. 7급 국가직

23 甲이 수사기관에 체포된 동거남의 석방을 위한 공적을 쌓기 위하여 乙에게 필로폰 밀수입에 관한 정보제공을 부탁하면서 대가의 지급을 약속하고, 이에 乙이 丙에게, 丙은 丁에게 순차 필로폰 밀수입을 권유하여, 이를 승낙하고 필로폰을 받으러 나온 丁을 체포한 경우, 乙, 丙 등이 각자의 사적인 동기에 기하여 수사기관과 직접적인 관련이 없이 독자적으로 丁을 유인한 것으로서 위법한 함정수사에 해당하지 않는다. ( ) 16. 경찰간부·7급 국가직, 11·22. 순경 2차

24 수사기관이 피고인의 범죄사실을 인지하고도 피고인을 바로 체포하지 않고 추가 범행을 지켜보고 있다가 범죄사실이 많이 늘어난 뒤에야 피고인을 체포하였다면, 피고인에 대한 수사와 공소제기가 위법하다 할 것이므로 함정수사에 해당한다. ( )

18. 경찰간부, 10·11·14·17·21. 경찰승진, 15·16·17·20. 수사경과, 22. 해경간부

25 피고인의 뇌물수수가 공여자들의 함정교사에 의한 것이기는 하나, 뇌물공여자들에게 피고인을 함정에 빠뜨릴 의사만 있었고 뇌물공여의 의사가 전혀 없었다고 보기 어려울 뿐 아니라, 뇌물공여자들의 함정교사라는 사정은 피고인의 책임을 면하게 하는 사유가 될 수 없다. ( )

14. 순경 1차, 16. 경찰승진

Answer 18. ○ 19. × 20. ○ 21. × 22. ○ 23. ○ 24. × 25. ○

26 이미 범행을 저지른 피고인을 검거하기 위하여 수사기관이 정보원을 이용하여 피고인을 검거장소로 유인한 것에 불과한 경우는 함정수사에 해당하지 아니한다. ( )

16 · 17. 경찰간부, 22. 7급 국가직 · 순경 2차, 21 · 23. 경찰승진

27 甲이 2005. 5. 25. 乙에게 필로폰 약 0.03g이 든 1회용 주사기를 교부하고, 같은 달 28. 18 : 00 무렵 필로폰 약 0.03g을 1회용 주사기에 넣고 생수로 희석한 다음 자신의 팔에 주사하여 투약하였는바, 乙이 위 사실을 검찰에 신고하여 甲이 체포되도록 하였더라도 甲의 필로폰 투약 등이 함정수사에 의한 것이라고 할 수 없다. ( ) 11. 경찰승진

제2절 수사기관과 피의자

1 경무관, 총경, 경정, 경감, 경위는 사법경찰관으로서 모든 수사에 관하여 검사의 지휘를 받아야 한다. ( ) 21. 해경

2 형사소송법 제197조의 2 제2항(검사의 보완수사요구)에 따른 '정당한 이유의 유무'에 대하여 이견이 있어 협의를 요청받은 검사는 이에 응하지 않을 수 있으며, 이 경우에는 해당 검사가 소속된 검찰청의 장과 해당 사법경찰관이 소속된 경찰관서의 장의 협의에 따른다. ( )

22. 경찰승진, 23. 해경승진

3 검사는 사법경찰관리의 수사과정에서 법령위반, 인권침해 또는 현저한 수사권 남용이 의심되는 사실의 신고가 있거나 그러한 사실을 인식하게 된 경우에는 사법경찰관에게 사건기록 등본의 송부를 요구할 수 있다. ( ) 22. 소방간부, 23. 해경승진, 21 · 24. 순경 2차

4 검사는 송치사건의 공소제기 여부 결정 또는 공소의 유지에 관하여 필요한 경우, 사법경찰관이 신청한 영장의 청구 여부 결정에 관하여 필요한 경우에 사법경찰관에게 보완수사를 요구할 수 있다. ( ) 20 · 21. 해경, 21. 해경승진

5 사법경찰관은 형사소송법 제197조의 2 제1항에 따른 검사의 보완수사의 요구가 있는 때에는 정당한 이유가 없는 한 지체 없이 이를 이행하고, 그 결과를 검사에게 통보하여야 한다. ( )

22. 경찰승진

6 사법경찰관은 (고소 · 고발사건을 포함)범죄를 수사한 때에 범죄혐의가 있다고 인정되지 않는 경우에는 그 이유를 명시한 서면과 함께 관계 서류와 증거물을 지체 없이 검사에게 송부하여야 한다. 이 경우 검사는 송부받은 날부터 60일 이내에 사법경찰관에게 반환하여야 한다. ( )

21. 순경 1차 · 2차 · 7급 국가직

7 사법경찰관은 재수사 요청이 있는 때에는 사건을 재수사할 수 있다. ( )

21. 순경 2차, 22. 소방간부

Answer 26. ○ 27. ○ / 1. × 2. × 3. ○ 4. ○ 5. ○ 6. × 7. ×

8 검사는 사법경찰관이 기존의 불송치결정을 유지하는 경우 재수사 결과를 통보한 사건에 대해서 다시 재수사를 요청을 하거나 송치 요구를 할 수 있다. ( ) 22. 경찰간부

9 검사는 사법경찰관과 동일한 범죄사실을 수사하게 된 때에는 사법경찰관에게 사건을 송치할 것을 요구할 수 있다. ( ) 21. 7급 국가직, 23. 경찰승진

10 검사가 사법경찰관이 신청한 영장을 정당한 이유 없이 판사에게 청구하지 아니한 경우 사법경찰관은 그 검사 소속의 지방검찰청에 영장청구 여부에 대한 심의를 신청할 수 있다. ( )
21. 순경 2차 · 해경승진 · 7급 국가직 · 해경

11 검사는 사법경찰관과 동일한 범죄사실을 수사하게 된 때에는 사법경찰관에게 사건을 송치할 것을 요구할 수 있으며 송치요구를 받은 사법경찰관은 지체 없이 검사에게 사건을 송치하여야 하나, 검사가 영장을 청구하기 전에 동일한 범죄사실에 관하여 사법경찰관이 영장을 신청한 경우에는 해당 영장에 기재된 범죄사실을 계속 수사할 수 있다. ( )
21. 순경 2차, 23. 해경승진, 24. 경찰간부

12 검사 및 사법경찰관리와 그 밖에 수사에 관계있는 자는 수사과정에서 수사와 관련하여 작성하거나 취득한 서류 또는 물건에 대하여 중요목록을 작성하여야 한다. ( )
12. 9급 교정 · 보호 · 철도경찰 14. 경찰승진, 20. 순경 2차, 24. 해경승진

13 수사상 증인신문청구권은 피의자의 권리이다. ( ) 12. 경찰간부, 16. 경찰승진

14 사법경찰관으로부터 불송치 통지를 받은 고소인 · 고발인은 해당 사법경찰관의 소속관서의 장에게 이의를 신청할 수 있다. ( ) 23. 경찰승진

제3절 수사의 개시

1 진정 · 자수 · 범죄신고는 타인의 체험에 의한 수사단서이나, 불심검문은 수사기관 자신의 체험에 의한 수사단서이다. ( ) 15. 경찰승진

2 정지한 장소에서 질문함이 당해인에게 불리하거나, 교통에 방해가 된다고 인정되는 때에 한하여 부근의 경찰서 등에 동행을 요구할 수 있다. ( )
11. 경찰승진, 14. 9급 교정 · 보호 · 철도경찰, 16. 순경 2차

3 불심검문대상자 해당 여부를 판단할 때에는 불심검문 당시의 구체적 상황은 물론 사전에 얻은 정보나 전문적 지식 등에 기초하여 불심검문대상자인지를 객관적 · 합리적인 기준에 따라 판단하여야 하나, 반드시 불심검문대상자에게 형사소송법상 체포나 구속에 이를 정도의 혐의가 있을 것을 요한다고 할 수는 없다. ( )
17 · 21 · 22 · 23. 경찰승진, 23. 순경 1차, 15 · 24. 9급 교정 · 보호 · 철도경찰, 24. 해경간부, 25. 소방간부

Answer 8. × 9. ○ 10. × 11. ○ 12. × 13. × 14. × / 1. ○ 2. ○ 3. ○

4 불심검문을 하게 된 경위, 불심검문 당시의 현장상황과 검문을 하는 경찰관들의 복장, 피고인이 공무원증 제시나 신분 확인을 요구하였는지 여부 등을 종합적으로 고려하여, 검문하는 사람이 경찰관이고 검문하는 이유가 범죄행위에 관한 것임을 피고인이 충분히 알고 있었다고 보이는 경우에는 신분증을 제시하지 않았다고 하여 그 불심검문이 위법한 공무집행이라고 할 수 없다. ( )

17 · 18 · 20 · 22. 경찰승진, 21 · 23. 경찰간부, 23. 순경 1차, 24. 해경간부, 21 · 25. 소방간부

5 동행을 한 경우에 경찰관은 상대방을 6시간까지 구금할 수 있다. ( ) 13. 9급 검찰 · 마약수사, 15 · 17. 경찰승진, 16 · 18 · 20. 수사경과, 14 · 21. 경찰간부, 24. 9급 교정 · 보호 · 철도경찰, 25. 소방간부

6 동행 후에는 경찰관은 동행한 사람의 가족이나 친지 등에게 동행한 경찰관의 신분, 동행장소, 동행목적과 이유를 알리거나 본인으로 하여금 즉시 연락할 기회를 주어야 하나, 변호인의 조력을 받을 권리가 있음을 알려야 할 필요는 없다. ( ) 14. 9급 교정 · 보호 · 철도경찰, 16. 순경 2차

7 경찰관은 불심검문을 위하여 질문을 할 때에는 흉기의 소지 여부를 조사할 수 있고, 동행을 요구할 때에는 경찰장구를 사용할 수 있다. ( ) 13. 9급 검찰 · 마약수사, 15. 경찰승진

8 수사기관은 변사자검시로 범죄혐의를 인정하고 긴급을 요할 때에도 영장이 있어야만 검증을 할 수 있다. ( ) 14 · 16. 경찰승진

9 고소는 범인처벌을 구하는 의사표시이어야 하므로 단순히 도난신고나 피해전말서 제출만으로는 고소가 아니다. ( ) 15. 경찰승진, 15 · 16. 9급 교정 · 보호 · 철도경찰

10 형사소송법 제230조 제1항 본문은 "친고죄에 대하여는 범인을 알게 된 날로부터 6월을 경과하면 고소하지 못한다."고 규정하고 있는바, 여기서 범인을 알게 된다 함은 통상인의 입장에서 보아 고소권자가 고소를 할 수 있을 정도로 범죄사실과 범인을 아는 것을 의미하고, 범죄사실을 안다는 것은 고소권자가 친고죄에 해당하는 범죄의 피해가 있었다는 사실관계에 관하여 확정적인 인식이 있음을 말하는 것이 아니다. ( ) 12. 순경 2차, 18. 경찰간부, 20. 7급 국가직

11 고소권자는 처벌의사를 표시할 능력, 즉 고소능력이 있어야 한다. 고소능력은 피해를 입은 사실을 이해하고 고소에 따른 사회생활상의 이해관계를 알아차릴 수 있는 사실상의 의사능력으로서 민법상 행위능력과 구별된다. ( )

13. 9급 법원직, 14. 9급 검찰 · 마약수사, 17. 경찰간부, 20. 순경 1차, 17 · 21 · 22 · 23. 경찰승진

12 사돈지간인 자를 기망하여 재물을 편취한 경우에 사돈은 민법상 친족으로 볼 수 없으므로 친족상도례를 적용할 수 없다. ( ) 12. 경찰승진

13 고소가 없거나 고소가 취소되었음에도 친고죄로 기소되었다가 그 후 비친고죄로 공소장변경이 허용된 경우 그 공소제기의 흠은 치유된다. ( ) 14. 9급 법원직

14 친고죄에 있어 행위자의 범죄에 대한 고소가 있으면 양벌규정에 의하여 처벌받는 자에 대하여 별도의 고소를 필요로 하지 않는다. ( ) 11. 7급 국가직, 15. 경찰승진

Answer 4. ○ 5. × 6. × 7. × 8. × 9. ○ 10. × 11. ○ 12. ○ 13. ○ 14. ○

15 법정대리인은 피해자의 고소권 소멸 여부에 관계없이 고소할 수 있고 피해자의 명시한 의사에 반하여도 행사할 수 있다. ( )
09·10·22. 경찰승진, 12·17·19·22. 경찰간부, 21. 변호사시험, 22. 해경간부, 24. 7급 검찰, 25. 경찰대편입

16 피해자의 법정대리인이 피의자이거나, 피해자의 법정대리인의 친족이 피의자인 때에는 피해자의 친족은 독립하여 고소할 수 있다. ( ) 12. 순경 3차, 09·16. 경찰승진, 17. 경찰간부

17 피해자가 사망한 때에는 그 배우자, 직계친족 또는 형제자매는 피해자의 명시적인 의사에 반하지 아니하는 범위 내에서 고소할 수 있다. ( ) 07. 9급 법원직, 09. 경찰승진

18 친고죄의 경우에 고소권자가 없는 때에는 이해관계인의 신청이 있으면 검사는 7일 이내에 고소할 수 있는 자를 지정하여야 한다. ( ) 14. 순경 2차, 16. 경찰승진, 18. 수사경과, 21. 해경, 24. 7급 국가직

19 법원이 선임한 부재자 재산관리인이 그 관리대상인 부재자의 재산에 대한 범죄행위에 관하여 법원으로부터 고소권 행사에 관한 허가를 얻은 경우라도 부재자 재산관리인은 형사소송법 제225조 제1항에서 정한 법정대리인으로서 적법한 고소권자에 해당하지 아니한다. ( )
23. 9급 법원직, 24. 경찰간부

20 범행 당시 피해자가 11세에 불과하여 고소능력이 없었다가 고소 당시에 비로소 고소능력이 생겼다면 그 고소기간은 고소능력이 생긴 때로부터 기산되어야 한다. ( )
10. 순경, 22. 순경 2차, 07·24. 7급 검찰

21 고소는 서면 뿐만 아니라 구술에 의해서도 가능하고, 다만, 구술에 의한 고소를 받은 검사 또는 사법경찰관은 조서를 작성하여야 하지만 고소조서는 반드시 독립된 조서일 필요는 없다. ( )
12. 순경 1차, 14. 순경 2차

22 수사기관이 고소권자를 참고인으로 신문하여 조사하는 과정에서 고소권자가 처벌을 희망하는 의사표시를 하여 이를 참고인 진술조서에 기재한 경우도 유효한 고소이다. ( )
12. 순경 1차, 20·22. 9급 검찰·마약·교정·보호·철도경찰, 22. 9급 법원직, 18·22. 경찰승진, 25. 경찰대편입

23 대리인에 의한 고소의 경우 구술에 의한 방식으로 고소할 수 없으며, 대리권이 정당한 고소권자에 의하여 수여되었음이 반드시 위임장이나 대리의 표시를 통해 증명되어야 한다(판례에 의함). ( ) 11. 9급 법원직, 12. 순경, 15. 7급 국가직, 17. 순경 2차, 18·20. 순경 1차, 11·23. 경찰승진

24 형사소송법은 고소의 주관적 불가분원칙만 규정하고 있다. ( ) 09. 7급 국가직, 13. 경찰승진

25 1개의 문서로 甲·乙·丙을 모욕한 경우 甲의 고소는 乙·丙에 대한 범죄사실에는 효력이 없다. ( ) 09. 순경, 10. 경찰승진

26 동일 피해자에 대한 2개 이상의 죄가 친고죄와 비친고죄의 상상적 경합인 경우에 비친고죄에 대한 고소나 취소는 친고죄에 대하여 효력이 없다. ( ) 04. 여경, 09. 7급 국가직, 10. 경찰승진

Answer 15. ○ 16. ○ 17. ○ 18. × 19. × 20. ○ 21. ○ 22. ○ 23. × 24. ○ 25. ○ 26. ○

27 수죄 중 일부만이 친고죄일 때 친고죄 부분에 대하여 고소가 없거나 취소된 경우 친고죄가 중한 죄라도 경한 비친고죄의 처벌에 영향을 미치지 아니한다. ( ) 15. 9급 교정 · 보호 · 철도경찰

28 친고죄의 공범 중 1인 또는 수인에 대한 고소 또는 고소의 취소는 다른 공범자에 대하여도 효력이 있다. ( ) 12. 순경, 11 · 15. 9급 법원직, 16. 경찰승진, 18. 순경 1차

29 고소불가분의 원칙상 공범 중 일부에 대하여만 처벌을 구하고 나머지에 대하여는 처벌을 원하지 않는 내용의 고소는 적법한 고소라고 할 수 없다. ( ) 16. 경찰승진

30 친고죄의 공범 중 일부에 대하여만 처벌을 구하고 나머지에 대하여는 처벌불원의 의사를 표시한 고소에 대하여 공소기각결정을 하여야 한다. ( ) 12. 9급 검찰 · 마약 · 교정 · 보호 · 철도경찰

31 친고죄 신분자에 대한 고소취소는 비신분자에게 효력이 없다. ( ) 02 · 03. 행시, 04. 순경, 10 · 11 · 13 · 16. 경찰승진, 12. 9급 검찰

32 세무공무원의 고발이 있어야 공소제기할 수 있는 조세범처벌법위반죄에 대하여 고발을 받아 수사한 검사가 불기소처분을 하였다가 나중에 공소제기를 하는 경우에는 세무공무원 등의 새로운 고발이 있어야 하는 것은 아니다. ( ) 14. 변호사시험, 18. 경찰간부, 22. 7급 국가직

33 고소불가분의 원칙은 반의사불벌죄에 그 적용이 없다. ( ) 11 · 12. 순경 2차, 12. 9급 국가직, 14. 9급 검찰 · 마약수사, 18 · 19. 경찰간부, 15 · 24. 9급 법원직, 24. 순경 1차 · 9급 검찰 · 마약 · 교정 · 보호 · 철도경찰

34 고소주관적 불가분의 원칙을 규정하고 있는 형사소송법 제233조는 반의사불벌죄에는 준용되지 않으나, 공정거래위원회의 고발에는 유추적용된다. ( ) 18. 경찰간부, 21. 순경 1차, 13 · 24. 경찰승진, 24. 9급 법원직

35 고소는 제1심판결 선고 전까지 취소할 수 있다. ( ) 10. 7급 국가직, 13. 9급 검찰, 16. 경찰승진

36 항소심에서 공소장의 변경에 의하여 친고죄가 아닌 범죄를 친고죄로 인정하였더라도 항소심을 제1심이라 할 수는 없는 것이므로, 항소심에 이르러 비로소 고소인이 고소를 취소하였다면 이는 친고죄에 대한 고소취소로서의 효력은 없다. ( ) 15 · 18 · 21. 순경 1차, 21. 변호사시험, 10 · 12 · 18 · 22. 경찰승진, 22. 해경간부, 12 · 20 · 23. 9급 법원직, 24. 소방간부, 25. 변호사시험

37 항소심에서 제1심 공소기각판결을 파기하고 사건을 제1심법원에 다시 환송한 경우, 이미 제1심판결이 선고된 이상 파기환송 후 다시 진행된 제1심 절차에서 고소취소는 허용되지 않는다. ( ) 12. 9급 법원직 · 순경 2차, 13. 9급 교정 · 보호 · 철도경찰

38 반의사불벌죄에서 피해자가 사망하여 직접 처벌희망 또는 처벌불원의 의사표시를 할 수 없는 경우, 제1심판결 선고 전에 피해자의 상속인이 피해자를 대신하여 처벌불원의 의사표시를 할 수 있다. ( ) 16. 9급 교정 · 보호 · 철도경찰, 17. 순경 2차, 18. 순경 1차, 19. 경찰승진

39 반의사불벌죄 사건에 있어서 처벌을 희망하는 의사표시의 철회에 관하여도 고소의 취소에 관한 규정이 준용된다. ( ) 07 · 11. 9급 법원직, 10. 7급 국가직, 13. 9급 검찰

Answer 27. ○ 28. ○ 29. ○ 30. × 31. ○ 32. ○ 33. ○ 34. × 35. ○ 36. ○ 37. × 38. × 39. ○

40 항소심에서 반의사불벌죄가 아닌 죄가 반의사불벌죄로 공소장변경이 된 경우, 피해자가 항소심에서 그 처벌을 희망하는 의사를 철회할 수 있다. ( ) 11·12·20. 9급 법원직, 12. 경찰간부, 13. 9급 검찰·마약수사, 15. 순경 1차, 10·12·18. 경찰승진, 18. 순경 3차, 21. 변호사시험, 24. 소방간부

41 반의사불벌죄에 있어서 피해자의 피고인 또는 피의자에 대한 처벌을 희망하지 않는다는 의사표시 또는 처벌을 희망하는 의사표시의 철회는 의사능력이 있는 미성년자인 피해자가 단독으로 이를 할 수 있고, 법정대리인의 동의나 법정대리인에 의해 대리되어야 할 필요는 없다. ( ) 15. 순경 1차, 19·22. 경찰승진, 20. 7급 국가직·9급 법원직·순경 2차, 22. 해경간부

42 친고죄의 공범인 甲, 乙 중 甲에 대하여 제1심판결이 선고되었더라도 제1심판결 선고 전의 乙에 대하여는 그 고소를 취소할 수 있고, 그 고소취소의 효력은 제1심판결 전의 乙에게만 미친다. ( ) 16. 순경 1차, 18. 9급 법원직, 18·22. 변호사시험, 22. 해경간부, 16·23. 경찰승진, 20·23. 해경, 24. 소방간부·9급 검찰·마약·교정·보호·철도경찰·7급 국가직

43 피해자가 제1심 법정에서 피고인들에 대한 처벌희망 의사표시를 철회할 당시 나이가 14세 10개월이었더라도 그 철회의 의사표시가 의사능력이 있는 상태에서 행해졌다면 법정대리인의 동의가 없었더라도 유효하다. ( ) 14. 변호사시험, 19. 경찰간부, 21. 경찰승진, 22. 해경간부, 12·24. 9급 법원직

44 고유의 고소권자(피해자)가 행한 고소는 대리권에 근거한 고소권자(예 피해자의 父)가 취소할 수 없다. ( ) 03. 순경, 07. 9급 법원직

45 피해자가 당사자 간의 원만한 합의로 민·형사상의 문제를 일체 거론하지 않기로 화해되었다는 취지의 합의서를 작성해 주고 관대한 처분을 바란다는 취지의 탄원서를 법원에 제출한 경우에는 고소의 취소가 있은 것으로 보아야 한다. ( ) 02. 7급 검찰, 03. 순경

46 "피의자들의 처벌을 원하는가요?"라는 물음에 대하여 "법대로 처벌하여 주시기 바랍니다."로 되어 있고, 이어서 "더 할 말이 있는가요?"라는 물음에 대하여 "젊은 사람들이니 한번 기회를 주시면 감사하겠습니다."로 기재되어 있었다면, 고소를 취소한 것으로 볼 수 있다. ( ) 09·19. 경찰승진

47 공범자의 1인 또는 수인에 대한 고소의 취소는 다른 공범자에 대해서도 효력이 있다. ( ) 06. 9급 교정직, 16. 경찰승진

48 피해자가 고소 이전에 이미 피고인과 원만히 합의하면서 향후 피고인을 상대로 민·형사상 어떠한 이의도 제기하지 않기로 약정함으로써 고소권 포기의 의사를 표시한 이상 그 이후 수사기관에 고소장을 제출하여 피고인의 처벌을 희망하는 의사를 분명히 표시하였더라도 적법한 고소로서의 효력이 없다. ( ) 03. 법원사무관, 07. 9급 법원직, 11. 경찰승진

49 공무원이라도 직무집행과 관련 없이 우연히 발견한 범죄는 고발의무가 없다. ( ) 11. 경찰승진

50 조세범처벌법 위반죄에 관하여 일단 불기소처분이 있었더라도 세무공무원 등이 종전에 한 고발은 여전히 유효하므로 나중에 공소를 제기함에 있어 새로운 고발은 불필요하다. ( ) 12. 경찰간부, 14. 변호사시험, 20. 순경 2차, 21·24. 경찰승진

Answer 40. × 41. ○ 42. × 43. ○ 44. ○ 45. ○ 46. × 47. ○ 48. × 49. ○ 50. ○

51 동일한 부가가치세의 과세기간 내에 행하여진 조세포탈기간이나 포탈액수의 일부에 대한 조세포탈죄의 고발이 있는 경우 그 고발의 효력은 그 과세기간 내의 조세포탈기간 및 포탈액수 전부에 미친다. ( ) 10. 순경 2차, 21. 경찰승진

52 신문지상에 혐의사실이 보도되기 시작하였는데도 자진출석하여 담당 검사에게 전화를 걸어 조사를 받게 해달라고 요청하여 출석시간을 지정받은 다음 자진출석하여 혐의사실을 모두 인정하는 내용의 진술서를 작성한 경우 자수한 것으로 보아야 한다. ( ) 11. 경찰승진

53 세관 검색시 금속탐지기에 의해 대마 휴대 사실이 발각될 상황에서 세관 검색원의 추궁에 의하여 대마 수입 범행을 시인한 경우, 자수에 해당한다. ( ) 11. 경찰승진

54 범인이 수개의 범죄사실 중의 일부라도 수사기관에 자진 신고한 이상, 그 동기가 투명치 않고 그후 공범을 두둔하였다면 그 자수한 부분 범죄사실에 대하여는 자수의 효력이 없다. ( ) 10. 경찰승진

55 제3자에게 자수의사를 전달하여 달라고 한 것만으로는 자수라고 할 수 없다. ( ) 03. 순경

제4절 임의수사

1 수사는 원칙적으로 임의수사에 의하고, 강제수사는 법률에 규정된 경우에 한하여 예외적으로 허용된다. ( ) 10 · 14 · 16 · 23. 경찰승진

2 사법경찰관이 법관에게 영장을 청구할 수 있도록 하기 위해서는 헌법개정이 필요하다. ( ) 11. 경찰승진

3 마약류사범인 청구인에게 마약류반응검사를 위하여 소변을 받아 제출하도록 한 것은 교도소의 안전과 질서유지를 위한 것으로 수사에 필요한 처분이 아닐 뿐만 아니라 검사대상자들의 협력이 필수적이어서 강제처분이라고 할 수도 없어 영장주의의 원칙이 적용되지 않는다. ( ) 11 · 13. 9급 법원직

4 헌법 제12조 제3항에 규정된 영장주의는 구속의 개시시점뿐만 아니라 구속영장의 취소 또는 실효의 여부도 법관의 판단에 의하여 결정되어야 한다는 것을 의미한다. ( ) 15. 9급 검찰 · 마약 · 교정 · 보호 · 철도경찰

5 범죄의 피의자로 입건된 사람들에게 경찰공무원이나 검사의 신문을 받으면서 자신의 신원을 밝히지 않고 지문채취에 불응하는 경우 형사처벌을 통하여 지문채취를 강제하는 구 경범죄처벌법 제1조 제42호는 영장주의의 원칙에 위배된다. ( ) 11 · 14. 경찰승진, 13. 9급 법원직

Answer 51. ○ 52. ○ 53. × 54. × 55. ○ / 1. ○ 2. ○ 3. ○ 4. ○ 5. ×

6 임의동행의 경우, 수사관이 동행에 앞서 피의자에게 동행을 거부할 수 있음을 알려 주었거나 동행한 피의자가 언제든지 자유로이 동행과정에서 이탈 또는 동행장소로부터 퇴거할 수 있었음이 인정되는 등 오로지 피의자의 자발적인 의사에 의하여 수사관서 등에의 동행이 이루어졌음이 객관적인 사정에 의하여 명백하게 입증된 경우에 한하여, 그 적법성이 인정된다. ( )
14·16·17. 경찰간부, 16. 7급 국가직, 18. 경찰승진, 21. 소방간부, 16·20·22. 수사경과, 15·16·17·22. 순경 2차

7 사법경찰관이 피고인을 수사관서까지 동행한 것이 사실상의 강제연행, 즉 불법체포에 해당한다면 불법체포로부터 6시간이 경과한 후에 이루어진 긴급체포 또한 위법하며, 법률에 의하여 체포 또는 구금된 자가 아니므로 도주죄의 주체가 될 수 없다. ( )
09. 순경 2차, 15. 변호사시험, 16. 경찰간부, 18. 경찰승진

8 대법원도 거짓말 탐지기에 의한 검사는 피검사자가 동의한 때에만 증거로 할 수 있으며, 다만, 일정한 조건을 구비하여 적법한 것으로 허용된다고 하더라도 공소사실의 존부를 인정하는 직접증거로는 사용할 수 없고, 진실의 신빙성 유무를 판단하는 정황증거로만 사용할 수 있을 뿐이라고 판시하고 있다. ( ) 13. 9급 법원직, 21. 경찰승진

9 판례는 피의자가 수사기관의 출석요구에 응하지 아니하는 경우에 영장에 의한 체포가 가능하다는 이유로 강제수사로 보고 있다. ( ) 12. 순경 1차

10 피의자 출석요구는 반드시 서면의 출석요구서를 발부하는 방식으로 하여야 한다. ( )
17. 경찰간부

11 구속된 피의자가 수사기관의 피의자신문을 위한 출석요구에 불응하면서 조사실에 출석을 거부한 경우에는 구속영장의 효력에 의하여 피의자를 조사실로 구인할 수 있다. ( )
15·19. 변호사시험, 14·21. 순경 2차, 21. 경력채용, 22. 경찰간부·소방간부, 18·22. 순경 1차, 16·21·23. 경찰승진

12 검사 또는 사법경찰관은 피의자를 신문하기 전에 '진술을 거부할 권리를 포기하고 행한 진술은 법정에서 유죄의 증거로 사용되지 아니한다는 것'을 알려주어야 한다. ( ) 09. 순경, 11. 경찰승진

13 피의자신문을 받을 때에는 검사 또는 사법경찰관은 변호인을 참여하게 하는 등 변호인의 조력을 받을 수 있다는 것을 알려주어야 한다. ( ) 09. 순경, 11. 경찰승진, 15. 경찰간부

14 진술거부권을 고지하지 않고 신문한 경우에 그 피의자신문조서는 그 진술에 임의성이 인정된 경우라면 증거능력이 있다. ( ) 09. 9급·7급 국가직, 14. 경찰간부, 11·23. 경찰승진

15 검사가 피고인이 조사를 받고 있던 방으로 와서 피의자신문조서를 손에 든 채 그에게 "이것이 모두 사실이냐?"는 취지로 개괄적으로 질문한 사실이 있을 뿐, 피의사실에 관하여 위 피고인을 직접·개별적으로 신문한 바 없는 경우, 위 피의자신문조서는 검사작성의 피의자신문조서로 볼 수 없으므로, 검사 이외의 수사기관이 작성한 피의자신문조서와 마찬가지로 보아야 한다. ( )
11. 순경 2차, 12. 경찰승진

Answer 6. ○ 7. ○ 8. ○ 9. × 10. × 11. ○ 12. × 13. ○ 14. × 15. ○

16 검사 또는 사법경찰관은 피의자 또는 그 변호인 · 법정대리인 · 배우자 · 직계친족 · 형제자매의 신청에 따라 정당한 사유가 없는 한 변호인을 피의자에 대한 신문에 참여하게 하여야 한다. ( )

10. 순경 · 9급 법원직, 14. 순경 2차, 17 · 18 · 20. 수사경과, 15 · 22. 경찰승진

17 검사가 피의자를 구속 기소한 후 다시 피의자를 소환하여 공범들과의 조직구성 및 활동 등에 관한 신문을 하면서 피의자신문조서가 아닌 일반적인 진술조서의 형식으로 조서를 작성한 사안에서, 미리 피의자에게 진술거부권을 고지하지 않았다면 위법수집증거에 해당하므로, 유죄인정의 증거로 사용할 수 없다. ( )

12. 순경, 16. 순경 2차

18 변호인은 불구속피의자에 대한 피의자신문에도 참여할 수 있다. ( )

15. 9급 검찰 · 마약 · 교정 · 보호 · 철도경찰, 18. 순경 2차, 11 · 21. 경찰승진

19 변호인의 피의자신문 참여권은 피의자의 방어권을 보장하기 위한 본질적 권리로서 어떠한 경우에도 제한할 수 없다. ( )

08. 9급 국가직

20 신문시에 참여하고자 하는 변호인이 2인 이상인 때에는 검사 또는 사법경찰관이 참여할 변호인 1인을 지정하고, 지정이 없는 경우에는 피의자가 직접 지정할 수 있다. ( )

13. 순경 2차 · 9급 법원직, 15. 9급 검찰 · 마약 · 교정 · 보호 · 철도경찰, 18. 경찰간부, 11 · 14 · 16 · 18 · 20. 경찰승진

21 신문에 참여한 변호인은 신문 후 의견을 진술할 수 있다. 다만, 신문 중이더라도 검사 또는 사법경찰관의 승인을 받아 의견을 진술할 수 있으며. 부당한 신문방법에 대하여 검사 또는 사법경찰관의 승인 없이 이의를 제기할 수 있다. ( )

13 · 14. 9급 법원직, 18. 경찰간부, 11 · 14 · 16 · 18. 경찰승진, 12 · 20. 순경 1차, 12 · 21. 순경 2차, 25. 변호사시험

22 참여변호인의 의견이 기재된 피의자신문조서는 변호인에게 열람하게 한 후 변호인으로 하여금 그 조서에 기명날인 또는 서명하게 하여야 한다. ( )

10 · 11. 순경, 14. 9급 법원직, 19. 경찰간부

23 검사 또는 사법경찰관은 변호인의 피의자신문 참여와 그 제한에 관한 사항을 피의자신문조서에 기재할 수 있다. ( )

13. 순경 2차, 14. 경찰승진, 18. 순경 3차, 18 · 20. 수사경과, 23. 경찰간부

24 검사 또는 사법경찰관의 변호인 참여 등에 관한 처분에 대하여 불복이 있으면 그 직무집행지의 관할법원 또는 검사의 소속검찰청에 대응한 법원에 그 처분의 취소 또는 변경을 청구할 수 있다. ( )

09. 순경, 10. 7급 국가직, 10 · 14 · 18 · 19. 경찰승진, 19. 경찰간부

25 검사 또는 사법경찰관이 피의자를 신문하는 경우 법정대리인의 신청이 없다면 검사 또는 사법경찰관리는 직권으로 신뢰관계자를 동석하게 할 수 없다. ( )

11 · 14. 경찰승진, 18. 경찰간부

26 신뢰관계자는 동석이 허용되더라도 피의자를 대신하여 진술할 수 없다. 만약 동석한 사람이 피의자를 대신하여 진술한 부분이 피의자신문조서에 기재된다면 그 부분은 피의자의 진술을 기재한 것이 아니라, 동석한 사람의 진술을 기재한 조서에 해당한다. ( )

11. 9급 검찰, 17. 순경 1차, 18. 경찰간부, 10 · 13 · 18 · 23. 경찰승진

Answer 16. ○ 17. ○ 18. ○ 19. × 20. × 21. ○ 22. ○ 23. × 24. ○ 25. × 26. ○

27 피의자의 진술은 영상녹화할 수 있다. 이 경우 미리 영상녹화 사실을 알려주어야 하며, 조사의 개시부터 종료시까지의 전과정 및 객관적 정황을 영상녹화하여야 한다. ( )

10. 교정특채, 15·16. 경찰승진, 19. 순경 1차·9급 교정·보호·철도경찰

28 사법경찰관이 피의자에 대한 조사과정을 영상녹화하는 경우 사법경찰관리를 참여하게 하여야 하고, 이때 참여자는 반드시 조사실에 동석하여야 한다. ( ) 11. 경찰승진

29 피의자의 경우 영상녹화사실을 미리 알려주는 것으로 족하며 동의를 받을 필요는 없다. 따라서 거부하더라도 수사기관은 영상녹화가 가능하다. ( ) 12·13. 순경, 18. 순경 3차, 16·18·19. 경찰간부, 13·14·19·20. 경찰승진, 16·18·20. 수사경과, 17·24. 순경 1차, 24. 소방간부

30 영상녹화가 완료된 때에는 피의자 또는 변호인 앞에서 지체 없이 그 원본을 봉인하고 피의자로 하여금 기명날인 또는 서명하게 하여야 한다. ( )

10. 교정특채, 15·16·21. 경찰승진, 22. 해경승진, 24. 순경 2차

31 영상녹화가 완료된 이후 피의자가 영상녹화물의 내용에 대하여 이의를 진술한 때에는 그 진술을 따로 영상녹화하여 첨부하여야 한다. ( ) 09. 7급 국가직, 09·12. 순경, 13·16. 경찰승진, 18. 순경 2차

32 피의자진술에 대한 영상녹화물은 그 자체로 범죄사실을 인정하기 위한 증거로 사용할 수 없다. 또한 피고인의 진술을 탄핵하기 위한 탄핵증거로도 사용이 불가능하다. ( )

08. 순경, 13·18. 경찰간부

33 피고인 또는 피고인 아닌 자의 진술을 내용으로 하는 영상녹화물은 기억을 환기시켜야 할 필요가 있다고 인정되는 때에 한하여 피고인 또는 피고인 아닌 자에게 재생하여 시청하게 할 수 있다. ( ) 13·20. 경찰승진

34 검사 또는 사법경찰관은 피의자가 조사장소에 도착한 시각, 조사를 시작하고 마친 시각, 그 밖에 조사과정의 진행경과를 확인하기 위하여 필요한 사항을 피의자신문조서에 기록하거나 별도의 서면에 기록한 후 수사기록에 편철하여야 한다. ( ) 08·12. 9급 국가직, 10·15·20·21·23. 경찰승진

35 검사 또는 사법경찰관은 피의자나 사건관계인에 대해 원칙적으로 오후 9시부터 오전 6시까지 사이에 심야조사를 해서는 안 되지만, 이미 작성된 조서의 열람을 위한 절차는 예외적으로 오후 9시부터 오전 6시까지 사이에 진행할 수 있다. ( ) 22. 경찰승진, 23. 해경승진

36 검사 또는 사법경찰관은 특별한 사정이 없으면 총조사기간 중 식사시간, 휴식시간 및 조서의 열람시간 등을 제외한 실제 조사시간이 12시간을 초과하지 않도록 해야 한다. ( ) 21. 순경 1차

37 참고인에 대한 조서와 조서작성방법은 피의자신문에 준한다. 다만, 참고인에 대해서는 진술거부권을 고지할 필요가 없다. 그러나 참고인조사에서도 고문금지나 진술거부권은 그대로 보장된다. ( ) 01·05·11. 경찰승진, 02. 행시, 13. 순경 2차

Answer 27. ○ 28. ○ 29. ○ 30. ○ 31. × 32. ○ 33. ○ 34. ○ 35. × 36. × 37. ○

38 검사 또는 사법경찰관은 피의자 아닌 자의 진술을 들을 때 그의 동의를 얻어 영상녹화할 수 있다. ( ) 08 · 09. 순경, 10. 교정특채, 11. 14. 경찰승진, 18. 순경 1차

39 특정 성폭력피해자에 대한 영상녹화물에 수록된 피해자의 진술은 피해자나 조사과정에서 동석하였던 신뢰관계자의 법정진술에 의하여 그 성립의 진정함이 인정된 경우에 증거로 할 수 있다. ( ) 14. 경찰간부

40 성폭력피해자에 대한 영상녹화는 피해자 또는 법정대리인이 이를 거부하더라도 반드시 영상녹화하여야 한다. ( ) 15. 경찰승진

41 사법경찰관이 13세 미만의 범죄피해자를 조사하는 경우에 법정대리인의 신청이 있으면 피해자와 신뢰관계에 있는 자의 동석을 거부할 수 없다. ( ) 09. 9급 국가직

42 수사기관은 수사에 관하여 공무소 기타 공·사단체에 조회하여 필요한 사항의 보고를 요구할 수 있다. ( ) 10 · 16. 경찰승진, 17. 순경 2차

43 검사는 공소제기 여부와 관련된 사실관계를 분명하게 하기 위하여 피의자 또는 변호인의 신청이 있는 경우에 한하여 전문수사자문위원을 지정하여 수사절차에 참여하게 하고 자문을 들을 수 있다. ( ) 10. 7급 국가직, 14. 순경 1차

Answer 38. ○ 39. ○ 40. × 41. × 42. ○ 43. ×

CHAPTER 02

강제처분과 강제수사

제1절 서 설

1 자유심증주의, 보석, 재구속·재체포의 제한 등은 인권보장을 위한 사전적 구제제도이다. ( ) 09·11. 경찰승진

2 강제처분에 대한 준항고, 구속취소, 구속집행정지, 형사보상, 구속 전 피의자심문제도 등은 강제처분으로부터 기본권을 보장하기 위한 제도 중 사후적 구제제도에 해당한다. ( ) 07. 경찰승진

제2절 피의자체포

1 경미사건(다액 50만원 이하의 벌금, 구류 또는 과료에 해당하는 사건)의 경우 출석요구에 불응할 우려만으로는 체포영장에 의한 체포가 불가능하다. ( ) 00. 7급 검찰, 22. 순경 2차, 10·16·23. 경찰승진

2 피의자를 체포한 후 그를 다시 구속하고자 할 때에는 체포한 때로부터 48시간 내에 구속영장을 청구하여야 하고 그 기간 내에 구속영장을 청구하지 아니하거나 발부받지 못한 때에는 피의자를 법정기간 내에 석방하여야 한다. ( ) 10. 경찰승진, 13·16. 변호사시험, 17. 순경 1차

3 경찰관들이 체포를 위한 실력행사에 나아가기 전에 체포영장을 제시하고 미란다 원칙을 고지할 여유가 있었음에도 애초부터 미란다 원칙을 체포 후에 고지할 생각으로 먼저 체포행위에 나선 행위는 적법한 공무집행이라고 보기 어렵다. ( ) 18. 순경 2차, 22. 경찰승진

4 체포영장이나 구속영장의 집행시 주거 등에서의 무영장 피의자 수색은 미리 수색영장을 발부받기 어려운 긴급한 사정이 있는 때에 한정한다. ( ) 20. 순경 1차

5 긴급체포의 요건을 갖추었는지 여부는 체포당시의 상황을 기초로 판단하는 것이 아니라 사후에 밝혀진 사정을 기초로 하여 법원이 객관적으로 엄격하게 판단하여야 한다. ( )
17. 경찰간부, 13·18. 순경 1차, 17·20. 순경 2차, 10·14·16·21·22·23. 경찰승진, 25. 소방간부

6 긴급체포는 피의자가 사형·무기 또는 단기 3년 이상의 징역이나 금고에 해당하는 죄를 범하였다고 의심할 만한 상당한 이유가 있어야 한다. ( )
13. 9급 검찰·마약·교정·보호·철도경찰, 14·15. 경찰승진

7 사법경찰관이 피의자를 긴급체포한 경우에는 즉시 긴급체포서를 작성하여야 할 뿐 아니라, 즉시 검사의 승인을 얻어야 한다. ( ) 13. 9급 검찰·마약·교정·보호·철도경찰, 17. 경찰승진

Answer 1. × 2. × / 1. ○ 2. × 3. ○ 4. ○ 5. × 6. × 7. ○

8 긴급체포된 피의자가 소유 · 소지 · 보관한 물건에 대해서는 체포한 때로부터 48시간 이내에 영장 없이 압수 · 수색 · 검증할 수 있다. ( ) 10 · 11. 9급 국가직, 11 · 13 · 14. 경찰승진, 17. 해경, 24. 9급 법원직

9 긴급체포된 자가 소유 · 소지 · 보관한 물건에 대해서는 체포 후 24시간 이내에 영장 없이 압수 · 수색 · 검증할 수 있지만, 압수한 물건을 계속 압수할 필요가 있는 때에는 지체 없이 압수한 때로부터 48시간 이내에 압수영장을 청구하여야 한다. ( )

11 · 13 · 14. 경찰승진, 13 · 14 · 20. 수사경과, 17 · 23. 해경

10 사법경찰관은 긴급체포한 피의자에 대하여 구속영장을 신청하지 아니하고, 석방한 경우에는 석방보고서를 작성하여 즉시 검사에게 보고하여야 한다. ( )

12. 순경 3차, 13. 순경 1차, 10 · 12 · 16 · 18. 경찰승진, 19. 순경 2차, 13 · 14 · 15 · 17. 수사경과, 22. 해경간부

11 검사는 구속영장을 청구하지 아니하고 석방한 경우에는 석방한 날로부터 30일 이내에 서면으로 법원에 통지하여야 하며(긴급체포서 사본 첨부), 긴급체포 후 석방된 자 또는 그 변호인 · 법정대리인 · 배우자 · 직계친족 · 형제자매는 사후에 통지서 및 관련서류를 열람 · 등사할 수 있다. ( ) 11 · 13 · 14. 경찰승진, 17. 9급 교정 · 보호 · 철도경찰, 18. 순경 1차, 19. 경찰간부, 19 · 23. 순경 2차, 23. 7급 국가직

12 구속영장을 청구하지 않고 석방한 경우라면 긴급체포의 요건을 갖출 경우 다시 동일한 범죄사실로 긴급체포하는 것도 가능하다. ( )

14. 9급 법원직, 15. 순경 3차, 12 · 20. 순경 2차 · 교정특채, 13 · 24. 경찰간부, 09 · 11 · 21 · 24. 경찰승진

13 긴급체포가 그 요건을 갖추지 못할 경우, 단순히 체포가 위법함에 그치는 것이 아니라 그 체포에 의한 유치 중에 작성된 피의자신문조서도 특별한 사정이 없는 한 증거능력이 부정된다. ( )

09 · 10 · 13. 순경, 10. 9급 국가직, 11. 9급 검찰, 12. 변호사시험, 10 · 11 · 16. 경찰승진

14 사법경찰관이 피고인을 수사관서까지 동행한 것이 사실상의 강제연행, 즉 불법체포에 해당하고, 불법체포로부터 6시간 상당이 경과한 후에 이루어진 긴급체포 또한 위법하므로 피고인이 불법체포된 자로서 형법 제145조 제1항에 정한 '법률에 의하여 체포 또는 구금된 자'가 아니어서 도주죄의 주체가 될 수 없다. ( ) 10. 경찰승진, 11. 9급 검찰, 13. 순경 2차

15 현행범으로 규정한 "범죄의 실행의 즉후인 자"라고 함은, 범죄의 실행행위를 종료한 직후의 범인이라는 것이 제3자의 입장에서 볼 때 명백한 경우를 일컫는 것이다. ( )

11. 순경 1차, 13. 순경 2차, 12 · 14 · 16. 경찰승진, 18. 7급 국가직, 13 · 14 · 19 · 20. 수사경과, 18 · 20. 경찰간부, 24. 경위공채

16 "범죄의 실행행위를 종료한 직후"라고 함은, 범죄행위를 실행하여 끝마친 순간 또는 이에 아주 접착된 시간적 단계를 의미하는 것으로 해석되므로, 시간적으로나 장소적으로 보아 체포를 당하는 자가 방금 범죄를 실행한 범인이라는 점에 관한 죄증이 명백히 존재하는 것으로 인정되는 경우에만 현행범인으로 볼 수 있는 것이다. ( )

09 · 10. 경찰승진, 10 · 16. 순경 2차, 16. 9급 검찰 · 마약수사 · 7급 국가직, 11 · 16 · 23. 순경 1차

Answer 8. × 9. × 10. ○ 11. ○ 12. × 13. ○ 14. ○ 15. × 16. ○

17 무학여고 앞길에서 싸움을 한 지 10분밖에 지나지 않았고, 체포된 장소도 범행현장에 인접한 위 학교운동장인 경우 현행범체포로서 적법한 공무집행에 해당한다. ( )

09. 순경, 11. 경찰승진·순경 2차, 11·15. 경찰승진, 13·15·18·20. 수사경과, 24. 순경 1차

18 음주운전을 종료한 후 40분 이상이 경과한 시점에서 길가에 앉아 있던 운전자를 술냄새가 난다는 점만을 근거로 음주운전의 현행범으로 체포한 것은 적법한 공무집행으로 볼 수 없다. ( )

15·20. 경찰간부, 14·19·21. 경찰승진, 23. 해경승진

19 교장실에 들어가 약 5분 동안 식칼을 휘두르며 소란을 피우다 부모의 만류로 그만둔 후 40분 정도 지나서 교장실이 아닌 서무실에서 체포하는 것은 현행범체포에 해당한다. ( )

09. 순경 1차, 11. 순경 2차, 16. 경찰간부, 19. 경찰승진

20 순찰 중이던 경찰관이 교통사고를 낸 차량이 도주하였다는 무전연락을 받고 주변을 수색하다가 범퍼 등의 파손상태로 보아 사고차량으로 인정되는 차량에서 내리는 사람을 발견한 경우에 영장 없이 체포할 수 없다. ( ) 11. 순경 2차, 13·14. 7급 국가직, 15·19. 경찰승진, 19. 9급 법원직, 19·21. 경찰간부

21 현행범인체포의 요건으로서는 행위의 가벌성, 범죄의 현행성 및 시간적 접착성, 범인·범죄의 명백성 외에 체포의 필요성, 즉 도망 또는 증거인멸의 염려가 있을 것을 요하지는 않는다는 것이 판례의 입장이다. ( ) 19. 7급 국가직, 16·20. 순경 1차, 15·18·19·20. 수사경과, 10·11·14·16·18·21. 경찰승진, 17·22. 경찰간부, 22. 해경승진, 13·20·24. 순경 2차, 25. 소방간부

22 사법경찰관리가 현행범을 체포할 때에는 일반 시민이 체포한 경우와는 달리 적법절차를 준수하여야 한다. 즉, 피의사실의 요지 및 체포의 이유와 변호인을 선임할 수 있음을 말하고 변명할 기회를 준 후가 아니면 체포할 수 없다. ( )

10·14·16. 순경 2차, 10·15·16. 경찰승진, 16. 7급 국가직·경찰간부

23 일반인이 현행범인을 체포한 경우에는 즉시 검사 또는 사법경찰관리에게 인도하여야 한다. ( ) 13. 경찰간부, 13·14·16. 순경 2차

24 사법경찰관리가 현행범인의 인도를 받은 때에 체포자에게 경찰관서에 동행할 것을 요구할 수 있으나, 체포자의 성명·주거·체포사유를 물을 필요는 없다. ( )

13·14. 순경 2차, 20. 7급 국가직, 22. 수사경과, 11·16·23. 경찰승진

25 수사기관이 아닌 자에 의하여 현행범이 체포된 경우 구속영장의 청구시한인 48시간의 기산점은 신병을 인수(인도)한 때부터이다. ( ) 19. 9급 법원직, 18·20. 수사경과, 18·20·21. 경찰승진, 17·18·19·22. 경찰간부, 22. 해경승진·7급 국가직, 21·23. 순경 2차, 17·24. 순경 1차, 24. 소방간부

26 일반인이 현행범인을 체포한 경우에는 즉시 검사 또는 사법경찰관리에게 인도하여야 하는데, 여기서 '즉시'라고 함은 반드시 체포시점과 시간적으로 밀착된 시점이어야 하는 것은 아니고, '정당한 이유 없이 인도를 지연하거나 체포를 계속하는 등으로 불필요한 지체를 함이 없이'라는 뜻으로 볼 것이다. ( ) 17·21. 순경 1차, 18·20·21. 경찰승진, 16·22. 7급 국가직, 18·19·22. 경찰간부, 22. 해경승진, 16·21·23. 순경 2차, 24. 소방간부

Answer 17. ○ 18. ○ 19. × 20. × 21. × 22. ○ 23. ○ 24. × 25. ○ 26. ○

제3절 피의자와 피고인구속

1 구인한 피고인을 법원에 인치한 경우에 구금할 필요가 없다고 인정한 때에는 인치한 때로부터 48시간 이내에 석방하여야 한다. ( )

16. 순경 2차, 15 · 19. 9급 법원직, 15 · 16 · 19. 순경 1차, 18 · 22. 경찰승진

2 범죄의 중대성, 재범의 위험성, 피해자 및 중요 참고인 등에 대한 위해 우려 등은 독립한 구속사유에 해당한다. ( ) 10. 9급 법원직 · 7급 국가직

3 피고인구속은 검사의 청구 없이 수소법원의 직권으로 발부한다. ( ) 16. 7급 국가직, 17. 경찰간부

4 체포영장을 청구받은 지방법원판사는 체포사유를 판단하기 위하여 피의자를 구인한 후 심문할 수 있다. ( ) 12. 경찰간부, 13. 경찰승진, 17. 수사경과

5 피의자의 의사나 법관의 필요성 판단과 관계없이 판사는 필요적으로 구속 전 피의자심문을 실시한다. ( ) 15. 9급 법원직, 11 · 14 · 22. 경찰승진

6 체포되지 아니한 피의자가 도망하는 등 심문이 불가능한 경우에는 예외적으로 심문을 생략할 수 있다. ( ) 11 · 12 · 15. 순경, 18. 9급 법원직, 20. 경찰승진

7 체포된 피의자의 경우 구속영장을 청구받은 판사는 지체 없이 피의자를 심문하여야 하며, 특별한 사정이 없는 한 구속영장이 청구된 때부터 24시간 이내에 심문하여야 한다. ( )

11. 순경, 15. 순경 1차, 18. 경찰간부, 15 · 18. 순경 2차, 13 · 14 · 19. 경찰승진, 09 · 20. 9급 법원직, 20. 7급 국가직

8 피의자가 심문기일에의 출석을 거부하거나 질병 그 밖의 사유로 출석이 현저하게 곤란하고, 피의자를 심문법정에 인치할 수 없다고 인정되는 때에는 피의자의 출석 없이 심문절차를 진행할 수는 없고, 심문절차를 연기하여야 한다. ( ) 14. 경찰간부, 15. 9급 법원직, 15 · 16 · 17. 경찰승진

9 피의자에 대한 심문절차는 원칙적으로 공개하나 국가의 안전보장 또는 안녕질서를 방해하거나 선량한 풍속을 해할 염려가 있는 때에는 법원의 결정으로 공개하지 아니할 수 있다. ( )

15. 9급 법원직 · 7급 국가직, 11 · 13 · 14 · 15 · 16. 경찰승진, 14 · 15 · 23. 경찰간부

10 구속 전 피의자심문기일에 피의자를 심문하는 경우에 법원사무관 등은 심문의 요지 등을 조서로 작성하여야 한다. ( ) 09. 9급 법원직, 11. 순경 2차, 13. 경찰승진

11 구속 전 피의자심문시 지방법원판사는 심문할 피의자에게 변호인이 없는 때에는 직권으로 변호인을 선정하여야 한다. ( )

11. 순경 1차, 14. 9급 교정 · 보호 · 철도경찰, 09 · 15. 9급 법원직, 11 · 17. 경찰승진, 15 · 23. 경찰간부

12 변호인은 구속영장이 청구된 피의자에 대한 심문이 시작되기 전에 피의자와 접견할 수 있다. ( ) 15. 7급 국가직, 11 · 18. 순경 2차, 19. 경찰승진

Answer 1. × 2. × 3. ○ 4. × 5. ○ 6. ○ 7. × 8. × 9. × 10. ○ 11. ○ 12. ○

13 검사와 변호인은 판사의 심문이 끝난 후 의견을 진술할 수 있다. 다만, 필요한 경우에는 심문 도중에도 판사의 허가를 얻어 의견을 진술할 수 있다. ( )

09. 순경, 11. 순경 2차, 13 · 16. 경찰승진, 14. 경찰간부, 15. 7급 국가직

14 피의자심문을 하는 경우 법원이 구속영장청구서 · 수사관계서류 및 증거물을 접수한 날부터 구속영장을 발부하여 검찰청에 반환한 날까지의 기간은 검사와 사법경찰관의 구속기간에 산입하지 아니한다. ( ) 12. 순경 2차, 15 · 17 · 20. 경찰승진, 20. 순경 1차 · 9급 법원직, 13 · 22. 경찰간부

15 피의자 구속영장을 발부한 결정이나 기각한 결정에 대하여 불복방법이 없다는 것이 판례의 입장이다. ( ) 10. 순경 · 9급 국가직, 13. 7급 국가직, 15. 순경 2차 · 경찰간부, 10 · 17 · 18. 경찰승진

16 구속을 계속할 필요가 있는 경우에는 심급마다 2개월 단위로 2차에 한하여 결정으로 갱신할 수 있다. 다만, 상소심은 부득이한 경우에 3차에 한하여 갱신할 수 있다. ( )

11 · 12. 순경, 13. 9급 법원직, 18. 경찰간부 · 경찰승진

17 형사소송법상 피고인구속기간은 '법원이 구속사건을 심리할 수 있는 기간'을 의미한다고 볼 수 있다. ( ) 10 · 11. 14. 경찰승진

18 구속피고인에 대한 감정유치기간(제172조)과 기피신청기간(제22조), 공소장변경(제298조 제4항), 피고인의 심신상실과 질병(제306조 제1항 · 제2항) 등으로 공판절차가 정지된 기간 및 공소제기 전의 체포, 구인, 구금기간은 피고인구속기간에 산입되지 아니한다. ( )

10. 순경 · 9급 국가직 · 7급 국가직, 19. 경찰승진, 22 · 23. 해경승진, 24. 소방간부

19 구속기간연장 허가결정이 있는 경우에 그 연장기간은 결정이 있는 다음 날부터 기산한다. ( )

10. 순경 · 9급 국가직, 12. 경찰승진, 15. 경찰간부, 17 · 18. 경찰승진

20 피의자가 체포되거나 구인된 경우에 검사 또는 사법경찰관의 구속기간은 체포 · 구인한 날로부터 기산한다. ( ) 08 · 12. 순경, 10. 9급 국가직, 13 · 14 · 15. 경찰승진,

21 구속된 피의자가 피고인으로 된 경우 그 피고인에 대한 법원의 구속기간은 공소제기 전의 체포기간도 포함한다. ( ) 08. 순경, 10. 9급 국가직, 13. 순경 1차, 08 · 14. 9급 법원직, 15. 순경 2차

22 검사 또는 사법경찰관에 의하여 구속되었다가 석방된 자는 다른 중요한 증거가 발견된 경우를 제외하고는 동일한 범죄사실에 관하여 재차 구속하지 못한다. ( )

08 · 09. 경찰승진, 12. 교정특채, 13. 9급 교정 · 보호 · 철도경찰, 15. 순경 2차, 20. 수사경과, 22. 7급 국가직

23 재구속 제한은 피의자에게만 적용되고 법원이 피고인을 구속한 경우에는 적용되지 않는다. ( ) 15. 경찰승진, 18. 9급 법원직, 23 · 24. 순경 2차, 24. 9급 검찰 · 마약 · 교정 · 보호 · 철도경찰

24 피고인이 긴급체포되었다가 석방된 후 법원이 발부한 구속영장에 의하여 구속이 이루어진 경우 다른 중요한 증거발견이 없는 경우라면 위법한 구속이라고 볼 수 있다. ( )

10. 9급 국가직, 12. 순경, 10 · 12. 경찰승진, 13. 순경 1차, 13 · 20. 9급 교정 · 보호 · 철도경찰, 13 · 15 · 20. 순경 2차

Answer 13. ○ 14. ○ 15. ○ 16. ○ 17. × 18. ○ 19. × 20. ○ 21. × 22. ○ 23. ○ 24. ×

25 구속의 효력은 원칙적으로 위 방식에 따라 작성된 구속영장에 기재된 범죄사실에만 미치는 것이므로, 구속기간이 만료될 무렵에 종전 구속영장에 기재된 범죄사실과 다른 범죄사실로 피고인을 구속하였다는 사정만으로는 피고인에 대한 구속이 위법하다고 할 수 없다. ( )

11. 순경, 18. 9급 법원직, 20. 7급 국가직, 18 · 20. 수사경과, 21. 순경 2차, 10 · 14 · 22. 경찰승진, 17 · 18 · 22. 경찰간부

26 구속영장에 의해 구금된 피의자가 피의자신문을 위한 출석요구에 불응하면서 수사기관조사실에 출석을 거부하더라도 수사기관은 그 구속영장의 효력에 의하여 피의자를 조사실로 구인할 수 없다. ( ) 17. 경찰간부, 22. 경찰승진

27 접견교통권의 주체는 체포 · 구속을 당한 피의자이고 신체구속상태에 있지 않은 피의자는 포함되지 아니한다. ( ) 13. 변호사시험, 16. 경찰승진

28 임의동행에 의하여 연행된 피의자나 피내사자에게는 변호인과의 접견교통권이 인정될 수 없다. ( ) 11. 9급 국가직, 09 · 19. 경찰승진, 20. 7급 국가직, 14 · 16 · 21. 경찰간부, 22. 소방간부

29 변호인과의 자유로운 접견은 신체구속을 당한 자에게 보장된 변호인의 조력을 받을 권리의 가장 중요한 요소이지만 국가안전보장 등의 이유로 제한될 수 있다는 것이 헌법재판소의 입장이다. ( ) 10. 경찰승진, 11. 9급 교정 · 보호 · 철도경찰, 17. 9급 법원직

30 피의자 등이 가지는 '변호인이 되려는 자'의 조력을 받을 권리가 실질적으로 확보되기 위해서는 '변호인이 되려는 자'의 접견교통권 역시 헌법상 기본권으로서 보장되어야 한다. ( )

22. 7급 국가직, 24. 경찰승진

31 신체구속을 당한 피의자가 범하였다고 의심받는 범죄행위에 변호인을 자신의 범죄행위에 공범으로 가담시키려고 하였다는 등의 사정만으로 그 변호인의 신체구속을 당한 사람과의 접견교통을 금지하는 것은 정당화될 수 있다. ( ) 14 · 18. 경찰간부, 17. 순경 2차, 20. 7급 국가직

32 수사기관이나 법원의 접견불허처분이 없는 경우에도 피의자들에 대한 접견이 접견신청일로부터 상당한 기간이 경과하도록 허용되지 않고 있는 것은 접견불허처분이 있는 것과 동일시된다고 봄이 상당하다. ( ) 11 · 16. 경찰승진, 17. 순경 1차

33 체포 · 구속적부심사의 청구권자는 체포 또는 구속된 피의자, 그 피의자의 변호인 · 법정대리인 · 배우자 · 직계친족 · 형제자매 · 가족에 한정된다. ( )

13. 9급 법원직 · 경찰간부, 13 · 14. 순경 2차, 10 · 15. 7급 국가직, 17 · 18. 수사경과, 21. 해경, 13 · 22 · 24. 경찰승진

34 구속적부심사 절차에서 구속된 피의자의 변호인은 경찰서 수사기록 중 고소장과 피의자신문조서에 대한 열람 · 등사를 할 수 있다는 것이 헌법재판소의 입장이다. ( )

10. 7급 국가직, 11 · 14 · 15. 경찰승진, 16. 순경 1차

35 구속적부심사청구 후에 피의자에 대하여 공소제기가 있어 피고인 신분을 갖게 되면 체포 · 구속적부심사청구는 효력을 잃게 되므로 피고인에 대하여 법원은 석방을 명할 수 없다. ( )

10. 9급 · 7급 국가직, 11. 9급 법원직, 12. 순경 1차, 14.경찰간부, 13 · 24. 순경 2차 · 9급 국가직, 25. 변호사시험 · 소방간부

Answer 25. ○ 26. × 27. × 28. × 29. × 30. ○ 31. × 32. ○ 33. × 34. ○ 35. ×

36 긴급체포 등 영장에 의하지 아니하고 체포된 피의자의 경우에도 그 적부심사를 청구할 권리를 가진다. ( ) 12. 순경, 13. 9급 교정·보호·철도경찰, 14. 경찰승진·경찰간부, 15. 순경 3차

37 체포·구속적부심사 청구사건은 지방법원합의부 또는 단독판사가 심사한다. 체포영장 또는 구속영장을 발부한 판사는 심사에 관여하지 못한다. ( ) 11·13. 경찰승진, 12. 9급 법원직

38 체포·구속적부심사의 청구를 받은 법원은 청구서가 접수된 때로부터 24시간 이내에 피의자를 심문하고 수사관계서류와 증거물을 조사한다. ( )
09. 9급 국가직, 14. 경찰승진, 14·15. 순경 2차, 15. 순경 1차, 13·22. 경찰간부, 24. 해경승진

39 작성된 심문조조서는 법관면전조서이므로 형사소송법 제311조에 의거 당연히 증거능력이 인정된다. ( ) 11. 9급 법원직, 11·13. 경찰승진, 14. 순경 1차, 17. 경찰간부

40 법원은 체포 또는 구속된 피의자에 대한 심문이 종료된 때로부터 48시간 이내에 체포·구속적부심사청구에 대한 결정을 하여야 한다. ( ) 11. 9급 검찰·마약수사, 14. 순경 1차, 16. 경찰승진, 24. 해경승진

41 체포·구속적부심사청구에 대한 법원의 결정에는 기각결정과 석방결정이 있으며 이에 대하여는 항고할 수 없다. ( ) 13·17. 순경 2차, 14·17. 수사경과, 13·18. 경찰간부,
20. 9급 검찰·마약수사, 21. 해경, 10·11·16·24. 경찰승진, 11·13·18·24. 9급 법원직

42 구속적부심사 절차에서 공범 또는 공동피의자의 순차청구가 수사방해의 목적임이 분명한 때는 심문 없이 결정으로 청구를 기각할 수 있다. ( )
10. 7급 국가직, 14·16. 경찰승진, 20. 9급 검찰·마약수사, 18·21. 경찰간부

43 체포적부심사청구의 경우에도 피의자보석은 인정된다. ( )
14. 순경 1차, 16. 변호사시험, 18. 경찰간부·9급 교정·보호·철도경찰, 21. 수사경과·해경, 14·20·22. 경찰승진

44 피의자에 대한 보석도 당사자의 청구에 의하는 것이라는 점에서 피고인에 대한 보석절차와 동일하다. ( ) 11. 9급 법원직, 13. 9급 교정·보호·철도경찰, 14. 7급 국가직, 15. 순경 1차

45 도망하거나 죄증을 인멸할 염려가 있는 때, 출석을 요구받고 정당한 이유 없이 출석하지 아니한 때 등은 체포·구속적부심사 결정에 의하여 석방된 피의자에 대한 재체포·재구속사유에 해당한다. ( ) 10·13. 경찰승진, 13. 9급 교정·보호·철도경찰,
15. 순경 3차·7급 국가직, 10·14·16. 순경 1차, 14·17. 순경 2차, 18. 변호사시험

46 피고인의 가족·동거인은 보석청구권자에 해당하지 아니한다. ( )
09. 9급 법원직, 12·14·16. 경찰승진, 17. 해경간부

47 상소기간 중 또는 상소 중의 사건에 관하여 소송기록이 원심법원에 있는 때에는 보석청구는 원심법원에 하여야 한다. ( ) 10. 경찰승진, 14. 경찰간부, 17. 9급 법원직

48 보석의 청구를 받은 법원은 지체 없이 심문기일을 정하여 구속된 피고인을 심문하여야 한다. ( ) 10. 경찰승진, 14. 경찰간부

Answer 36. ○ 37. ○ 38. × 39. × 40. × 41. ○ 42. ○ 43. × 44. × 45. × 46. × 47. ○ 48. ○

49 증거능력, 피고인경력, 피해자에 대한 관계 등은 보석조건 결정시 고려사항에 해당한다. ( )
07. 9급 법원직, 09. 7급 국가직, 08 · 09 · 13. 순경

50 법원은 직권 또는 검사의 신청에 따라 결정으로 피고인의 보석조건을 변경하거나 일정기간 동안 당해 조건의 이행을 유예할 수 있다. ( ) 09. 7급 국가직, 10. 경찰승진

51 출석보증인에 대하여 과태료를 부과하거나 감치에 처할 수 있다. ( ) 08. 9급 법원직, 12. 경찰승진

52 보석의 취소, 구속영장의 효력이 소멸한 때에는 보석의 조건은 즉시 그 효력을 상실하는 것이 아니다. ( ) 13. 순경 2차, 14 · 16. 경찰승진, 11 · 18. 9급 법원직

53 보석허가 결정에 불복하는 검사는 보통항고만을 사용할 수 있다. ( )
10. 9급 국가직, 16. 7급 국가직

54 구속피고인이 다른 사건으로 집행유예의 기간 중에 있는 경우에는 보석을 허가할 수 없다. ( ) 10. 9급 법원직, 12 · 16. 경찰승진, 14. 순경 2차

55 보석을 취소한 때에는 취소결정 등본에 의하여 피고인을 재구금할 수는 없으며, 새로운 영장이 필요하다. ( ) 09. 경찰승진, 10. 9급 법원직, 14. 순경, 15. 순경 1차

56 보석보증금을 몰수하려면 반드시 보석취소와 동시에 하여야만 가능한 것이 아니라 보석취소 후에 별도로 보증금몰수 결정을 할 수도 있다. ( ) 16. 9급 검찰 · 마약 · 교정 · 보호 · 철도경찰, 23. 9급 법원직

제4절 압수 · 수색 · 검증

1 압수 · 수색영장에 저장매체 자체를 직접 또는 하드카피나 이미징 등 형태로 수사기관 사무실 등 외부로 반출하여 해당 파일을 압수 · 수색할 수 있도록 기재되어 있지 않더라도, 수사기관이 전자정보의 복사 또는 출력이 불가능하거나 현저히 곤란한 부득이한 사정이 있을 때에는 압수목적물인 저장매체 자체를 수사관서로 반출할 수 있다. ( ) 13. 7급 국가직, 12 · 16. 9급 검찰 · 마약수사, 19. 경찰간부, 19 · 21. 수사경과, 15 · 23. 변호사시험, 15 · 20 · 21 · 23. 경찰승진, 16 · 20 · 24. 순경 1차, 25. 소방간부

2 수사기관 사무실 등으로 반출된 저장매체 또는 복제본에서 혐의사실 관련성에 대한 구분 없이 임의로 저장된 전자정보를 문서로 출력하거나 파일로 복제하는 행위는 원칙적으로 영장주의 원칙에 반하는 위법한 압수가 된다. ( ) 16. 7급 국가직 · 9급 법원직 · 9급 검찰 · 마약수사, 19. 경찰간부, 16 · 20. 순경 1차, 22. 해경간부, 22 · 23. 경찰승진, 24. 해경순경

3 저장매체 자체를 수사기관 사무실로 옮긴 후 영장에 기재된 범죄혐의 관련 전자정보를 탐색하여 해당 전자정보를 문서로 출력하거나 파일을 복사하는 과정은 압수 · 수색영장 집행의 일환에 포함되지 않으므로 문서출력 또는 파일복사 대상은 반드시 혐의사실과 관련된 부분에 한정되지 않는다. ( ) 12 · 16. 9급 검찰 · 마약 · 교정 · 보호 · 철도경찰, 17 · 19 · 21. 수사경과, 21. 경찰승진, 22. 7급 국가직 · 해경간부

Answer 49. × 50. × 51. × 52. × 53. ○ 54. × 55. × 56. ○ / 1. × 2. ○ 3. ×

4 전자정보가 담긴 저장매체 또는 복제본을 수사기관 사무실 등으로 옮겨 이를 복제·탐색·출력하는 경우, 피압수자 측에 절차 참여를 보장한 취지가 실질적으로 침해되었더라도 수사기관이 저장매체 또는 복제본에서 혐의사실과 관련된 전자정보만을 복제·출력하였다면 그 압수·수색은 적법하다. ( ) 16. 9급 검찰·마약·교정·보호·철도경찰, 17. 순경 2차

5 전자정보에 대한 압수·수색이 종료되기 전에 혐의사실과 관련된 전자정보를 적법하게 탐색하는 과정에서 별도의 범죄혐의와 관련된 전자정보를 우연히 발견한 경우라면, 수사기관은 더 이상의 추가 탐색을 중단하고 법원에서 별도의 범죄혐의에 대한 압수·수색영장을 발부받은 경우에 한하여 그러한 정보에 대하여도 적법하게 압수·수색을 할 수 있다. ( ) 21. 9급 법원직, 16·20·22. 9급 검찰·마약·교정·보호·철도경찰, 17·22·23. 순경 2차, 21·23. 경찰승진, 24. 7급 국가직, 25. 소방간부

6 압수물인 디지털 저장매체로부터 출력한 문건을 증거로 사용하기 위해서는 디지털 저장매체 원본에 저장된 내용과 출력한 문건의 동일성이 인정되어야 하고, 이를 위해서는 디지털 저장매체 원본이 압수시부터 문건 출력시까지 변경되지 않았음이 담보되어야 한다. ( )
16. 경찰승진, 14·17. 순경 2차, 19. 경찰간부

7 수사기관이 압수현장에서 정보저장매체에 기억된 정보 중에서 범죄 혐의사실과 관련 있는 정보를 선별한 다음 이를 복제하여 생성한 이미지 파일을 제출받아 압수한 경우, 수사기관이 수사기관 사무실에서 압수된 파일을 탐색·복제·출력하는 과정에서 피의자 등에게 참여의 기회를 보장하여야 한다. ( ) 20. 순경 1차, 21. 변호사시험, 22. 소방간부·해경간부·9급 법원직, 20·22·23. 경찰승진, 22·24. 경찰간부, 24. 해경승진

8 아직 유효기간이 남아 있다면 동일 장소 동일 목적물에 대하여 수회 압수·수색하는 것이 허용된다. ( ) 13·18. 순경 2차, 16·17·19. 변호사시험, 13·15·19. 경찰간부, 14·15·21. 수사경과, 13·15·16·17·19·22·24. 경찰승진, 13·24. 순경 1차·9급 법원직, 25. 경찰대편입

9 압수할 물건을 특정하기 위하여 기재한 문언은 엄격하게 해석하여야 하므로, 압수·수색영장에서 압수할 물건을 '압수장소에 보관 중인 물건'이라고 기재하고 있는 것을 '압수장소에 현존하는 물건'으로 해석할 수는 없다. ( )
12. 9급 법원직, 14·16. 순경 1차, 14·18. 경찰간부, 18. 순경 2차·3차, 10·14·17·19. 경찰승진

10 검사가 공소제기 후 형사소송법 제215조(수사절차에서 압수·수색·검증)에 따라 수소법원 이외의 지방법원판사에게 청구하여 발부받은 영장에 의하여 압수·수색을 하였다면, 그와 같이 수집된 증거는 기본적 인권 보장을 위해 마련된 적법한 절차에 따르지 않은 것으로서 원칙적으로 유죄의 증거로 삼을 수 없다. ( )
12. 순경, 15. 순경 2차·9급 법원직, 16. 7급 국가직, 17·19. 경찰간부, 20. 경찰승진, 22. 변호사시험

11 압수·수색을 당하는 사람이 여러 명일 경우에는 그 장소의 관리책임자에게 영장을 제시하면 족하고, 물건을 소지하고 있는 다른 사람으로부터 이를 압수하고자 하는 때에도 그 사람에게 따로 영장을 제시할 필요가 없다. ( ) 16. 7급 국가직, 15·18. 순경 2차, 14·16·19. 수사경과, 10·11·17·20. 경찰승진, 17·21. 변호사시험·9급 검찰·마약수사

Answer 4. × 5. ○ 6. ○ 7. × 8. × 9. ○ 10. ○ 11. ×

12 압수·수색영장 집행 당시 피처분자가 현장에 없거나 그를 발견할 수 없는 경우 등 영장제시가 현실적으로 불가능하여 영장을 제시하지 아니한 채 압수·수색을 한 경우 위법하다고 볼 수 있다. ( )
10·11·13. 순경, 14. 경찰승진, 22. 7급 국가직, 12·23. 9급 법원직

13 수사기관이 피의자 甲의 공직선거법 위반 범행을 영장 범죄사실로 하여 발부받은 압수·수색영장의 집행 과정에서 乙, 丙 사이의 대화가 녹음된 녹음파일을 압수하여 乙, 丙의 공직선거법 위반 혐의사실(영장에 기재된 피의사실과 무관)을 발견한 사안에서, 별도의 압수·수색영장을 발부받지 않고 압수한 위 녹음파일은 위법수집증거로서 乙, 丙사건에서 증거능력이 없다. ( )
15. 순경 2차, 17. 경찰간부, 20. 순경 1차, 22. 7급 국가직·해경간부, 22·23. 경찰승진

14 압수된 정보의 상세목록에는 정보의 파일 명세가 특정되어 있어야 하나, 수사기관은 이를 출력한 서면을 교부하거나 전자파일 형태로 복사해 주거나 이메일을 전송하는 등의 방식으로는 할 수 없다. ( )
18. 순경 2차·7급 국가직, 20. 경찰승진, 22. 경찰간부

15 위조한 약속어음은 범죄행위로 인하여 생긴 문서로서 몰수의 대상이 되므로 환부나 가환부의 대상이 될 수 없다. 다만, 검사가 몰수선고 후에 약속어음에 위조표시를 하여 소지인에게 환부를 할 수는 있다. ( )
09. 순경, 11·14. 경찰승진

16 압수된 금괴가 외국에서 생산된 것이라고 하여 당연히 밀수입된 것이라고 추정되는 것은 아니고, 외국산이라고 하여도 언제, 누구에 의하여 관세포탈된 물건인지 알 수 없어 검사가 사건을 기소중지처분하였다면 그 압수물은 관세장물이라고 단정할 수 있으므로 국고에 귀속시킬 수 있을 뿐 아니라 압수를 계속할 필요성도 인정된다. ( )
10·14. 경찰승진, 13. 9급 법원직

17 몰수의 대상이 되는 물건은 가환부할 수 없으나, 증거물의 성격과 임의적 몰수의 대상물(형법 제48조)로서의 성격을 함께 가지고 있는 경우에는 가환부가 가능하다. ( )
10. 경찰승진·순경 2차, 11. 순경

18 증거에만 공할 목적으로 압수한 물건으로서 소유자 또는 소지자가 계속 사용해야 할 물건은 사진촬영 기타 원형보존의 조치를 취하고 신속히 가환부하여야 한다. ( )
11. 순경, 18. 순경 1차, 11·15·16·19. 경찰승진

19 가환부 장물에 대하여 별단의 선고가 없으면, 환부선고가 있는 것으로 간주한다. ( )
08. 순경, 09. 9급 법원직, 11. 순경 2차, 14. 경찰간부, 19. 경찰승진

20 피압수자 등 환부를 받을 자가 압수 후 소유권을 포기하는 등에 의하여 실체법상의 권리를 상실하게 되면 수사기관의 환부의무에 영향을 미치게 되며, 피압수자 등 환부를 받을 자가 압수 후 수사기관에 대하여 형사소송법상의 환부청구권을 포기한다는 의사표시를 한 경우 그에 의하여 수사기관의 필요적 환부의무가 면제되므로, 그 환부의무에 대응하는 압수물의 환부를 청구할 수 있는 권리도 소멸하게 된다. ( ) 12·14. 9급 검찰·마약·교정·보호·철도경찰, 10·14·15. 경찰승진, 16. 순경 2차, 20. 7급 국가직, 17·21. 변호사시험, 17·22. 9급 법원직, 22. 경찰간부, 24. 9급 검찰·마약수사

Answer 12. × 13. ○ 14. × 15. ○ 16. × 17. ○ 18. ○ 19. ○ 20. ×

21 피고인에게 의견을 진술할 기회를 주지 아니한 채 한 가환부 결정을 하였더라도 위법하다고 할 수 없으며, 재판의 결과에 영향을 미쳤다 할 수도 없다. ( ) 11. 순경, 10 · 14. 경찰승진, 13. 경찰간부

22 압수한 장물이 피해자에게 환부할 이유가 명백한 때에는 피고 · 피의사건의 종결 전이라도 법원 또는 수사기관은 피해자에게 환부결정을 할 수 있다. ( )

13. 순경, 14. 9급 검찰 · 교정 · 보호 · 철도경찰, 17. 경찰승진, 21. 해경, 23. 경찰간부, 24. 9급 검찰 · 마약수사

23 검사는 증거에 사용할 압수물에 대하여 가환부의 청구가 있는 경우 가환부를 거부할 수 있는 특별한 사정이 없는 한 가환부에 응하여야 한다. ( ) 18 · 21. 7급 국가직, 20. 5급 검찰 · 교정승진

24 검사 또는 사법경찰관은 피의자를 체포영장에 의해 체포하거나 구속영장에 의해 구속하는 경우, 긴급체포 · 현행범체포를 하는 경우에 필요시 영장 없이 체포현장에서 압수 · 수색 · 검증을 할 수 있다. ( )

10. 교정특채, 13. 9급 검찰 · 마약 · 교정 · 보호 · 철도경찰 · 경찰간부, 15. 순경 1차, 11 · 16. 경찰승진, 16. 순경 2차

25 피의자 체포현장에서 영장 없이 압수한 물건을 계속 압수할 필요가 있는 경우에는 지체 없이 압수 · 수색영장을 청구하여야 하며, 청구한 압수 · 수색영장을 발부받지 못한 때에는 압수한 물건을 즉시 반환하여야 한다. 즉시 반환하지 아니한 압수물은 이를 유죄인정의 증거로 사용할 수 없는 것이나, 피고인이나 변호인이 이를 증거로 함에 동의하였다면 증거로 할 수 있다. ( )

11. 9급 법원직, 13. 7급 국가직, 12 · 13. 경찰승진, 14 · 16. 순경 1차, 12 · 13 · 16. 순경 2차

26 음란물 유포의 범죄혐의를 이유로 압수 · 수색영장을 발부받은 사법경찰리가 피고인의 주거지를 수색하는 과정에서 대마를 발견하자, 피고인을 마약류관리에 관한 법률 위반죄의 현행범으로 체포하면서 대마를 압수하였으나, 그 다음 날 피고인을 석방하면서 사후 압수 · 수색영장을 발부받지 않더라도 압수물과 압수조서는 증거능력이 인정된다. ( )

13 · 14. 순경 1차, 14. 변호사시험, 17. 9급 교정 · 보호 · 철도경찰, 11 · 15 · 19. 경찰승진, 12 · 23. 7급 국가직

27 범행 중 또는 범행 직후의 범죄장소에서 긴급을 요하여 영장 없이 압수 · 수색 · 검증을 한 경우 사후에 지체 없이 압수 · 수색 · 검증영장을 발부받아야 한다. ( )

13 · 15. 순경 1차, 15. 9급 법원직 · 경찰간부, 16. 순경 2차, 11 · 17. 경찰승진

28 주취운전이라는 범죄행위로 당해 음주운전자를 구속 · 체포하지 아니한 경우에도 필요하다면 그 차량열쇠는 범행 중 또는 범행 직후의 범죄장소에서의 압수로서 형사소송법 제216조 제3항에 의하여 영장 없이 이를 압수할 수 있다. ( )

15. 9급 검찰 · 마약 · 교정 · 보호 · 철도경찰, 16. 경찰간부, 11 · 19. 경찰승진

29 검사 또는 사법경찰관은 긴급체포에 따라 체포된 자가 소유, 소지 또는 보관하는 물건에 대하여 긴급히 압수할 필요가 있는 경우에는 압수한 때부터 48시간 내에 한하여 영장 없이 압수 · 수색 · 검증을 할 수 있다. ( ) 14. 9급 검찰 · 교정 · 보호 · 철도경찰, 15. 9급 법원직,

18. 경찰간부 · 수사경과, 15 · 16 · 19 · 22 · 23. 경찰승진, 25. 변호사시험

Answer 21. × 22. ○ 23. ○ 24. ○ 25. × 26. × 27. ○ 28. ○ 29. ×

30 소유자, 소지자 또는 보관자가 아닌 자로부터 제출받은 물건을 영장 없이 압수한 경우 그 '압수물' 및 '압수물을 찍은 사진'은 이를 유죄인정의 증거로 사용할 수 없는 것이고, 피고인이나 변호인이 이를 증거로 함에 동의하였다고 하더라도 증거로 사용할 수 없다. ( )

10. 7급 국가직, 11. 교정특채, 13 · 16. 순경 1차, 18. 순경 2차, 12 · 19 · 21 · 22. 경찰승진

31 경찰관이 간호사로부터 진료 목적으로 채혈된 甲의 혈액 중 일부를 주취운전 여부에 대한 감정을 목적으로 제출받아 압수한 경우 甲 또는 그의 가족의 동의 및 영장 없이 행하여졌다면 적법절차를 위반한 위법이 있다고 할 수 있다. ( )

11. 7급 국가직, 21. 경찰승진 · 순경 2차, 15 · 22. 9급 검찰 · 교정 · 보호 · 철도경찰, 22. 수사경과

32 수사기관이 영장발부사유로 된 범죄사실과 무관한 별개의 증거를 압수하였다가 피압수자 등에게 환부한 다음 임의제출받아 다시 압수한 경우, 그 압수물의 제출에 임의성이 있다는 점에 관하여 검사가 합리적 의심을 배제할 수 있을 정도로 증명하여야 하고, 임의로 제출된 것이라고 볼 수 없는 경우에는 증거능력을 인정할 수 없다. ( ) 16 · 17 · 20. 7급 국가직, 25. 변호사시험 · 소방간부

33 감정유치는 미결구금일수의 산입에 있어서 이를 구속으로 간주한다. ( )

10. 9급 국가직, 11. 9급 법원직, 15. 경찰승진

34 구속 중인 피의자에 대하여 감정유치장이 집행되었을 때에는 유치되어 있는 기간 동안은 구속의 집행을 정지한 것으로 간주한다. 따라서 감정유치기간은 검사나 사법경찰관의 구속기간에는 포함되지 않는다. ( ) 11. 9급 법원직, 13 · 16 · 18. 경찰승진

35 통신비밀보호법상 '통신'이라 함은 우편물 및 전기통신을 말한다. ( ) 16. 경찰승진

36 이미 수신이 완료된 전자우편의 수집행위는 통신비밀보호법이 금지하는 '전기통신의 감청'에 해당한다고 볼 수 있다. ( )

20 · 21 · 22. 경찰승진, 22. 소방간부 · 9급 교정 · 보호 · 철도경찰 · 해경간부, 14 · 22. 순경 1차, 23. 변호사시험

37 공갈죄는 범죄수사를 위한 통신제한조치의 대상인 범죄에 해당한다. ( ) 11 · 14 · 15. 경찰승진

38 통신제한조치허가서에 의하여 허가된 통신제한조치가 '전기통신 감청 및 우편물 검열'뿐인 경우 그 후 연장결정서에 당초 허가내용에 없던 '대화녹음'이 기재되어 있다 하더라도 이는 대화녹음의 적법한 근거가 되지 못한다. ( ) 14 · 15. 수사경과, 19. 경찰간부, 10 · 12 · 14 · 22. 경찰승진, 22. 해경간부

39 국가 안보를 위한 통신제한조치에서 통신 쌍방 당사자가 내국인인 경우에는 고등법원 수석부장판사의 허가를 필요로 하고 통신 당사자 일방만 내국인인 경우에는 대통령의 승인이 필요하다. ( )

11. 경찰승진, 19. 경찰간부

40 렉카회사가 무전기를 이용하여 한국도로공사의 상황실과 순찰차 간의 무선전화통화를 청취한 경우 통신비밀보호법상의 전기통신의 감청에 해당한 것이 아니라, 타인 간의 대화청취에 해당한다. ( )

14. 순경 1차, 12 · 14. 경찰승진

Answer 30. ○ 31. × 32. ○ 33. ○ 34. ○ 35. ○ 36. × 37. ○ 38. ○ 39. × 40. ×

41 전화통화 당사자의 일방이 상대방 모르게 통화내용을 녹음하는 것은 여기의 감청에 해당하지 아니하지만, 제3자의 경우는 설령 전화통화 당사자 일방의 동의를 받고 그 통화내용을 녹음하였다 하더라도 그 상대방의 동의가 없었던 이상, 통신비밀보호법 위반이 된다고 해석하여야 할 것이다. ( )

14. 순경 1차, 18. 경찰간부, 16·22. 7급 국가직, 22. 9급 교정·보호·철도경찰, 10·16·21·24. 경찰승진, 24. 순경 2차

42 수사기관이 甲으로부터 피고인의 마약류관리에 관한 법률 위반(향정) 범행에 대한 진술을 듣고 추가적인 증거를 확보할 목적으로, 구속수감되어 있던 甲에게 그의 압수된 휴대전화를 제공하여 피고인과 통화하고 위 범행에 관한 통화 내용을 녹음하게 한 행위는 불법감청에 해당하므로, 그 녹음 자체는 물론 이를 근거로 작성된 녹취록 첨부 수사보고는 피고인의 증거동의에 상관없이 그 증거능력이 없다. ( ) 14. 7급 국가직, 16. 9급 교정·보호·철도경찰, 23. 변호사시험

43 3인 간의 대화에 있어서 그중 한 사람이 그 대화를 녹음하는 경우에 다른 두 사람의 발언은 그 녹음자에 대한 관계에서 '타인 간의 대화'라고 할 수 없으므로, 이와 같은 녹음행위가 통신비밀보호법에 위배된다고 볼 수는 없다. ( ) 10. 경찰승진, 17. 변호사시험, 14·18. 수사경과, 22. 경찰간부

제5절 판사에 대한 강제처분의 청구(판사가 행하는 강제처분)

1 증거보전은 제1심판결 선고 전까지에 한하여 할 수 있고 공소제기 전후를 불문한다. ( )

11. 9급 법원직, 14·16. 순경 2차, 15·16·17. 경찰승진, 19. 경찰간부

2 재심청구사건에서도 증거보전은 인정된다. ( )

12. 순경 3차, 15. 7급 국가직, 09·10·11·14·16. 경찰승진, 16. 순경 2차

3 증거보전에서 피의자를 그 스스로의 피의사실에 대한 증인으로 바로 신문한 것은 위법하며, 피고인에 대한 증거능력이 없음은 물론 그 신문내용 가운데 다른 공범에 관한 부분의 진술이 있다 하더라도 그 공범이 그 신문당시 형사입건되어 있지 않았다면 그 공범에 관한 증거보전의 효력도 인정할 수 없는 것이다. ( ) 10·12. 경찰승진, 12. 교정특채, 13. 순경 2차

4 증거보전청구권자는 검사·피고인·피의자 또는 변호인이다. ( )

13. 9급 검찰·마약수사, 14. 순경 1차, 15. 7급 국가직, 16. 순경, 17. 경찰승진

5 증거보전절차에서 증인신문을 하면서 피의자 및 변호인에게 미리 통지하지 아니하여 증인신문에 참여할 수 있는 기회를 주지 아니하였고, 또 변호인이 제1심 공판기일에 위 증인신문조서의 증거조사에 관하여 이의신청을 하였다면 위 증인신문조서는 증거능력이 없다 할 것이나, 그 증인이 후에 법정에서 그 조서의 진정성립을 인정한다면 다시 그 증거능력을 취득한다고 볼 수 있다. ( ) 09. 7급 국가직, 13. 순경 2차, 15. 경찰승진

Answer 41. ○ 42. ○ 43. ○ / 1. × 2. × 3. ○ 4. ○ 5. ×

6 증거보전을 필요로 하는 사유에 대해서는 서면 또는 구술로 소명을 요한다. ( )

15. 순경 3차, 12 · 13 · 16. 순경 2차, 11 · 14 · 15 · 16 · 17 · 19. 경찰승진, 19. 경찰간부

7 검사는 증거보전절차에서 피의자 · 피고인의 신문을 청구할 수 없다. ( )

13 · 14. 순경 2차, 14. 경찰간부, 11 · 12 · 14 · 15. 경찰승진, 15. 7급 국가직 · 순경 3차

8 증거보전절차를 이용하여 공동피고인 또는 공범자를 증인으로 신문하는 것은 가능하다. ( )

13. 순경 1차 · 9급 검찰 · 마약수사, 13 · 15. 7급 국가직, 11 · 16. 경찰승진, 14 · 17. 순경 2차, 16 · 21. 경찰간부

9 증거보전의 청구를 기각하는 결정에 대하여는 불복할 수 없다. ( )

11. 순경 1차, 13. 9급 검찰 · 마약수사, 12 · 13 · 14. 순경 2차, 12 · 15. 순경 3차, 11 · 12 · 14 · 16 · 17 · 18. 경찰승진

10 검사, 피의자 · 피고인 또는 변호인은 법원의 허가를 얻어 서류와 증거물을 열람 또는 등사할 수 있다. ( )

11. 순경 1차, 15. 순경 3차, 16. 순경 2차, 19. 경찰간부

11 범죄의 수사에 없어서는 아니될 사실을 안다고 명백히 인정되는 자가 출석을 거부하거나 출석 후 진술을 거부한 경우, 진술번복의 우려가 있는 경우에 참고인에 대한 증인신문이 허용된다. ( )

12. 순경 2차

12 참고인에 대한 증인신문 청구의 경우 판사는 청구가 적법하고 요건을 구비하였는가를 심사하여 요건을 구비하지 못한 경우에는 결정으로 청구를 기각해야 하며, 청구기각결정에 대하여는 불복할 수 없다. ( )

10 · 12 · 16. 경찰승진

13 증인신문의 경우는 증거보전과는 달리 피의자 등에게 서류의 열람 · 등사권이 없다. ( )

09 · 23. 순경 2차

Answer 6. × 7. ○ 8. ○ 9. × 10. × 11. × 12. ○ 13. ○

CHAPTER

03 수사의 종결

1 사법경찰관은 범죄혐의가 인정된 경우 지체 없이 사건을 검사에게 송치하고 관계 서류와 증거물을 송부하여야 한다. ( ) 21. 순경 2차 · 해경 · 7급 국가직, 22. 경찰승진

2 사법경찰관은 송치할 필요가 없는 경우에는 그 이유를 명시한 서면과 함께 서류와 증거물을 지체 없이 검사에 송부하여야 하고 검사는 송부 받은 날부터 60일 이내에 사법경찰관에게 반환하여야 한다. ( ) 22. 경찰승진 · 소방간부

3 사건불송치 통지를 받은 사람은 해당 사법경찰관의 소속 관서의 장에게 이의를 신청할 수 있다. ( ) 22. 경찰간부 · 소방간부

4 사법경찰관은 불송치(제245조의 5 제2호)의 경우에는 서류와 증거물을 검사에 송부한 날부터 10일 이내에 서면으로 고소인 · 고발인 · 피해자 또는 그 법정대리인(피해자가 사망한 경우에는 그 배우자 · 직계친족 · 형제자매를 포함한다)에게 사건을 검사에게 송치하지 아니하는 취지와 그 이유를 통지하여야 한다. ( ) 22. 경찰승진, 24. 해경경위공채

5 검사는 범죄로 인한 피해자 또는 그 법정대리인의 신청이 있는 때에는 당해 사건의 공소제기 여부, 공판의 일시 · 장소, 재판결과, 피의자 · 피고인의 구속 · 석방 등 구금에 관한 사실 등을 신속하게 통지하여야 한다. ( ) 14. 9급 교정 · 보호 · 철도경찰, 11 · 16. 9급 법원직, 17. 9급 검찰 · 마약수사, 13 · 18. 경찰승진

6 사법경찰관으로부터 수사준칙 제51조 제1항 제4호에 따른 수사중지결정의 통지를 받은 사람은 해당 사법경찰관이 소속된 경찰관서의 장에게 이의를 제기할 수 있다. ( ) 22. 순경 1차, 23. 경찰승진, 24. 경찰간부 · 해경승진

7 재정신청권자는 검사로부터 불기소처분의 통지를 받은 고소인이며, 형법 제123조(직권남용), 제124조(불법체포, 감금), 제125조(폭행가혹행위), 제126조(피의사실공표)의 죄에 대해서는 고발을 한 자도 신청권이 있다. ( ) 10. 순경 1차, 11 · 15. 순경 2차, 14 · 15. 경찰간부, 10 · 14 · 16. 경찰승진

8 재정신청의 대상은 검사의 불기소처분이나 공소제기, 공소취소, 내사종결 등이 내려진 모든 범죄(고발의 경우는 제한)이며, 기소유예처분에 대해서도 가능하다. ( ) 11 · 16. 경찰승진, 16. 9급 교정 · 보호 · 철도경찰

9 대통령에게 제출한 청원서를 대통령비서실로부터 이관받은 검사가 진정사건으로 내사 후 내사종결처리한 경우, 위 내사종결처리는 고소 또는 고발사건에 대한 불기소처분이라고 볼 수 없어 재정신청의 대상이 되지 아니한다. ( ) 10. 순경 1차, 11. 7급 국가직, 11 · 15. 경찰승진, 14 · 21. 경찰간부

Answer 1. ○ 2. × 3. ○ 4. × 5. ○ 6. × 7. ○ 8. × 9. ○

10 재정신청서에 형사소송법 제260조 제4항에 정한 사항의 기재가 없어서 법원으로서는 그 재정신청이 법률상의 방식에 위배된 것으로서 이를 기각하여야 함에도, 공소제기결정을 하여 공소제기가 이루어졌다 할지라도 공소사실에 대한 실체판단에 나아간 제1심판결은 정당하다. ( )

12. 순경 3차, 17. 경찰승진

11 검사가 공소시효 만료일 30일 전까지 공소를 제기하지 아니하는 경우는 검찰항고를 거치지 않고 재정신청을 할 수 있다. ( ) 12. 순경 1차 · 9급 법원직, 14. 9급 검찰 · 마약수사, 21. 경찰간부

12 공동신청권자 중 1인의 재정신청은 그 전원을 위하여 효력을 발생한다. ( )

12. 순경 3차, 14. 순경 2차, 11 · 16. 경찰승진, 16. 9급 교정 · 보호 · 철도경찰

13 재정신청이 있으면 재정결정이 있을 때까지 공소시효의 진행이 정지된다. ( )

17. 9급 법원직, 18. 순경 2차, 10 · 13 · 22. 경찰승진

14 재정신청사건은 특별한 사정이 없는 한 심리를 공개하지 아니한다. ( )

08. 순경 · 9급 법원직, 09 · 11 · 13. 경찰승진, 12. 순경 3차

15 재정신청서를 송부받은 고등법원은 3개월 이내에 재정신청이 법률상의 방식에 위배되거나 이유 없는 때에는 신청을 기각한다. 기각결정이 확정되면 다른 중요한 증거를 발견하는 경우를 제외하고는 소추할 수 없다. ( ) 12. 순경, 14. 9급 검찰 · 마약수사, 17. 경찰간부

16 검사의 무혐의 불기소처분이 위법하다 하더라도 기소유예의 불기소처분을 할 만한 사건인 때에는 재정신청을 기각할 수 있다. ( ) 10 · 12 · 17. 경찰승진, 18. 순경 2차, 15 · 19. 경찰간부

17 고등법원은 재정신청의 기각결정이나 재정신청의 취소가 있는 경우에는 결정으로 재정신청인에게 신청절차에 의하여 생긴 비용의 전부 또는 일부를 부담하게 하여야 한다. ( )

10. 순경 1차, 12. 순경 2차, 17. 9급 검찰 · 마약 · 교정 · 보호 · 철도경찰, 18. 경찰간부, 17 · 19. 경찰승진

18 검사는 고등법원의 공소제기결정에 따라 공소를 제기한 때에도 이를 취소할 수 있다. ( )

12. 순경 2차 · 3차, 14 · 16. 9급 교정 · 보호 · 철도경찰, 12 · 17. 경찰승진

19 검사 작성의 피고인에 대한 진술조서가 공소제기 이후에 작성된 것이라는 이유만으로는 증거능력이 없다고 할 수는 없다. ( ) 13. 9급 검찰 · 교정 · 보호 · 철도경찰, 16 · 17 · 19 · 21. 경찰승진

20 공판준비 또는 공판기일에서 이미 증언을 마친 증인을 검사가 소환한 후 피고인에게 유리한 그 증언 내용을 추궁하여 이를 일방적으로 번복시키는 방식으로 작성한 진술조서는 피고인이 증거로 할 수 있음에 동의하지 아니하는 한 그 증거능력이 없다. ( )

13. 경찰간부, 13. 9급 검찰 · 교정 · 보호 · 철도경찰, 14 · 16 · 17. 경찰승진, 10 · 17. 7급 국가직

Answer 10. ○ 11. ○ 12. ○ 13. × 14. ○ 15. ○ 16. ○ 17. × 18. × 19. ○ 20. ○

CHAPTER

04 공소의 제기

www.pmg.co.kr

1 검사가 자의적으로 공소권을 행사하여 피고인에게 실질적인 불이익을 줌으로써 소추재량권을 현저히 일탈하였다고 보여지는 경우에 이를 공소권의 남용으로 보아 공소제기의 효력을 부인할 수 있는 것이고, 여기서 자의적인 공소권의 행사라 함은 단순히 직무상의 과실에 의한 것만으로 충분하고, 적어도 미필적이나마 어떤 의도가 있어야 한다는 것은 아니다. ( )

06. 9급 법원직, 10 · 14. 경찰승진, 20. 7급 국가직, 23. 9급 검찰 · 마약수사

2 공소장변경의 방식에 의한 공소사실 또는 적용법조의 철회는 공소사실의 동일성이 인정되는 범위 내의 일부 공소사실 또는 적용법조에 한하여 가능한 것이므로, 공소장에 기재된 수개의 공소사실이 서로 동일성이 없고 실체적 경합관계에 있는 경우에 그 일부를 소추대상에서 철회하려면 공소장변경의 방식에 의할 것이 아니라 공소의 일부 취소절차에 의하여야 한다. ( )

08. 순경 2차, 12. 경찰승진

3 공소취소는 이유를 기재한 서면으로 하여야 한다. 다만, 공판정에서는 구술로도 할 수 있다. ( )

11 · 13 · 15. 9급 법원직, 15. 순경 2차, 16 · 19. 경찰간부, 19. 경찰승진

4 재심절차 중에도 공소취소는 가능하다. ( ) 13 · 16. 9급 법원직, 22. 경찰간부

5 교사범과 방조범의 공소사실에는 교사 · 방조사실뿐만 아니라 정범의 범죄사실도 특정하여야 한다. ( )

14. 순경 1차 · 변호사시험, 16. 9급 법원직

6 무거래 세금계산서 교부죄는 각 세금계산서마다 하나의 죄가 성립하므로, 세금계산서마다 그 공급가액이 공소장에 기재되어야 개개의 범죄사실이 구체적으로 특정되었다고 볼 수 있고, 세금계산서의 총 매수와 그 공급가액의 합계액이 기재되어 있다고 하여 공소사실이 특정되었다고 볼 수는 없다. ( )

10. 경찰승진, 15. 9급 검찰 · 교정 · 보호 · 철도경찰

7 "피고인은 2000. 11. 2.경부터 2001. 7. 2.경까지 사이에 인천 이하 불상지에서 향정신성의약품인 메스암페타민 불상량을 불상의 방법으로 수회 투약하였다."는 공소사실의 경우, 투약량은 물론 투약방법을 불상으로 기재하면서, 그 투약의 일시와 장소마저 위와 같이 기재한 것만으로는 구체적 사실의 기재라고 볼 수 없다. ( )

03. 경찰승진, 08. 순경 2차

8 모발감정 결과에 기초하여 투약가능 기간을 역으로 추산해서 그 범행시기를 정하였다면, 투약장소를 '부산 사하구 이하 불상지'라고 기재하였더라도 구체적 사실의 기재라고 볼 수 있다. ( )

15. 9급 검찰 · 교정 · 보호 · 철도경찰

9 공범 1인에 대한 시효의 정지는 다른 공범자에게도 효력이 미친다. ( )

10. 9급 법원직, 12 · 15. 순경 1차, 13 · 14. 경찰승진, 14. 순경 2차 · 9급 교정 · 보호 · 철도경찰

Answer 1. × 2. ○ 3. ○ 4. × 5. ○ 6. ○ 7. ○ 8. × 9. ○

10 장기 10년 이상의 징역, 벌금, 장기 5년 이상의 자격정지에 해당하는 범죄의 공소시효기간 총합은 16년이다. ( )
12 · 14 · 16. 순경 2차

11 공소장일본주의에 위배되는 공소제기의 경우에 법원이 범죄사실의 실체를 파악하는 데 지장이 없다고 판단하여 그대로 공판절차를 진행한 결과 증거조사절차가 마무리되어 법관의 심증형성이 이루어진 단계에서는 피고인 측으로부터 이의 제기와 상관 없이 소송절차의 동적 안정성 및 소송경제의 이념 등에 비추어 볼 때 이제는 더 이상 공소장일본주의 위배를 주장하여 이미 진행된 소송절차의 효력을 다툴 수는 없다. ( )
12. 9급 검찰 · 마약 · 교정 · 보호 · 철도경찰, 13. 9급 법원직 · 경찰승진, 13 · 14. 7급 국가직, 14 · 17. 경찰간부

12 공소제기 후 확정판결 없이 25년을 경과하면 공소시효가 완성된 것으로 간주한다. ( )
12. 경찰승진, 09 · 13. 순경 1차, 11 · 16 · 14. 순경 2차, 13 · 14. 경찰간부

13 2개 이상의 형을 병과하거나, 2개 이상의 형에서 1개를 과할 범죄에는 중한 형이 공소시효기간의 기준이 된다. ( )
09 · 10 · 15. 9급 법원직, 11. 교정특채, 12 · 13. 순경 2차, 17. 경찰승진, 21. 9급 검찰 · 마약 · 교정 · 보호 · 철도경찰

14 형법에 의하여 형을 가중 또는 감경할 경우에는 가중 또는 감경한 형이 시효기간의 기준이 된다. ( )
13. 순경 2차, 15. 순경 1차, 16. 9급 교정 · 보호 · 철도경찰,
12 · 15 · 18. 경찰승진, 18 · 19. 경찰간부, 20. 해경, 10 · 20 · 22. 9급 법원직

15 범죄 후 법률의 개정에 의하여 법정형이 가벼워진 경우에는 당해 범죄사실에 적용될 가벼운 법정형(신법의 법정형)이 공소시효기간의 기준이 된다. ( )
12. 순경 2차, 15. 순경 1차, 12 · 17. 9급 검찰 · 마약 · 교정 · 보호 · 철도경찰, 21. 경찰간부, 24. 경찰승진, 25. 변호사시험

16 공소장변경이 있는 경우에 공소시효의 완성 여부는 당초의 공소제기가 있었던 시점이 아니라 공소장변경시를 기준으로 판단하여야 한다. ( )
12 · 15. 순경 1차, 16. 9급 검찰 · 마약수사, 14 · 16 · 18. 9급 법원직, 13 · 18. 순경 2차, 10 · 11 · 14 · 19. 경찰승진,
16 · 22. 7급 국가직, 23. 변호사시험, 24. 9급 검찰 · 마약 · 교정 · 보호 · 철도경찰 · 해경경위공채

17 포괄1죄에 있어서 공소시효기산점은 각 행위에 대하여 개별적으로 판단한다. ( )
08 · 14. 9급 법원직, 15. 경찰간부, 09 · 15. 순경 1차, 10 · 12 · 18. 경찰승진

18 공소시효는 공소제기로 진행이 정지되고 공소기각 또는 관할위반의 재판이 확정된 때로부터 다시 진행한다. ( )
14. 9급 법원직, 13 · 14. 경찰승진, 14 · 16. 순경 2차

19 범인의 국외체류의 목적은 오로지 형사처분을 면할 목적만으로 국외체류하는 것에 한정되는 것이고, 범인이 가지는 여러 국외체류 목적 중 형사처분을 면할 목적이 포함되어 있으면 족하는 것은 아니다. ( )
14. 경찰승진, 17. 경찰간부

20 공소제기의 효력은 공소제기된 피고인에 대하여만 미친다. 그러나 공범 1인에 대한 공소시효의 정지는 다른 공범자에 대하여도 효력이 미친다. ( )
12. 순경 1차 · 9급 검찰 · 마약 · 교정 · 보호 · 철도경찰, 16. 경찰간부, 13 · 14 · 23. 경찰승진

Answer 10. × 11. × 12. ○ 13. ○ 14. × 15. ○ 16. × 17. × 18. ○ 19. × 20. ○

21 공범의 1인으로 기소된 자가 구성요건에 해당하는 위법행위를 공동으로 하였다고 인정되기는 하나 책임조각을 이유로 무죄로 되는 경우와는 달리 범죄의 증명이 없다는 이유로 공범 중 1인이 무죄의 확정판결을 선고받은 경우에는 그를 공범이라고 할 수 없어 그에 대하여 제기된 공소로써는 진범에 대한 공소시효정지의 효력이 없다. ( )

16. 경찰간부, 13 · 18. 순경 1차, 10 · 12 · 20 · 24. 경찰승진

22 구 수산업협동조합법(2010.4.12. 법률 제10245호로 개정되기 전의 것, 이하 '수산업협동조합법'이라 한다) 제178조 제5항 본문은 "제1항 내지 제4항에 규정된 죄의 공소시효는 해당 선거일 후 6월(선거일 후에 행하여진 죄는 그 행위가 있는 날부터 6월)을 경과함으로써 완성한다."고 규정하고 있는데, 여기서 선거일까지 발생한 범죄의 공소시효 기산일인 '선거일 후'는 '선거일 당일'을 의미한다고 해석하는 것이 우선 위 조항의 문언에 부합한다. ( ) 21. 순경 1차

Answer 21. ○ 22. ×

CHAPTER 01

소송의 주체

제1절 법 원

1 파기환송 전의 원심에 관여했던 법관이 파기환송 후의 재판에 관여한 경우 제척사유에 해당한다. ( )

10. 순경, 11 · 12. 9급 국가직, 13. 9급 법원직, 16.경찰간부, 17. 순경 2차, 21. 7급 국가직

2 약식명령을 발부한 법관이 정식재판인 제1심의 공판절차에 관여하였더라도 제척사유가 아니다. ( )

10 · 11. 순경, 16. 9급 검찰 · 마약수사 · 경찰간부, 14 · 17. 경찰승진, 12 · 18. 9급 교정 · 보호 · 철도경찰, 21. 7급 국가직

3 공소제기 전 증거보전청구에 의하여 증인신문을 한 법관은 전심재판의 기초가 되는 조사 · 심리에 관여한 법관이라고 할 수 있으므로 제척사유에 해당한다. ( )

11. 9급 검찰, 12. 9급 교정 · 보호 · 철도경찰, 13. 7급 국가직, 17. 순경 2차, 24. 9급 검찰 · 마약 · 교정 · 보호 · 철도경찰

4 법관이 수사단계에서 구속영장을 발부한 경우는 형사소송법 제17조 제7호 소정의 "법관이 사건에 관하여 전심재판 또는 그 기초되는 조사, 심리에 관여한 때"에 해당한다고 볼 수 없다. ( )

11. 순경 2차, 12. 9급 교정 · 보호 · 철도경찰 · 9급 법원직, 12 · 14. 경찰승진

5 증거신청을 채택하지 아니하거나 이미 행한 증거결정을 취소한 사실 또는 피고인의 증인에 대한 신문을 제지한 사실 등은 기피사유에 해당한다고 할 수 있다. ( )

11. 순경, 14. 경찰승진, 15. 순경 1차, 18. 7급 국가직

6 기피신청을 함에는 기피원인이 되는 사실을 구체적으로 명시해야 하고 기피사유는 3일 이내에 서면으로 소명하여야 한다. ( ) 11. 순경, 13 · 17. 경찰승진, 17. 순경 2차

7 기피신청 간이기각 결정에 대하여 즉시항고할 수 있으나 즉시항고가 있다 하여도 재판의 집행을 정지하는 효력은 없다. ( )

11. 순경, 14. 7급 국가직 · 9급 검찰 · 마약 · 교정 · 보호 · 철도경찰, 17. 순경 2차, 19. 9급 법원직

8 기피신청사건에 대한 재판은 기피당한 법관의 소속법원 합의부에서 결정으로 행한다. ( )

11. 순경 1차, 13 · 14. 경찰승진, 15 · 16. 경찰간부

9 통역인이 사건에 관하여 증인으로 증언한 때에는 직무집행에서 제척되나, 통역인이 피해자의 사실혼 배우자인 경우에는 통역인에게 제척사유가 있다고 할 수 없다. ( ) 17. 교정 · 보호 · 철도경찰

10 치료감호사건이 지방법원이나 지방법원지원에 청구되어 피고사건 항소심을 담당하는 합의부에 배당된 경우 그 합의부는 치료감호사건과 피고사건을 모두 고등법원에 이송하여야 한다. ( )

14 · 16. 7급 국가직, 15. 9급 검찰 · 마약 · 교정 · 보호 · 철도경찰

Answer 1. × 2. ○ 3. × 4. ○ 5. × 6. ○ 7. ○ 8. ○ 9. ○ 10. ○

11 사물관할을 달리하는 수개의 사건이 관련된 때에는 법원합의부가 병합관할한다. ( )
09. 순경, 13. 9급 검찰·마약수사

12 사물관할은 같이하나 토지관할을 달리하는 수개의 사건이 관련된 때에는 1개의 사건에 관하여 관할권이 있는 법원은 다른 사건에 대하여도 관할권을 갖는다. ( ) 10. 순경, 09·10. 경찰승진

13 고유관할사건 계속 중 고유관할 법원에 관련 사건이 계속된 이상 그 후 양 사건이 병합되어 심리되지 아니한 채 고유사건에 대한 심리가 먼저 종결되었다면 관련 사건에 대한 관할권은 소멸된다. ( ) 11. 순경, 15. 9급 검찰·마약·교정·보호·철도경찰, 10·14·17. 경찰승진, 20. 순경 2차·7급 국가직

14 사물관할을 달리하는 수개의 관련사건이 각기 법원합의부와 단독판사에 계속된 때에는 합의부는 결정으로 단독판사에 속한 사건을 병합하여 심리할 수 있다. ( )
10·11·12. 경찰승진, 13. 9급 검찰·마약수사·7급 국가직, 14. 순경 2차, 11·17. 9급 법원직, 22. 해경승진

15 사물관할은 같이하나 토지관할을 달리하는 수개의 관련사건이 각각 다른 법원에 계속된 때에는 공통되는 직근상급 법원은 검사 또는 피고인의 신청에 의하여 결정으로 1개 법원으로 하여금 병합심리하게 할 수 있다. ( ) 11. 경찰승진, 13. 경찰간부, 15. 9급 법원직, 22. 변호사시험

16 사물관할은 같지만 토지관할을 달리하는 수개의 제1심 법원들에 관련된 사건이 계속된 경우에 '공통되는 직근상급 법원은 검사 또는 피고인의 신청에 의하여 결정으로 1개 법원으로 하여금 병합심리할 수 있다.'에서 말하는 공통 직근상급 법원이란 그 소속 고등법원이 같은 경우는 그 고등법원이, 그 소속고등법원이 다른 경우는 대법원이 된다. ( )
09·10. 경찰승진, 11. 순경 1차, 15. 순경 3차, 16. 7급 국가직, 18. 5급 검찰·교정승진, 20. 변호사시험

17 관할의 지정은 검사 또는 피고인이 관계있는 제1심 법원에 공통되는 직근상급 법원에 신청하여야 한다. ( ) 08·10. 9급 법원직, 09. 경찰승진, 14. 순경 2차

18 동일사건이 사물관할을 달리하는 수개의 법원에 계속된 때에는 먼저 공소를 받은 법원이 심판한다. ( ) 11. 경찰승진, 12. 순경 2차, 13. 9급 검찰·마약·교정·보호·철도경찰·경찰간부, 20. 7급 국가직

19 동일사건이 사물관할을 같이하는 수개의 법원에 계속된 때에는 먼저 공소를 받은 법원이 심판한다. 다만, 검사 또는 피고인의 신청이 있는 경우에는 각 법원에 공통되는 직근상급 법원은 결정으로 뒤에 공소를 받은 법원으로 하여금 심판하게 할 수 있다. ( )
12. 순경 2차, 12·14·17. 경찰승진, 22. 변호사시험·해경승진, 08·10·15·24. 9급 법원직

20 단독판사사건이 항소되어 지방법원 본원 합의부에 계속 중 중한 사건(제1심의 관할법원이 합의부인 사건)으로 공소장이 변경된 경우 지방법원 본원 합의부는 사건을 고등법원으로 이송하여야 한다. ( ) 10. 순경, 13. 7급 국가직, 15. 순경 3차, 09·16. 9급 법원직, 18. 경찰간부, 10·14·18. 경찰승진

21 합의부관할사건이 공소장변경에 의하여 단독판사관할사건으로 변경된 경우에 합의부는 관할권 있는 단독판사에게 재배당하여야 한다. ( ) 14. 7급 국가직, 15. 9급 검찰·마약·교정·보호·철도경찰·9급 법원직

Answer 11. ○ 12. ○ 13. × 14. ○ 15. ○ 16. ○ 17. × 18. × 19. ○ 20. ○ 21. ×

22 관할위반의 재판이 법률에 위반됨을 이유로 원심판결을 파기하는 때에는 판결로써 사건을 원심법원에 환송하여야 한다. ( ) 13. 경찰승진, 14. 9급 법원직

23 우리나라 군인이 전시(戰時)에 범한 성폭력범죄의 처벌 등에 관한 특례법 제2조의 성폭력범죄에 대해서는 우리나라 군사법원이 재판권을 가진다. ( ) 23. 9급 검찰 · 마약 · 교정 · 보호 · 철도경찰

제2절 검 사

1 법무부장관은 검찰사무에 대하여 일반적인 지휘 · 감독권이 있을 뿐 구체적 사건에 대해서는 검찰총장만을 지휘 · 감독한다. ( ) 01. 행시, 07. 7급 국가직, 24. 9급 검찰 · 마약수사

2 검찰총장과 각급 검찰청의 검사장 및 지청장은 소속검사의 직무를 자신이 직접 처리(직무승계)하거나, 다른 검사로 하여금 이를 처리(직무이전)하게 할 수 있다. ( ) 01. 행시, 02. 경찰승진, 07. 7급 국가직, 15. 9급 검찰 · 마약수사

3 서장을 포함한 경정 이하의 사법경찰관리가 직무집행에 관하여 부당한 행위를 하는 경우에는 임용권자에게 교체임용을 요구할 수 있으며, 교체임용의 요구가 있는 때에는 임용권자는 교체임용요구에 응할 수 있다. ( ) 08. 경찰승진, 15. 9급 검찰 · 마약수사

4 공판 개정 후 검사가 교체된 때에는 공판절차를 갱신하여야 한다. ( ) 13. 9급 검찰 · 마약수사

5 검사가 수사 및 공판과정에서 피고인에게 유리한 증거를 발견하게 되었다면 피고인의 이익을 위하여 이를 법원에 제출하여야 한다. ( ) 15. 9급 검찰 · 마약수사

제3절 피고인

1 동일한 소송절차에서 공동으로 심판받는 수인의 피고인을 공동피고인이라 한다. 공동피고인은 반드시 공범자임을 요한다. ( ) 12. 9급 국가직, 13. 경찰간부

2 공범이 아닌 공동피고인은 변론을 분리하지 않더라도 다른 공동피고인에 대한 공소사실에 대하여 증인이 될 수 있다. ( ) 13. 9급 국가직, 15. 7급 국가직

3 성명모용이라 함은 수사절차에서 甲이 乙의 성명을 사칭하여 공소장에 乙이 피고인으로 표시되어 공소가 제기된 경우를 말한다. 이 경우에 공소제기의 효과는 모용자에 대해서만 미치고, 성명을 도용당한 피모용자(乙)에게는 미치지 않는다. ( ) 15. 순경 3차
13. 9급 법원직 · 7급 국가직, 16. 9급 검찰 · 마약수사, 12 · 16. 경찰간부, 14 · 18. 9급 검찰 · 교정 · 보호 · 철도경찰

Answer 22. ○ 23. ○ / 1. ○ 2. ○ 3. × 4. × 5. ○ / 1. × 2. ○ 3. ○

4 모용자가 공판정에 출석한 경우 검사는 공소장정정절차에 의해 피고인 표시를 피모용자에서 모용자로 고쳐야 하며, 검사가 정정하지 않으면, 공소제기절차가 법률의 규정에 위반하여 무효인 때로 보아 공소기각판결을 하여야 한다. ( )

11. 순경 2차, 11 · 13. 7급 국가직, 15. 순경 3차, 23. 9급 교정 · 보호 · 철도경찰, 00 · 24. 경찰승진, 24. 해경승진

5 피모용자가 약식명령을 송달받고 이에 대하여 정식재판의 청구를 하여 피모용자를 상대로 심리를 하는 과정에서 성명모용 사실이 발각된 경우 피모용자에게 적법한 공소의 제기가 없었음을 밝혀주는 의미에서 형사소송법 제327조 제2호를 유추적용하여 공소기각의 판결을 하여야 한다. ( )

09. 순경 2차, 14. 9급 교정 · 보호 · 철도경찰, 15. 순경 3차, 19. 경찰간부, 20. 9급 검찰 · 마약수사, 21. 7급 국가직

6 피의자의 진술을 녹취 내지 기재한 서류 또는 문서가 수사기관에서의 조사과정에서 작성되면서, 그것이 '진술조서, 진술서, 자술서'라는 형식을 취하였다면 피의자신문조서와 달리 볼 수 있으므로, 수사기관이 피의자를 신문함에 있어 피의자에게 미리 진술거부권을 고지할 필요가 없으며 그 피의자의 진술은 진술의 임의성이 인정되는 경우라면 증거능력이 인정되어야 한다. ( )

12. 변호사시험, 13. 9급 검찰 · 마약수사, 17. 경찰간부, 11 · 18 · 24. 9급 법원직, 10 · 18 · 21 · 24. 경찰승진

7 피의자의 지위에 있지 아니한 자에 대하여는 진술거부권이 고지되지 아니하였더라도 진술의 증거능력을 부정할 것은 아니다. ( )

12. 순경, 13. 9급 검찰, 14. 변호사시험, 16. 순경 2차, 17. 경찰간부 · 9급 법원직, 18. 경찰승진

8 진술거부권을 고지받을 권리가 헌법 제12조 제2항에 의하여 바로 도출되므로, 이를 인정하기 위해서는 입법적 뒷받침이 별도로 필요하지는 않다. ( )

14 · 16. 9급 검찰 · 마약수사, 17. 9급 법원직, 18. 경찰간부

9 진술거부권 행사의 행위가 피고인에게 보장된 방어권 행사의 범위를 넘어 객관적이고 명백한 증거가 있음에도 진실의 발견을 적극적으로 숨기거나 법원을 오도하려는 시도에 기인한 경우라 하더라도, 이러한 경우의 진술거부권행사를 가중적 양형의 조건으로 삼는 것은 허용될 수 없다. ( )

14. 9급 검찰 · 마약수사, 14 · 17. 순경 2차, 11 · 18. 9급 법원직, 18. 5급 검찰 · 교정승진, 20. 변호사시험, 10 · 12 · 19 · 24. 경찰승진, 24. 7급 국가직

10 진술거부권은 현재 피의자나 피고인으로서 수사 또는 공판절차에 계속 중인 자 뿐만 아니라 장차 피의자나 피고인이 될 자에게도 보장되며, 형사절차에서만 보장되는 것은 아니고 행정절차나 국회에서의 조사절차에서도 보장된다. ( )

16 · 17. 순경 2차, 18. 경찰간부, 19. 경찰승진, 22. 9급 검찰 · 마약 · 교정 · 보호 · 철도경찰, 24. 7급 국가직

11 유죄의 확정판결시까지 무죄의 추정을 받는바, 제1심 또는 제2심 판결에서 유죄판결이 선고되었다 하더라도 확정되기 전까지는 무죄의 추정을 받는다. ( ) 11. 경찰승진, 13. 7급 국가직

12 파기환송 사건에 있어서 구속기간의 갱신 및 구속으로 인한 신체의 자유가 제한된 것은 무죄추정의 원칙에 위반된다. ( ) 14 · 15. 9급 검찰 · 마약 · 교정 · 보호 · 철도경찰, 15. 순경 2차, 15 · 16 · 17. 경찰승진

Answer 4. ○ 5. ○ 6. × 7. ○ 8. × 9. × 10. ○ 11. ○ 12. ×

13 공소장의 공소사실 첫머리에 피고인이 전에 받은 소년부 송치처분과 직업 없음을 기재하였다 하더라도 피고인을 특정할 수 있는 사항에 속하는 것이어서 그와 같은 내용의 기재가 있다 하여 공소제기의 절차가 법률의 규정에 위반된 것이라고 할 수 없고 또 헌법상의 형사피고인에 대한 무죄추정조항이나 평등조항에 위배되는 것도 아니다. ( )
14. 9급 검찰 · 마약 · 교정 · 보호 · 철도경찰, 15. 순경 2차, 16 · 17. 경찰승진

14 경찰청장이 주민등록발급신청서에 날인되어 있는 지문정보를 보관 · 전산화하고 이를 범죄수사 목적에 이용하는 행위는 무죄추정의원칙과 영장주의 내지 강제수사법정주의에 위배된다. ( )
11 · 14 · 15. 경찰승진, 12. 순경 3차

15 유죄의 확정판결을 받기 전에 징계혐의 사실은 인정은 무죄추정의 원칙에 저촉된다고 볼 수 있다. ( )
12. 순경 1차, 14. 9급 검찰 · 마약 · 교정 · 보호 · 철도경찰, 15. 경찰승진

16 지방자치단체의 장이 금고 이상의 선고를 받은 경우 부단체장으로 하여금 그 권한을 대행하도록 한 지방자치법은 무죄추정의 원칙에 위반된다. ( ) 12. 경찰승진 · 순경, 15. 경찰간부, 17. 검찰 · 교정승진

제4절 변호인

1 피의자 또는 피고인의 법정대리인 · 배우자 · 직계친족 · 형제자매 · 동거인 · 고용주는 독립하여 변호인을 선임할 수 있다. ( )
11. 7급 국가직, 13. 경찰승진

2 피고인이 법인인 경우에는 대표자가 피고인인 당해 법인을 대표하여 피고인을 위한 변호인을 선임하여야 하며, 대표자가 제3자에게 변호인선임을 위임하여 제3자로 하여금 변호인을 선임하게 할 수도 있다. ( ) 10. 9급 법원직, 12. 순경, 17. 순경 1차, 18. 9급 검찰 · 마약 · 교정 · 보호 · 철도경찰

3 변호인선임신고서를 제출하지 아니한 변호인이 변호인 명의로 정식재판청구서만 제출하고, 정식재판청구기간 경과 후에 비로소 변호인선임신고서를 제출한 경우, 위 정식재판청구서는 적법 · 유효한 정식재판청구로서의 효력이 없다. ( ) 10. 9급 국가직, 12. 9급 법원직, 17. 경찰간부, 19. 7급 국가직

4 원심의 변호인선임은 항소심의 파기환송 또는 파기이송이 있은 후에는 효력이 없다. ( )
00. 7급 검찰, 08 · 10. 9급 국가직, 12 · 13. 9급 법원직, 13. 9급 교정 · 보호 · 철도경찰

5 피고인 또는 변호인이 다른 의사표시를 하지 않는 경우에는 추가로 공소제기되어 병합심리된 다른 사건에도 선임의 효력이 미친다. ( ) 08. 9급 국가직, 09. 순경, 13. 9급 교정 · 보호 · 철도경찰

6 피고인이 사형 · 무기 또는 장기 3년 이상의 징역이나 금고에 해당하는 사건으로 기소된 때는 국선변호인 선정사유이다. ( ) 09 · 10 · 11. 순경 1차, 11. 7급 국가직, 13. 9급 검찰 · 마약수사, 22. 경찰승진

Answer 13. ○ 14. × 15. × 16. ○ / 1. × 2. × 3. ○ 4. × 5. ○ 6. ×

7 피고인이 빈곤 그 밖의 사유로 변호인을 선임할 수 없는 경우에 피고인의 청구가 있는 때에는 변호인을 선정하여야 한다. ( )
08·11. 순경, 10. 9급 법원직, 16. 경찰승진

8 구속영장의 청구가 기각된 경우에도 국선변호인선정의 효력은 제1심까지 지속된다. ( )
11. 9급 법원직, 12. 변호사시험, 13. 순경 2차

9 필요적 변호사건에서 제1심 공판절차가 변호인 없이 이루어진 경우 무효이므로 항소심절차에서 변호인 있는 상태에서 소송행위를 새로이 한 후 위법한 제1심 판결을 파기하고, 항소심에서의 진술 및 증거조사 등 심리결과에 기하여 다시 판결을 하여야 한다. ( )
11. 경찰승진, 12. 경찰간부, 16. 7급 국가직

10 공판절차가 아닌 재심개시결정 전의 절차에서도 재심청구인이 국선변호인선임청구를 할 수 있다. ( )
12. 경찰간부, 13. 순경 2차, 11·15·19. 경찰승진

11 즉결심판을 받은 피고인이 정식재판을 청구하여 공판절차가 개시된 경우에는 통상의 공판절차와 마찬가지로 국선변호인 선정에 관한 규정이 적용된다. ( )
08. 순경 2차, 11. 7급 국가직, 16. 9급 검찰·마약·교정·보호·철도경찰

12 필요적 변호사건에서 변호인이 없거나 출석하지 아니한 채 공판절차가 진행되었기 때문에 그 공판절차가 위법한 것이라면, 그 절차에서의 소송행위 외에 다른 절차에서 적법하게 이루어진 소송행위까지 모두 무효로 된다. ( )
09·10. 경찰승진, 11. 9급 법원직, 12. 순경·변호사시험, 14. 9급 검찰·마약수사, 15. 7급 국가직

13 형사소송법 제33조 제1항 제1호의 '피고인이 구속된 때'라고 함은, 당해 형사사건에서 구속되어 재판을 받고 있는 경우뿐만 아니라, 피고인이 별건으로 구속되어 있거나 다른 형사사건에서 유죄로 확정되어 수형 중인 경우에도 이에 해당한다. ( )
17. 경찰간부, 19. 7급 국가직, 11·18·20. 9급 법원직, 13·21. 순경 2차, 10·12·15·19·24. 경찰승진

14 국선변호인이 항소이유서를 제출하지 아니한 데 대하여 피고인의 귀책사유와 관계없이 항소법원은 종전 국선변호인의 선정을 취소하고 새로운 국선변호인을 선정하여 다시 소송기록접수통지를 함으로써 새로운 국선변호인으로 하여금 그 통지를 받은 때로부터 항소이유서제출기간(제361조의 3 제1항) 내에 피고인을 위하여 항소이유서를 제출하도록 하여야 한다. ( )
14. 경찰간부, 18. 9급 법원직, 19. 변호사시험, 20. 9급 검찰·마약·교정·보호·철도경찰, 15·16·22. 7급 국가직

15 항소법원이 변론을 종결한 후에 피고인은 청구국선변호인제도를 알게 되었고, 곧바로 국선변호인 청구서와 변론개시 신청서를 항소법원에 제출하였으나 항소법원이 이를 기각하였다 하더라도 법원이 국선변호인선정청구권 있음을 고지해야 할 의무는 없다 할 것이므로 위법이라 할 수 없다. ( )
04. 행시·순경, 12. 9급 법원직

Answer
7. ○ 8. × 9. ○ 10. × 11. ○ 12. × 13. ○(판례변경 전 : ×, 판례변경 후 : ○)
14. × 15. ○

16 국선변호인 선임청구를 기각한 결정은 판결 전 소송절차이므로 그 결정에 대하여 즉시항고할 수 있는 근거가 없기 때문에 그 결정에 대하여는 재항고도 할 수 없다. ( )

11. 7급 국가직, 09 · 10 · 11 · 13 · 22. 경찰승진

17 국선변호인은 정당한 사유가 있는 경우에 사임할 수 있으나, 그 경우에는 법원 또는 지방법원판사의 허가를 얻어야 한다. ( ) **11. 9급 법원직, 12. 경찰승진**

18 상소제기는 본인의 명시적인 의사에 반하여 행사가 가능한 경우이다. ( )

01. 경찰승진, 04. 여경, 13. 경찰간부

19 판례는 증거동의에 관하여 피고인이 명시적인 의사표시를 한 경우에도 이와 무관하게 변호인은 증거동의를 할 수 있다는 입장이다. ( ) **10. 경찰승진, 11. 9급 법원직**

20 상고심에서의 변론권, 인신구속된 피의자 · 피고인과의 접견교통권, 피고인신문권은 변호인만이 가지는 권리(협의의 고유권)이며, 체포 · 구속적부심사청구권, 증거조사에 대한 이의신청권, 재판장의 처분에 대한 이의신청권은 피의자나 피고인과 중복해서 가지는 권리라고 볼 수 있다. ( )

12. 9급 국가직

Answer 16. ○ 17. ○ 18. × 19. × 20. ○

CHAPTER 02

소송절차의 일반이론

1 반의사불벌죄에 있어서 처벌불원의 의사표시의 부존재는 소극적 소송조건으로서 직권조사사항이므로 당사자가 항소이유로 주장하지 아니하였다고 하더라도 항소심은 처벌불원의 의사표시 존재 여부에 대하여 직권으로 조사·판단하여야 한다. ( ) 07. 순경, 11. 경찰승진, 13. 7급 국가직

2 의사무능력자에 대한 법정대리인의 대리는 포괄적 대리가 허용되는 경우이다. ( ) 10. 9급 법원직, 16. 9급 검찰·마약수사

3 변호인선임신고서를 제출하지 아니한 변호인이 변호인 명의로 정식재판청구서만 제출하고 정식재판청구기간 경과 후에 비로소 변호인선임신고서를 제출한 경우, 위 정식재판청구서의 정식재판청구로서의 효력이 없다. ( ) 10. 9급 국가직, 12. 9급 법원직, 14. 7급 국가직, 15·18. 경찰간부

4 비친고죄로 공소제기되었다가 친고죄로 공소장이 변경된 경우 비로소 고소장을 제출한 경우에는 친고죄의 공소제기절차는 법률의 규정에 위반하지 않아 유효하다. ( ) 12. 순경·9급 국가직, 08·14. 7급 국가직, 12·14·15. 경찰간부, 09·10·19. 경찰승진

5 세무공무원의 고발 없이 조세범 사건의 공소가 제기된 후 세무공무원이 비로소 고발을 하였다면 공소제기의 무효가 치유될 수 있다. ( ) 10. 9급 국가직, 12·18. 경찰간부, 18. 9급 검찰·마약수사, 08·19. 경찰승진

6 공소장의 송달이 부적법하다 하여도 피고인이 제1심에서 이의함이 없이 공소사실에 관하여 충분히 진술할 기회를 부여받은 이상 판결결과에는 영향이 없어 그것이 적법한 상소이유가 된다고 할 수 없다. ( ) 14. 경찰간부, 15·18. 9급 검찰·마약수사

7 다음회의 공판기일에 있어서는 전회의 공판심리에 관한 주요사항의 요지를 조서에 의하여 고지하여야 한다. 다만, 다음회의 공판기일까지 전회의 공판조서가 정리되지 아니한 때에는 고지를 생략할 수 있다. ( ) 10·11. 9급 법원직

8 피고인이 원하는 시기에 공판조서를 열람·등사하지 못하였으나 그 변론종결 이전에 이를 열람·등사한 경우에는 그 열람·등사가 늦어짐으로 인하여 피고인의 방어권 행사에 지장이 있었다는 등의 특별한 사정이 있다고 하더라도 공판조서를 유죄의 증거로 할 수 있다. ( ) 09. 7급 국가직, 15. 9급 교정·보호·철도경찰, 19. 변호사시험

9 속기록, 녹음물, 영상녹화물 또는 녹취서는 전자적 형태로 보관할 수 있으며, 재판이 선고되면 폐기한다. ( ) 12. 9급 법원직, 14. 경찰간부

Answer 1. ○ 2. ○ 3. ○ 4. × 5. × 6. ○ 7. × 8. × 9. ×

10 피고인의 어머니가 주거지에서 소송기록접수통지서를 송달받은 경우, 그 어머니가 문맹자이고 관절염, 골다공증으로 인하여 거동이 불편하다면 그 송달은 무효이다. ( )

00. 법원사무관, 10 · 11. 경찰승진

11 교도소 또는 구치소에 구속된 자에 대한 송달은 그 소장에게 한다. ( )

11. 경찰승진, 15. 9급 법원직

12 다른 사건으로 구속된 재감자에 대한 약식명령의 송달을 교도소 등의 소장에게 하지 아니하고 수감되기 전의 종전 주 · 거소에다 하였다면 부적법하여 무효이고, 수소법원이 송달을 실시함에 있어 당사자 또는 소송관계인의 수감사실을 모르고 종전의 주 · 거소에 하였다고 하여도 마찬가지로 송달의 효력은 발생하지 않는다. 다만, 송달 자체가 부적법하다하더라도 당사자가 약식명령이 고지된 사실을 다른 방법으로 알았다면 송달의 효력은 발생한다. ( )

00. 법원사무관, 04. 7급 검찰, 10. 경찰승진, 11. 9급 법원직

13 최초의 공시송달은 공시한 날로부터 2주일을 경과하면 그 효력이 발생한다. 다만, 제2회 이후의 공시송달은 다음 날부터 효력이 생긴다. ( ) 08 · 09 · 10 · 15. 9급 법원직, 15. 경찰간부

14 항소한 피고인이 거주지 변경신고를 하지 아니한 잘못이 있는 상태라면, 비록 법원이 기록에 나타난 피고인의 휴대전화번호로 연락하여 송달받을 장소를 확인해 보는 등의 조치를 취하지 아니한 채 곧바로 공시송달을 명하고 피고인의 진술 없이 판결을 하였다 하더라도 위법은 아니다. ( ) 09 · 11. 9급 법원직, 13 · 22. 7급 국가직

15 피고인의 법정대리인, 특별대리인, 보조인 또는 피고인의 배우자 · 직계친족 · 형제자매로서 피고인의 위임장 또는 신분관계를 증명하는 문서를 제출한 자도 소송계속 중의 관계서류 또는 증거물을 열람 또는 복사할 수 있다. ( ) 09. 9급 법원직, 15. 9급 검찰 · 마약 · 교정 · 보호 · 철도경찰

16 소송계속 중인 사건의 피해자와 달리 피해자의 법정대리인 또는 이들로부터 위임받은 피해자 본인의 배우자, 직계친족, 형제자매, 변호사는 소송기록의 열람 또는 등사를 재판장에게 신청할 수 없다. ( )

12. 9급 국가직, 14. 9급 교정 · 보호 · 철도경찰, 10 · 15. 경찰승진, 15. 순경 1차 · 2차 · 3차, 16. 경찰간부

17 재판장의 범죄피해자 등에 대한 소송기록 열람 또는 등사 허가 및 조건을 붙이는 재판에 대하여 불복할 수 있다. ( ) 10. 7급 국가직, 11. 9급 법원직, 15. 순경 2차 · 9급 교정 · 보호 · 철도경찰

18 변호인이 있는 피고인은 소송계속 중 법원이 보관하고 있는 관계 서류 또는 증거물에 대하여는 열람만을 신청할 수 있다. ( ) 17. 7급 국가직, 23. 경찰승진

Answer 10. × 11. ○ 12. × 13. × 14. × 15. × 16. × 17. × 18. ×

CHAPTER 01

공판절차

제1절 공판절차의 기본원칙

제2절 공판심리범위

1 공개하지 않을 수 있는 것은 심리에 한하므로, 판결선고의 비공개는 허용될 수 없다. ( )
01. 법원사무관, 04. 9급 법원직, 12. 순경 · 경찰간부

2 기본적인 사실관계가 동일한가의 여부는 그 규범적 요소를 전적으로 배제한 채 순수하게 사회적 · 전법률적 관점에서 파악하여야 한다는 것이 판례의 입장이다. ( )
13. 9급 교정 · 보호 · 철도경찰, 15 · 21. 9급 법원직 · 9급 검찰 · 마약수사

3 피고인의 방어권행사에 실질적인 불이익을 초래할 염려가 없는 경우에는 공소사실과 기본적 사실이 동일한 범위 내에서 법원이 공소장변경절차를 거치지 아니하고 다르게 인정하였다 할지라도 불고불리의 원칙에 위반되지 않는다. ( ) 11 · 12 · 13. 9급 검찰 · 마약수사, 14. 9급 교정 · 보호 · 철도경찰, 16. 순경 2차, 15 · 17. 9급 법원직, 17. 경찰승진 · 7급 국가직, 16 · 21. 순경 1차

4 공소장에 약 4개월간의 치유를 요하는 상해라고 적시된 것을 법원이 공소장변경절차 없이 약 8개월간의 치료를 요하는 것으로 인정하였다면 이는 불고불리의 원칙에 반한다는 것이 판례의 입장이다. ( ) 13. 순경 1차, 16. 순경 2차

5 법원은 공소장변경 없이 공소사실과 다른 사실을 인정할 수 있는 경우 예외없이 다른 사실을 인정하여야 한다는 입장이 판례의 태도이다. ( ) 04. 행시, 07. 9급 법원직

6 판례에 의하면 공소가 제기된 살인죄의 범죄사실에 대하여는 그 증명이 없으나 폭행치사죄의 증명이 있는 경우 살인죄의 구성요건은 폭행치사 사실을 포함한다고 할 수 있으므로 공소장변경 없이 피고인에게 폭행치사죄를 인정한다 하여 피고인의 방어권 행사에 불이익을 준다고 보기 어렵다. ( ) 10. 7급 국가직, 12. 변호사시험, 14. 순경 1차, 16. 순경 2차

7 판례에 의하면 명예훼손죄를 모욕죄로 인정하려면 공소장변경이 필요하다. ( )
03. 순경 1차, 08. 순경 1차 · 3차

Answer 1. ○ 2. × 3. ○ 4. × 5. × 6. × 7. ○

8 폭행치상죄를 폭행죄로 인정함에는 공소장변경이 필요하지 않다는 것이 판례의 입장이다. ( )
12. 순경 · 경찰승진

9 판례에 의하면 강간치상죄를 준강제추행죄로 인정하려면 공소장변경이 필요하다는 입장이다. ( )
09 · 11. 9급 국가직, 12. 순경 1차, 12 · 13. 경찰승진

10 판례는 허위사실적시 명예훼손죄를 사실적시 명예훼손죄로 인정하려면 공소장변경이 필요하다고 한다. ( )
08. 경찰승진, 10 · 15. 7급 국가직

11 횡령죄와 배임죄는 신임관계를 기본으로 하고 있는 같은 죄질의 재산범죄로서 그 형벌에 있어서도 경중의 차이가 없고 동일한 범죄사실에 대하여 단지 법률 적용만을 달리하는 경우에 해당하므로 법원은 배임죄로 기소된 공소사실에 대하여 공소장변경 없이도 횡령죄를 적용하여 처벌할 수 있다. ( )
10. 7급 국가직, 12. 변호사시험 · 9급 법원직, 13. 순경 1차, 16. 순경 2차 · 9급 검찰 · 마약수사

12 법원이 적법하게 공판의 심리를 종결하고 판결선고 기일까지 고지한 후에 한 검사의 공소장변경신청일지라도 그것이 변론재개신청과 함께 된 것이라면 법원은 종결한 공판의 심리를 재개하여 공소장변경을 허가할 의무가 있다. ( )
08. 순경, 12. 9급 법원직, 22. 경찰간부, 09 · 23. 7급 국가직, 24. 9급 검찰 · 마약수사, 25. 변호사시험

13 공소장변경허가결정은 법원의 판결 전 소송절차에 관한 결정이므로 그 결정에 대하여 독립하여 항고할 수 없다. ( )
12. 9급 국가직, 13 · 16. 7급 국가직, 14 · 16. 9급 교정 · 보호 · 철도경찰, 16. 순경 1차, 24. 변호사시험

14 공소사실의 동일성이 없는 등 공소장변경 허가결정에 위법사유가 있는 경우라 할지라도 공소장변경허가결정을 한 법원은 스스로 결정을 취소할 수 없다. ( ) 09. 7급 국가직, 11 · 12. 9급 국가직

15 법원은 심리의 경과에 비추어 상당하다고 인정한 때에는 공소사실이나 적용법조의 추가 또는 철회 · 변경을 요구하여야 한다. ( )
08. 순경, 16. 9급 교정 · 보호 · 철도경찰

16 상고심에서 파기환송된 후의 항소심에서는 공소장변경은 허용되지 아니한다. ( )
15. 순경 3차, 18. 변호사시험, 18 · 19. 경찰간부, 13 · 20. 7급 국가직, 22. 소방간부, 18 · 23. 9급 검찰 · 마약수사, 24. 9급 법원직

17 공소장변경이 피고인의 방어에 불이익을 증가할 염려가 있다고 인정한 때에는 직권 또는 피고인이나 변호인의 청구에 의하여 법원은 결정으로 피고인의 방어준비에 필요한 기간 공판절차를 정지하여야 한다. ( )
09. 7급 국가직, 10. 9급 국가직, 15. 9급 법원직, 18. 변호사시험

Answer 8. × 9. × 10. × 11. ○ 12. × 13. ○ 14. × 15. × 16. × 17. ×

제3절 공판준비절차

1 공소장부본 송달은 제1회 공판기일 전 7일까지 송달되어야 한다. ( )
11. 9급 법원직·순경 2차, 12·14. 9급 검찰·마약수사, 14. 9급 교정·보호·철도경찰, 15. 경찰간부

2 법원이 부당하게 변론기일 또는 공판기일을 변경하거나 그 기일을 지정하지 아니한 경우에도 변호인과 피고인은 수소법원에 공판기일지정을 신청할 수 있다. ( )
12. 9급 검찰·마약·교정·보호·철도경찰

3 구금된 피고인에 대하여는 교도관에게 통지하여 소환하고 피고인이 교도관으로부터 소환통지를 받은 때에는 소환장 송달과 동일한 효력이 있다. ( ) 07·08. 9급 법원직

4 변호인이 있는 피고인의 경우에도 공소제기된 사건에 관한 서류 또는 물건의 목록과 공소사실의 인정 또는 양형에 영향을 미칠 수 있는 서류 등의 열람·등사 또는 서면의 교부를 신청할 수 있다. ( ) 11·12. 순경, 15. 순경 3차, 16. 경찰간부·순경 1차, 13·17. 순경 2차·9급 국가직·변호사시험, 10·13·17. 경찰승진, 16·20. 9급 법원직, 12·15·22. 7급 국가직, 22. 7급 국가직, 24. 해경경위공채

5 증거개시 신청의 시기제한을 두고 있지 않으므로, 공소제기 이후에는 언제든지 가능하다. 따라서 공판준비절차는 물론 공판기일에서도 가능하다. ( ) 12. 순경 3차, 15. 7급 국가직, 17. 경찰간부

6 검사는 국가안보, 증인보호의 필요성, 증거인멸의 염려, 관련사건의 수사에 장애를 가져올 것으로 예상되는 구체적인 사유 등 열람·등사 또는 서면의 교부를 허용하지 아니할 상당한 이유가 있다고 인정하는 때에는 그 범위를 제한할 수 있으나, 거부할 수는 없다. ( )
10. 경찰승진·9급 법원직, 13. 순경 2차, 16. 경찰간부

7 검사는 열람·등사 또는 서면의 교부를 거부하거나 그 범위를 제한하는 때에는 7일 이내에 그 이유를 서면 또는 구술로 통지하여야 한다. ( )
12. 순경 3차, 12·14·17. 순경 2차, 17. 경찰승진, 12·18. 경찰간부, 12·20. 7급 국가직, 24. 해경경위공채

8 검사가 서류 등의 열람·등사 등을 거부하거나 그 범위를 제한할 수 있는 경우에도, 서류 등의 목록에 대하여는 열람 또는 등사를 거부할 수 없다. ( ) 18. 9급 검찰·마약·교정·보호·철도경찰, 17. 순경 2차, 20·22. 7급 국가직, 22. 경찰간부, 10·17·23. 경찰승진, 24. 해경간부

9 만약 검사가 열람·등사에 관한 법원의 결정을 지체 없이 이행하지 아니한 때에는 해당 증인 및 서류 등에 대한 증거신청을 할 수 없다. ( ) 12. 순경 3차, 11·12·14. 순경 2차, 13·17. 경찰승진, 14·18. 경찰간부, 18. 9급 검찰·마약·교정·보호·철도경찰, 20. 9급 법원직, 22. 7급 국가직, 24. 해경경위공채

10 형사소송법은 통상사건의 공판준비절차에 대하여 반드시 공판준비절차에 부쳐야 하는 필수적 절차로 규정하고 있다. ( ) 09. 9급 국가직, 10. 7급 국가직, 11. 경찰승진, 12. 순경 3차, 15. 순경 1차·9급 법원직

Answer 1. × 2. × 3. ○ 4. × 5. ○ 6. × 7. × 8. ○ 9. ○ 10. ×

11 검사, 피고인 또는 변호인은 법원에 대하여 공판준비기일의 지정을 신청할 수 있으며, 공판준비기일 지정신청에 대한 법원의 결정에 항고할 수 있다. ( )

11. 순경, 10 · 12. 9급 법원직, 12. 순경 3차, 14. 순경 2차, 08 · 14. 7급 국가직, 17. 경찰승진

12 법원은 공판준비기일이 지정된 사건에 관하여 변호인이 없는 때에는 직권으로 변호인을 선정하여야 한다. ( )

11. 경찰승진, 12. 순경 3차, 14. 9급 교정 · 보호 · 철도경찰, 10 · 15 · 20. 9급 법원직, 15. 경찰간부, 17. 순경 1차, 22. 소방간부

13 법원은 필요하다고 인정하는 때에는 피고인을 소환할 수 있으며, 피고인은 법원의 소환이 없는 때에는 공판준비기일에 출석할 수 없다. ( )

10 · 12. 9급 법원직, 11. 경찰승진, 10 · 14. 7급 국가직, 14. 순경 2차, 16. 순경 1차

14 공판준비기일은 반드시 공개하여야 한다. ( ) 09. 7급 국가직, 12. 9급 법원직 · 순경 3차, 11 · 16. 순경 1차

15 공판준비절차에서 '공소사실 또는 적용법조의 추가 · 철회 또는 변경을 허가하는 행위'도 가능하다. ( )

10. 7급 국가직, 11. 경찰승진, 12. 9급 검찰 · 마약수사 · 9급 법원직

16 법원은 쟁점 및 증거의 정리를 위하여 필요한 경우라도 제1회 공판기일 후에는 사건을 공판준비절차에 부칠 수 없다. ( )

12. 경찰간부, 13. 경찰승진, 09 · 15. 9급 법원직, 15. 순경 1차

17 개정법에 의하면, 피고인 소환장에는 재판장 또는 수명법관이 기명날인 또는 서명하여야 한다. ( )

제4절 공판정

1 피고인이 법인인 경우에는 대표자 또는 특별대리인 외에 대리인을 출석하게 할 수 있다. ( )

08. 순경, 09 · 15. 9급 법원직

2 다액 500만원 이하의 벌금, 구류 또는 과료에 해당하는 사건은 피고인의 출석을 요하지 않는다. ( )

00. 7급 · 9급 법원직, 08. 순경, 09. 9급 국가직, 13. 9급 교정 · 보호 · 철도경찰, 15. 경찰승진

3 피고인이 의사무능력 상태에 있거나, 질병 등으로 출정할 수 없을 때에는 공판절차를 정지해야 하나 무죄, 면소, 형면제, 집행유예, 공소기각재판을 할 것이 명백한 때에는 피고인의 출석 없이 재판할 수 있다. ( )

10. 7급 국가직, 15. 경찰승진 · 9급 법원직

4 항소심에서 피고인이 공판기일에 출석하지 아니하면 다시 기일을 정해야 하며, 다시 정한 기일에 출석하지 아니한 때에는 그 다음회부터 피고인의 진술 없이 판결할 수 있다. ( )

11. 9급 법원직, 17. 7급 국가직

Answer ← 11. × 12. ○ 13. × 14. × 15. ○ 16. × 17. ○ / 1. ○ 2. × 3. × 4. ×

5 공판기일 통지를 2회 이상 받고 출석하지 않거나, 판결만을 선고하는 경우에는 검사의 출석 없이 개정할 수 있다. ( ) 09. 9급 국가직, 08·15. 9급 법원직, 15. 순경 2차

6 증거결정에 대한 이의신청은 법령위반시 또는 상당하지 아니한 경우에 할 수 있다. ( ) 13. 9급 국가직

제5절 공판기일의 절차

1 재판장은 인정신문을 하기 전에 피고인에게 진술을 하지 아니하거나 개개의 질문에 대하여 진술을 거부할 수 있고 이익되는 사실을 진술할 수 있음을 알려주어야 한다. ( ) 09. 9급 법원직, 11. 경찰승진

2 제1심의 공판절차는 원칙적으로 재판장의 쟁점정리 등의 절차, 피고인신문, 증거조사의 순서로 행해진다. ( ) 10. 순경, 13. 경찰승진, 16. 경찰간부

3 증거조사 신청순서는 피고인 또는 변호인이 먼저 하고 그 다음에 검사가 행한다. ( ) 10. 순경, 11. 9급 법원직, 12·13·14. 경찰승진, 16·19. 경찰간부

4 서류나 물건의 일부에 대한 증거신청을 함에 있어서는 증거로 할 부분을 특정하여 명시하여야 한다. ( ) 10. 순경, 11. 9급 법원직, 13. 경찰승진, 19. 경찰간부

5 증거신청의 채택 여부는 법원이 필요하지 아니하다고 인정할 때에는 이를 조사하지 아니할 수 있다. ( ) 11·12. 경찰승진, 12. 경찰간부, 20. 9급 법원직, 22. 경찰승진

6 법원은 증거신청을 기각·각하하거나 증거신청에 대한 결정을 보류한 경우에도 증거 신청인으로부터 당해 증거서류나 증거물을 제출받을 수 있다. ( ) 10. 순경, 11. 9급 법원직, 13. 9급 검찰·마약·교정·보호·철도경찰·경찰승진

7 피고인이 철회한 증인을 법원이 직권신문하고 이를 증거로 채택하였다면 위법이 아니라 할 수 없다. ( ) 10. 경찰승진, 13. 7급 국가직

8 법원은 직권으로 증거조사 순서를 바꿀 수 없다. ( ) 09. 9급 법원직, 13. 9급 검찰·마약·교정·보호·철도경찰, 16. 경찰간부

9 서류가 피고인의 자백진술을 내용으로 하는 때에는 범죄사실에 관한 다른 증거를 조사한 후에 이를 조사하여야 한다. ( ) 10. 순경, 11. 9급 법원직, 13. 경찰승진

Answer 5. ○ 6. × / 1. ○ 2. × 3. × 4. ○ 5. ○ 6. × 7. × 8. × 9. ○

10 '증거물인 서면'을 조사하기 위해서는 증거서류의 조사방식인 낭독·내용고지 또는 열람의 절차와 증거물의 조사방식인 제시의 절차가 함께 이루어져야 하므로, 원칙적으로 증거신청인으로 하여금 그 서면을 제시하면서 낭독하게 하거나 이에 갈음하여 그 내용을 고지 또는 열람하도록 하여야 한다. ( ) 14. 9급 법원직, 15. 9급 검찰·마약·교정·보호·철도경찰, 16. 순경 1차

11 재판장은 피고인이 어떤 재정인의 면전에서 충분한 진술을 할 수 없다고 인정될지라도 그 재정인을 퇴정시키고 진술하게 할 수는 없다. ( ) 09. 9급 법원직, 13. 9급 검찰·마약수사

12 법원은 검사에게 의견진술의 기회를 부여하면 족하며, 검사가 의견진술을 하지 않더라도 공판절차가 무효로 되는 것은 아니다. ( ) 12. 경찰승진, 14. 7급 국가직

제6절 증인신문·감정·검증

1 감정증인은 대체성이 있으므로 증인에 속한다 볼 수 없을 것이고, 현행법도 증인신문절차에 따라 신문하도록 되어 있지 않다. ( ) 07. 9급 법원직, 13. 7급 국가직, 14. 순경 1차, 15. 경찰승진·경찰간부

2 공범인 공동피고인은 당해 소송절차에서는 피고인의 지위에 있으므로, 다른 공동피고인에 대한 공소사실에 관하여 증인이 될 수 없으며, 소송절차가 분리되어 피고인의 지위에서 벗어나게 되더라도 다른 공동피고인에 대한 공소사실에 관하여 증인이 될 수 없다. ( )

16. 변호사시험, 13·14·15·17. 9급 법원직, 11·15·21. 7급 국가직, 21. 순경 2차, 24. 소방간부

3 피고인과 별개의 범죄사실로 기소되어 병합심리 중인 공동피고인은 피고인의 범죄사실에 관하여는 증인의 지위에 있다 할 것이므로 선서 없이 한 공동피고인의 진술을 기재한 공판조서의 기재내용은 피고인의 유죄인정의 증거로 할 수 없다. ( )

10. 순경 1차, 12. 순경 2차, 15. 9급 검찰·마약수사, 10·15. 7급 국가직, 17. 9급 법원직, 18. 9급 교정·보호·철도경찰

4 법원은 소환장을 송달받은 증인이 정당한 사유 없이 출석하지 아니한 때에는 결정으로 당해 불출석으로 인한 소송비용을 증인이 부담하도록 명하고, 500만원 이하의 벌금을 부과할 수 있다. ( ) 08. 7급 국가직, 10. 경찰승진, 11. 9급 법원직

5 증인에 대한 과태료나 감치결정에 대해서 즉시항고할 수 있으며, 즉시항고가 있으면 과태료나 감치결정의 집행이 정지된다. ( ) 10. 9급 국가직, 14. 경찰승진

6 16세 이하인 자 또는 선서의 취지를 이해하지 못하는 자에 대하여는 선서를 하지 않고 신문하여야 한다. ( ) 10. 9급 국가직, 11·15·16. 9급 법원직, 14. 경찰승진

Answer 10. ○ 11. × 12. ○ / 1. × 2. × 3. ○ 4. × 5. × 6. ×

7 선서무능력자에게 선서를 시키고 증언토록 하더라도 그 선서는 효력이 없으므로, 위증죄는 성립하지 않으며, 그 증언 자체의 효력도 부인된다. ( )

07. 9급 법원직, 11. 7급 국가직, 14. 9급 교정·보호·철도경찰, 15. 경찰승진, 16. 변호사시험, 23. 소방간부

8 사고 당시 10세 남짓한 국민학교 5학년생으로서 비록 선서무능력자라 하여도 그 증언 내지 진술의 전후 사정으로 보아 의사판단능력이 있다고 인정된다면 증언능력이 있다고 할 것이다. ( )

10. 경찰승진, 13. 7급 국가직, 14. 순경 1차

9 자신에 대한 유죄판결이 확정된 증인이 공범에 대한 피고사건에서 증언할 당시 앞으로 재심을 청구할 예정이라면 이를 이유로 증인에게 증언거부권이 인정된다. ( ) 18. 순경 1차,
14·22. 경찰승진, 17·22. 경찰간부, 15·23. 9급 검찰·마약수사, 16·23. 변호사시험, 21·23. 9급 법원직, 23. 소방간부

10 증인이 증언거부권을 고지받지 못함으로 인하여 그 증언거부권을 행사하는 데 사실상 장애가 초래되었다고 볼 수 있는 경우에는 위증죄가 성립되지 아니한다. ( )

13·16. 변호사시험, 16. 경찰간부

11 변호인이 없는 피고인을 일시 퇴정하게 하고 증인신문을 한 다음 피고인에게 실질적인 반대신문의 기회를 부여하지 아니한 채 이루어진 증인의 법정진술은 위법한 증거로서 증거능력이 없다. 다만, 그 다음 공판기일에서 재판장이 증인신문 결과 등을 공판조서(증인신문조서)에 의하여 고지하였는데 피고인이 '변경할 점과 이의할 점이 없다.'고 진술하여 책문권 포기 의사를 명시하였다면, 실질적인 반대신문의 기회를 부여받지 못한 하자가 치유되었다고 본다. ( )

12. 경찰간부, 13. 순경 1차, 23. 경찰승진·9급 법원직, 21·24. 7급 국가직, 23·24. 소방간부

12 형사소송법 제297조의 규정에 따라 재판장은 증인이 피고인의 면전에서 충분한 진술을 할 수 없다고 인정한 때에는 피고인을 퇴정하게 하고 증인신문을 진행함으로써 피고인의 직접적인 증인 대면을 제한할 수 있지만, 이러한 경우에도 피고인의 반대신문권을 배제하는 것은 허용되지 않는다. ( ) 11. 7급 국가직, 14. 순경 1차, 17. 해경간부

13 반대신문의 경우에 증언의 증명력을 다투기 위하여 필요한 사항에 관한 신문을 할 수 있으나, 주신문의 경우에는 불가능하다. ( ) 10. 순경 1차, 14. 9급 검찰·마약수사

14 반대신문은 원칙적으로 유도신문이 허용된다. ( ) 10. 9급·7급 국가직, 13. 순경, 14. 경찰승진

15 법원은 범죄로 인한 피해자 또는 그 법정대리인(피해자가 사망한 경우에는 배우자·직계친족·형제자매를 포함한다. 이하 '피해자 등'이라 한다)의 신청이 있는 때에는 언제나 그 피해자 등을 증인으로 신문하여야 한다. ( ) 04. 행시, 09. 9급 국가직, 12. 경찰승진, 15. 순경 2차, 15·18. 9급 법원직

16 법원은 범죄로 인한 피해자 또는 그 법정대리인(피해자가 사망한 경우에는 그 배우자·직계친족·형제자매를 포함한다)의 신청이 있는 때에는 당해사건의 공소제기 여부, 공판의 일시·장소, 재판경과, 피의자·피고인의 구속·석방 등 구금에 관한 사실 등을 신속하게 통지하여야 한다. ( ) 09. 9급 국가직, 14. 9급 교정·보호·철도경찰

Answer 7. × 8. ○ 9. × 10. ○ 11. ○ 12. ○ 13. × 14. ○ 15. × 16. ×

17 법원은 범죄로 인한 피해자를 증인으로 신문하는 경우 당해 피해자 · 법정대리인 또는 검사의 신청에 따라 피해자의 사생활의 비밀이나 신변보호를 위하여 필요하다고 인정하는 때에는 결정으로 심리를 공개하지 아니할 수 있다. ( ) 09. 7급 국가직, 10. 9급 국가직, 14. 경찰승진 · 순경 1차 · 9급 검찰 · 마약 · 교정 · 보호 · 철도경찰, 15. 순경 2차, 16. 9급 법원직

18 법원은 범죄로 인한 피해자가 13세 미만이거나 신체적 또는 정신적 장애로 사물을 변별하거나 의사를 결정할 능력이 미약한 경우에 반드시 피해자와 신뢰관계에 있는 자를 동석하게 하여야 한다. ( ) 09. 9급 국가직, 15. 9급 교정 · 보호 · 철도경찰

19 불구속 피고인에 대하여 감정유치장이 발부되어 집행할 때에는 범죄사실의 요지와 변호인을 선임할 수 있음을 말하고 변명할 기회를 주어야 한다. 다만, 피고인이 도망한 경우에는 그러하지 아니한다. ( ) 11. 9급 법원직, 16. 경찰승진

20 전문심리위원은 기일에 재판장의 허가를 받아 피고인 또는 변호인, 증인 또는 감정인 등 소송관계인에게 소송관계를 분명하게 하기 위하여 필요한 사항에 관하여 직접 질문할 수 있다. ( ) 09 · 13. 9급 법원직, 13. 경찰승진

제7절 공판절차의 특수문제

1 제1심 관할사건 중 단독사건이 아닌 합의부사건에 대해서는 간이공판절차를 할 수 없다. ( ) 12 · 13 · 15 · 21. 9급 법원직, 12 · 13. 경찰승진, 14. 경찰간부, 13 · 14 · 16. 순경 2차

2 간이공판절차의 결정의 '자백'은 공소장 기재사실을 인정하고 나아가 위법성이나 책임의 조각사유가 되는 사실을 진술하지 아니하는 것으로 충분하고, 명시적으로 유죄임을 자인하는 진술을 말하는 것이 아니다. ( ) 12. 9급 법원직, 13. 변호사시험, 14. 경찰간부, 13 · 16. 순경 2차, 12 · 13 · 19 · 22. 경찰승진, 15 · 24. 7급 국가직, 25. 소방간부

3 피고인이 법정에서 "공소사실은 모두 사실과 다름없다."고 하면서 술에 만취되어 기억이 없다는 취지로 진술한 경우 간이공판절차에 의하여 심판할 대상에 해당한다. ( ) 16. 순경 2차, 12 · 17 · 18. 경찰승진

4 피고인이 공소사실에 대하여 검사가 신문할 때에는 공소사실을 모두 사실과 다름 없다고 진술하였으나, 변호인이 신문할 때에는 범의나 공소사실을 부인하였다면 간이공판절차에 의하여 심판할 대상이 아니다. ( ) 14. 9급 법원직, 18. 순경 1차, 22. 경찰승진, 23. 소방간부, 24. 7급 국가직, 25. 변호사시험

5 공판준비절차나 공판절차 이외에서의 자백은 간이공판절차를 개시할 수 없다. ( ) 12. 9급 국가직, 14. 순경 2차

Answer 17. ○ 18. × 19. ○ 20. ○ / 1. × 2. ○ 3. × 4. ○ 5. ○

6 경합범의 경우에는 피고인이 여러 공소사실 가운데 일부를 자백하더라도 그 자백 부분에 대하여 간이공판절차에 의한 심리가 가능하다. ( ) 01. 법원사무관, 10. 9급 국가직, 11. 경찰승진

7 간이공판절차의 요건이 구비된 경우에는 법원은 간이공판절차에 의하여 심판할 것을 결정하여야 한다. ( ) 12. 순경 3차·9급 국가직, 12·13. 9급 법원직, 13. 경찰승진, 14. 순경 2차

8 간이공판절차의 개시결정은 판결 전의 소송절차에 관한 결정이므로 이에 불복하여 항고할 수 없다. ( ) 10. 9급 국가직, 12. 순경 3차, 15·24. 7급 국가직

9 간이공판절차에서 자백보강법칙은 적용되지 아니한다. ( )
10. 순경, 12. 9급 법원직, 13. 경찰승진, 14. 순경 2차·9급 검찰·교정·보호·철도경찰, 15. 7급 국가직

10 간이공판절차에서도 증거조사 종료시에 재판장은 피고인에게 증거조사결과에 대한 의견을 묻거나, 증거신청권이 있음을 알려줄 필요가 있다. ( ) 08·13. 9급 법원직, 12. 경찰승진, 13. 변호사시험

11 피고인이 제1심법원에서 간이공판절차에 의하여 심판할 것을 결정하고, 이에 따라 증거조사를 한 이상, 항소심에 이르러 범행을 부인하였다고 하더라도 제1심법원에서 이미 증거능력이 있었던 증거는 항소심에서도 증거능력이 그대로 유지되어 심판의 기초가 될 수 있고 다시 증거조사를 할 필요가 없다. ( ) 08. 9급 법원직, 13. 순경 2차·변호사시험, 11·17·22·24. 경찰승진, 25. 소방간부

12 법원은 간이공판절차 개시의 결정을 한 사건에 대하여 피고인의 자백이 신빙할 수 없다고 인정되거나, 간이공판절차로 심판함이 현저히 부당하다고 인정하는 때에는 검사의 의견을 들어 그 결정을 취소할 수 있다. ( ) 03. 101단, 08·13. 9급 법원직, 09. 전의경, 17·24. 경찰승진

13 피고사건에 대하여 무죄·면소·형면제·공소기각의 재판을 할 것이 명백한 경우라도 피고인이 심신상실이나 질병상태에 있으면 피고인의 출정 없이 재판할 수 없다. ( )
10. 7급 국가직, 15. 9급 법원직

14 공소장변경이 있는 경우에 피고인의 불이익을 증가할 염려가 있다고 인정한 때에는 법원은 직권 또는 피고인이나 변호인의 청구에 의하여 피고인으로 하여금 필요한 방어준비를 하게 하기 위해 결정으로 공판절차를 정지하여야 한다. ( ) 10. 순경 1차·9급 국가직, 15. 9급 법원직, 18. 경찰승진

15 공판개정 후 판사의 경질이 있는 때에는 공판절차를 갱신하여야 한다. 그러나 내부적으로 이미 재판이 성립하여 판결의 선고만을 기다리고 있는 경우에는 갱신을 요하지 않는다. ( )
12·16. 9급 법원직, 14. 순경 2차

16 간이공판절차의 결정이 취소된 때에는 공판절차를 갱신하여야 한다. 다만, 검사와 피고인 또는 변호인의 이의가 없는 때에는 갱신을 요하지 않는다. ( ) 12·14. 9급 법원직, 14. 순경 2차

17 적법한 변론종결 후 검사가 변론재개신청과 함께 공소장변경신청을 한 경우에는 법원이 반드시 변론을 재개하여 공소장변경을 허가하여야 한다. ( ) 11. 순경 1차·9급 법원직

Answer 6. ○ 7. × 8. ○ 9. × 10. × 11. ○ 12. × 13. × 14. × 15. ○ 16. ○ 17. ×

제8절 국민참여재판절차

1 우리 헌법상 헌법과 법률이 정한 법관에 의한 재판을 받을 권리는 직업법관에 의한 재판을 주된 내용으로 하는 것이므로 국민참여재판을 받을 권리가 헌법 제27조 제1항에서 규정한 재판을 받을 권리의 보호범위에 속한다고 볼 수 있다. ( )

16. 9급 검찰 · 마약 · 교정 · 보호 · 철도경찰, 12 · 13 · 19. 경찰승진

2 공소사실의 일부 철회 또는 변경으로 인하여 대상사건에 해당하지 아니하게 된 경우에는 국민참여재판에 의하지 아니하고 심판하여야 한다. ( ) 12 · 13. 경찰승진, 13. 순경 2차, 16. 9급 법원직, 17. 9급 검찰 · 마약 · 교정 · 보호 · 철도경찰, 14 · 16 · 22. 경찰간부, 24. 소방간부

3 대상사건의 피고인에 대하여 국민참여재판을 원하는지 여부에 관한 법원의 의사확인은 반드시 서면에 의하여야 한다. ( ) 12. 변호사시험, 13. 경찰승진 · 7급 국가직 · 순경, 15. 9급 법원직, 17. 순경 2차

4 제1심법원이 국민참여재판의 대상이 되는 사건임을 간과하여 이에 관한 피고인의 의사를 확인하지 아니한 채 통상의 공판절차로 재판을 진행하였더라도, 피고인이 제1심의 절차적 위법을 문제삼지 아니할 의사를 명백히 표시하는 경우에는 하자가 치유되어 적법하게 된다고 보아야 한다. 다만, 하자가 치유된다고 보기 위해서는 피고인에게 국민참여재판절차 등에 관한 충분한 안내가 이루어지고 그 희망 여부에 관하여 숙고할 수 있는 상당한 시간이 사전에 부여되어야 한다. ( ) 13 · 17. 순경 2차, 14 · 20. 9급 법원직, 21. 9급 검찰 · 마약수사, 18 · 22. 경찰간부, 24. 소방간부

5 공소장부본을 송달받은 날부터 7일 이내에 의사확인서를 제출하지 아니한 피고인도 제1회 공판기일이 열리기 전까지는 국민참여재판 신청을 할 수 있고, 법원은 그 의사를 확인하여 국민참여재판으로 진행할 수 있다고 봄이 상당하다. ( ) 13 · 17. 순경 2차, 15 · 18. 경찰간부, 16 · 23. 9급 법원직 · 9급 검찰 · 마약 · 교정 · 보호 · 철도경찰, 13 · 19 · 24. 경찰승진, 24. 7급 국가직

6 법원은 공소제기 후부터 공판준비기일이 종결된 날까지 국민참여재판을 하지 아니하기로 하는 결정을 할 수 있다. ( ) 08 · 11. 순경, 11 · 17. 경찰승진, 22. 해경승진

7 공범관계에 있는 피고인들 중 일부가 국민참여재판을 원하지 아니하여 국민참여재판의 진행에 어려움이 있다고 인정되는 경우는 국민참여재판 배제결정사유에 해당한다. ( )

12. 변호사시험, 13. 경찰승진, 15. 순경 3차, 22. 경찰간부, 24. 7급 국가직

8 국민참여재판 배제결정에 대하여는 즉시항고를 할 수 없다. ( )

11. 순경 · 7급 국가직, 15. 순경 3차, 20. 9급 검찰 · 마약 · 교정 · 보호 · 철도경찰

9 법정형이 사형 · 무기징역 또는 무기금고에 해당하는 대상사건에 대한 국민참여재판에는 9인의 배심원이 참여하고, 그 외의 대상사건에 대한 국민참여재판에는 7인의 배심원이 참여한다. 다만, 법원은 피고인 또는 변호인이 공판준비절차에서 공소사실의 주요내용을 인정한 때에는 4인의 배심원이 참여하게 할 수 있다. ( ) 10. 순경, 16. 순경 2차

Answer 1. × 2. × 3. × 4. ○ 5. ○ 6. × 7. ○ 8. × 9. ×

10 금고 이상의 형의 집행유예를 선고받고 그 기간이 완료된 날부터 2년을 경과하지 아니한 사람은 배심원 결격사유에 해당한다. (　) 14. 경찰승진, 15. 순경 3차, 16. 순경 2차

11 과거 5년 이내에 배심원후보자로서 선정기일에 출석한 사람은 배심원 제척사유에 해당한다. (　) 12. 순경, 11·14. 경찰승진

12 검사와 변호인은 배심원이 9인인 경우는 5인, 배심원이 7인인 경우는 4인, 배심원이 5인인 경우는 3인의 범위 내에서 배심원후보자에 대하여 이유를 제시하지 아니하는 기피신청을 할 수 있으며, 이러한 무이유부 기피신청이 있는 경우에는 법원은 당해 배심원후보자를 배심원으로 선정할 수 없다. (　) 08. 순경, 09. 전의경, 11. 경찰승진

13 국민참여재판에도 간이공판절차규정이 적용된다. (　) 10·11. 경찰승진·7급 국가직, 11. 순경, 13. 순경 2차, 14. 9급 교정·보호·철도경찰, 18. 변호사시험, 24. 9급 검찰·마약·교정·보호·철도경찰

14 배심원의 평결결과와 다른 판결을 선고하는 경우라도 판결서에 그 이유를 기재할 필요는 없다. (　) 08·11. 7급 국가직, 11. 순경, 12. 경찰승진, 17. 9급 법원직

Answer 10. ○　11. ×　12. ○　13. ×　14. ×

CHAPTER

02 증 거

제1절 증거법 일반

1 직접증거와 간접증거는 증명력 그 자체에 우열이 있는 것이므로, 간접증거에 의해서 범죄사실을 증명할 수 있다 하더라도 유죄인정이 불가능하다. ( ) 12. 경찰간부

2 범죄사실에 대한 뚜렷한 확증 없이 정황증거 내지 간접증거들만으로 공소사실을 유죄로 인정하더라도 채증법칙의 위반이라고 할 수 없다. ( ) 07. 7급 국가직, 20. 경찰승진

3 간접증거가 개별적으로는 범죄사실에 대한 완전한 증명력을 가지지 못하더라도, 전체 증거를 상호 관련하여 종합적으로 고찰할 경우 증명력이 있는 경우에는 그에 의하여도 범죄사실을 인정할 수 있다. ( ) 08. 9급 국가직, 11. 7급 국가직, 12. 경찰간부, 21. 경찰승진

4 상해진단서는 피해자의 진술과 더불어 피고인의 상해 사실에 대한 유력한 증거가 되고, 합리적인 근거 없이 그 증명력을 함부로 배척할 수 없다. ( ) 14 · 21. 경찰승진, 24. 순경 2차 · 해경경위공채

5 합리적 의심은 피고인에게 불리한 정황을 사실인정과 관련하여 파악한 이성적 추론에 그 근거를 두어야 하는 것이므로 단순히 관념적인 의심이나 추상적인 가능성에 기초한 의심은 합리적 의심에 포함된다고 할 수 없다. ( ) 09 · 12. 9급 국가직

6 위드마크 공식의 경우 그 적용을 위한 자료로 섭취한 음주량, 음주시각, 체중, 평소 음주의 정도 등이 필요하는데 그런 전제사실을 인정하기 위해서는 자유로운 증명으로 충분하다. ( )
14. 7급 국가직, 16 · 20. 9급 교정 · 보호 · 철도경찰, 09 · 10 · 11 · 17. 경찰승진, 18. 수사경과, 15 · 19. 경찰간부, 20. 해경

7 교사범에 있어서의 교사사실은 범죄사실을 구성하는 것으로서 이를 인정하기 위하여는 엄격한 증명이 요구된다. ( ) 11 · 16. 경찰승진, 17. 순경 1차, 24. 순경 2차

8 공모나 모의는 공모공동정범에 있어서의 '범죄될 사실'이라 할 것이므로 이를 인정하기 위하여는 엄격한 증명에 의하지 않으면 아니 된다. ( ) 17. 순경 1차, 18. 순경 3차, 16 · 17 · 20 · 24. 경찰승진

9 단속공무원이 도로법 제54조 제2항에 의거 적재량 측정요구가 있었다는 점은 범죄사실을 구성하는 중요부분이 아니므로 자유로운 증명이 요구된다. ( )
12. 경찰간부, 16. 경찰승진, 24. 해경경위공채

10 수뢰액을 특정할 수 없는 경우에는 가액을 추징할 수 없다. ( )
14. 순경 1차, 16. 9급 교정 · 보호 · 철도경찰

Answer 1. × 2. × 3. ○ 4. ○ 5. × 6. × 7. ○ 8. ○ 9. × 10. ○

11 목적과 용도를 정하여 위탁한 금전을 수탁자가 임의로 소비하면 횡령죄를 구성할 수 있다. 이 경우 피해자 등이 목적과 용도를 정하여 금전을 위탁한 사실 및 그 목적과 용도가 무엇인지는 엄격한 증명의 대상이라고 보아야 한다. ( )

16. 9급 검찰·마약수사, 19. 순경 2차, 15·20. 9급 법원직, 23. 해경승진, 24. 순경 2차

12 횡령죄에 있어 불법영득의사를 실현하는 행위로서의 횡령행위가 있다는 점은 검사가 입증하여야 하는 것으로서 그 입증은 법관으로 하여금 합리적인 의심을 할 여지가 없을 정도의 확신을 생기게 하는 증명력을 가진 엄격한 증거에 의하여야 한다. ( )

16. 9급 검찰·마약수사, 24. 소방간부·해경경위공채

13 명예훼손죄의 위법성조각사유인 적시한 사실의 진실성과 공익성에 대하여도 그 부존재를 검사가 엄격한 증명에 의하여 입증하여야 한다. ( )

07. 경찰승진, 13. 9급 검찰·마약수사, 14. 7급 국가직, 15. 경찰간부

14 범행 당시 정신상태가 심신상실이냐 심신미약이냐 문제는 책임능력과 관련된 문제로 엄격한 증명을 요한다는 것이 판례의 입장이다. ( ) 03·04. 순경, 07. 9급 국가직, 09. 경찰승진

15 몰수·추징의 대상이 되는지의 여부는 범죄사실에 대한 것은 아니나 형벌과 관련된 것으로 엄격한 증명의 대상이다. ( )

16. 9급 검찰·마약수사, 17. 순경 1차, 16·19. 경찰간부, 16·19·20. 순경 2차, 23. 소방간부, 24. 해경승진

16 탄핵증거는 범죄사실을 인정하는 증거가 아니므로 엄격한 증거조사를 거쳐야 할 필요는 없으나, 법정에서 이에 대한 증거조사는 필요하다. ( )

04·08·09. 순경, 11. 경찰승진, 12. 경찰간부, 20. 9급 검찰·마약·교정·보호·철도경찰

17 형법 제6조 본문에 의하여 외국인이 대한민국 영역 외에서 대한민국 국민에 대하여 범죄를 저지른 경우에도 우리 형법이 적용되지만, 같은 조 단서에 의하여 행위지의 법률에 의하여 범죄를 구성하지 아니하거나 소추 또는 형의 집행을 면제할 경우에는 우리 형법을 적용하여 처벌할 수 없다고 할 것이고, 이 경우 행위지의 법률에 의하여 범죄를 구성하는지 여부에 대해서는 엄격한 증명에 의하여 검사가 이를 입증하여야 할 것이다. ( ) 10·11. 경찰승진, 16. 9급 검찰·마약수사, 19. 순경 2차

18 친고죄에서 적법한 고소가 있었는지는 자유로운 증명의 대상이 된다. ( ) 15. 7급 국가직, 16. 9급 교정·보호·철도경찰·경찰간부, 12·14·16. 순경 1차, 11·16·17. 경찰승진, 15·22. 순경 2차, 24. 해경경위공채

19 특신상태는 증거능력의 요건에 해당하므로 검사가 그 존재에 대하여 구체적으로 주장·입증하여야 하는 것이지만, 이는 소송상의 사실에 관한 것이므로, 엄격한 증명을 요하지 아니하고 자유로운 증명으로 족하다. ( ) 10. 교정특채, 11. 경찰승진, 13. 9급 법원직, 14·16. 순경 1차, 16. 9급 검찰·마약수사

20 형사재판에서 공소된 범죄사실에 대한 입증책임은 검사에게 있는 것이고, 유죄의 인정은 법관으로 하여금 합리적인 의심을 할 여지가 없을 정도로 공소사실이 진실한 것이라는 확신을 가지게 하는 증명력을 가진 증거에 의하여야 하므로, 그와 같은 증거가 없다면 설령 피고인에게 유죄의 의심이 간다 하더라도 피고인의 이익으로 판단할 수밖에 없다. ( )

09. 9급 법원직, 13. 9급 검찰·마약수사, 14. 경찰승진, 16. 7급 국가직

Answer 11. ○ 12. ○ 13. × 14. × 15. × 16. ○ 17. ○ 18. ○ 19. ○ 20. ○

21 불법영득의 의사에 관한 입증책임은 검사에게 있는 것이므로, 함부로 불법영득의 의사를 추단하여서는 아니 된다. ( ) 13. 9급 검찰

22 피고인 또는 변호인이 검사가 작성한 피의자 신문조서에 대하여 임의성을 인정하였다가 증거조사 완료 후 이를 다투는 경우, 임의성의 증명책임도 검사가 진다. ( )
11. 9급 국가직, 13 · 14 · 15. 9급 검찰 · 마약수사, 15. 9급 법원직

제2절 증거능력

1 압수절차가 위법하더라도 물건 자체의 성질 · 형상에 변경을 가져오는 것은 아니므로 압수절차가 위법하더라도 압수물에 대한 증거능력은 인정된다. ( ) 24. 해경승진 · 소방간부

2 선거관리위원회 위원 · 직원이 관계인에게 진술이 녹음된다는 사실을 미리 알려 주지 아니한 채 진술을 녹음하였다면, 그와 같은 조사절차에 의하여 수집한 녹음파일 내지 그에 터 잡아 작성된 녹취록은 형사소송법 제308조의 2에서 정하는 '적법한 절차에 따르지 아니하고 수집한 증거'에 해당하여 원칙적으로 유죄의 증거로 쓸 수 없다. ( )
15. 순경 3차, 16 · 17 · 18. 경찰승진, 15 · 19. 순경 2차, 18 · 20 · 21. 수사경과

3 범행 현장에서 지문채취 대상물에 대한 지문채취가 먼저 이루어졌더라도, 수사기관이 그 이후에 지문채취 대상물을 적법한 절차에 의하지 아니한 채 압수하였다면 채취된 지문은 위법하게 압수한 지문채취 대상물로부터 획득한 2차적 증거에 해당하므로 위법수집증거라고 할 수 있다. ( ) 10 · 13. 9급 법원직, 13. 순경 2차, 17. 7급 국가직, 18. 순경 3차, 20. 경찰간부, 10 · 18 · 21 · 24. 경찰승진

4 피고인이 범행 후 피해자에게 전화를 걸어오자 피해자가 증거를 수집하려고 그 전화내용을 녹음한 경우, 그 녹음테이프가 피고인 모르게 녹음된 것이라 하여 이를 위법하게 수집된 증거라고 할 수 없다. ( ) 14 · 15. 경찰간부, 16. 순경 1차 · 9급 교정 · 보호 · 철도경찰, 10 · 11 · 15 · 16. 경찰승진

5 사문서위조 · 위조사문서행사 및 소송사기로 이어지는 일련의 범행에 대하여 피고인을 형사소추하기 위해서는 이 사건 업무일지가 반드시 필요한 증거라고 하여도, 그것이 제3자에 의하여 절취된 것으로서 위 소송사기 등의 피해자 측이 이를 수사기관에 증거자료로 제출하기 위하여 대가를 지급한 경우라면, 이로 말미암아 피고인의 사생활 영역을 침해하는 결과가 초래되어 이 사건 업무일지는 증거능력이 부정된다. ( ) 13. 9급 법원직, 16. 9급 교정 · 보호 · 철도경찰,
18. 9급 검찰 · 마약수사, 15 · 19. 경찰간부, 21. 경찰승진, 23. 순경 1차, 24. 9급 검찰 · 마약 · 교정 · 보호 · 철도경찰

6 범죄의 피해자인 검사가 그 사건의 수사에 관여하거나, 압수 · 수색영장의 집행에 참여한 검사가 다시 수사에 관여하였다는 이유만으로 바로 그 수사가 위법하다거나 그에 따른 참고인이나 피의자의 진술에 임의성이 없다고 볼 수는 없다. ( ) 14. 순경 1차 · 7급 국가직 · 경찰간부, 16. 9급 법원직

Answer 21. ○ 22. ○ / 1. × 2. ○ 3. × 4. ○ 5. × 6. ○

7 우편물 통관검사절차에서 이루어지는 우편물의 개봉, 시료채취, 성분분석 등의 검사는 수출입물품에 대한 적정한 통관 등을 목적으로 한 행정조사의 성격을 가지는 것으로서 수사기관의 강제처분이라고 할 수 없으므로, 압수·수색영장 없이 우편물의 개봉, 시료채취, 성분분석 등 검사가 진행되었다 하더라도 특별한 사정이 없는 한 위법하다고 볼 수 없다. ( )

15. 변호사시험, 18. 경찰승진, 21. 수사경과

8 "압수·수색영장은 처분을 받는 자에게 반드시 제시하여야 한다."고 규정하고 있으나, 이는 영장제시가 현실적으로 가능한 상황을 전제로 한 규정으로 보아야 하고, 피처분자가 현장에 없거나 현장에서 그를 발견할 수 없는 경우 등 영장제시가 현실적으로 불가능한 경우에는 영장을 제시하지 아니한 채 압수·수색을 하더라도 위법하다고 볼 수 없다. ( )

16. 경찰간부, 15·18. 순경 2차, 19. 경찰승진

9 대법원은 "위법하게 수집된 1차 증거에 의해 발견된 2차 증거도 원칙적으로 유죄의 증거로 삼을 수 없으나, 절차에 따르지 아니한 증거 수집과 2차적 증거 수집 사이 인과관계의 희석 또는 단절 여부를 중심으로 2차적 증거 수집과 관련된 모든 사정을 전체적·종합적으로 고려하여 예외적인 경우에는 유죄인정의 증거로 사용할 수 있는 것이다."라고 판시하여 독수과실이론의 예외를 인정하고 있다. ( ) 10. 경찰승진, 13. 경찰간부, 15. 9급 검찰·마약·교정·보호·철도경찰, 09·15·20. 순경 1차

10 경찰에서 피고인을 조사한 경찰관이 검사 앞에까지 피고인을 데려간 경우라 할지라도, 검사 앞에서 조사받을 당시는 자백을 강요당한 바 없으면 검사 앞에서의 자백은 그 임의성이 없는 심리상태가 계속된 경우라고 할 수 없다. ( ) 07·10. 경찰승진, 15. 9급 검찰·마약수사

11 피고인이 검사 이전의 수사기관에서 고문 등 가혹행위로 인하여 임의성 없는 자백을 하고 그 후 검사의 조사단계에서도 임의성 없는 심리상태가 계속되어 동일한 내용의 자백을 하였다면 검사의 조사단계에서 고문 등 자백의 강요행위가 없었다고 하여도 검사 앞에서의 자백도 임의성 없는 자백이라고 볼 수밖에 없다. ( )

09. 9급 법원직, 15. 9급 검찰·마약수사, 19. 9급 교정·보호·철도경찰, 10·21. 경찰승진

12 일정한 증거가 발견되면 자백하겠다고 약속하고 그 약속하에 한 자백은 임의성 없는 자백이라고 단정할 수 있다. ( ) 16. 7급 국가직, 19. 9급 교정·보호·철도경찰, 20. 순경 2차, 10·18·21. 경찰승진

13 변호인 아닌 자와의 접견이 제한된 상태에서 피의자신문조서가 작성되었다면 자백에 임의성이 있는 것으로 볼 수 없다. ( )

07. 9급 국가직, 10. 교정특채, 07·10·15·16. 경찰승진, 12·19. 경찰간부, 18. 순경 1차, 20. 순경 2차

14 임의성이 없거나 의심되는 자백은 증거동의가 있는 경우라도 증거능력이 없으며 탄핵증거로도 사용할 수 없다. ( ) 13·14. 경찰간부, 17. 수사경과, 18. 순경 1차, 20. 순경 2차, 11·12·15·16·24. 경찰승진

15 현행범인을 체포한 경찰관의 법정증언은 전문증거이다. ( ) 10·15·21·24. 경찰승진, 24. 소방간부

Answer 7. ○ 8. ○ 9. ○ 10. × 11. ○ 12. × 13. × 14. ○ 15. ×

16 어떤 진술이 범죄사실에 대한 직접증거로 사용함에 있어서는 전문증거가 된다고 하더라도 그와 같은 진술을 하였다는 것 자체 또는 그 진술의 진실성과 관계없는 간접사실에 대한 정황증거로 사용함에 있어서는 반드시 전문증거가 되는 것은 아니다. (　)

16 · 23. 9급 검찰 · 마약 · 교정 · 보호 · 철도경찰, 14 · 24. 순경 1차, 14 · 16 · 24. 9급 법원직, 18 · 23 · 24. 경찰승진

17 어떤 문건을 간접사실에 대한 정황증거로 사용하는 경우 언제나 전문증거에 해당하므로 공판준비기일 또는 공판기일에 그 작성자의 진술에 의해 성립의 진정이 증명되어야 한다. (　)

15. 7급 국가직, 17. 경찰간부

18 정보통신망을 통하여 공포심이나 불안감을 유발하는 글을 반복적으로 상대방에게 도달하게 하는 행위를 하였다는 공소사실에 대하여 휴대전화기에 저장된 문자정보가 그 증거가 되는 경우, 그 문자정보는 범행의 직접적인 수단이고 경험자의 진술에 갈음하는 대체물에 해당하지 않으므로, 형사소송법 제310조의 2에서 정한 전문법칙이 적용되지 않는다. 또한, 범행의 직접적 수단이 된 문자정보가 저장된 휴대전화기의 화면을 촬영한 사진이 증거로 제출된 경우, 이를 증거로 사용하려면 문자정보가 저장된 휴대전화기를 법정에 제출할 수 없거나 그 제출이 곤란한 사정이 있고, 그 사진의 영상이 휴대전화기의 화면에 표시된 문자정보와 정확하게 같다는 사실이 증명되어야 한다. (　)

18 · 19. 9급 교정 · 보호 · 철도경찰, 14 · 20. 순경 1차, 13 · 14 · 20 · 22. 경찰승진, 23. 해경승진, 24. 소방간부

19 증거보전절차에서의 증인신문조서에 피의자였던 피고인이 당사자로 참여하여 자신의 범행사실을 시인하는 전제하에 위 증인에게 반대신문한 내용이 기재되어 있는 경우에 위 조서 중 피의자의 진술기재부분에 대하여도 형사소송법 제311조에 의한 증거능력을 인정할 수 있다. (　)

12. 9급 법원직, 13. 경찰승진, 14. 변호사시험, 16. 순경 2차

20 피의자의 진술을 녹취 내지 기재한 서류 또는 문서가 수사기관에서의 조사 과정에서 작성된 것이라면, 그것이 '진술조서, 진술서, 자술서'라는 형식을 취하였다고 하더라도 피의자신문조서와 달리 볼 수 없다. 따라서 수사기관이 피의자를 신문함에 있어서 피의자에게 미리 진술거부권을 고지하지 않은 때에는 그 피의자의 진술은 위법하게 수집된 증거로서 진술의 임의성이 인정되는 경우라도 증거능력이 부인되어야 한다. (　)

11. 9급 법원직, 14. 순경 2차, 15. 수사경과, 17. 경찰간부, 15 · 20. 경찰승진, 16 · 22. 순경 1차

21 조서말미에 피고인의 서명만이 있고, 그 날인(무인 포함)이나 간인이 없는 검사 작성의 피고인에 대한 피의자신문조서는 증거능력이 없다. 그 날인이나 간인이 없는 것이 피고인이 그 날인이나 간인을 거부하였기 때문이어서 그러한 취지가 조서말미에 기재되었다거나, 피고인이 법정에서 그 피의자신문조서의 임의성을 인정하였다면 증거능력이 인정될 수 있다. (　)

18. 9급 교정 · 보호 · 철도경찰, 11 · 20. 경찰승진, 20. 경찰간부, 24. 9급 검찰 · 마약 · 교정 · 보호 · 철도경찰

22 검찰에 송치되기 전에 구속피의자로부터 받은 검사 작성의 피의자신문조서는 송치 후에 작성된 검사 작성 피의자신문조서와 마찬가지로 취급할 수 있다. (　) 16. 경찰간부, 18. 변호사시험

Answer 16. ○ 17. × 18. ○ 19. × 20. ○ 21. × 22. ×

23 특히 신빙할 수 있는 상태하에서 행하여진 때라 함은 그 진술내용이나 조서 또는 서류의 작성에 허위개입의 여지가 거의 없고 그 진술내용의 신용성이나 임의성을 담보할 구체적이고 외부적인 정황이 있는 경우를 가리킨다. (　)

12. 경찰간부, 13. 9급 검찰·마약·교정·보호·철도경찰, 12·14. 경찰승진, 15. 순경 2차

24 당해 피고인과 공범관계가 있는 다른 피의자에 대하여 검사 이외의 수사기관이 작성한 피의자신문조서는, 그 피의자의 법정진술에 의하여 그 성립의 진정이 인정되는 등 형사소송법 제312조 제4항의 요건을 갖춘 경우라고 하더라도 당해 피고인이 공판기일에서 그 조서의 내용을 부인한 이상 이를 유죄인정의 증거로 사용할 수 없다. (　)

11·13·18. 순경 2차, 18. 순경 3차, 19. 변호사시험, 20. 순경 1차, 12·14·15·20. 경찰승진

25 검찰주사가 검사의 지시에 따라 검사가 참석하지 않은 상태에서 피의자였던 피고인을 신문하여 작성하고 검사는 검찰주사의 조사 직후 피고인에게 개괄적으로 질문한 사실이 있을 뿐이라 할지라도 검사가 작성한 것으로 되어 있고 검사의 서명·날인이 되어 있다면 검사 작성의 피의자신문조서로 볼 수 있다. (　)

11. 7급 국가직·순경, 12. 경찰승진, 19. 경찰간부

26 검사가 작성한 피의자신문조서는 적법한 절차와 방식에 따라 작성된 것으로서 공판준비, 공판기일에 그 피의자였던 피고인 또는 변호인이 그 내용을 인정할 때에 한정하여 증거로 할 수 있다. (　)

23. 경찰승진·해경승진, 24. 소방간부

27 형사소송법 제312조 제1항에서 정한 '검사가 작성한 피의자신문조서'란 당해 피고인에 대한 피의자신문조서만이 아니라 당해 피고인과 공범관계에 있는 다른 피고인이나 피의자에 대하여 검사가 작성한 피의자신문조서도 포함되고, 여기서 말하는 '공범'에는 형법 총칙의 공범 이외에도 서로 대향된 행위의 존재를 필요로 할 뿐 각자의 구성요건을 실현하고 별도의 형벌 규정에 따라 처벌되는 강학상 필요적 공범 또는 대향범까지 포함한다. (　)

24. 변호사시험

28 사법경찰리 작성의 피해자에 대한 진술조서가 피해자의 화상으로 인한 서명불능을 이유로 입회하고 있던 피해자의 동생에게 대신 읽어 주고 그 동생으로 하여금 서명날인하게 하는 방법으로 작성된 경우, 이는 형식적 요건을 결여한 서류로서 증거로 사용할 수 없다. (　)

10. 순경, 15. 경찰승진·경찰간부, 16. 9급 교정·보호·철도경찰

29 압수된 디지털 저장매체로부터 출력한 문건을 진술증거로 사용하는 경우, 그 기재 내용의 진실성에 관하여는 전문법칙이 적용되므로 형사소송법 제313조 제1항에 따라 그 작성자 또는 진술자의 진술에 의하여 그 성립의 진정함이 증명된 때에 한하여 이를 증거로 사용할 수 있다. (　)

12. 변호사시험, 14. 순경 2차, 15. 순경 1차·7급 국가직, 16. 9급 법원직, 10·16·21. 경찰승진

30 수사기관인 검찰주사보가 외국에 거주하고 있는 참고인에 대한 고소보충 기타 참고사항에 관하여 조사함에 있어서 그들에게 국제전화를 걸어 그 대화내용을 문답형식으로 기재한 후 그들의 서명 또는 기명날인이 없이 검찰주사보만 기명날인을 한 검찰주사보 작성의 각 수사보고서에 제313조가 적용되기 위하여는 그 진술을 기재한 서류에 그 진술자의 서명 또는 날인이 있어야 할 것이다. (　)

11. 경찰승진, 12. 경찰간부, 15. 7급 국가직

Answer 23. ○ 24. ○ 25. × 26. ○ 27. ○ 28. ○ 29. ○ 30. ○

31 검사 또는 사법경찰관이 작성한 검증조서는 적법한 절차와 방식에 따라 작성된 것으로서 공판준비 또는 공판기일에서 원진술자의 진술에 따라 그 성립의 진정함이 증명된 때에 한하여 증거능력이 있다. ( )
06 · 09 · 12. 순경, 18. 순경 2차 · 3차, 00 · 21. 경찰승진

32 피해자가 공판정에서 진술을 한 경우라도 증인신문 당시 일정한 사항에 관하여 기억이 나지 않는다는 취지로 진술하여 그 진술의 일부가 재현 불가능하게 된 경우에도 제314조에서 규정하는 '원진술자가 진술을 할 수 없는 때'에 해당한다. ( )
10. 7급 국가직, 09 · 10 · 13 · 17 · 18. 경찰승진

33 증인의 주소지가 아닌 곳으로 소환장을 보내 송달불능이 되자 그 곳을 중심으로 한 소재탐지 끝에 소재불능회보를 받은 경우에는 제314조에서 말하는 원진술자가 공판정에서 진술할 수 없는 때라고 할 수 있다. ( )
09 · 10 · 18 · 22. 경찰승진

34 공판기일에 진술을 요하는 자가 노인성 치매로 인한 기억력 장애 등으로 진술할 수 없는 상태에 있는 경우는 제314조에 규정된 사유로 인하여 진술할 수 없는 때에 해당한다. ( )
15. 9급 교정 · 보호 · 철도경찰, 16. 9급 법원직, 10 · 16. 경찰승진

35 진술을 요할 자가 일정한 주거를 가지고 있더라도 법원의 소환에 계속 불응하고 구인하여도 구인장이 집행되지 아니하는 등 법정에서의 신문이 불가능한 상태의 경우 제314조의 "공판정에 출정하여 진술을 할 수 없는 경우"라는 요건이 충족되었다고 볼 수 없다. ( )
12 · 16. 9급 법원직, 13 · 22. 경찰승진

36 수회에 걸쳐 소환장과 구인영장을 발부하여 그가 소환장을 직접 받은 적도 있었으나 중풍, 언어장애 등 장애등급 3급 5호의 장애로 인하여 법정에 출석할 수 없었던 것이고, 그 후 신병을 치료하기 위하여 속초로 간 후에는 그에 대한 소재탐지가 불가능하게 된 경우는 제314조에 규정된 사유로 인하여 진술할 수 없는 때에 해당한다. ( )
12. 9급 법원직, 13 · 16 · 17. 경찰승진

37 당해 피고인과 공범관계가 있는 다른 피의자에 대한 검사 이외의 수사기관 작성의 피의자신문조서는 형사소송법 제314조가 적용되지 아니한다. ( )
18. 순경 1차, 19. 변호사시험, 10 · 14 · 20. 경찰승진, 20. 해경, 22. 9급 검찰 · 마약 · 교정 · 보호 · 철도경찰, 21 · 23. 경찰간부

38 증인으로 채택하여 국내의 주소지 등으로 소환하였으나 소환장이 송달불능되었고, 미국으로 출국하여 그곳에 거주하고 있음이 밝혀지자 다시 미국 내 주소지로 증인소환장을 발송하였으나, 제1심법원에 경위서를 제출하면서 장기간 귀국할 수 없음을 통보한 경우 외국거주 등 사유로 인하여 법정에서의 신문이 불가능한 상태의 경우에 해당된다고 할 것이다. ( )
14. 순경 2차, 17. 경찰승진

39 법정에 출석한 증인이 정당하게 증언거부권을 행사하여 증언을 거부한 경우는 형사소송법 제314조의 '그 밖에 이에 준하는 사유로 인하여 진술할 수 없는 때'에 해당한다. ( )
12 · 13 · 14 · 15 · 16. 9급 법원직, 18. 수사경과, 12 · 18. 순경 2차, 13 · 17 · 22. 경찰승진,
23. 변호사시험 · 9급 검찰 · 마약 · 교정 · 보호 · 철도경찰, 25. 소방간부

Answer 31. × 32. ○ 33. × 34. ○ 35. × 36. ○ 37. ○ 38. ○ 39. ×

40 만 5세 무렵에 당한 성추행으로 인하여 외상 후 스트레스 증후군을 앓고 있다는 등의 이유로 공판정에 출석하지 아니한 약 10세 남짓의 성추행 피해자에 대한 진술조서는 형사소송법 제314조에 정한 필요성의 요건과 신용성 정황적 보장의 요건을 모두 갖추지 못하여 증거능력이 없다. ( ) 10. 7급 국가직, 12. 9급 법원직, 09 · 10 · 13. 경찰승진

41 피고인이 증거서류의 진정성립을 묻는 검사의 질문에 대하여 진술거부권을 행사하여 진술을 거부한 경우는 형사소송법 제314조의 '그 밖에 이에 준하는 사유로 인하여 진술할 수 없는 때'에 해당한다. ( ) 15. 7급 국가직, 16. 9급 법원직, 18. 5급 검찰 · 교정승진, 22. 경찰간부, 23. 경찰승진

42 국립과학수사연구소장 작성의 감정의뢰회보서는 당연히 증거능력이 인정된다. ( ) 11 · 13. 순경

43 미연방 범죄수사관이 범죄현장을 확인하고 작성한 보고서는 당연히 증거능력이 인정되는 것에 해당한다. ( ) 13. 순경 2차, 16. 경찰승진

44 구속적부심에서의 심문조서는 직무상 증명할 수 있는 사항에 관한 공무원 작성 문서로서 제315조 제1호에 의거 당연히 증거능력이 인정되는 서류라고 봄이 판례의 입장이다. ( ) 14. 9급 검찰 · 마약수사, 13 · 23. 순경 2차, 18 · 24. 9급 법원직 · 순경 3차, 14 · 15 · 19 · 24. 경찰승진

45 판례에 의하면 육군과학수사연구소 실험분석관이 작성한 감정서는 공무원의 증명문서로서 당연히 증거능력이 인정된다. ( ) 08 · 11 · 12 · 15. 순경, 16. 경찰승진

46 피고인이 아닌 자(공소제기 전에 피고인을 피의자로 조사하였거나 그 조사에 참여하였던 자를 포함한다)의 공판준비 또는 공판기일에서의 진술이 피고인의 진술을 그 내용으로 하는 것인 때에는 그 진술이 특히 신빙할 수 있는 상태하에서 행하여졌음이 증명된 때에 한하여 이를 증거로 할 수 있다. ( ) 09. 순경, 13. 9급 검찰 · 마약수사, 10 · 11 · 12 · 14. 경찰승진

47 원진술자(피고인 아닌 자)가 법정에 출석하여 수사기관에서 한 진술을 부인하는 취지로 증언하더라도 원진술자의 진술을 내용으로 하는 피고인 아닌 자를 조사한 조사자의 증언은 증거능력이 있다. ( ) 13. 7급 국가직, 12 · 17. 경찰간부, 10 · 11 · 14 · 17 · 24. 경찰승진, 24. 9급 법원직

48 형사소송법은 재전문진술이나 재전문진술을 기재한 조서에 대하여는 달리 그 증거능력을 인정하는 규정을 두고 있지 아니하고 있으므로, 피고인이 증거로 하는 데 동의하지 아니하는 한 형사소송법 제310조의 2의 규정에 의하여 이를 증거로 할 수 없다. ( ) 14 · 16 · 17. 경찰간부, 15 · 20. 순경 2차, 12 · 24. 9급 법원직, 14 · 24. 순경 1차, 09 · 10 · 12 · 13 · 14 · 17 · 24. 경찰승진, 25. 소방간부

49 수사기관이 아닌 사인이 피고인 아닌 사람과의 대화내용을 녹음한 녹음테이프는 피고인 아닌 자의 진술을 기재한 서류(제313조 제1항)와 다를 바 없으므로, 피고인이 그 녹음테이프를 증거로 할 수 있음에 동의하지 아니하는 이상 어떠한 경우라도 증거능력이 없다. ( ) 09. 9급 국가직, 14. 순경 1차, 16 · 17. 경찰간부

Answer 40. ○ 41. × 42. ○ 43. × 44. × 45. × 46. ○ 47. × 48. ○ 49. ×

50 사인이 녹음한 녹음테이프의 검증조서 기재 중 피고인의 진술내용을 증거로 하기 위해서는 피고인이 내용을 인정하여야 한다. ( )
10. 경찰승진, 16. 9급 교정·보호·철도경찰

51 피고인이 증거로 함에 동의하지 아니한다고 명시적인 의사표시를 한 경우 이외에는 변호인은 서류나 물건에 대하여 증거로 함에 동의할 수 있고 이 경우 변호인의 동의에 대하여 피고인이 즉시 이의하지 아니하는 경우에는 변호인의 동의로 증거능력이 인정되고 증거조사 완료 전까지 동의가 취소 또는 철회하지 아니한 이상 일단 부여된 증거능력은 그대로 존속한다. ( )
13. 9급 교정·보호·철도경찰, 16. 순경 2차, 11·18. 9급 법원직, 18. 5급 검찰·교정승진, 10·12·13·24. 경찰승진, 12·16·18·24. 7급 국가직, 12·25. 변호사시험

52 피고인이 출석한 공판기일에서 증거로 함에 부동의한다는 의견이 진술된 경우라도 그 후 피고인이 출석하지 아니한 공판기일에 변호인만이 출석하여 종전 의견을 번복하여 증거로 함에 동의하였다면, 이는 특별한 사정이 없는 한 효력이 있다고 보아야 한다. ( )
14·16. 순경 1차, 15. 9급 교정·보호·철도경찰, 17. 해경

53 유죄의 자료가 되는 것으로 제출된 증거의 반대증거 서류에 대하여는 그것이 유죄사실을 인정하는 증거가 되는 것이 아닌 이상 반드시 그 진정성립이 증명되지 아니하거나 이를 증거로 함에 있어서의 상대방의 동의가 없다고 하더라도 증거판단의 자료로 할 수 있다. ( )
07. 순경, 12. 9급 법원직, 10·12·13·17. 경찰승진, 16·18. 경찰간부, 19. 9급 검찰·마약수사, 20. 해경, 23. 소방간부

54 개개의 증거에 대하여 개별적인 증거조사방식을 거치지 아니하고 검사가 제시한 모든 증거에 대하여 피고인이 증거로 함에 동의한다는 방식으로 이루어진 것이라면 증거동의로서의 효력이 없다는 것이 판례의 입장이다. ( )
03·05·10. 경찰승진, 09. 9급 국가직, 13·16. 7급 국가직, 18. 순경 3차·5급 검찰·교정승진

55 보험사기 사건에서 건강보험심사평가원이 수사기관의 의뢰에 따라 그 보내온 자료를 토대로 입원진료의 적정성에 대한 의견을 제시하는 내용의 '건강보험심사평가원의 입원진료 적정성 여부 등 검토의뢰에 대한 회신'은 형사소송법 제315조 제3호의 '기타 특히 신용할 만한 정황에 의하여 작성된 문서'에 해당하지 않는다. ( )
19·22. 경찰승진, 18·22·24. 9급 법원직, 24. 해경경위공채

56 판례에 의하면 사법경찰리 작성의 피고인에 대한 피의자신문조서는 모두 검사가 유죄의 자료로 제출한 증거들로서 피고인이 각 그 내용을 부인하는 이상 증거능력이 없으며, 피고인의 법정에서의 진술을 탄핵하기 위한 반대증거로 사용할 수 없다고 한다. ( )
20. 9급 검찰·마약·교정·보호·철도경찰, 20·21. 순경 1차, 22. 경찰간부, 23. 7급 국가직, 17·18·24. 변호사시험, 11·21·24. 경찰승진, 24. 해경간부, 25. 소방간부

57 탄핵증거도 엄격한 증거조사를 거쳐야 하며, 탄핵증거의 제출에 있어서도 증명력을 다투고자 하는 증거의 어느 부분에 의하여 진술의 어느 부분을 다투려고 한다는 것을 사전에 상대방에게 알려야 한다. ( )
20·23. 7급 국가직, 13·16·18·20·24. 순경 1차, 15·19·21·24. 경찰승진, 22·24. 해경간부, 24. 해경승진

Answer 50. × 51. ○ 52. × 53. ○ 54. × 55. ○ 56. × 57. ×

제3절 증명력

1 상해진단서는 피해자의 진술과 더불어 피고인의 상해 사실에 대한 유력한 증거가 되고, 합리적인 근거 없이 그 증명력을 함부로 배척할 수 없다. ( ) 14. 경찰승진, 15. 9급 검찰·마약수사

2 항소심법원이 1심에서 채용된 증거의 신빙성에 의문을 가지면 심리 없이 곧바로 그 증거를 배척할 수 있다. ( ) 11. 7급 국가직, 12. 경찰승진

3 피고인은 부인하고 있고 공범자의 자백이 유일한 증거인 경우에 다른 보강증거가 없다면 공범자의 자백을 가지고 피고인을 유죄로 인정할 수 없다는 것이 판례의 입장이다. ( )
13·15. 7급 국가직, 14·16. 순경 1차, 16. 9급 검찰·마약·교정·보호·철도경찰, 17. 해경간부, 13·19. 변호사시험, 12·17·23. 경찰간부, 10·11·15·17·24. 경찰승진, 24. 소방간부

4 피고인이 범행을 자인하는 것을 들었다는 피고인 아닌 자의 진술내용은 피고인의 자백과는 동일하게 볼 수 없으므로, 보강증거가 될 수 있다는 것이 판례의 입장이다. ( )
12. 순경 3차·9급 국가직, 14. 순경 1차·9급 검찰·마약수사, 12·14. 경찰간부, 14·17. 9급 법원직, 17. 해경간부, 13·18. 순경 2차, 10·11·13·19. 경찰승진

5 자백에 대한 보강증거는 반드시 직접증거에 한하지 않고 간접증거 내지 정황증거로도 보강증거가 될 수 있다. ( ) 13. 순경 2차, 14. 경찰간부, 12·15. 순경 1차, 18. 7급 국가직, 10·16·22. 경찰승진, 10·11·12·14·23. 9급 법원직, 24. 해경승진·소방간부

6 판례에 의하면 피고인이 업무추진과정에서 지출한 자금내역을 기록한 수첩의 기재내용이 자백에 대한 독립적인 보강증거가 될 수 있다고 한다. ( ) 12. 9급 국가직·9급 법원직, 11. 순경 1차, 14. 경찰간부, 16. 9급 검찰·마약·교정·보호·철도경찰, 10·13·15·16·17. 경찰승진, 19. 변호사시험

7 자동차등록증에 차량소유자등록은 결과적으로 무면허 운전이라는 전체 범죄사실의 보강증거로도 충분하다고 한다. ( )
12. 경찰간부, 16. 순경 2차, 22. 9급 검찰·마약·교정·보호·철도경찰, 10·24. 경찰승진, 24. 소방간부

8 다세대주택의 여러 세대에서 7건의 절도행위를 한 것으로 기소되었는데, 그중 4건은 범행장소인 구체적인 호수가 특정되지 않았으나, 자백하고 있는 경우, 피고인의 집에서 피해품을 압수한 압수조서와 압수물의 사진은 자백에 대한 보강증거가 될 수 없다는 것이 판례의 입장이다. ( )
10·17. 경찰승진, 12. 순경·경찰간부, 17. 순경 2차, 24. 해경경위공채

9 피고인이 위조신분증을 제시·행사하였다고 자백하고 있는 때에 그 신분증의 현존은 간접증거로서 자백을 보강하는 보강증거가 된다. ( ) 06. 순경, 14. 7급 국가직, 15. 경찰승진

10 뇌물공여 상대방이 뇌물공여자를 만났던 사실 및 청탁을 받은 사실을 시인한 것은 뇌물공여자의 자백에 대한 보강증거가 된다. ( ) 08. 순경, 14. 변호사시험, 16. 순경 2차, 20. 경찰승진, 24. 9급 법원직

Answer 1. ○ 2. × 3. × 4. × 5. ○ 6. ○ 7. ○ 8. × 9. ○ 10. ○

11 판례에 의하면 필로폰 매수대금을 송금한 사실에 대한 증거는 필로폰 매수행위 및 필로폰 투약행위에 대한 보강증거가 될 수 있다고 한다. ( )

16. 검찰·마약·교정·보호·철도경찰, 10·19. 경찰승진, 16·18·20. 수사경과, 20. 경찰간부, 24. 소방간부·9급 법원직·7급 국가직

12 공범인 甲·乙이 모두 범죄사실을 자백하였으나 그 밖에 다른 증거가 없을 경우 공범자들의 자백은 상호보강증거가 되어 甲·乙 모두 유죄판결 가능하다. ( )

09. 전의경, 10. 9급 국가직·9급 법원직, 10·11·16. 경찰승진

13 판례에 의하면 자백에 대한 보강증거는 범죄사실의 전부 또는 중요부분을 인정할 수 있는 정도가 되어야 하며, 피고인의 자백이 가공적인 것이 아닌 진실한 것임을 인정할 수 있는 정도만 가지고는 부족하다고 보며, 직접증거가 아닌 간접증거나 정황증거도 보강증거가 될 수 있으며, 또한 자백과 보강증거가 서로 어울려서 전체로서 범죄사실을 인정할 수 있으면 유죄의 증거로 충분하다고 한다. ( )

16. 7급 국가직, 13·19. 변호사시험, 16·18·19. 순경 2차, 10·11·23. 9급 법원직, 10·13·17·19·24. 경찰승진, 20·23·24. 순경 1차, 24. 경위공채·해경경위공채

14 포괄1죄인 상습범에 있어서 각 행위에 관하여 개별적으로 보강증거를 요구하므로, 투약습성에 관한 정황증거만으로 향정신성의약품관리법위반죄의 객관적 구성요건인 각 투약행위가 있었다는 점에 관한 보강증거로 삼을 수는 없다. ( )

12. 순경 3차, 11·13. 경찰승진, 13·15. 경찰간부, 11·23. 9급 법원직

15 배타적 증명력이 인정되는 공판조서라 할지라도 공판조서 이외의 자료에 의한 반증이 허용되지 않는다는 의미는 아니다. ( )

10. 순경, 11. 9급 검찰직, 07·11·12. 9급 법원직, 12. 경찰간부

16 당해 공판기일에 열석하지 아니한 판사가 재판장으로서 서명날인한 공판조서는 소송법상 무효라 할 것이므로 공판기일에 있어서의 소송절차를 증명할 공판조서로서의 증명력이 없다. ( )

08. 9급 법원직, 09. 7급 국가직, 10. 경찰승진

Answer 11. × 12. ○ 13. × 14. ○ 15. × 16. ○

CHAPTER 03

재 판

www.pmg.co.kr

1 종국 전 재판에는 법적 안정성의 원리가 적용되므로 원칙적으로 상소가 허용된다. ( )

14. 9급 교정 · 보호 · 철도경찰

2 형사소송법 제323조 제1항에 따르면 유죄판결의 판결이유에는 범죄사실, 증거의 요지와 법령의 적용을 명시하여야 하므로, 항소심이 유죄판결을 선고하면서 판결이유에 이 중 어느 하나를 전부 누락한 경우에는 형사소송법 제383조 제1호에 정한 판결에 영향을 미친 법률위반으로서 파기사유가 된다. ( )

15. 9급 검찰 · 마약 · 교정 · 보호 · 철도경찰, 17. 경찰승진, 18. 9급 법원직, 23. 소방간부, 24. 변호사시험

3 공범인 교사범과 종범의 범죄사실을 적시함에는 그 전제가 되는 정범의 구성요건사실도 판결이유에 적시하여야 한다. ( ) 09. 9급 국가직, 10. 7급 국가직, 12. 경찰승진

4 증거의 요지는 범죄사실을 증명할 적극적인 증거를 명시하여야 하고, 범죄사실을 인정하는 데 배치되는 증거들에 관하여 이를 배척한다는 취지의 판단이나 이유도 설시할 필요가 있다. ( ) 08. 순경, 12 · 17. 경찰승진

5 '증거의 요지'는 어느 증거의 어느 부분에 의하여 범죄사실을 인정하였냐 하는 이유 설명이 필요하고, 적어도 어떤 증거에 의하여 어떤 범죄사실을 인정하였는가를 알아볼 정도의 증거의 중요부분도 표시하여야 한다. ( ) 10. 순경, 14. 7급 국가직, 16. 경찰간부, 17. 경찰승진 · 해경간부

6 몰수와 압수장물의 환부를 선고하면서 적용법률을 표시하지 않는 경우에도 이 규정을 적용한 취지가 인정되는 이상 위법이라고 할 수 없다. ( ) 10 · 11. 경찰승진

7 적용조문만 기재하고 항을 기재하지 않았다고 하더라도 그것만으로 위법하다고 볼 수 없다. ( ) 11. 경찰승진

8 항소심이 범행의 동기, 범행의 도구 및 수법, 피고인의 성행, 전과, 연령, 직업과 환경 등의 양형의 조건을 참작하면 제1심의 형량이 적절하다고 판단된다고 하여 항소기각의 판결을 선고하였다면, 양형의 조건이 되는 사유에 관하여는 이를 판결에 일일이 명시하지 아니하여도 위법이 아니다. ( ) 10. 7급 국가직, 15. 9급 검찰 · 마약 · 교정 · 보호 · 철도경찰

9 피고인에 대하여 재판권이 없는 때는 공소기각판결사유에 해당한다. ( ) 10 · 15. 9급 법원직

10 부정수표단속법 제2조 제4항에서 부정수표가 회수된 경우 공소를 제기할 수 없도록 하는 취지는 부정수표가 회수된 경우에는 수표소지인이 부정수표 발행자 또는 작성자의 처벌을 희망하지 아니하는 것과 마찬가지로 보아야 한다는 취지로서 부도수표 회수나 수표소지인의 처벌을 희망하지 아니하는 의사의 표시가 제1심판결 선고 이전까지 이루어지는 경우에는 공소기각의 판결을 선고하여야 할 것이다. ( ) 12. 경찰승진, 16. 9급 법원직, 17. 검찰 · 마약수사, 24. 7급 국가직

Answer 1. × 2. ○ 3. ○ 4. × 5. × 6. ○ 7. ○ 8. ○ 9. ○ 10. ○

11 폐지 또는 실효된 형벌관련 법령이 당초부터 위헌 · 무효인 경우 그 법령을 적용하여 공소가 제기된 피고사건에 대하여 법원은 면소판결을 하여야 한다. ( ) 14. 9급 법원직 · 7급 국가직

12 약식명령과 즉결심판도 확정되면 유죄판결확정과 동일하므로 일사부재리의 효력이 발생한다. ( ) 10 · 13. 9급 국가직 · 경찰간부

13 소년법 제30조의 보호처분을 받은 사건과 동일한 사건에 대하여 다시 공소제기가 되었다면 판례는 일사부재리의 효력을 인정하여 면소판결을 하여야 한다고 한다. ( ) 10. 순경 2차, 12. 경찰간부, 15. 9급 교정 · 보호 · 철도경찰, 12 · 16. 9급 법원직, 09 · 16. 7급 국가직, 18. 순경 3차, 10 · 22. 경찰승진

14 피고인이 동일한 행위에 관하여 외국에서 형사처벌을 과하는 확정판결을 받았을 경우, 외국판결은 우리나라에서도 기판력이 있으므로 여기에 일사부재리의 원칙이 적용된다는 것이 판례의 입장이다. ( ) 15. 9급 검찰 · 마약수사, 16. 순경 1차, 16 · 18. 경찰간부, 20. 9급 검찰 · 마약 · 교정 · 보호 · 철도경찰, 09 · 22. 경찰승진

15 판례에 의하면, 약식명령의 경우에 명령의 발령시점이 기판력의 시간적 범위를 결정하는 기준이 된다. ( ) 12. 경찰승진, 14. 7급 국가직, 14 · 15 · 16. 9급 법원직, 16. 순경 2차, 18. 9급 교정 · 보호 · 철도경찰, 13 · 19. 경찰간부, 22. 소방간부

16 포괄일죄의 관계에 있는 죄 중 일부에 대한 유죄판결이 확정된 다음에 확정판결의 사실심 선고 전에 저질러진 범행을 나중에 기소한 경우, 그 확정판결의 죄명이 상습범이었는지의 여부와 무관하게 확정판결의 기판력이 새로 기소된 죄에 미친다. ( ) 10. 경찰승진, 14. 9급 법원직 · 9급 검찰 · 마약수사, 13 · 14 · 15. 9급 교정 · 보호 · 철도경찰, 17 · 22. 경찰간부

17 항소이유서를 제출하지 아니하여 결정으로 항소가 기각된 경우에 판결의 기판력이 미치는 시간적 한계는 사실심리의 가능성이 있는 최후시점인 항소기각 결정시라고 보는 것이 판례의 입장이다. ( ) 10 · 14. 7급 국가직, 18. 경찰간부, 20. 경찰승진

18 행형법상의 징벌은 수형자의 교도소 내의 준수사항 위반에 대하여 과하는 행정상의 질서벌의 일종으로서 사회일반의 형벌법령에 위반한 행위에 대한 형사책임과는 그 목적, 성격을 달리하는 것이므로 징벌을 받은 뒤에 형사처벌을 한다 하여 일사부재리의 원칙에 반하는 것은 아니다. ( ) 12 · 13. 경찰간부, 16. 순경 1차, 18. 경찰승진

19 비용보상청구는 무죄판결이 확정된 날부터 6개월 이내에 하여야 한다. ( ) 09. 9급 법원직, 13. 순경 1차, 20. 9급 검찰 · 마약 · 교정 · 보호 · 철도경찰

Answer 11. × 12. ○ 13. × 14. × 15. ○ 16. × 17. ○ 18. ○ 19. ×

CHAPTER

01 상 소

1 피고인의 법정대리인, 배우자 · 직계친족 · 형제자매 또는 원심의 대리인(제276조, 제277조)이나 변호인은 피고인의 명시한 의사에 반하여도 상소할 수 있다. ( )

09. 9급 법원직, 10. 교정특채, 10 · 11. 9급 국가직

2 상소제기기간은 항소 · 상고의 경우는 7일이고, 즉시항고의 경우는 3일이며, 보통항고의 경우에는 항고기간의 제한이 없고 항고이익이 있는 한 언제든지 할 수 있다. ( )

13. 순경 1차, 15. 순경 2차

3 피고인의 법정대리인은 피고인의 동의가 없더라도 원칙적으로 상소를 취하할 수 있다. ( )

11. 9급 · 7급 국가직, 12. 순경, 15. 순경 2차

4 피고인과 상소대리권자는 사형 · 무기징역, 무기금고가 선고된 판결에 대하여는 상소포기를 할 수 없다. ( ) 10. 교정특채, 12. 순경 2차, 14 · 15 · 16. 경찰간부, 16. 9급 법원직, 19. 경찰승진

5 상소를 포기한 자는 그 사건에 대하여 다시 상소를 할 수 없으며 피고인의 상소권이 소멸된 후라도 변호인은 상소를 제기할 수 있다. ( )

13. 9급 검찰 · 마약수사, 14. 경찰간부, 16. 9급 법원직, 15. 순경 2차, 19. 경찰승진

6 상소포기 또는 상소취하가 부존재 또는 무효임을 주장하는 자는 포기 또는 취하 당시 소송기록이 있었던 법원에 상소권회복의 신청을 할 수 있다. ( ) 10. 9급 법원직, 11. 경찰승진

7 소송촉진 등에 관한 특례법에 따라 공시송달의 방법으로 공소장부본이 송달되고 피고인이 출석하지 않은 상태에서 재판이 진행되어 유죄판결이 선고된 것을 모른 채 상소기간이 도과한 경우에 상소권회복사유에 해당하지 않는다. ( ) 14. 9급 법원직, 15. 9급 검찰 · 마약수사

8 교도소장이 결정정본을 송달받고 1주일이 지난 뒤에 그 사실을 피고인에게 알렸기 때문에 피고인이나 그 배우자가 소정 기간 내에 항고장을 제출할 수 없게된 것이라면 상소권회복신청은 인용할 여지가 있다. ( ) 15. 9급 검찰 · 마약수사, 18. 7급 국가직, 04 · 10 · 21. 9급 법원직

9 자기의 새로운 주소지를 법원에 제출한다거나 기타 소송진행 상태를 알 수 있는 방법을 강구하지 않았다면 소송서류가 송달되지 아니하여 공판기일에 출석하지 못하거나 판결선고 사실을 알지 못하여 상소기간을 도과하는 등의 불이익을 받는 책임을 면할 수 없다 할 것이므로 이는 상소권회복사유에 해당하지 않는다. ( ) 14. 9급 법원직, 15. 9급 검찰 · 마약수사

10 상소권회복청구가 있는 때에는 반드시 집행을 정지하는 결정을 하여야 한다. ( )

00. 9급 법원직, 11. 9급 국가직 · 경찰승진

Answer 1. × 2. × 3. × 4. ○ 5. × 6. × 7. × 8. ○ 9. ○ 10. ×

11 검사는 공익의 대표자로서 법령의 정당한 적용을 청구할 임무를 가지므로 이의신청을 기각하는 등 반대당사자에게 불이익한 재판에 대하여도 그것이 위법일 때에는 위법을 시정하기 위하여 상소로써 불복할 수 있지만 불복은 원칙적으로 재판의 주문에 관한 것이어야 하나, 재판의 이유만을 다투기 위하여 상소하는 것도 허용된다(판례에 의함). ( ) 09. 7급 국가직, 09 · 19. 경찰승진

12 피고인이 제1심판결에 대하여 항소권을 포기하였고 검사가 양형이 과경하다(가볍다)는 이유로 항소하였으나 제2심판결이 이를 기각하였다면 피고인은 이 판결에 대하여는 상고권이 없다. ( ) 09. 경찰승진, 09 · 15. 7급 국가직

13 공소기각의 판결이 있으면 피고인은 공소의 제기가 없었던 상태로 복귀되어 유죄판결의 위험으로부터 해방되는 것이므로 그 판결은 피고인에게 불이익한 재판이라고 할 수 없으나 판례는 공소기각의 재판에 대하여 피고인의 상소권을 인정한다. ( ) 10. 9급 국가직, 15. 9급 법원직 · 7급 국가직

14 판례에 의하면 면소판결에 대하여 무죄의 실체판결을 구하여 상소를 할 수 있다고 한다. ( ) 07 · 11. 9급 국가직, 14. 9급 교정 · 보호 · 철도경찰, 15. 7급 국가직

15 제1심이 단순일죄의 관계에 있는 공소사실의 일부에 대하여만 유죄로 인정한 경우에 피고인만이 항소하여도 그 항소는 그 일죄의 전부에 미쳐서 항소심은 무죄부분에 대하여도 심판할 수 있다 할 것이고, 그 경우 항소심이 위 무죄부분을 유죄로 판단하였다 하여 그로써 항소심판결에 불이익변경금지원칙에 위반하거나 심판범위에 대한 법리를 오해한 위법이 있다고 할 수 없다. ( ) 16. 9급 검찰 · 마약 · 교정 · 보호 · 철도경찰, 10 · 13 · 20 · 24. 9급 법원직

16 포괄1죄의 일부만이 유죄로 인정된 경우 그 유죄부분에 대하여 피고인만이 상고하였을 뿐 무죄부분에 대하여 검사가 상고를 하지 않았다면 상소불가분의 원칙에 의하여 무죄부분도 상고심에 이심되며, 상고심이 위 유죄부분에 대한 항소심판결이 잘못되었다는 이유로 사건을 파기환송한 경우에 항소심은 그 무죄부분에 대하여 다시 심리판단하여 유죄를 선고할 수 있다는 것이 판례의 입장이다. ( ) 13. 9급 검찰 · 마약 · 교정 · 보호 · 철도경찰, 18. 순경 3차, 20. 해경간부, 20 · 24. 9급 법원직

17 판례에 의할 때 징역과 몰수형 중 몰수형에 대하여 일부상소가 허용된다. ( ) 11. 경찰승진, 10 · 14. 7급 국가직, 20. 경찰간부, 10 · 12 · 24. 9급 법원직

18 형법 제37조 전단 경합범 관계에 있는 공소사실 중 일부에 대하여 유죄, 나머지 부분에 대하여 무죄를 선고한 제1심판결에 대하여 검사만이 항소하면서 무죄부분에 대하여는 항소이유를 기재하고 유죄부분에 대하여는 이를 기재하지 않았으나 항소 범위는 '전부'로 표시한 사안의 경우, 제1심판결 전부가 이심되어 원심의 심판대상이 되므로, 원심으로서는 제1심판결 무죄부분을 유죄로 인정하는 이상 제1심판결 전부를 파기하고 경합범 관계에 있는 공소사실 전부에 대하여 하나의 형을 선고하여야 한다는 것이 판례의 입장이다. ( ) 12. 9급 국가직, 16. 경찰간부

19 경합범 중 일부에 대하여 무죄, 일부에 대하여 유죄를 선고한 제1심판결에 대하여 검사만이 무죄부분에 대하여 항소를 한 경우, 피고인과 검사가 항소하지 아니한 유죄판결 부분은 항소기간이 지남으로써 확정되므로, 항소심에서 이를 파기할 때에는 유죄부분만을 파기하여야 한다(판례에 의함). ( ) 16. 9급 검찰 · 마약 · 교정 · 보호 · 철도경찰

Answer 11. × 12. ○ 13. × 14. × 15. ○ 16. × 17. × 18. ○ 19. ×

20 경합범 중 검사와 피고인이 각각 무죄부분과 유죄부분에 대하여 일부상소를 제기한 경우 유죄부분의 피고인 상고는 이유가 없고, 무죄부분의 검사 상고만 이유가 있는 경우, 항소심이 유죄로 인정한 죄와 무죄로 인정한 죄가 형법 제37조 전단의 경합범 관계에 있다면 항소심판결의 유죄부분도 무죄부분과 함께 파기되어야 한다(판례에 의함). ( )

12. 9급 검찰, 13. 변호사시험, 14. 7급 국가직, 16. 9급 검찰·마약·교정·보호·철도경찰

21 원심이 두 개의 공소사실을 경합범 관계에 있다고 판단하여 각각에 대하여 유죄·무죄를 선고하였고, 이에 검사가 무죄부분에 대하여만 상소하여 유죄부분은 확정되었으나 상소심에서 심리결과 두 사실이 과형상 1죄의 관계에 있어 일부상소를 할 수 없음이 판명된 경우 유죄부분도 상소심의 심판대상이 된다. ( ) 10. 9급 법원직, 11. 경찰승진, 13. 9급 국가직·변호사시험

22 불이익변경금지의 원칙은 검사만이 상소한 사건이나 검사와 피고인이 모두 상소한 사건에 대해서는 이 원칙이 적용되지 않는다. ( ) 09. 9급 국가직·9급 법원직, 11. 경찰승진, 13. 순경 1차

23 검사와 피고인의 쌍방이 상소한 경우에는 검사의 상소가 기각된 때에도 불이익변경금지원칙이 적용되지 않는다. ( ) 14. 순경 2차·9급 검찰·마약수사, 12·15. 경찰간부

24 개정법에 의하면, 피고인이 약식명령에 대하여 정식재판을 청구한 사건의 경우 불이익변경금지원칙이 적용되지 않는다. 따라서 정식재판에서 약식명령의 형보다 중한 형을 선고할 수 있으며, 약식명령의 형인 벌금보다 중한 형종인 자격정지, 자격상실, 금고, 징역 등도 선고할 수 있다. ( )

25 살인죄에 대하여 원심이 유기징역형을 선택한 1심보다 중하게 무기징역형을 선택하였다 하더라도 결과적으로 선고한 형이 중하게 변경되지 아니한 이상 불이익변경금지원칙에 반하지 않는다. ( ) 10. 순경, 11·13. 7급 국가직

26 피고인만이 항소한 사건에서 항소심이 피고인에 대하여 제1심이 인정한 범죄사실의 일부를 무죄로 인정하면서도 제1심과 동일한 형을 선고하였다면 불이익변경금지원칙에 위배된다고 볼 수 있다. ( ) 08. 순경, 10·22. 경찰승진·7급 국가직, 24. 변호사시험

27 추징도 몰수에 대신하는 처분으로서 몰수와 마찬가지로 형에 준하여 평가하여야 할 것이므로 그에 관하여도 형사소송법 제368조의 불이익변경금지의 원칙이 적용된다. ( )

09·11. 9급 법원직, 10. 경찰승진·7급 국가직, 12. 순경, 14·16. 경찰간부, 16. 9급 검찰·마약·교정·보호·철도경찰

28 소송비용의 부담은 형이 아니나 실질적인 의미에서 형에 준하여 평가되어야 할 것이므로, 불이익변경금지원칙의 적용이 있다. ( ) 12·13. 순경, 14. 경찰간부, 19. 순경 1차, 22. 7급 국가직, 09·23. 9급 법원직

29 아동·청소년 대상 성폭력범죄의 피고인에게 '징역 15년 및 5년 동안의 위치추적 전자장치 부착명령'을 선고한 제1심판결을 파기한 후 '징역 9년, 5년 동안의 공개명령 및 6년 동안의 위치추적 전자장치 부착명령'을 선고한 원심의 조치는 불이익변경금지원칙에 위반된다(판례에 의함). ( ) 12. 순경·경찰승진·9급 법원직, 13. 순경 1차·7급 국가직, 12·14. 경찰간부

Answer 20. ○ 21. ○ 22. ○ 23. × 24. × 25. ○ 26. × 27. ○ 28. × 29. ×

30 징역 2년에 집행유예 3년 및 금 5억여 원 추징을 항소심에서 징역 1년에 집행유예 2년 및 금 6억여 원 추징으로 변경은 불이익변경금지원칙에 반한다(판례에 의함). ( )

08. 9급 법원직, 09. 순경

31 벌금액이 감경되면서 노역장유치기간이 길어진 경우 불이익변경이 아니다. ( )

08. 순경, 10. 경찰승진, 12. 9급 법원직, 14. 경찰간부 · 9급 검찰 · 마약수사

32 징역형을 늘리면서 집행유예를 붙인 경우는 불이익변경에 해당하지 않는다. ( )

10. 9급 국가직, 11. 9급 법원직

33 법원이 유죄판결을 선고하면서 신상정보 제출의무 고지를 누락한 잘못이 있는데, 상급심 법원에서 신상정보 제출의무 등을 새로 고지한 경우에는 불이익변경에 해당한다. ( ) 19. 경찰승진

34 제1심에서 별개의 사건으로 징역 1년에 집행유예 2년과 추징금 1천만원 및 징역 1년 6월과 추징금 1백만원의 형을 선고받고 항소한 피고인에 대하여 사건을 병합심리한 후 경합범으로 처단하면서 제1심의 각 형량보다 중한 형인 징역 2년과 추징금 1,100만원을 선고한 것이 불이익변경금지의 원칙에 어긋나지 아니한다(판례에 의함). ( )

10. 9급 국가직, 14. 순경 2차, 19. 경찰간부, 10 · 22. 경찰승진

35 제1심이 피고인의 도로교통법위반(음주운전) 등 사건에, 피고인이 교통사고처리특례법 위반죄에 대하여 벌금 350만원의 약식명령을 고지받아 정식재판을 청구한 사건을 병합심리하여, 위 교통사고처리특례법 위반죄에 대하여는 금고형을 나머지 죄에 대하여는 징역형을 선택하고, 경합범으로 처단하면서 피고인에게 징역 6월을 선고하였는바, 정식재판이 청구된 약식명령의 벌금형을 징역형으로 변경 선고하였음은 전체적 · 실질적으로 고찰하여 볼 때 불이익변경에 해당한다(판례에 의함). ( )

08. 순경, 11. 경찰승진, 13. 7급 국가직

36 부정기형을 정기형으로 변경할 때 불이익변경금지원칙의 위반 여부는 부정기형의 장기와 단기의 중간형을 기준으로 삼아야 한다. ( )

21. 9급 검찰 · 마약 · 교정 · 보호 · 철도경찰, 23. 해경승진 · 9급 법원직, 22 · 24. 7급 국가직, 24. 해경간부

37 몰수형 부분의 위법을 이유로 원심판결 전부가 파기환송된 후, 환송 후 원심이 주형을 변경한 조치는 환송판결의 기속력에 저촉된다고 볼 수는 있다(판례에 의함). ( )

12. 순경, 15. 9급 검찰 · 마약 · 교정 · 보호 · 철도경찰

38 파기환송받은 법원은 그 사건 처리에 있어 상고법원의 파기이유로 한 사실상 및 법률상의 판단에 기속되며 이에 따라 행한 판결에 대하여 재차 상고된 경우 그 상고사건을 재판하는 상고법원도 앞서 한 스스로의 파기이유로 한 판단에 기속되게 되고 이를 변경할 수 없다. ( )

12. 순경, 13. 9급 법원직, 15. 9급 검찰 · 마약 · 교정 · 보호 · 철도경찰

39 항소를 함에는 7일의 항소제기기간 이내에 항소장을 항소법원에 제출하여야 한다. ( )

11. 순경 · 경찰승진, 12. 순경 2차, 14. 경찰간부, 11 · 12 · 14 · 15. 9급 법원직, 16. 7급 국가직

Answer 30. × 31. ○ 32. × 33. × 34. ○ 35. ○ 36. ○ 37. × 38. ○ 39. ×

40 원심법원은 항소장을 심사하여 항소제기가 법률상 방식에 위반하거나 항소권이 소멸된 후인 것이 명백한 때에는 결정으로 항소를 기각해야 하며, 이 결정에 대하여 즉시 항고할 수 있다. ( )
11. 경찰승진·9급 법원직, 12. 순경 2차, 16. 경찰간부

41 항소기각결정을 하는 경우 이외에는 원심법원은 항소장을 받은 날로부터 14일 이내에 소송기록과 증거물을 원심법원에 대응하는 검찰청에 송부하여야 한다. ( )
11. 7급 국가직·순경, 12. 9급 법원직, 14. 경찰간부

42 항소심이 항소이유에 포함되지 아니한 사유를 직권으로 심리하여 제1심판결을 파기하고 다시 판결하는 경우에 항소심이 그 판결에서 피고인의 항소이유에 대한 판단을 따로 설시하지 않았다면, 위법이라고 할 수 있다. ( ) 14. 7급 국가직, 15. 9급 교정·보호·철도경찰

43 필요적 변호사건에서 항소법원이 이미 피고인과 국선변호인에게 소송기록접수통지를 하였으나, 피고인과 국선변호인이 항소이유서를 제출하지 않고 있던 중 항소이유서 제출기간 내에 피고인이 사선변호인을 선임함에 따라 국선변호인 선정결정이 취소된 경우 그 사선변호인에게 새로운 소송기록접수통지를 할 필요가 있으며, 사선변호인의 항소이유서 제출기간은 그 사선변호인의 소송기록접수통지 수령일로부터 계산하여야 한다. ( ) 20. 경찰간부, 22·23. 경찰승진, 24. 7급 국가직, 24·25. 소방간부

44 상고심의 심판대상은 원심판결 당시를 기준으로 하여 그 당부를 심사하는 데 있는 것이므로, 원심판결 당시 피고인이 미성년으로서 부정기형을 선고받은 자가 그 후 상고심 계속 중에 성년으로 되었다 하여 원심의 부정기형선고가 위법이 될 수 없다. 따라서 상고법원은 원심을 파기하고 정기형을 선고할 수 없다(판례에 의함). ( ) 11·12. 경찰승진, 13·16. 9급 법원직, 16. 7급 국가직

45 관할의 인정이 법률에 위반됨을 이유로 원심판결 또는 제1심판결을 파기한 때에는 결정으로 사건을 관할 있는 법원에 이송하여야 한다. ( ) 13. 경찰승진, 14. 9급 법원직

46 상소기각결정은 즉시항고가 허용된다. ( ) 11. 9급 법원직, 12. 순경 2차, 13·16. 7급 국가직, 11·17. 경찰승진

47 기피신청기각결정은 즉시항고가 허용되지 않는다. ( ) 06·10. 순경, 11·17. 경찰승진

48 구속취소결정은 즉시항고 허용규정이 있다. ( ) 06·10. 순경, 17. 경찰승진

49 변호인의 구속피의자에 대한 접견이 접견신청일이 경과하도록 이루어지지 아니한 것을 실질적으로 접견불허가처분이 있는 것과 동일시 된다(판례에 의함). ( )
07. 7급 국가직, 10. 순경, 12. 순경 3차, 11·12·13. 경찰승진

50 검사가 압수·수색영장의 청구 등 강제처분을 위한 조치를 취하지 아니한 것 그 자체도 준항고로써 불복할 수 있다(판례에 의함). ( ) 08·10. 순경, 14. 9급 검찰·마약수사

51 몰수선고가 없어 형사소송법 제332조의 규정에 의하여 압수가 해제된 것으로 되었음에도 불구하고 검사가 그 해제된 압수물의 인도를 거부하는 조치에 대해서는 준항고로 불복할 대상이 될 수 있다. ( ) 07·10. 순경, 13. 경찰승진·7급 국가직, 20. 9급 검찰·마약·교정·보호·철도경찰

Answer 40. ○ 41. × 42. × 43. × 44. ○ 45. × 46. ○ 47. × 48. ○ 49. ○ 50. × 51. ×

CHAPTER

02 비상구제절차

1 제1심판결에 대해 항소심에서 파기한 후 자판하여 확정된 경우, 제1심의 유죄판결은 재심의 대상이 될 수 있다. ( ) 16. 경찰간부, 17. 9급 법원직, 11 · 16 · 18. 경찰승진

2 항소심의 유죄판결에 대하여 상고가 제기되어 상고심 재판이 계속되던 중 피고인이 사망하여 형사소송법 제382조, 제328조 제1항 제2호에 따라 공소기각결정이 확정되었더라도 항소심의 유죄판결은 이로써 당연히 그 효력을 상실하게 되는 것은 아니고, 이러한 경우에는 형사소송법상 재심절차의 전제가 되는 '유죄의 확정판결'이 존재하는 경우에 해당한다. ( ) 17. 순경 1차 · 9급 검찰 · 마약 · 교정 · 보호 · 철도경찰

3 약식명령에 대한 정식재판절차에서 유죄판결이 선고되어 확정된 경우라도 그 약식명령은 재심청구의 대상이 된다. ( ) 16. 9급 법원직 · 9급 검찰 · 마약 · 교정 · 보호 · 철도경찰, 17. 검찰 · 교정승진, 18. 경찰승진 · 변호사시험, 19. 경찰간부

4 원판결의 증거된 증언을 한 자가 그 재판 과정에서 자신의 증언과 반대되는 취지의 증언을 한 다른 증인을 위증죄로 고소하였다가 그 고소가 허위임이 밝혀져 무고죄로 유죄의 확정판결을 받은 경우도 제420조 제2호 재심사유에 포함된다(판례에 의함). ( ) 13. 순경 1차, 17. 경찰승진

5 형사소송법 제420조 제2호 소정의 '원판결의 증거된 증언'이 나중에 확정판결에 의하여 허위된 것이 증명된 이상, 그 허위증언 부분을 제외하고서도 다른 증거에 의하여 그 '죄로 되는 사실'이 유죄로 인정될 것인지 여부에 관계없이 형사소송법 제420조 제2호의 재심사유가 있는 것으로 보아야 한다. ( ) 14. 변호사시험, 20. 9급 검찰 · 마약 · 교정 · 보호 · 철도경찰, 20 · 24. 해경간부

6 피고인이 재심을 청구한 경우 재심대상이 되는 확정판결의 소송절차 중에 그러한 증거를 제출하지 못한 데 과실이 있는 경우에는 그 증거는 위 조항에서의 '증거가 새로 발견된 때'에서 제외된다고 해석함이 상당하다(판례에 의함). ( ) 16. 7급 국가직, 17. 순경 2차, 10 · 17 · 20. 경찰승진

7 법원은 새로 발견된 증거만을 독립적 · 고립적으로 고찰하여 그 증거가치만으로 재심대상이 되는 확정판결을 그대로 유지할 수 없을 정도로 고도의 개연성이 인정되어야 한다(판례에 의함). ( ) 13. 순경 1차, 16. 9급 검찰 · 마약 · 교정 · 보호 · 철도경찰 · 7급 국가직, 17. 순경 2차, 10 · 13 · 18. 경찰승진

8 유죄의 선고를 받은 자가 사망한 때에도 재심청구를 할 수 있으며, 형의 집행을 종료하거나 형의 집행을 받지 아니하게 된 때에도 할 수 있다. ( ) 03. 경찰승진, 08 · 09 · 10 · 14 · 16. 9급 법원직

9 재심청구는 형집행을 정지하는 효력이 있으므로, 관할법원에 대응한 검찰청 검사는 재심청구에 대한 재판이 있을 때까지 형의 집행을 정지하여야 한다. ( ) 06 · 09 · 10. 9급 법원직, 12. 경찰승진, 14. 순경 2차

Answer 1. × 2. × 3. × 4. × 5. ○ 6. ○ 7. × 8. ○ 9. ×

10 재심청구에 대한 결정을 내릴 때에는 청구한 자와 상대방의 의견을 들어야 한다. 다만, 유죄의 선고를 받은 자의 법정대리인이 재심을 청구한 경우에는 유죄선고를 받은 자의 의견을 들어야 한다. ( ) 08·10. 9급 법원직, 12. 경찰승진, 13. 순경 1차, 14. 순경 2차

11 재심절차는 재심개시절차와 재심심판절차로 구별되는 것이므로, 재심개시절차에서는 형사소송법을 규정하고 있는 재심사유가 있는지 여부만을 판단하여야 하고, 나아가 재심사유가 재심대상 판결에 영향을 미칠 가능성이 있는가의 실체적 사유는 고려하여서는 아니 된다(판례에 의함). ( ) 12·17. 경찰승진, 19. 9급 법원직, 22. 9급 교정·보호·철도경찰

12 재심청구가 부적법하다는 이유로 재심청구기각결정이 있는 때에는 동일한 이유로 다시 재심을 청구하지 못한다. ( ) 03. 9급 법원직, 10. 7급 국가직

13 재심에는 원판결의 형보다 중한 형을 선고하지 못하나, 검사가 재심을 청구한 경우에는 불이익 변경이 금지되지 않는다. ( ) 04. 순경, 12. 교정특채, 16. 9급 법원직

14 비상상고는 모든 확정판결을 대상으로 한다. ( ) 11. 경찰승진, 15. 9급 법원직

15 검사는 판결이 확정된 후 그 사건의 심판이 법령에 위반한 것을 발견한 때에는 원심법원에 비상상고를 할 수 있다. ( ) 11. 경찰승진, 15. 9급 법원직

Answer 10. ○ 11. ○ 12. × 13. × 14. ○ 15. ×

CHAPTER

03 특별형사절차

1 약식명령을 청구할 수 있는 사건은 지방법원의 관할에 속하는 사건으로서 벌금·구류, 과료·몰수에 처할 수 있는 사건에 한정된다. ( )

12. 순경 2차, 16. 9급 법원직, 18. 순경 1차·9급 검찰·마약·교정·보호·철도경찰, 10·12·20·21. 경찰승진

2 자백보강의 법칙(제310조)은 공판기일의 심리와 무관하고 위법수사배제를 위한 법적 장치이므로 약식절차에서도 적용이 된다. ( )

10. 경찰승진, 12. 경찰간부, 18. 순경 1차·9급 검찰·마약·교정·보호·철도경찰

3 법원은 약식명령의 청구가 있는 경우에 그 사건이 약식명령으로 할 수 없거나, 약식명령으로 하는 것이 적당하지 않다고 인정되는 경우에는 공판절차에 의하여 심판하여야 한다. ( )

09. 9급 법원직, 15. 순경 3차, 11·20. 경찰승진, 21. 순경 2차

4 약식명령에는 범죄사실, 증거요지, 적용법조, 주형, 부수처분과 약식명령의 고지를 받은 날로부터 7일 이내에 정식재판을 청구할 수 있다는 사실을 명시하여야 한다. ( )

09·13. 9급 법원직, 11. 경찰승진

5 검사와 피고인은 약식명령에 대한 정식재판청구권의 포기를 할 수 없다. ( )

11. 교정특채, 11·13. 9급 법원직, 16. 7급 국가직, 11·23. 경찰승진

6 약식명령에 대한 정식재판의 청구권자는 제1심판결의 선고 전까지는 정식재판청구를 취하할 수 있다. ( )

10. 교정특채, 11. 경찰승진, 12. 순경 2차, 10·13·16. 9급 법원직

7 개정법에 의하면, 약식명령에 대하여 피고인이 정식재판을 신청한 사건에 대하여는 불이익변경금지원칙은 적용이 없다. ( )

18. 9급 법원직, 20. 순경 1차

8 정식재판 청구가 있으면 약식명령은 실효된다. ( )

03. 순경, 10. 9급 법원직

9 즉결심판의 대상은 20만원 미만의 벌금 또는 구류나 과료에 처할 범죄사건이다. ( )

09. 경찰승진, 14. 경찰간부, 14·15. 순경 2차, 15. 순경 3차

10 경찰서장은 즉결심판 청구와 동시에 즉결심판을 함에 필요한 서류와 증거물을 검사에게 제출하여야 한다. ( )

09. 경찰승진, 14. 순경 2차

11 법원이 경찰서장의 즉결심판청구를 기각하여 경찰서장이 사건을 관할지방검찰청으로 송치하였으나, 검사가 이를 즉결심판에 대한 피고인의 정식재판청구가 있은 사건으로 오인하여 그 사건기록을 법원에 송부한 경우, 공소제기가 성립되었다고 볼 수 있다. ( )

13. 순경 2차, 14. 9급 검찰·마약수사, 17. 순경 1차, 18. 경찰승진, 21. 경찰간부, 22. 7급 국가직, 24. 해경승진

Answer 1. × 2. ○ 3. ○ 4. × 5. × 6. ○ 7. ○ 8. × 9. × 10. × 11. ×

12 판사는 심사결과 사건이 즉결심판으로 할 수 없거나, 즉결심판으로 하는 것이 적당하지 않다고 인정될 경우에는 공판절차에 의하여 심판하여야 한다. ( )

15. 순경 2차, 16. 7급 국가직, 10·19. 경찰승진, 20. 경찰간부, 24. 경력채용

13 즉결심판의 심리와 선고는 공개된 법정에서 하며, 경찰관서에 설치될 수도 있다. ( )

13. 순경 2차, 16. 경찰간부, 11·16·19. 경찰승진

14 판사는 구류에 처하는 경우를 포함하여 상당한 이유가 있는 경우에는 개정 없이 피고인의 진술서와 경찰서장이 송부한 서류 또는 증거물에 의하여 심판할 수 있다. ( )

14. 경찰승진, 15·16. 순경 2차

15 즉결심판에서도 원칙적으로 피고인의 출석은 개정요건이다. 그러나 벌금이나 과료에 해당하는 형을 선고하는 경우에는 피고인이 출석하지 아니한 때 피고인의 진술을 듣지 않고 형을 선고할 수 있다. ( ) 13. 9급 교정·보호·철도경찰, 13·14. 경찰승진, 15. 순경 3차, 13·16. 순경 2차, 17. 경찰간부

16 즉결심판절차에서는 자백보강의 법칙은 적용되나, 전문법칙은 적용되지 않는다. ( )

10. 순경 2차, 11·14·16. 경찰승진, 16. 경찰간부·9급 검찰·마약·교정·보호·철도경찰, 24. 변호사시험

17 즉결심판절차에서는 유죄의 선고뿐만 아니라 무죄, 면소 또는 공소기각의 선고를 할 수 있다. ( ) 14. 순경 2차, 16. 경찰간부, 11·17·19. 경찰승진

18 판사는 구류선고를 받은 피고인이 일정한 주소가 없거나 도망할 염려가 있는 때에는 7일을 초과하지 아니한 범위 내에서 경찰서유치장에 유치할 것을 명할 수 있다. ( )

09·10. 경찰승진, 13·14. 순경 2차, 15. 순경 3차

19 즉결심판은 정식재판청구기간의 경과, 정식재판청구권의 포기 또는 그 청구의 취하에 의하여 확정판결과 동일한 효력, 즉 집행력과 기판력이 생긴다. ( )

11. 순경, 13. 경찰간부, 15. 순경 2차, 09·13·16. 경찰승진, 18. 순경 3차

20 즉결심판의 판결이 확정된 때에는 즉결심판서 및 관계서류와 증거는 검사가 이를 보존한다. ( ) 11. 순경, 12. 경찰승진

21 피고인은 정식재판청구서를 즉결심판의 선고 또는 고지받은 날로부터 7일 이내에 경찰서장에게 제출하여야 한다. ( )

12. 순경 1차, 16. 순경 2차, 16·22. 9급 검찰·마약·교정·보호·철도경찰, 17·24. 경찰승진

22 배상명령은 제1심 또는 제2심의 형사사건으로 유죄판결을 선고하는 경우 뿐만 아니라 무죄, 면소, 공소기각의 재판을 할 때에도 배상명령이 가능하다. ( )

13. 순경 1차, 13·16. 9급 법원직, 22. 해경간부

23 배상명령의 범위는 피고사건으로 인하여 직접 발생한 물적 손해와 치료비 손해에 한정된다. ( ) 09. 9급 국가직, 12. 경찰승진, 13. 순경 1차

Answer 12. × 13. × 14. × 15. ○ 16. × 17. ○ 18. × 19. ○ 20. × 21. ○ 22. × 23. ×

24 배상명령은 피해자나 그 상속인의 신청에 의하여야 하며, 법원의 직권에 의해서는 불가능하다. ( ) 11. 경찰승진, 12. 순경 3차, 13. 순경 1차, 11 · 15 · 16. 9급 법원직

25 배상명령 신청을 각하하거나 그 일부를 인용한 재판에 대해 신청인은 불복을 신청하지 못하며, 다시 동일한 배상신청을 할 수 없다. ( ) 09. 9급 국가직, 12. 순경 1차, 13. 9급 법원직, 20. 순경 2차

26 배상신청인이 공판기일을 통지 받고도 출석하지 아니한 경우는 제1회에 한하여 반드시 다시 공판기일을 정하여 통지하여야 한다. ( ) 12. 순경 3차, 13. 순경, 11 · 12 · 13. 9급 법원직, 16. 경찰간부

27 검사는 소년에 대한 피의사건을 수사한 결과 벌금 이하의 형에 해당하는 범죄이거나 보호처분에 해당하는 사유가 있다고 인정한 때에는 사건을 관할소년부에 송치하여야 한다. ( ) 09. 7급 국가직, 10. 경찰승진 · 순경

28 소년부는 송치된 사건을 조사 또는 심리한 결과 그 동기와 죄질이 금고 이상의 형사처분을 할 필요가 있다고 인정할 때에는 결정으로써 해당 검찰청 검사에게 송치하여야 한다. ( ) 10. 경찰승진, 14. 경찰간부

29 수소법원은 소년에 대한 피고사건을 심리한 결과 보호처분에 해당하는 사유가 있다고 인정한 때에는 결정으로 사건을 관할소년부에 송치하여야 한다. ( ) 09. 7급 국가직, 10. 순경, 11. 경찰승진, 14. 경찰간부

30 범죄 당시 18세 미만 소년에 대하여는 사형 또는 무기형으로 처할 것인 때에는 15년의 유기징역으로 한다. ( ) 11. 경찰승진, 13. 9급 법원직, 22. 해경간부

31 소년이 법정형 장기 2년 이상의 유기형에 해당하는 죄를 범한 때에는 장기 10년, 단기 5년의 범위 내에서 장기와 단기를 정하여 선고한다. ( ) 03 · 06 · 11. 경찰승진, 13. 9급 법원직

32 항소심판결 선고 당시 미성년이었던 피고인이 상고 이후에 성년이 되었다면 항소심의 부정기형의 선고는 위법이다. ( ) 11. 경찰승진, 13. 9급 법원직

33 징역 또는 금고의 선고를 받은 소년에 대하여는 무기형에는 5년, 15년의 유기형에는 3년, 부정기형에는 단기의 3분의 1이 경과하면 가석방을 허가할 수 있다. ( ) 05. 순경, 10 · 11. 경찰승진, 15. 경찰간부

Answer 24. × 25. ○ 26. × 27. × 28. × 29. ○ 30. ○ 31. ○ 32. × 33. ○

CHAPTER

04 재판의 집행과 형사보상

1 2개 이상의 형을 집행할 때에는 자격상실, 자격정지, 벌금, 과료, 몰수 외에는 경한 형을 먼저 집행한다. ( ) 07. 9급 법원직, 08. 순경, 13. 9급 교정 · 보호 · 철도경찰, 12 · 16. 경찰간부

2 사형선고를 받은 자가 심신장애로 의사능력이 없는 상태에 있거나, 잉태 중인 여자인 때에는 법무부장관의 명령으로 집행을 정지할 수 있다. ( ) 08. 순경, 13. 9급 교정 · 보호 · 철도경찰

3 몰수 또는 조세, 전매 기타 공과에 관한 법령에 의하여 재판한 벌금 또는 추징은 그 재판을 받은 자가 재판도중에 사망한 경우에는 그 상속재산에 대하여 집행할 수 있다. ( ) 13. 9급 교정 · 보호 · 철도경찰, 16 · 17. 경찰간부

4 미결구금기간이 확정된 징역 또는 금고의 본형기간을 초과한 결과가 생겼다면 위법하다고 할 수 있다. ( ) 04. 순경, 15. 7급 국가직

5 법정통산의 경우 판결에서 별도로 미결구금일수산입에 관한 사항을 판단할 필요가 없다. ( ) 04. 순경, 15. 7급 국가직

6 재판의 집행을 받은 자 또는 그 법정대리인이나 배우자는 집행에 관한 검사의 처분이 부당함을 이유로 재판을 선고한 법원에 이의신청을 할 수 있다. ( ) 13. 9급 국가직

7 군용물손괴죄로 구금된 공군 중사가 수사기관에서 범행을 자백하다가 다시 부인하며 다투어 무죄의 확정판결을 받고 형사보상청구를 한 사안에서, 자신이 범인으로 몰리고 있어서 형사처벌을 면하기 어려울 것이라는 생각과 거짓말탐지기 검사 등으로 인한 심리적인 압박 때문에 허위의 자백을 한 것은 형사보상청구의 기각 요건인 '수사 또는 심판을 그르칠 목적'에 해당한다. ( ) 11 · 14. 경찰승진

8 형사보상청구권은 양도, 압류, 상속될 수 없다. ( ) 11 · 14. 경찰승진

9 형사보상청구는 무죄, 면소 또는 공소기각의 재판이 확정된 사실을 안 날로부터 1년, 무죄재판 등이 확정된 날로부터 3년 이내에 하여야 한다. ( ) 12. 순경, 14. 경찰승진

Answer 1. × 2. × 3. × 4. × 5. ○ 6. ○ 7. × 8. × 9. ×

조충환·양건

형사소송법

핵심정리

CHAPTER

01 각종 숫자정리

1 형사소송법의 의의

내 용	숫 자	관련 조문
증거보전청구	제1회 공판기일 전	제184조
검사의 체포 · 구속장소 감찰	지방검찰청 검사장 또는 지청장은 불법체포 · 구속의 유무를 조사하기 위하여 검사로 하여금 매월 1회 이상 관하 수사관서의 피의자의 체포 · 구속장소를 감찰하게 함	제198조의 2
검사의 증인신문청구	제1회 공판기일 전	제221조의 2
고소의 취소	제1심판결 선고 전	제232조
공소의 취소	제1심판결 선고 전	제255조
정식재판청구의 취하	제1심판결 선고 전	제454조
공소시효기간	장기 5년 미만의 자격정지, 구류, 과료 또는 몰수에 해당범죄 ⇨ 1년	제249조 제1항 제7호

2 2의 숫자정리

내 용	숫 자	관련 조문
공시송달의 효력	최초 공시날로부터 2주 경과	제64조 제4항
피고인구속기간	2월, 심급마다 2회에 한하여 2개월 한도 내에서 갱신	제92조 제1항 · 제2항 본문
검사의 출석 없이 개정	공판기일의 통지를 받고 2회 이상 불출석	제278조
배심원의 결격사유	금고 이상의 형의 집행유예를 선고받고 그 기간이 완료된 날부터 2년을 경과하지 않은 사람	국민의 형사재판참여에 관한 법률(이하 '참여법') 제17조 제4호
법원의 배심원후보자 명부송달	검사와 변호인에게 명부를 선정기일의 2일 전까지 송부	참여법 제26조
항소심에서 피고인 불출석재판	2회 이상 불출석시 피고인 없이 개정	제365조 제2항
약식명령에 대한 정식재판청구사건에서 피고인의 불출석재판	2회 이상 불출석시 피고인 없이 개정	제458조 제2항

3 3의 숫자정리

내 용	숫 자	관련 조문
기피사유의 소명	기피신청일로부터 3일 이내에 서면으로	제19조 제2항
대표변호인의 수	3인을 초과할 수 없다.	제32조의 2 제3항
국선변호인 선정사유	피고인이 사형, 무기 또는 단기 3년 이상의 징역이나 금고사건으로 기소된 때	제33조 제1항 제6호
상소심에서 법원의 구속기간 갱신횟수	부득이한 경우 법원은 3차에 한해 가능	제92조 제2항 단서
증거보전청구 기각결정에 대한 항고기간	3일 이내에 항고 가능	제184조 제4항
긴급체포사건	사형, 무기 또는 장기 3년 이상 징역 또는 금고	제200조의 3
공소시효기간	장기 5년 이상의 자격정지 해당범죄 ⇨ 3년	제249조 제1항 제6호
재정신청시 항고전치주의의 예외사유	항고신청 후 항고에 대한 처분 없이 3개월 경과시	제260조 제2항 제2호
고소사건의 처리	수리한 날로부터 3월 이내 수사종료	제257조
재정신청사건의 심리기간	재정신청서 송부받은 날부터 3개월 이내	제262조 제2항
공판준비절차의 종결사유	사건을 공판준비절차에 부친 뒤 3개월이 지났을 때	제266조의 12
피고인의 불출석허가 신청사건	장기 3년 이하의 징역 또는 금고, 다액 500만원을 초과하는 벌금 또는 구류에 해당하는 사건 중 피고인이 신청하고 법원이 허가한 사건	제277조 제3호
필요적 변호사건	사형, 무기, 단기 3년 이상 징역 · 금고	제282조
무이유기피신청의 수	배심원이 5인인 경우에는 3인	참여법 제30조 제1항 제3호
원심법원의 항고장 송부	3일 이내에 항고법원으로	제408조 제2항
몰수물의 교부	집행 후 3월 이내에 몰수물에 대해 정당한 권리 있는 자가 몰수물의 교부를 청구한 때 검사가 교부	제484조 제1항
환부불능과 공고	환부불능 공고 후 3월 이내 환부의 청구가 없는 때 국고에 귀속	제486조

4 5의 숫자정리

내 용	숫 자	관련 조문
공소장부본 송달	제1회 공판기일 전 5일까지	제266조
공시송달의 효력	2회 이후는 공시한 날부터 5일 경과	제64조 제4항
공소시효기간	장기 5년 미만의 징역·금고, 장기 10년 이상의 자격정지, 벌금에 해당하는 범죄 ⇨ 5년	제249조 제1항 제5호
제1회 공판기일 유예기간	소환장 송달 후 5일 이상의 유예기간	제269조
피고인 또는 변호인이 공판준비절차에서 주요 사실 인정시 배심원 수	5인	참여법 제13조
예비배심원수	5인	참여법 제14조
배심원 면제사유	과거 5년 이내에 배심원 후보자로서 선정기일에 출석한 사람	참여법 제20조 제2호
무이유기피신청의 수	배심원이 9인인 경우에는 5인	참여법 제30조 제1항 제1호
배심원해임 사임시 추가 선정을 하지 않아도 되는 최소인원	배심원 추가선정이 부적절한 경우 추가선정 없이 남은 배심원들만으로 진행할 수 있으나 배심원이 5인 미만이 되면 추가선정해야 한다.	참여법 제34조 제2항
항고법원의 당사자에 통지	원심법원으로부터 기록송부를 받은 날로부터 5일 이내	제411조 제3항
사형집행	법무부장관의 명령일로부터 5일 이내	제466조

5 6의 숫자정리

내 용	숫 자	관련 조문
고소기간	범인을 안 날로부터 6월 이내	제230조
사형집행 명령시기	판결확정일로부터 6월 이내	제465조
자유형 집행정지	잉태 후 6월 이상인 때	제471조 제3호

6 7의 숫자정리

내 용	숫 자	관련 조문
보석취소나 구속영장 효력소멸 시 몰취하지 않은 보증금 환부	몰취하지 않은 보증금 또는 담보를 청구한 날로부터 7일 이내에 환부	제104조
증인 과태료 재판을 받고도 불출석시 제재	7일 이내의 감치에 처한다.	제151조 제2항
항소 · 상고제기기간	7일	제358조, 제374조
고소인 등에 처분통지	처분한 날로부터 7일 이내	제258조
고소인 등에 불기소처분 이유 고지	청구가 있는 때에는 7일 이내	제259조
공소시효기간	장기 10년 미만 징역 또는 금고에 해당하는 범죄 ⇨ 7년	제249조 제1항 제4호
재정신청사건 검사장의 처리	항고를 거친 사건의 경우 7일 이내에 관계서류를 재정신청서 등 관계서류를 관할고등법원에 송부	제261조
의견서의 제출	피고인 또는 변호인은 공소장부본을 송달받은 날부터 7일 이내에 공소사실에 대한 인정 여부 등의 의견서를 제출	제266조의 2
참여재판을 원하는지 여부의 의견서 제출	피고인은 공소장부본을 송달받은 날부터 7일 이내에 국민참여재판을 원하는지 여부에 대한 의견서를 제출	참여법 제8조 제2항
법정형이 사형, 무기징역 또는 무기금고가 아닌 그 외의 대상사건의 배심원의 수	7인	참여법 제13조
약식명령에 대한 정식재판청구	고지를 받은 날로부터 7일 이내	제453조
즉시항고 · 준항고의 제기기간	7일	제405조, 제416조 제3항

7 10의 숫자정리

내 용	숫 자	관련 조문
사법경찰관의 구속기간	10일 이내	제202조
검사의 구속기간	10일 이내, 1차에 한해 10일 한도에서 연장가능	제203조, 제205조
검사의 집행지휘를 요하는 재판의 재판서 송달	선고 또는 고지한 때부터 10일 이내에 검사에 송부	제44조
필요적 보석불허사건	사형, 무기, 장기 10년이 넘는 징역・금고에 해당하는 범죄	제95조 제1호
고소권자의 지정	검사가 10일 이내에	제228조
공소시효기간	장기 10년 이상의 징역 또는 금고에 해당하는 범죄 ⇨ 10년	제249조 제1항 제3호
재정신청시 항고전치주의의 예외인 경우 신청서 제출시기	항고기각결정을 통지받은 날 또는 제260조 제2항의 각호 사유가 발생한 날로부터 10일 이내에 재정신청서 제출	제260조 제3항
재정신청서 송부받은 때 조치	송부시로부터 10일 이내에 피의자에게 그 사실을 통지	제262조 제1항
항소법원에 답변서 제출	항소이유서를 송달받은 상대방은 10일 이내에 답변서를 항소법원에 제출하여야 한다.	제361조의 3 제3항
상고법원에 답변서 제출	상고이유서를 송달받은 상대방은 10일 이내에 답변서를 상고법원에 제출할 수 있다.	제379조 제4항
상고이유사건	사형, 무기 또는 10년 이상의 징역・금고	제383조
상고심판결 정정신청	판결선고일로부터 10일 이내	제400조 제2항
소송비용의 집행면제신청	빈곤하여 완납할 수 없을 때 그 재판확정 후 10일 이내에 집행면제 신청	제487조

8 14의 숫자정리

내 용	숫 자	관련 조문
공판기일을 매일 개정하지 못하는 경우 다음 공판기일지정	부득이한 사정으로 매일 계속 개정하지 못하는 경우 전회의 공판기일부터 14일 이내로 다음 공판기일을 지정하여야 한다.	제267조의 2 제4항
변론종결 기일 후 판결선고기일(국민참여재판도 동일)	변론종결 후 14일 이내로 지정	제318조의 4
항소기록과 증거물 송부(상고 동일)	원심법원은 항소장을 받은 날로부터 14일 이내에 기록과 증거물을 항소법원에 송부	제361조

9 15의 숫자정리

내 용	숫 자	관련 조문
공소시효기간	무기징역·금고에 해당하는 범죄 ⇨ 15년	제249조 제1항 제2호

10 20의 숫자정리

내 용	숫 자	관련 조문
보석조건 위반한 피고인에 대한 제재	1천만원 이하의 과태료 부과 또는 20일 이내의 감치	제102조 제3항
배심원의 자격연령	만 20세	참여법 제16조
항소이유서 제출(상고 동일)	항소법원으로부터 기록송부통지를 받은 날로부터 20일 이내 항소법원에	제361조의 3 제1항, 제379조 제1항

11 24의 숫자정리

내 용	숫 자	관련 조문
구인의 효력기간	인치한 때로부터 24시간 이내	제71조
구인 후 유치기간	인치한 때로부터 24시간을 초과할 수 없다.	제71조의 2
촉탁에 의한 구속영장발부 판사의 피고인조사	피고인을 인치한 때로부터 24시간 이내에	제78조
긴급체포된 자의 물건에 대한 영장 없는 압수	체포한 때로부터 24시간 이내에 한하여	제217조 제1항
구속적부심결정	피의자심문이 종료한 때로부터 24시간 이내	규칙 제106조

12 25의 숫자정리

내 용	숫 자	관련 조문
공소시효기간	사형에 해당하는 범죄 ⇨ 25년	제249조 제1항 제1호
의제공소시효기간	공소제기 후 확정판결 없이 25년 경과	제249조 제2항

13 30의 숫자정리

내 용	숫 자	관련 조문
긴급체포 후 구속영장 청구하지 않고 석방한 후 조치	석방한 날부터 30일 이내에 서면으로 법원에 통지	제200조의 4 제4항
재정신청의 항고전치주의 예외 사유	검사가 공소시효 만료일 30일 전까지 공소를 제기하지 않는 경우 항고 없이 재정 신청 가능	제260조 제2항 제3호
항고의 제기기간, 재항고의 제기기간	불기소처분을 받은 후 30일 이내, 항고기각결정의 통지를 받은 날 또는 항고 후 처분없이 3개월 경과시 부터 30일 이내	검찰청법 제10조 제4항 · 제5항
재정신청사건의 고등검찰청 검사장 처리	항고를 거치지 않은 사건에 대해 신청이 이유 없는 것으로 인정한 때에는 30일 이내에 기록을 관할 고등법원에 송부	제261조 제2호
배심원 후보예정자 명부 작성을 위한 주민의 정보송부시기	지방법원장이 행정자치부장관에게 명부 작성을 위한 주민정보 송부 요청시 주민 등록자료를 30일 내에 송부	참여법 제22조 제2항

14 48의 숫자정리

내 용	숫 자	관련 조문
긴급체포, 현행범체포, 체포영장에 의한 체포시 구속영장 청구	체포한 때로부터 48시간 이내 청구	제200조의 4 제1항 단서, 제200조의 2 제5항, 제213조의 2
체포구속적부심 청구받은 법원의 피의자심문시기	청구서가 접수된 때로부터 48시간 이내	제214조의 2 제4항
긴급체포시(또는 체포현장에서) 영장 없이 압수한 물건에 대한 압수 · 수색영장의 청구시기	체포한 때로부터 48시간 이내	제217조 제2항
공소제기 후 검사보관 서류 등에 대한 열람 · 등사 신청을 허용할 것을 법원에 청구할 수 있는 시기	검사에게 열람 · 등사 청구한 후 48시간이 지나도록 검사가 거부나 제한통지를 하지 않는 경우	제266조의 3 제4항

15 50의 숫자정리

내 용	숫 자	관련 조문
경미사건의 현행범체포	다액 50만원 이하의 벌금, 구류 또는 과료에 해당하는 범죄는 주거불명의 경우만 체포 가능	제214조
경미사건의 체포영장에 의한 체포제한	다액 50만원 이하의 벌금, 구류, 과료에 해당하는 사건은 피의자가 주거불명 또는 정당한 이유 없이 출석요구에 불응한 경우에만 체포영장 가능	제200조의 2
피고인(피의자) 구속의 제한사유	다액 50만원 이하의 벌금, 구류, 과료에 해당하는 사건	제70조 제3항, 제201조 제1항

16 70의 숫자정리

내 용	숫 자	관련 조문
국선변호인 선정사유	70세 이상	제33조 제1항 제2호
배심원 면제사유	만 70세 이상	참여법 제20조 제1호
자유형집행정지	연령이 70세 이상인 때, 직계존속이 70세 이상 또는 중병이나 장애인으로 보호할 다른 친족이 없는 때	제471조 제1항 제2호·제5호

17 90의 숫자정리

내 용	숫 자	관련 조문
검사의 기록반환	검사는 송부받은 서류나 증거물 등을 90일 이내에 사법경찰관에게 반환	제245조의 5 제2호

18 500의 숫자정리

내 용	숫 자	관련 조문
경미사건과 피고인의 불출석, 피고인의 불출석 허가신청사건	다액 500만원 이하의 벌금 또는 과료에 해당하는 사건, 장기 3년 이하의 징역 또는 금고, 다액 500만원을 초과하는 벌금 또는 구류에 해당하는 사건 중 피고인이 신청하고 법원이 허가한 사건	제277조 제1호·제3호

19 즉시, 지체 없이

내 용	숫 자	관련 조문
보석조건의 효력상실	구속영장 효력이 상실되거나 보석취소시 보석조건은 즉시 그 효력을 상실한다.	제104조의 2
감치재판을 받은 증인이 감치시설에 유치된 때 조치	감치시설의 장은 즉시 그 사실을 법원에 통보, 통보받은 법원은 지체 없이 증인신문기일 열어 증인이 증언을 한 때 즉시 감치결정 취소하고 석방을 명하여야 한다.	제151조 제5항 · 제6항 · 제7항
보완수사 요구에 대한 이행	검사의 보완수사 요구에 대하여 사법경찰관은 정당한 사유가 없는 한 지체 없이 이행	제197조의 2 제2항
시정조치 요구에 대한 이행	사법경찰관은 검사의 시정조치 요구에 대하여 정당한 이유가 없으면 지체 없이 이행	제197조의 3 제4항
사건의 송치	사건송치 요구를 받은 사법경찰관은 지체 없이 사건을 검사에 송치	제197조의 4 제2항
긴급체포시 검사의 구속영장 청구시점	지체 없이 구속영장청구	제200조의 4 제1항
사법경찰관이 긴급체포 후 영장신청 없이 석방한 경우	즉시 검사에게 보고	제200조의 4 제6항
피의자의 구속 전 피의자신문의 시기	구속영장을 청구받은 판사는 지체 없이 피의자를 신문	제201조의 2 제1항
구속 전 피의자신문시 피의자 인치 후 관계자에 통지시기	체포된 피의자는 즉시, 체포되지 않은 피의자는 인치한 후 즉시 검사 · 피의자 및 변호인에게 심문기일과 장소를 통지	제201조의 2 제3항
영장 없이 압수한 물건에 대한 압수 · 수색영장 청구시기	지체 없이 압수 · 수색영장을 청구 ⇨ 영장받지 못하면 압수물 즉시 반환	제217조 제2항 · 제3항
항고전치주의의 예외인 때 검사장이 재정신청이 이유 있는 것으로 인정하는 경우	즉시 공소를 제기하고 그 취지를 관할고등법원과 재정신청인에게 통지	제261조 제1호
법원이 재정신청에 대한 결정을 한 때의 조치	즉시 그 정본을 재정신청인 · 피의자와 관할 검사장에게 송부, 공소제기의 결정을 하면 검사장은 지체 없이 담당검사를 지정하여 공소제기하게 하여야 한다.	제262조 제5항 · 제6항
항소기록 · 증거물을 송부받은 항소법원의 통지(상고 동일)	즉시 항소인과 상대방에게 사유 통지	제361조의 2 제1항, 제378조 제1항
항소이유서부본 상대방에 송달(상고 동일)	항소이유서 제출을 받은 항소법원은 지체 없이 부본 또는 등본을 상대방에 송달	제361조의 3 제2항, 제379조 제3항
답변서부본 항소인에 송달(상고 동일)	답변서 제출을 받은 항소법원은 지체 없이 부본 또는 등본을 항소인에게 송달	제361조의 3 제4항, 제379조 제5항
구속 통지	지체 없이 서면으로	제87조 제2항

20 기 타

내 용	숫 자	관련 조문
선서무능력자	16세 미만	제159조 제1호
피해자 증인신문시 신뢰관계인의 필요적 동석 연령	피해자가 13세 미만인 경우	제163조의 2 제2항
비용보상청구기간	무죄판결이 확정된 사실을 안 날로부터 3년, 무죄판결이 확정된 때부터 5년	제194조의 3 제2항
사형, 무기징역 또는 무기금고에 해당하는 사건의 국민참여재판의 배심원수	9인	참여법 제13조
무이유기피신청의 수	배심원이 7인인 경우에는 4인	참여법 제30조 제1항 제2호
보통항고 제기기간	제한 없음	제404조
형사보상청구기간	무죄, 면소, 공소기각재판이 확정된 사실을 안 날로부터 3년, 확정된 날로부터 5년 이내, 검사불기소 처분통지를 받은 날부터 3년 이내	형사보상 및 명예회복에 관한 법률 제8조, 제26조 제2항, 제28조 제3항
공수처장추천위원회 의결정족수	재적위원 3분의 2 이상 찬성	공수처법 제6조 제7항

CHAPTER 02

각종 청구권자

내 용	청구권자	관련조문
관할지정청구	검 사	제14조
관할이전신청	검사(필요적), 피고인(임의적)	제15조
기피신청	검사, 피고인 또는 변호인	제18조
소송행위의 특별대리인 선임 청구	• 피고인을 대리 또는 대표할 자가 없는 경우 ⇨ 직권 또는 검사의 청구 • 피의자를 대리 또는 대표할 자가 없는 경우 ⇨ 검사 또는 이해관계인 청구	제28조
변호인 선임권자	피고인, 피의자, 법정대리인, 배우자, 직계친족, 형제자매	제30조
대표변호인 지정신청	피고인, 피의자, 변호인의 신청이나 직권	제32조의 2
소송계속 중의 관계서류 등의 열람 · 등사권자	피고인, 변호인, 피고인의 법정대리인, 특별대리인, 보조인, 피고인의 배우자 · 직계친족 · 형제자매로서 위임장 및 신분관계증명문서 제출자	제35조
공판조서 기재의 변경 · 이의 청구권자	검사, 피고인, 변호인	제54조 제3항
공판정에서의 속기 · 녹음 및 영상 녹화의 신청	직권 또는 검사, 피고인, 변호인	제56조의 2 제1항
공판정에서의 속기 · 녹음 및 영상 녹화물의 사본 청구	검사, 피고인, 변호인	제56조의 2 제3항
재판 확정기록의 열람 · 등사 청구권자	누구든지	제59조의 2
피고인 구속취소청구	직권 또는 검사, 피고인, 변호인, 변호인선임권자(법정대리인, 배우자, 직계친족, 형제자매)	제93조
보석청구권자	피고인, 피고인의 변호인 · 법정대리인 · 배우자 · 직계친족 · 형제자매 · 가족 · 동거인 또는 고용주	제94조
보석조건의 변경	직권 또는 보석청구권자(피고인, 피고인의 변호인 · 법정대리인 · 배우자 · 직계친족 · 형제자매 · 가족 · 동거인 또는 고용주)	제102조 제1항
보석 또는 구속의 집행정지의 취소청구	직권 또는 검사	제102조 제2항
보석취소시의 보증금 몰취청구	직권 또는 검사	제103조

증거에 공할 압수물의 가환부 청구	소유자, 소지자, 보관자 또는 제출인	제133조
신뢰관계 있는 자의 동석청구	직권 또는 피해자 · 법정대리인 · 검사	제163조의 2
증인신문 불참석시 필요한 사항의 신문청구	검사, 피고인 또는 변호인(법원에 대하여)	제164조
감정유치시 필요한 때 사법경찰관리에게 피고인 간수명령	직권 또는 피고인을 수용할 병원 기타 장소의 관리자	제172조 제5항
증거보전청구권자	검사, 피고인, 피의자 또는 변호인	제184조 제1항
제3자 소송비용부담의 재판	직 권	제192조
무죄확정 판결받은 피고인의 소송비용보상청구	피고인이었던 자	제194조의 3
수사절차의 영장청구	검 사	제200조의 2, 제201조, 제215조
긴급체포 후 석방된 자의 긴급체포 관련서류 열람 · 등사권자	석방된 자 또는 그 변호인 · 법정대리인 · 배우자 · 직계친족 · 형제자매	제200조의 4 제5항
검사의 구속기간 연장	검 사	제205조
체포구속적부심청구	체포 또는 구속된 피의자, 그 변호인, 법정대리인, 배우자, 직계친족, 형제자매, 가족, 동거인 또는 고용주	제214조의 2
피의자 보석금의 몰수청구	직권 또는 검사의 청구	제214조의 4
체포현장에서 영장 없이 압수한 물건에 대한 압수·수색영장 청구	검사 또는 사법경찰관	제217조 제2항
증인신문의 청구	검 사	제221조의 2
수사상의 감정유치의 청구	검 사	제221조의 3
고소권자와 고소취소권자	• 고소권자 ⇨ 피해자, 법정대리인, 피해자 사망시 배우자 · 직계친족 · 형제자매, 피해자의 법정대리인이 피의자이거나 친족이 피의자인 경우에는 피해자의 친족, 대리인에 의한 고소도 가능 • 고소취소권자는 고소권자와 동일	제223조, 제225조, 제226조, 제236조
고소권자 지정신청	이해관계인	제228조
고발권자	누구든지 범죄가 있다고 사료되는 자(임의적), 공무원(직무를 행함에 있어 ⇨ 필요적)	제234조
피의자접견 또는 신문참여 신청권자	피의자 또는 그 변호인 · 법정대리인 · 배우자 · 직계친족 · 형제자매	제243조의 2
피의자진술 영상녹화물의 재생요구	피의자 또는 변호인	제244조의 2

피의자신문시 특별한 보호를 요하는 자와 신뢰관계 있는 자의 동석신청	직권 또는 피의자 · 법정대리인	제244조의 5
공소제기권자	검 사	제246조
공소부제기 처분이유고지	고소인 또는 고발인	제259조
피해자 등에 대한 통지	피해자 또는 법정대리인(피해자 사망시에는 그 배우자 · 직계친족 · 형제자매)	제259조의 2
재정신청권자	고소권자로서 고소한 자, 고발한 자(형법 제123조~제125조까지의 죄)	제260조
항고인	고소인 또는 고발인	검찰청법 제10조
재항고인	항고를 한 자 중 재정신청할 수 있는 자 제외	검찰청법 제10조
재정신청이 기각 또는 취소된 경우 재정신청인에 대한 비용부담의 명령 신청	직권 또는 피의자	제262조의 3
공소제기 후 검사보관 서류 등에 대한 열람 · 등사 또는 서류의 교부신청	피고인 또는 변호인	제266조의 3
검사가 열람 · 등사신청 거부 또는 제한시에 법원에 대한 허용 신청	피고인 또는 변호인	제266조의 4
공판준비기일 지정신청	검사, 피고인 또는 변호인	제266조의 7
공판준비절차 이의신청	검사, 피고인 또는 변호인	제266조의 9 제2항
피고인 또는 변호인에 대한 서류 등의 열람 · 등사 또는 서류 교부 신청	검사(피고인 또는 변호인이 법정에서 현장부재 · 심신상실 또는 심신미약의 주장을 하였을 때)	제266조의 11 제1항
피고인 또는 변호인 소지 서류 등에 대한 열람 · 등사를 법원에 허가신청	검 사	제266조의 11 제3항
공판준비기일의 재개신청	직권 또는 피고인이나 변호인	제266조의 14
공판기일의 변경	직권 또는 검사, 피고인이나 변호인	제270조
공무소 등에 대한 조회	직권 또는 검사, 피고인이나 변호인	제272조
공판기일 전의 증거조사	검사, 피고인 또는 변호인	제273조 제1항
장애인 등 특별한 요보호자의 신뢰관계인 동석신청	직권 또는 피고인 · 법정대리인 · 검사	제276조의 2
불출석 허가신청	피고인	제277조 제3호
증거조사의 순서변경신청	직권 또는 검사 · 피고인 · 변호인	제291조의 2
증거신청권	검사, 피고인 또는 변호인	제294조 제1항
고의로 증거를 늦게 신청하여 재판지연 인정시 각하신청	직권 또는 상대방	제294조 제2항

피해자 등의 진술권신청	피해자 또는 법정대리인(피해자가 사망한 경우에는 배우자 · 직계친족 · 형제자매)	제294조의 2
피해자진술의 비공개신청	피해자 · 법정대리인 또는 검사	제294조의 3
피해자 등의 공판기록 열람 · 등사신청	피해자(피해자가 사망하거나 그 심신에 중대한 장애가 있는 경우에는 그 배우자 · 직계친족 및 형제자매), 피해자 본인의 법정대리인 또는 이들로부터 위임을 받은 피해자 본인의 배우자 · 직계친족 · 형제자매 · 변호사	제294조의 4
증거조사 이의신청	검사, 피고인 또는 변호인	제296조 제1항
공소장변경신청	검 사	제298조 제1항
공소장변경시 공판절차 정지 신청	직권 또는 피고인이나 변호인의 청구	제298조 제4항
변론분리 · 병합재개신청	직권 또는 검사, 피고인이나 변호인	제300조, 제305조
재판장 처분에 대한 이의신청	검사, 피고인 또는 변호인	제304조
배심원 직무수행의 면제	직권 또는 배심원	참여법 제20조
배심원후보자에 대한 기피신청	직권 또는 검사 · 피고인 · 변호인	동법 제28조 제3항
무이유부기피신청	검사와 변호인	동법 제30조
국민참여재판에서 배심원의 해임신청	직권 또는 검사 · 피고인 · 변호인	동법 제32조 제1항
배심원의 사임신청	배심원 또는 예비배심원	동법 제33조
토지관할위반 신청	피고인	제320조
재산형의 가납판결신청	직권 또는 검사	제334조
형의 집행유예 취소청구	검사(피고인의 현재지 또는 최후의 거주지를 관할하는 법원에)	제335조
경합범 중 다시 형을 정하는 절차	검사(그 범죄사실에 대한 최종판결을 한 법원)	제336조
상소권자	검사 또는 피고인, 피고인의 법정대리인, 피고인의 배우자, 직계친족, 형제자매, 원심의 대리인이나 변호인	제338조, 제340조, 제341조
항고권자	검사, 피고인 아닌 자가 결정을 받은 때	제339조
상소권 회복청구권자	상소할 수 있는 자	제345조
상소의 포기 · 취하권자	검사나 피고인 또는 기타 상소권자 • 법정대리인이 있는 피고인은 동의를 받아야 • 사형, 무기징역, 금고가 선고된 판결에 대해서는 상소포기할 수 없다. • 타 상소권자는 피고인의 동의를 얻어 취하해야	제349조, 제350조, 제351조

판결정정의 신청	직권 또는 검사, 상고인이나 변호인	제400조
재심청구권자	검사, 유죄의 선고를 받은 자, 유죄의 선고를 받은 자의 법정대리인, 유죄의 선고를 받은 자가 사망하거나 심신장애가 있는 경우에는 그 배우자 · 직계친족 또는 형제자매	제424조
비상상고 신청권자	검찰총장	제441조
약식재판에 대한 정식재판의 청구	검사 또는 피고인	제453조
소송비용의 집행면제의 신청	소송비용 부담의 재판을 받은 자(빈곤으로 인해 완납할 수 없을 때)	제487조
집행에 관한 재판의 해석에 대한 의의신청	형의 선고를 받은 자	제488조
집행에 관한 검사의 처분에 대한 이의신청	재판의 집행을 받은 자 또는 그 법정대리인, 배우자	제489조
즉결심판 청구권자	경찰서장	즉결심판에 관한 절차법 제14조
형사보상 청구권자	무죄 · 면소 또는 공소기각재판을 받은 자 또는 상속인, 기소유예 이외의 불기소처분을 받은 자 또는 상속인	형사보상 및 명예회복에 관한 법률 제2조, 제3조, 제26조, 제27조, 제29조

형사소송법 관련법령

CHAPTER

01 형사소송법

제 정	1954. 9. 23.	법률 제341호	일부개정	2016. 1. 6.	법률 제13722호
일부개정	2007. 6. 1.	법률 제8496호	일부개정	2016. 5. 29.	법률 제14179호
일부개정	2007. 12. 21.	법률 제8730호	일부개정	2017. 12. 12.	법률 제15164호
일부개정	2009. 6. 9.	법률 제9765호	일부개정	2017. 12. 19.	법률 제15257호
일부개정	2011. 7. 18.	법률 제10864호	일부개정	2019. 12. 31.	법률 제16850호
일부개정	2011. 8. 4.	법률 제11002호	타법개정	2020. 2. 4.	법률 제16924호
타법개정	2012. 12. 18.	법률 제11572호	일부개정	2020. 12. 8.	법률 제17572호
타법개정	2013. 4. 5.	법률 제11731호	일부개정	2021. 8. 17.	법률 제18398호
타법개정	2014. 5. 14.	법률 제12576호	일부개정	2021. 12. 21.	법률 제18598호
일부개정	2014. 10. 15.	법률 제12784호	일부개정	2022. 2. 3.	법률 제18799호
일부개정	2014. 12. 30.	법률 제12899호	일부개정	2022. 5. 9.	법률 제18862호
일부개정	2015. 7. 31.	법률 제13454호	일부개정	2024. 2. 13.	법률 제20265호
일부개정	2016. 1. 6.	법률 제13720호	일부개정	2024. 10. 16.	법률 제20460호

제1편 ▌총 칙

제1장 법원의 관할

제1조 【관할의 직권조사】 법원은 직권으로 관할을 조사하여야 한다.

제2조 【관할위반과 소송행위의 효력】 소송행위는 관할위반인 경우에도 그 효력에 영향이 없다.

제3조 【관할구역 외에서의 집무】 ① 법원은 사실발견을 위하여 필요하거나 긴급을 요하는 때에는 관할구역 외에서 직무를 행하거나 사실조사에 필요한 처분을 할 수 있다.

② 전항의 규정은 수명법관에게 준용한다.

제4조 【토지관할】 ① 토지관할은 범죄지, 피고인의 주소, 거소 또는 현재지로 한다.

② 국외에 있는 대한민국선박 내에서 범한 죄에 관하여는 전항에 규정한 곳 외에 선적지 또는 범죄후의 선착지로 한다.

③ 전항의 규정은 국외에 있는 대한민국항공기 내에서 범한 죄에 관하여 준용한다.

제5조 【토지관할의 병합】 토지관할을 달리하는 수개의 사건이 관련된 때에는 1개의 사건에 관하여 관할권 있는 법원은 다른 사건까지 관할할 수 있다.

제6조 【토지관할의 병합심리】 토지관할이 다른 여러 개의 관련사건이 각각 다른 법원에 계속된 때에는 공통되는 바로 위의 상급법원은 검사나 피고인의 신청에 의하여 결정으로 한 개 법원으로 하여금 병합심리하게 할 수 있다.

[전문개정 2020.12.8]

제7조 【토지관할의 심리분리】 토지관할을 달리하는 수개의 관련사건이 동일법원에 계속된 경우에 병합심리의 필요가 없는 때에는 법원은 결정으로 이를 분리하여 관할권있는 다른 법원에 이송할 수 있다.

제8조 【사건의 직권이송】 ① 법원은 피고인이 그 관할구역 내에 현재하지 아니하는 경우에 특별한 사정이 있으면 결정으로 사건을 피고인의 현재지를 관할하는 동급 법원에 이송할 수 있다.

② 단독판사의 관할사건이 공소장변경에 의하여 합의부 관할사건으로 변경된 경우에 법원은 결정으로 관할권이 있는 법원에 이송한다.

제9조 【사물관할의 병합】 사물관할을 달리하는 수개의 사건이 관련된 때에는 법원합의부는 병합관할한다. 단, 결정으로 관할권있는 법원단독판사에게 이송할 수 있다.

제10조 【사물관할의 병합심리】 사물관할을 달리하는 수개의 관련사건이 각각 법원합의부와 단독

판사에 계속된 때에는 합의부는 결정으로 단독판사에 속한 사건을 병합하여 심리할 수 있다.

제11조 【관련사건의 정의】 관련사건은 다음과 같다.
1. 1인이 범한 수죄
2. 수인이 공동으로 범한 죄
3. 수인이 동시에 동일장소에서 범한 죄
4. 범인은닉죄, 증거인멸죄, 위증죄, 허위감정통역죄 또는 장물에 관한 죄와 그 본범의 죄

제12조 【동일사건과 수개의 소송계속】 동일사건이 사물관할을 달리하는 수개의 법원에 계속된 때에는 법원합의부가 심판한다.

제13조 【관할의 경합】 같은 사건이 사물관할이 같은 여러 개의 법원에 계속된 때에는 먼저 공소를 받은 법원이 심판한다. 다만, 각 법원에 공통되는 바로 위의 상급법원은 검사나 피고인의 신청에 의하여 결정으로 뒤에 공소를 받은 법원으로 하여금 심판하게 할 수 있다.
[전문개정 2020.12.8]

제14조 【관할지정의 청구】 검사는 다음 각 호의 경우 관계있는 제1심법원에 공통되는 바로 위의 상급법원에 관할지정을 신청하여야 한다.
1. 법원의 관할이 명확하지 아니한 때
2. 관할위반을 선고한 재판이 확정된 사건에 관하여 다른 관할법원이 없는 때

[전문개정 2020.12.8]

제15조 【관할이전의 신청】 검사는 다음 경우에는 직근 상급법원에 관할이전을 신청하여야 한다. 피고인도 이 신청을 할 수 있다.
1. 관할법원이 법률상의 이유 또는 특별한 사정으로 재판권을 행할 수 없는 때
2. 범죄의 성질, 지방의 민심, 소송의 상황 기타 사정으로 재판의 공평을 유지하기 어려운 염려가 있는 때

제16조 【관할의 지정 또는 이전신청의 방식】 ① 관할의 지정 또는 이전을 신청하려면 그 사유를 기재한 신청서를 바로 위의 상급법원에 제출하여야 한다.
② 공소를 제기한 후 관할의 지정 또는 이전을 신청할 때에는 즉시 공소를 접수한 법원에 통지하여야 한다.
[전문개정 2020.12.8]

제16조의 2 【사건의 군사법원 이송】 법원은 공소가 제기된 사건에 대하여 군사법원이 재판권을 가지게 되었거나 재판권을 가졌음이 판명된 때에는 결정으로 사건을 재판권이 있는 같은 심급의 군사법원으로 이송한다. 이 경우에 이송 전에 행한 소송행위는 이송 후에도 그 효력에 영향이 없다.

제2장 법원직원의 제척, 기피, 회피

제17조 【제척의 원인】 법관은 다음 경우에는 직무집행에서 제척된다. <개정 2005.3.31, 2020.12.8>
1. 법관이 피해자인 때
2. 법관이 피고인 또는 피해자의 친족 또는 친족관계가 있었던 자인 때
3. 법관이 피고인 또는 피해자의 법정대리인, 후견감독인인 때
4. 법관이 사건에 관하여 증인, 감정인, 피해자의 대리인으로 된 때
5. 법관이 사건에 관하여 피고인의 대리인, 변호인, 보조인으로 된 때
6. 법관이 사건에 관하여 검사 또는 사법경찰관의 직무를 행한 때
7. 법관이 사건에 관하여 전심재판 또는 그 기초되는 조사, 심리에 관여한 때
8. 법관이 사건에 관하여 피고인의 변호인이거나 피고인·피해자의 대리인인 법무법인, 법무법인(유한), 법무조합, 법률사무소, 「외국법자문사법」 제2조 제9호에 따른 합작법무법인에서 퇴직한 날부터 2년이 지나지 아니한 때
9. 법관이 피고인인 법인·기관·단체에서 임원 또는 직원으로 퇴직한 날부터 2년이 지나지 아니한 때

제18조 【기피의 원인과 신청권자】 ① 검사 또는 피고인은 다음 경우에 법관의 기피를 신청할 수 있다.
1. 법관이 전조 각호의 사유에 해당되는 때
2. 법관이 불공평한 재판을 할 염려가 있는 때

② 변호인은 피고인의 명시한 의사에 반하지 아니하는 때에 한하여 법관에 대한 기피를 신청할 수 있다.

제19조 【기피신청의 관할】 ① 합의법원의 법관에 대한 기피는 그 법관의 소속법원에 신청하고 수명

법관, 수탁판사 또는 단독판사에 대한 기피는 당해 법관에게 신청하여야 한다.

② 기피사유는 신청한 날로부터 3일 이내에 서면으로 소명하여야 한다.

제20조【기피신청기각과 처리】 ① 기피신청이 소송의 지연을 목적으로 함이 명백하거나 제19조의 규정에 위배된 때에는 신청을 받은 법원 또는 법관은 결정으로 이를 기각한다.

② 기피당한 법관은 전항의 경우를 제한 외에는 지체없이 기피신청에 대한 의견서를 제출하여야 한다.

③ 전항의 경우에 기피당한 법관이 기피의 신청을 이유있다고 인정하는 때에는 그 결정이 있은 것으로 간주한다.

제21조【기피신청에 대한 재판】 ① 기피신청에 대한 재판은 기피당한 법관의 소속법원합의부에서 결정으로 하여야 한다.

② 기피당한 법관은 전항의 결정에 관여하지 못한다.

③ 기피당한 판사의 소속법원이 합의부를 구성하지 못하는 때에는 직근 상급법원이 결정하여야 한다.

제22조【기피신청과 소송의 정지】 기피신청이 있는 때에는 제20조 제1항의 경우를 제한 외에는 소송진행을 정지하여야 한다. 단, 급속을 요하는 경우에는 예외로 한다.

제23조【기피신청기각과 즉시항고】 ① 기피신청을 기각한 결정에 대하여는 즉시항고를 할 수 있다.

② 제20조 제1항의 기각결정에 대한 즉시항고는 재판의 집행을 정지하는 효력이 없다.

제24조【회피의 원인 등】 ① 법관이 제18조의 규정에 해당하는 사유가 있다고 사료한 때에는 회피하여야 한다.

② 회피는 소속법원에 서면으로 신청하여야 한다.

③ 제21조의 규정은 회피에 준용한다.

제25조【법원사무관 등에 대한 제척 · 기피 · 회피】

① 본장의 규정은 제17조 제7호의 규정을 제한 외에는 법원서기관 · 법원사무관 · 법원주사 또는 법원주사보(이하 "법원사무관 등"이라 한다)와 통역인에 준용한다. <개정 2007.6.1>

② 전항의 법원사무관 등과 통역인에 대한 기피재판은 그 소속법원이 결정으로 하여야 한다. 단, 제20조 제1항의 결정은 기피당한 자의 소속법관이 한다. <개정 2007.6.1>

[제목개정 2007.6.1]

제3장 소송행위의 대리와 보조

제26조【의사무능력자와 소송행위의 대리】 「형법」 제9조 내지 제11조의 규정의 적용을 받지 아니하는 범죄사건에 관하여 피고인 또는 피의자가 의사능력이 없는 때에는 그 법정대리인이 소송행위를 대리한다. <개정 2007.6.1>

제27조【법인과 소송행위의 대표】 ① 피고인 또는 피의자가 법인인 때에는 그 대표자가 소송행위를 대표한다.

② 수인이 공동하여 법인을 대표하는 경우에도 소송행위에 관하여는 각자가 대표한다.

제28조【소송행위의 특별대리인】 ① 전2조의 규정에 의하여 피고인을 대리 또는 대표할 자가 없는 때에는 법원은 직권 또는 검사의 청구에 의하여 특별대리인을 선임하여야 하며 피의자를 대리 또는 대표할 자가 없는 때에는 법원은 검사 또는 이해관계인의 청구에 의하여 특별대리인을 선임하여야 한다.

② 특별대리인은 피고인 또는 피의자를 대리 또는 대표하여 소송행위를 할 자가 있을 때까지 그 임무를 행한다.

제29조【보조인】 ① 피고인 또는 피의자의 법정대리인, 배우자, 직계친족과 형제자매는 보조인이 될 수 있다. <개정 2005.3.31>

② 보조인이 될 수 있는 자가 없거나 장애 등의 사유로 보조인으로서 역할을 할 수 없는 경우에는 피고인 또는 피의자와 신뢰관계 있는 자가 보조인이 될 수 있다. <신설 2015.7.31>

③ 보조인이 되고자 하는 자는 심급별로 그 취지를 신고하여야 한다. <개정 2007.6.1, 2015.7.31>

④ 보조인은 독립하여 피고인 또는 피의자의 명시한 의사에 반하지 아니하는 소송행위를 할 수 있다. 단, 법률에 다른 규정이 있는 때에는 예외로 한다. <개정 2015.7.31>

제4장 변 호

제30조【변호인선임권자】 ① 피고인 또는 피의자는 변호인을 선임할 수 있다.

② 피고인 또는 피의자의 법정대리인, 배우자, 직계친족과 형제자매는 독립하여 변호인을 선임할 수 있다. <개정 2005.3.31>

제31조【변호인의 자격과 특별변호인】 변호인은 변호사 중에서 선임하여야 한다. 단, 대법원 이외의 법원은 특별한 사정이 있으면 변호사 아닌 자를 변호인으로 선임함을 허가할 수 있다.

제32조【변호인선임의 효력】 ① 변호인의 선임은 심급마다 변호인과 연명날인한 서면으로 제출하여야 한다.

② 공소제기 전의 변호인 선임은 제1심에도 그 효력이 있다.

제32조의 2【대표변호인】 ① 수인의 변호인이 있는 때에는 재판장은 피고인·피의자 또는 변호인의 신청에 의하여 대표변호인을 지정할 수 있고 그 지정을 철회 또는 변경할 수 있다.

② 제1항의 신청이 없는 때에는 재판장은 직권으로 대표변호인을 지정할 수 있고 그 지정을 철회 또는 변경할 수 있다.

③ 대표변호인은 3인을 초과할 수 없다.

④ 대표변호인에 대한 통지 또는 서류의 송달은 변호인 전원에 대하여 효력이 있다.

⑤ 제1항 내지 제4항의 규정은 피의자에게 수인의 변호인이 있는 때에 검사가 대표변호인을 지정하는 경우에 이를 준용한다.

제33조【국선변호인】 ① 다음 각 호의 어느 하나에 해당하는 경우에 변호인이 없는 때에는 법원은 직권으로 변호인을 선정하여야 한다. <개정 2020.12.8>

1. 피고인이 구속된 때
2. 피고인이 미성년자인 때
3. 피고인이 70세 이상인 때
4. 피고인이 듣거나 말하는 데 모두 장애가 있는 사람인 때
5. 피고인이 심신장애가 있는 것으로 의심되는 때
6. 피고인이 사형, 무기 또는 단기 3년 이상의 징역이나 금고에 해당하는 사건으로 기소된 때

② 법원은 피고인이 빈곤이나 그 밖의 사유로 변호인을 선임할 수 없는 경우에 피고인이 청구하면 변호인을 선정하여야 한다. <개정 2020.12.8>

③ 법원은 피고인의 나이·지능 및 교육 정도 등을 참작하여 권리보호를 위하여 필요하다고 인정하면 피고인의 명시적 의사에 반하지 아니하는 범위에서 변호인을 선정하여야 한다. <개정 2020.12.8>

[전문개정 2006.7.19]

제34조【피고인, 피의자와의 접견, 교통, 진료】 변호인이나 변호인이 되려는 자는 신체가 구속된 피고인 또는 피의자와 접견하고 서류나 물건을 수수할 수 있으며 의사로 하여금 피고인이나 피의자를 진료하게 할 수 있다.

[전문개정 2020.12.8]

제35조【서류·증거물의 열람·복사】 ① 피고인과 변호인은 소송계속 중의 관계 서류 또는 증거물을 열람하거나 복사할 수 있다. <개정 2016.5.29>

② 피고인의 법정대리인, 제28조에 따른 특별대리인, 제29조에 따른 보조인 또는 피고인의 배우자·직계친족·형제자매로서 피고인의 위임장 및 신분관계를 증명하는 문서를 제출한 자도 제1항과 같다.

③ 재판장은 피해자, 증인 등 사건관계인의 생명 또는 신체의 안전을 현저히 해칠 우려가 있는 경우에는 제1항 및 제2항에 따른 열람·복사에 앞서 사건관계인의 성명 등 개인정보가 공개되지 아니하도록 보호조치를 할 수 있다. <신설 2016.5.29>

④ 제3항에 따른 개인정보 보호조치의 방법과 절차, 그 밖에 필요한 사항은 대법원규칙으로 정한다. <신설 2016.5.29>

[전문개정 2007.6.1][제목개정 2016.5.29]

제36조【변호인의 독립소송행위권】 변호인은 독립하여 소송행위를 할 수 있다. 단, 법률에 다른 규정이 있는 때에는 예외로 한다.

제5장 재 판

제37조【판결, 결정, 명령】 ① 판결은 법률에 다른 규정이 없으면 구두변론을 거쳐서 하여야 한다.

② 결정이나 명령은 구두변론을 거치지 아니할 수 있다.

③ 결정이나 명령을 할 때 필요하면 사실을 조사할 수 있다.

④ 제3항의 조사는 부원에게 명할 수 있고 다른 지방법원의 판사에게 촉탁할 수 있다.

[전문개정 2020.12.8]

제38조【재판서의 방식】 재판은 법관이 작성한 재판서에 의하여야 한다. 단, 결정 또는 명령을 고지하는 경우에는 재판서를 작성하지 아니하고 조서에만 기재하여 할 수 있다.

제39조【재판의 이유】 재판에는 이유를 명시하여야 한다. 단, 상소를 불허하는 결정 또는 명령은 예외로 한다.

제40조【재판서의 기재요건】 ① 재판서에는 법률에 다른 규정이 없으면 재판을 받는 자의 성명, 연령, 직업과 주거를 기재하여야 한다.

② 재판을 받는 자가 법인인 때에는 그 명칭과 사무소를 기재하여야 한다.

③ 판결서에는 기소한 검사와 공판에 관여한 검사의 관직, 성명과 변호인의 성명을 기재하여야 한다. <개정 2011.7.18>

제41조【재판서의 서명 등】 ① 재판서에는 재판한 법관이 서명날인하여야 한다.

② 재판장이 서명날인할 수 없는 때에는 다른 법관이 그 사유를 부기하고 서명날인하여야 하며 다른 법관이 서명날인할 수 없는 때에는 재판장이 그 사유를 부기하고 서명날인하여야 한다.

③ 판결서 기타 대법원규칙이 정하는 재판서를 제외한 재판서에 대하여는 제1항 및 제2항의 서명날인에 갈음하여 기명날인할 수 있다.

제42조【재판의 선고, 고지의 방식】 재판의 선고 또는 고지는 공판정에서는 재판서에 의하여야 하고 기타의 경우에는 재판서등본의 송달 또는 다른 적당한 방법으로 하여야 한다. 단, 법률에 다른 규정이 있는 때에는 예외로 한다.

제43조【동전】 재판의 선고 또는 고지는 재판장이 한다. 판결을 선고함에는 주문을 낭독하고 이유의 요지를 설명하여야 한다.

제44조【검사의 집행지휘를 요하는 사건】 검사의 집행지휘를 요하는 재판은 재판서 또는 재판을 기재한 조서의 등본 또는 초본을 재판의 선고 또는 고지한 때로부터 10일 이내에 검사에게 송부하여야 한다. 단, 법률에 다른 규정이 있는 때에는 예외로 한다.

제45조【재판서의 등본, 초본의 청구】 피고인 기타의 소송관계인은 비용을 납입하고 재판서 또는 재판을 기재한 조서의 등본 또는 초본의 교부를 청구할 수 있다.

제46조【재판서의 등 · 초본의 작성】 재판서 또는 재판을 기재한 조서의 등본 또는 초본은 원본에 의하여 작성하여야 한다. 단, 부득이한 경우에는 등본에 의하여 작성할 수 있다.

제6장 서 류

제47조【소송서류의 비공개】 소송에 관한 서류는 공판의 개정전에는 공익상 필요 기타 상당한 이유가 없으면 공개하지 못한다.

제48조【조서의 작성방법】 ① 피고인, 피의자, 증인, 감정인, 통역인 또는 번역인을 신문하는 때에는 신문에 참여한 법원사무관 등이 조서를 작성하여야 한다.

② 조서에는 다음 각 호의 사항을 기재하여야 한다.

1. 피고인, 피의자, 증인, 감정인, 통역인 또는 번역인의 진술
2. 증인, 감정인, 통역인 또는 번역인이 선서를 하지 아니한 때에는 그 사유

③ 조서는 진술자에게 읽어 주거나 열람하게 하여 기재 내용이 정확한지를 물어야 한다.

④ 진술자가 조서에 대하여 추가, 삭제 또는 변경의 청구를 한 때에는 그 진술내용을 조서에 기재하여야 한다.

⑤ 신문에 참여한 검사, 피고인, 피의자 또는 변호인이 조서 기재 내용의 정확성에 대하여 이의를 진술한 때에는 그 진술의 요지를 조서에 기재하여야 한다.

⑥ 제5항의 경우 재판장이나 신문한 법관은 그 진술에 대한 의견을 기재하게 할 수 있다.

⑦ 조서에는 진술자로 하여금 간인한 후 서명날인

하게 하여야 한다. 다만, 진술자가 서명날인을 거부한 때에는 그 사유를 기재하여야 한다.
[전문개정 2020.12.8]

제49조【검증 등의 조서】 ① 검증, 압수 또는 수색에 관하여는 조서를 작성하여야 한다.
② 검증조서에는 검증목적물의 현상을 명확하게 하기 위하여 도화나 사진을 첨부할 수 있다.
③ 압수조서에는 품종, 외형상의 특징과 수량을 기재하여야 한다.

제50조【각종 조서의 기재요건】 전2조의 조서에는 조사 또는 처분의 연월일시와 장소를 기재하고 그 조사 또는 처분을 행한 자와 참여한 법원사무관 등이 기명날인 또는 서명하여야 한다. 단, 공판기일외에 법원이 조사 또는 처분을 행한 때에는 재판장 또는 법관과 참여한 법원사무관 등이 기명날인 또는 서명하여야 한다. <개정 2007.6.1>

제51조【공판조서의 기재요건】 ① 공판기일의 소송절차에 관하여는 참여한 법원사무관 등이 공판조서를 작성하여야 한다. <개정 2007.6.1>
② 공판조서에는 다음 사항 기타 모든 소송절차를 기재하여야 한다. <개정 2007.6.1>
1. 공판을 행한 일시와 법원
2. 법관, 검사, 법원사무관 등의 관직, 성명
3. 피고인, 대리인, 대표자, 변호인, 보조인과 통역인의 성명
4. 피고인의 출석여부
5. 공개의 여부와 공개를 금한 때에는 그 이유
6. 공소사실의 진술 또는 그를 변경하는 서면의 낭독
7. 피고인에게 그 권리를 보호함에 필요한 진술의 기회를 준 사실과 그 진술한 사실
8. 제48조 제2항에 기재한 사항
9. 증거조사를 한 때에는 증거될 서류, 증거물과 증거조사의 방법
10. 공판정에서 행한 검증 또는 압수
11. 변론의 요지
12. 재판장이 기재를 명한 사항 또는 소송관계인의 청구에 의하여 기재를 허가한 사항
13. 피고인 또는 변호인에게 최종 진술할 기회를 준 사실과 그 진술한 사실
14. 판결 기타의 재판을 선고 또는 고지한 사실

제52조【공판조서작성상의 특례】 공판조서 및 공판기일외의 증인신문조서에는 제48조 제3항 내지 제7항의 규정에 의하지 아니한다. 단, 진술자의 청구가 있는 때에는 그 진술에 관한 부분을 읽어주고 증감변경의 청구가 있는 때에는 그 진술을 기재하여야 한다.

제53조【공판조서의 서명 등】 ① 공판조서에는 재판장과 참여한 법원사무관 등이 기명날인 또는 서명하여야 한다. <개정 2007.6.1>
② 재판장이 기명날인 또는 서명할 수 없는 때에는 다른 법관이 그 사유를 부기하고 기명날인 또는 서명하여야 하며 법관전원이 기명날인 또는 서명할 수 없는 때에는 참여한 법원사무관 등이 그 사유를 부기하고 기명날인 또는 서명하여야 한다. <개정 2007.6.1>
③ 법원사무관 등이 기명날인 또는 서명할 수 없는 때에는 재판장 또는 다른 법관이 그 사유를 부기하고 기명날인 또는 서명하여야 한다. <개정 2007.6.1>

제54조【공판조서의 정리 등】 ① 공판조서는 각 공판기일 후 신속히 정리하여야 한다. <개정 2007.6.1>
② 다음 회의 공판기일에 있어서는 전회의 공판심리에 관한 주요사항의 요지를 조서에 의하여 고지하여야 한다. 다만, 다음 회의 공판기일까지 전회의 공판조서가 정리되지 아니한 때에는 조서에 의하지 아니하고 고지할 수 있다. <개정 2007.6.1>
③ 검사, 피고인 또는 변호인은 공판조서의 기재에 대하여 변경을 청구하거나 이의를 제기할 수 있다. <개정 2007.6.1>
④ 제3항에 따른 청구나 이의가 있는 때에는 그 취지와 이에 대한 재판장의 의견을 기재한 조서를 당해 공판조서에 첨부하여야 한다. <신설 2007.6.1>

제55조【피고인의 공판조서열람권 등】 ① 피고인은 공판조서의 열람 또는 등사를 청구할 수 있다.
② 피고인이 공판조서를 읽지 못하는 때에는 공판조서의 낭독을 청구할 수 있다.
③ 전2항의 청구에 응하지 아니한 때에는 그 공판조서를 유죄의 증거로 할 수 없다.

제56조【공판조서의 증명력】 공판기일의 소송절

차로서 공판조서에 기재된 것은 그 조서만으로써 증명한다.

제56조의 2【공판정에서의 속기·녹음 및 영상녹화】 ① 법원은 검사, 피고인 또는 변호인의 신청이 있는 때에는 특별한 사정이 없는 한 공판정에서의 심리의 전부 또는 일부를 속기사로 하여금 속기하게 하거나 녹음장치 또는 영상녹화장치를 사용하여 녹음 또는 영상녹화(녹음이 포함된 것을 말한다. 이하 같다)하여야 하며, 필요하다고 인정하는 때에는 직권으로 이를 명할 수 있다.

② 법원은 속기록·녹음물 또는 영상녹화물을 공판조서와 별도로 보관하여야 한다.

③ 검사, 피고인 또는 변호인은 비용을 부담하고 제2항에 따른 속기록·녹음물 또는 영상녹화물의 사본을 청구할 수 있다.

[전문개정 2007.6.1]

제57조【공무원의 서류】 ① 공무원이 작성하는 서류에는 법률에 다른 규정이 없는 때에는 작성 연월일과 소속공무소를 기재하고 기명날인 또는 서명하여야 한다. <개정 2007.6.1>

② 서류에는 간인하거나 이에 준하는 조치를 하여야 한다.

③ 삭제 <2007.6.1>

제58조【공무원의 서류】 ① 공무원이 서류를 작성함에는 문자를 변개하지 못한다.

② 삽입, 삭제 또는 난외기재를 할 때에는 이 기재한 곳에 날인하고 그 자수를 기재하여야 한다. 단, 삭제한 부분은 해득할 수 있도록 자체를 존치하여야 한다.

제59조【비공무원의 서류】 공무원 아닌 자가 작성하는 서류에는 연월일을 기재하고 기명날인 또는 서명하여야 한다. 인장이 없으면 지장으로 한다. <개정 2017.12.12>

제59조의 2【재판확정기록의 열람·등사】 ① 누구든지 권리구제·학술연구 또는 공익적 목적으로 재판이 확정된 사건의 소송기록을 보관하고 있는 검찰청에 그 소송기록의 열람 또는 등사를 신청할 수 있다.

② 검사는 다음 각 호의 어느 하나에 해당하는 경우에는 소송기록의 전부 또는 일부의 열람 또는 등사를 제한할 수 있다. 다만, 소송관계인이나 이해관계 있는 제3자가 열람 또는 등사에 관하여 정당한 사유가 있다고 인정되는 경우에는 그러하지 아니하다.

1. 심리가 비공개로 진행된 경우
2. 소송기록의 공개로 인하여 국가의 안전보장, 선량한 풍속, 공공의 질서유지 또는 공공복리를 현저히 해할 우려가 있는 경우
3. 소송기록의 공개로 인하여 사건관계인의 명예나 사생활의 비밀 또는 생명·신체의 안전이나 생활의 평온을 현저히 해할 우려가 있는 경우
4. 소송기록의 공개로 인하여 공범관계에 있는 자 등의 증거인멸 또는 도주를 용이하게 하거나 관련 사건의 재판에 중대한 영향을 초래할 우려가 있는 경우
5. 소송기록의 공개로 인하여 피고인의 개선이나 갱생에 현저한 지장을 초래할 우려가 있는 경우
6. 소송기록의 공개로 인하여 사건관계인의 영업비밀(「부정경쟁방지 및 영업비밀보호에 관한 법률」 제2조 제2호의 영업비밀을 말한다)이 현저하게 침해될 우려가 있는 경우
7. 소송기록의 공개에 대하여 당해 소송관계인이 동의하지 아니하는 경우

③ 검사는 제2항에 따라 소송기록의 열람 또는 등사를 제한하는 경우에는 신청인에게 그 사유를 명시하여 통지하여야 한다.

④ 검사는 소송기록의 보존을 위하여 필요하다고 인정하는 경우에는 그 소송기록의 등본을 열람 또는 등사하게 할 수 있다. 다만, 원본의 열람 또는 등사가 필요한 경우에는 그러하지 아니하다.

⑤ 소송기록을 열람 또는 등사한 자는 열람 또는 등사에 의하여 알게 된 사항을 이용하여 공공의 질서 또는 선량한 풍속을 해하거나 피고인의 개선 및 갱생을 방해하거나 사건관계인의 명예 또는 생활의 평온을 해하는 행위를 하여서는 아니 된다.

⑥ 제1항에 따라 소송기록의 열람 또는 등사를 신청한 자는 열람 또는 등사에 관한 검사의 처분에 불복하는 경우에는 당해 기록을 보관하고 있는 검찰청에 대응한 법원에 그 처분의 취소 또는 변경을 신청할 수 있다.

⑦ 제418조 및 제419조는 제6항의 불복신청에 관

하여 준용한다.
[본조신설 2007.6.1]

제59조의 3【확정 판결서 등의 열람·복사】 ① 누구든지 판결이 확정된 사건의 판결서 또는 그 등본, 증거목록 또는 그 등본, 그 밖에 검사나 피고인 또는 변호인이 법원에 제출한 서류·물건의 명칭·목록 또는 이에 해당하는 정보(이하 "판결서 등"이라 한다)를 보관하는 법원에서 해당 판결서 등을 열람 및 복사(인터넷, 그 밖의 전산정보처리시스템을 통한 전자적 방법을 포함한다. 이하 이 조에서 같다)할 수 있다. 다만, 다음 각 호의 어느 하나에 해당하는 경우에는 판결서 등의 열람 및 복사를 제한할 수 있다.
1. 심리가 비공개로 진행된 경우
2. 「소년법」 제2조에 따른 소년에 관한 사건인 경우
3. 공범관계에 있는 자 등의 증거인멸 또는 도주를 용이하게 하거나 관련 사건의 재판에 중대한 영향을 초래할 우려가 있는 경우
4. 국가의 안전보장을 현저히 해할 우려가 명백하게 있는 경우
5. 제59조의 2 제2항 제3호 또는 제6호의 사유가 있는 경우. 다만, 소송관계인의 신청이 있는 경우에 한정한다.

② 법원사무관 등이나 그 밖의 법원공무원은 제1항에 따른 열람 및 복사에 앞서 판결서 등에 기재된 성명 등 개인정보가 공개되지 아니하도록 대법원규칙으로 정하는 보호조치를 하여야 한다.
③ 제2항에 따른 개인정보 보호조치를 한 법원사무관 등이나 그 밖의 법원공무원은 고의 또는 중대한 과실로 인한 것이 아니면 제1항에 따른 열람 및 복사와 관련하여 민사상·형사상 책임을 지지 아니한다.
④ 열람 및 복사에 관하여 정당한 사유가 있는 소송관계인이나 이해관계 있는 제3자는 제1항 단서에도 불구하고 제1항 본문에 따른 법원의 법원사무관 등이나 그 밖의 법원공무원에게 판결서 등의 열람 및 복사를 신청할 수 있다. 이 경우 법원사무관 등이나 그 밖의 법원공무원의 열람 및 복사에 관한 처분에 불복하는 경우에는 제1항 본문에 따른 법원에 처분의 취소 또는 변경을 신청할 수 있다.
⑤ 제4항의 불복신청에 대하여는 제417조 및 제418조를 준용한다.
⑥ 판결서 등의 열람 및 복사의 방법과 절차, 개인정보 보호조치의 방법과 절차, 그 밖에 필요한 사항은 대법원규칙으로 정한다.
[본조신설 2011.7.18]

제7장 송 달

제60조【송달받기 위한 신고】 ① 피고인, 대리인, 대표자, 변호인 또는 보조인이 법원 소재지에 서류의 송달을 받을 수 있는 주거 또는 사무소를 두지 아니한 때에는 법원 소재지에 주거 또는 사무소있는 자를 송달영수인으로 선임하여 연명한 서면으로 신고하여야 한다.
② 송달영수인은 송달에 관하여 본인으로 간주하고 그 주거 또는 사무소는 본인의 주거 또는 사무소로 간주한다.
③ 송달영수인의 선임은 같은 지역에 있는 각 심급법원에 대하여 효력이 있다.
④ 전3항의 규정은 신체구속을 당한 자에게 적용하지 아니한다.

제61조【우체에 부치는 송달】 ① 주거, 사무소 또는 송달영수인의 선임을 신고하여야 할 자가 그 신고를 하지 아니하는 때에는 법원사무관 등은 서류를 우체에 부치거나 기타 적당한 방법에 의하여 송달할 수 있다. <개정 2007.6.1>
② 서류를 우체에 부친 경우에는 도달된 때에 송달된 것으로 간주한다.

제62조【검사에 대한 송달】 검사에 대한 송달은 서류를 소속검찰청에 송부하여야 한다.

제63조【공시송달의 원인】 ① 피고인의 주거, 사무소와 현재지를 알 수 없는 때에는 공시송달을 할 수 있다.
② 피고인이 재판권이 미치지 아니하는 장소에 있는 경우에 다른 방법으로 송달할 수 없는때에도 전항과 같다.

제64조【공시송달의 방식】 ① 공시송달은 대법원 규칙의 정하는 바에 의하여 법원이 명한 때에 한하여 할 수 있다.

② 공시송달은 법원사무관 등이 송달할 서류를 보관하고 그 사유를 법원게시장에 공시하여야 한다. <개정 2007.6.1>
③ 법원은 전항의 사유를 관보나 신문지상에 공고할 것을 명할 수 있다.
④ 최초의 공시송달은 제2항의 공시를 한 날로부터 2주일을 경과하면 그 효력이 생긴다. 단, 제2회 이후의 공시송달은 5일을 경과하면 그 효력이 생긴다.

제65조【민사소송법의 준용】 서류의 송달에 관하여 법률에 다른 규정이 없는 때에는 「민사소송법」을 준용한다. <개정 2007.6.1>
[제목개정 2007.6.1]

제8장 기 간

제66조【기간의 계산】 ① 기간의 계산에 관하여는 시로 계산하는 것은 즉시부터 기산하고 일, 월 또는 연으로 계산하는 것은 초일을 산입하지 아니한다. 다만, 시효와 구속기간의 초일은 시간을 계산하지 아니하고 1일로 산정한다.
② 연 또는 월로 정한 기간은 연 또는 월 단위로 계산한다.
③ 기간의 말일이 공휴일이거나 토요일이면 그날은 기간에 산입하지 아니한다. 다만, 시효와 구속기간에 관하여는 예외로 한다.
[전문개정 2020.12.8]

제67조【법정기간의 연장】 법정기간은 소송행위를 할 자의 주거 또는 사무소의 소재지와 법원 또는 검찰청 소재지와의 거리 및 교통통신의 불편정도에 따라 대법원규칙으로 이를 연장할 수 있다.

제9장 피고인의 소환, 구속

제68조【소환】 법원은 피고인을 소환할 수 있다.

제69조【구속의 정의】 본법에서 구속이라 함은 구인과 구금을 포함한다.

제70조【구속의 사유】 ① 법원은 피고인이 죄를 범하였다고 의심할 만한 상당한 이유가 있고 다음 각호의 1에 해당하는 사유가 있는 경우에는 피고인을 구속할 수 있다.
1. 피고인이 일정한 주거가 없는 때
2. 피고인이 증거를 인멸할 염려가 있는 때
3. 피고인이 도망하거나 도망할 염려가 있는 때
② 법원은 제1항의 구속사유를 심사함에 있어서 범죄의 중대성, 재범의 위험성, 피해자 및 중요 참고인 등에 대한 위해 우려 등을 고려하여야 한다. <신설 2007.6.1>
③ 다액 50만원 이하의 벌금, 구류 또는 과료에 해당하는 사건에 관하여는 제1항 제1호의 경우를 제한 외에는 구속할 수 없다. <개정 2007.6.1>

제71조【구인의 효력】 구인한 피고인을 법원에 인치한 경우에 구금할 필요가 없다고 인정한 때에는 그 인치한 때로부터 24시간 내에 석방하여야 한다.

제71조의 2【구인 후의 유치】 법원은 인치받은 피고인을 유치할 필요가 있는 때에는 교도소·구치소 또는 경찰서 유치장에 유치할 수 있다. 이 경우 유치기간은 인치한 때부터 24시간을 초과할 수 없다.
[본조신설 2007.6.1]

제72조【구속과 이유의 고지】 피고인에 대하여 범죄사실의 요지, 구속의 이유와 변호인을 선임할 수 있음을 말하고 변명할 기회를 준 후가 아니면 구속할 수 없다 다만, 피고인이 도망한 경우에는 그러하지 아니하다. <개정 2007.6.1>

제72조의 2【고지의 방법】 ① 법원은 합의부원으로 하여금 제72조의 절차를 이행하게 할 수 있다. <개정 2021.8.17>
② 법원은 피고인이 출석하기 어려운 특별한 사정이 있고 상당하다고 인정하는 때에는 검사와 변호인의 의견을 들어 비디오 등 중계장치에 의한 중계시설을 통하여 제72조의 절차를 진행할 수 있다. <신설 2021.8.17>
[본조신설 2014.10.15] [제목개정 2021.8.17]

제73조【영장의 발부】 피고인을 소환함에는 소환장을, 구인 또는 구금함에는 구속영장을 발부하여야 한다.

제74조【소환장의 방식】 소환장에는 피고인의 성명, 주거, 죄명, 출석일시 및 장소와 정당한 이유없이 출석하지 아니하는 때에는 도망할 염려가

있다고 인정하여 구속영장을 발부할 수 있음을 기재하고 재판장 또는 수명법관이 기명날인 또는 서명하여야 한다. <개정 2017.12.12>

제75조【구속영장의 방식】 ① 구속영장에는 피고인의 성명, 주거, 죄명, 공소사실의 요지, 인치구금할 장소, 발부연월일, 그 유효기간과 그 기간을 경과하면 집행에 착수하지 못하며 영장을 반환하여야 할 취지를 기재하고 재판장 또는 수명법관이 서명날인하여야 한다.

② 피고인의 성명이 분명하지 아니한 때에는 인상, 체격 기타 피고인을 특정할 수 있는 사항으로 피고인을 표시할 수 있다.

③ 피고인의 주거가 분명하지 아니한 때에는 그 주거의 기재를 생략할 수 있다.

제76조【소환장의 송달】 ① 소환장은 송달하여야 한다.

② 피고인이 기일에 출석한다는 서면을 제출하거나 출석한 피고인에 대하여 차회기일을 정하여 출석을 명한 때에는 소환장의 송달과 동일한 효력이 있다.

③ 전항의 출석을 명한 때에는 그 요지를 조서에 기재하여야 한다.

④ 구금된 피고인에 대하여는 교도관에게 통지하여 소환한다. <개정 2007.6.1>

⑤ 피고인이 교도관으로부터 소환통지를 받은 때에는 소환장의 송달과 동일한 효력이 있다. <개정 2007.6.1>

제77조【구속의 촉탁】 ① 법원은 피고인의 현재지의 지방법원판사에게 피고인의 구속을 촉탁할 수 있다.

② 수탁판사는 피고인이 관할구역 내에 현재하지 아니한 때에는 그 현재지의 지방법원판사에게 전촉할 수 있다.

③ 수탁판사는 구속영장을 발부하여야 한다.

④ 제75조의 규정은 전항의 구속영장에 준용한다.

제78조【촉탁에 의한 구속의 절차】 ① 전조의 경우에 촉탁에 의하여 구속영장을 발부한 판사는 피고인을 인치한 때로부터 24시간 이내에 그 피고인임에 틀림없는가를 조사하여야 한다.

② 피고인임에 틀림없는 때에는 신속히 지정된 장소에 송치하여야 한다.

제79조【출석, 동행명령】 법원은 필요한 때에는 지정한 장소에 피고인의 출석 또는 동행을 명할 수 있다.

제80조【요급처분】 재판장은 급속을 요하는 경우에는 제68조부터 제71조까지, 제71조의 2, 제73조, 제76조, 제77조와 전조에 규정한 처분을 할 수 있고 또는 합의부원으로 하여금 처분을 하게 할 수 있다. <개정 2014.10.15>

제81조【구속영장의 집행】 ① 구속영장은 검사의 지휘에 의하여 사법경찰관리가 집행한다. 단, 급속을 요하는 경우에는 재판장, 수명법관 또는 수탁판사가 그 집행을 지휘할 수 있다.

② 제1항 단서의 경우에는 법원사무관 등에게 그 집행을 명할 수 있다. 이 경우에 법원사무관 등은 그 집행에 관하여 필요한 때에는 사법경찰관리·교도관 또는 법원경위에게 보조를 요구할 수 있으며 관할구역 외에서도 집행할 수 있다. <개정 2007.6.1>

③ 교도소 또는 구치소에 있는 피고인에 대하여 발부된 구속영장은 검사의 지휘에 의하여 교도관이 집행한다. <개정 2007.6.1>

제82조【수통의 구속영장의 작성】 ① 구속영장은 수통을 작성하여 사법경찰관리 수인에게 교부할 수 있다.

② 전항의 경우에는 그 사유를 구속영장에 기재하여야 한다.

제83조【관할구역 외에서의 구속영장의 집행과 그 촉탁】 ① 검사는 필요에 의하여 관할구역 외에서 구속영장의 집행을 지휘할 수 있고 또는 당해 관할구역의 검사에게 집행지휘를 촉탁할 수 있다.

② 사법경찰관리는 필요에 의하여 관할구역 외에서 구속영장을 집행할 수 있고 또는 당해관할구역의 사법경찰관리에게 집행을 촉탁할 수 있다.

제84조【고등검찰청검사장 또는 지방검찰청검사장에 대한 수사촉탁】 피고인의 현재지가 분명하지 아니한 때에는 재판장은 고등검찰청검사장 또는 지방검찰청검사장에게 그 수사와 구속영장의 집행을 촉탁할 수 있다.

제85조【구속영장집행의 절차】 ① 구속영장을 집행함에는 피고인에게 반드시 이를 제시하고 그 사

본을 교부하여야 하며 신속히 지정된 법원 기타 장소에 인치하여야 한다. <개정 2022.2.3>

② 제77조 제3항의 구속영장에 관하여는 이를 발부한 판사에게 인치하여야 한다.

③ 구속영장을 소지하지 아니한 경우에 급속을 요하는 때에는 피고인에 대하여 공소사실의 요지와 영장이 발부되었음을 고하고 집행할 수 있다.

④ 전항의 집행을 완료한 후에는 신속히 구속영장을 제시하고 그 사본을 교부하여야 한다. <개정 2022.2.3>

제86조【호송 중의 가유치】 구속영장의 집행을 받은 피고인을 호송할 경우에 필요하면 가장 가까운 교도소 또는 구치소에 임시로 유치할 수 있다.
[전문개정 2020.12.8]

제87조【구속의 통지】 ① 피고인을 구속한 때에는 변호인이 있는 경우에는 변호인에게, 변호인이 없는 경우에는 제30조 제2항에 규정한 자중 피고인이 지정한 자에게 피고사건명, 구속일시·장소, 범죄사실의 요지, 구속의 이유와 변호인을 선임할 수 있는 취지를 알려야 한다.

② 제1항의 통지는 지체없이 서면으로 하여야 한다.

제88조【구속과 공소사실 등의 고지】 피고인을 구속한 때에는 즉시 공소사실의 요지와 변호인을 선임할 수 있음을 알려야 한다.

제89조【구속된 피고인의 접견·진료】 구속된 피고인은 관련 법률이 정한 범위에서 타인과 접견하고 서류나 물건을 수수하며 의사의 진료를 받을 수 있다.
[전문개정 2020.12.8]

제90조【변호인의 의뢰】 ① 구속된 피고인은 법원, 교도소장 또는 구치소장 또는 그 대리자에게 변호사를 지정하여 변호인의 선임을 의뢰할 수 있다.

② 전항의 의뢰를 받은 법원, 교도소장 또는 구치소장 또는 그 대리자는 급속히 피고인이 지명한 변호사에게 그 취지를 통지하여야 한다.

제91조【변호인 아닌 자와의 접견·교통】 법원은 도망하거나 범죄의 증거를 인멸할 염려가 있다고 인정할 만한 상당한 이유가 있는 때에는 직권 또는 검사의 청구에 의하여 결정으로 구속된 피고인과 제34조에 규정한 외의 타인과의 접견을 금지할 수 있고, 서류나 그 밖의 물건을 수수하지 못하게 하거나 검열 또는 압수할 수 있다. 다만, 의류·양식·의료품은 수수를 금지하거나 압수할 수 없다.
[전문개정 2020.12.8]

제92조【구속기간과 갱신】 ① 구속기간은 2개월로 한다. <개정 2007.6.1>

② 제1항에도 불구하고 특히 구속을 계속할 필요가 있는 경우에는 심급마다 2개월 단위로 2차에 한하여 결정으로 갱신할 수 있다. 다만, 상소심은 피고인 또는 변호인이 신청한 증거의 조사, 상소이유를 보충하는 서면의 제출 등으로 추가 심리가 필요한 부득이한 경우에는 3차에 한하여 갱신할 수 있다. <개정 2007.6.1>

③ 제22조, 제298조 제4항, 제306조 제1항 및 제2항의 규정에 의하여 공판절차가 정지된 기간 및 공소제기 전의 체포·구인·구금 기간은 제1항 및 제2항의 기간에 산입하지 아니한다. <개정 2007.6.1>

제93조【구속의 취소】 구속의 사유가 없거나 소멸된 때에는 법원은 직권 또는 검사, 피고인, 변호인과 제30조 제2항에 규정한 자의 청구에 의하여 결정으로 구속을 취소하여야 한다.

제94조【보석의 청구】 피고인, 피고인의 변호인·법정대리인·배우자·직계친족·형제자매·가족·동거인 또는 고용주는 법원에 구속된 피고인의 보석을 청구할 수 있다.
[전문개정 2007.6.1]

제95조【필요적 보석】 보석의 청구가 있는 때에는 다음 이외의 경우에는 보석을 허가하여야 한다.

1. 피고인이 사형, 무기 또는 장기 10년이 넘는 징역이나 금고에 해당하는 죄를 범한 때
2. 피고인이 누범에 해당하거나 상습범인 죄를 범한 때
3. 피고인이 죄증을 인멸하거나 인멸할 염려가 있다고 믿을 만한 충분한 이유가 있는 때
4. 피고인이 도망하거나 도망할 염려가 있다고 믿을 만한 충분한 이유가 있는 때
5. 피고인의 주거가 분명하지 아니한 때
6. 피고인이 피해자, 당해 사건의 재판에 필요한 사실을 알고 있다고 인정되는 자 또는 그 친족의

생명·신체나 재산에 해를 가하거나 가할 염려가 있다고 믿을만한 충분한 이유가 있는 때

제96조【임의적 보석】 법원은 제95조의 규정에 불구하고 상당한 이유가 있는 때에는 직권 또는 제94조에 규정한 자의 청구에 의하여 결정으로 보석을 허가할 수 있다.

제97조【보석·구속의 취소와 검사의 의견】 ① 재판장은 보석에 관한 결정을 하기 전에 검사의 의견을 물어야 한다. <개정 2007. 6.1>

② 구속의 취소에 관한 결정을 함에 있어서도 검사의 청구에 의하거나 급속을 요하는 경우외에는 제1항과 같다.

③ 검사는 제1항 및 제2항에 따른 의견요청에 대하여 지체 없이 의견을 표명하여야 한다. <신설 2007.6.1>

④ 구속을 취소하는 결정에 대하여는 검사는 즉시항고를 할 수 있다. <개정 2007.6.1>

제98조【보석의 조건】 법원은 보석을 허가하는 경우에는 필요하고 상당한 범위 안에서 다음 각 호의 조건 중 하나 이상의 조건을 정하여야 한다. <개정 2020.12.8>

1. 법원이 지정하는 일시·장소에 출석하고 증거를 인멸하지 아니하겠다는 서약서를 제출할 것
2. 법원이 정하는 보증금에 해당하는 금액을 납입할 것을 약속하는 약정서를 제출할 것
3. 법원이 지정하는 장소로 주거를 제한하고 주거를 변경할 필요가 있는 경우에는 법원의 허가를 받는 등 도주를 방지하기 위하여 행하는 조치를 받아들일 것
4. 피해자, 당해 사건의 재판에 필요한 사실을 알고 있다고 인정되는 사람 또는 그 친족의 생명·신체·재산에 해를 가하는 행위를 하지 아니하고 주거·직장 등 그 주변에 접근하지 아니할 것
5. 피고인 아닌 자가 작성한 출석보증서를 제출할 것
6. 법원의 허가 없이 외국으로 출국하지 아니할 것을 서약할 것
7. 법원이 지정하는 방법으로 피해자의 권리 회복에 필요한 금전을 공탁하거나 그에 상당하는 담보를 제공할 것
8. 피고인이나 법원이 지정하는 자가 보증금을 납입하거나 담보를 제공할 것
9. 그 밖에 피고인의 출석을 보증하기 위하여 법원이 정하는 적당한 조건을 이행할 것

[전문개정 2007.6.1]

제99조【보석조건의 결정시 고려사항】 ① 법원은 제98조의 조건을 정할 때 다음 각 호의 사항을 고려하여야 한다. <개정 2020.12.8>

1. 범죄의 성질 및 죄상
2. 증거의 증명력
3. 피고인의 전과·성격·환경 및 자산
4. 피해자에 대한 배상 등 범행 후의 정황에 관련된 사항

② 법원은 피고인의 자금능력 또는 자산 정도로는 이행할 수 없는 조건을 정할 수 없다. <개정 2020.12.8>

[전문개정 2007.6.1]

제100조【보석집행의 절차】 ① 제98조 제1호·제2호·제5호·제7호 및 제8호의 조건은 이를 이행한 후가 아니면 보석허가결정을 집행하지 못하며, 법원은 필요하다고 인정하는 때에는 다른 조건에 관하여도 그 이행 이후 보석허가결정을 집행하도록 정할 수 있다. <개정 2007.6.1>

② 법원은 보석청구자 이외의 자에게 보증금의 납입을 허가할 수 있다.

③ 법원은 유가증권 또는 피고인 외의 자가 제출한 보증서로써 보증금에 갈음함을 허가할 수 있다. <개정 2007.6.1>

④ 전항의 보증서에는 보증금액을 언제든지 납입할 것을 기재하여야 한다.

⑤ 법원은 보석허가결정에 따라 석방된 피고인이 보석조건을 준수하는데 필요한 범위 안에서 관공서나 그 밖의 공사단체에 대하여 적절한 조치를 취할 것을 요구할 수 있다. <신설 2007.6.1>

[제목개정 2007.6.1]

제100조의 2【출석보증인에 대한 과태료】 ① 법원은 제98조 제5호의 조건을 정한 보석허가결정에 따라 석방된 피고인이 정당한 사유 없이 기일에 불출석하는 경우에는 결정으로 그 출석보증인에 대하여 500만원 이하의 과태료를 부과할 수 있다.

② 제1항의 결정에 대하여는 즉시항고를 할 수 있다.
[본조신설 2007.6.1]

제101조【구속의 집행정지】 ① 법원은 상당한 이유가 있는 때에는 결정으로 구속된 피고인을 친족·보호단체 기타 적당한 자에게 부탁하거나 피고인의 주거를 제한하여 구속의 집행을 정지할 수 있다.
② 전항의 결정을 함에는 검사의 의견을 물어야 한다. 단, 급속을 요하는 경우에는 그러하지 아니하다.
③ 삭제 <2015.7.31>
④ 헌법 제44조에 의하여 구속된 국회의원에 대한 석방요구가 있으면 당연히 구속영장의 집행이 정지된다.
⑤ 전항의 석방요구의 통고를 받은 검찰총장은 즉시 석방을 지휘하고 그 사유를 수소법원에 통지하여야 한다.

제102조【보석조건의 변경과 취소 등】 ① 법원은 직권 또는 제94조에 규정된 자의 신청에 따라 결정으로 피고인의 보석조건을 변경하거나 일정기간 동안 당해 조건의 이행을 유예할 수 있다.
② 법원은 피고인이 다음 각 호의 어느 하나에 해당하는 경우에는 직권 또는 검사의 청구에 따라 결정으로 보석 또는 구속의 집행정지를 취소할 수 있다. 다만, 제101조 제4항에 따른 구속영장의 집행정지는 그 회기 중 취소하지 못한다.
1. 도망한 때
2. 도망하거나 죄증을 인멸할 염려가 있다고 믿을 만한 충분한 이유가 있는 때
3. 소환을 받고 정당한 사유 없이 출석하지 아니한 때
4. 피해자, 당해 사건의 재판에 필요한 사실을 알고 있다고 인정되는 자 또는 그 친족의 생명·신체·재산에 해를 가하거나 가할 염려가 있다고 믿을 만한 충분한 이유가 있는 때
5. 법원이 정한 조건을 위반한 때

③ 법원은 피고인이 정당한 사유 없이 보석조건을 위반한 경우에는 결정으로 피고인에 대하여 1천만원 이하의 과태료를 부과하거나 20일 이내의 감치에 처할 수 있다.
④ 제3항의 결정에 대하여는 즉시항고를 할 수 있다.
[전문개정 2007.6.1]

제103조【보증금 등의 몰취】 ① 법원은 보석을 취소하는 때에는 직권 또는 검사의 청구에 따라 결정으로 보증금 또는 담보의 전부 또는 일부를 몰취할 수 있다.
② 법원은 보증금의 납입 또는 담보제공을 조건으로 석방된 피고인이 동일한 범죄사실에 관하여 형의 선고를 받고 그 판결이 확정된 후 집행하기 위한 소환을 받고 정당한 사유없이 출석하지 아니하거나 도망한 때에는 직권 또는 검사의 청구에 따라 결정으로 보증금 또는 담보의 전부 또는 일부를 몰취하여야 한다.
[전문개정 2007.6.1]

제104조【보증금 등의 환부】 구속 또는 보석을 취소하거나 구속영장의 효력이 소멸된 때에는 몰취하지 아니한 보증금 또는 담보를 청구한 날로부터 7일 이내에 환부하여야 한다. <개정 2007.6.1>
[제목개정 2007.6.1]

제104조의 2【보석조건의 효력상실 등】 ① 구속영장의 효력이 소멸한 때에는 보석조건은 즉시 그 효력을 상실한다.
② 보석이 취소된 경우에도 제1항과 같다. 다만, 제98조 제8호의 조건은 예외로 한다.
[본조신설 2007.6.1]

제105조【상소와 구속에 관한 결정】 상소기간중 또는 상소중의 사건에 관하여 구속기간의 갱신, 구속의 취소, 보석, 구속의 집행정지와 그 정지의 취소에 대한 결정은 소송기록이 원심법원에 있는 때에는 원심법원이 하여야 한다.

제10장 압수와 수색

제106조【압수】 ① 법원은 필요한 때에는 피고사건과 관계가 있다고 인정할 수 있는 것에 한정하여 증거물 또는 몰수할 것으로 사료하는 물건을 압수할 수 있다. 단, 법률에 다른 규정이 있는 때에는 예외로 한다. <개정 2011.7.18>
② 법원은 압수할 물건을 지정하여 소유자, 소지자 또는 보관자에게 제출을 명할 수 있다.
③ 법원은 압수의 목적물이 컴퓨터용디스크, 그 밖에 이와 비슷한 정보저장매체(이하 이 항에서 "정보저장매체 등"이라 한다)인 경우에는 기억된 정

보의 범위를 정하여 출력하거나 복제하여 제출받아야 한다. 다만, 범위를 정하여 출력 또는 복제하는 방법이 불가능하거나 압수의 목적을 달성하기에 현저히 곤란하다고 인정되는 때에는 정보저장매체 등을 압수할 수 있다. <신설 2011.7.18>

④ 법원은 제3항에 따라 정보를 제공받은 경우 「개인정보보호법」 제2조 제3호에 따른 정보주체에게 해당 사실을 지체없이 알려야 한다. <신설 2011.7.18>

제107조【우체물의 압수】 ① 법원은 필요한 때에는 피고사건과 관계가 있다고 인정할 수 있는 것에 한정하여 우체물 또는 「통신비밀보호법」 제2조 제3호에 따른 전기통신(이하 "전기통신"이라 한다)에 관한 것으로서 체신관서, 그 밖의 관련 기관 등이 소지 또는 보관하는 물건의 제출을 명하거나 압수를 할 수 있다. <개정 2011.7.18>

② 삭제 <2011.7.18>

③ 제1항에 따른 처분을 할 때에는 발신인이나 수신인에게 그 취지를 통지하여야 한다. 단, 심리에 방해될 염려가 있는 경우에는 예외로 한다. <개정 2011.7.18>

제108조【임의제출물 등의 압수】 소유자, 소지자 또는 보관자가 임의로 제출한 물건 또는 유류한 물건은 영장없이 압수할 수 있다.

제109조【수색】 ① 법원은 필요한 때에는 피고사건과 관계가 있다고 인정할 수 있는 것에 한정하여 피고인의 신체, 물건 또는 주거, 그 밖의 장소를 수색할 수 있다. <개정 2011.7.18>

② 피고인 아닌 자의 신체, 물건, 주거 기타 장소에 관하여는 압수할 물건이 있음을 인정할 수 있는 경우에 한하여 수색할 수 있다.

제110조【군사상 비밀과 압수】 ① 군사상 비밀을 요하는 장소는 그 책임자의 승낙 없이는 압수 또는 수색할 수 없다.

② 전항의 책임자는 국가의 중대한 이익을 해하는 경우를 제외하고는 승낙을 거부하지 못한다.

제111조【공무상 비밀과 압수】 ① 공무원 또는 공무원이었던 자가 소지 또는 보관하는 물건에 관하여는 본인 또는 그 해당공무소가 직무상의 비밀에 관한 것임을 신고한 때에는 그 소속공무소 또는 당해 감독관공서의 승낙없이는 압수하지 못한다.

② 소속공무소 또는 당해 감독관공서는 국가의 중대한 이익을 해하는 경우를 제외하고는 승낙을 거부하지 못한다.

제112조【업무상 비밀과 압수】 변호사, 변리사, 공증인, 공인회계사, 세무사, 대서업자, 의사, 한의사, 치과의사, 약사, 약종상, 조산사, 간호사, 종교의 직에 있는 자 또는 이러한 직에 있던 자가 그 업무상 위탁을 받아 소지 또는 보관하는 물건으로 타인의 비밀에 관한 것은 압수를 거부할 수 있다. 단, 그 타인의 승낙이 있거나 중대한 공익상 필요가 있는 때에는 예외로 한다.

제113조【압수·수색영장】 공판정 외에서 압수 또는 수색을 함에는 영장을 발부하여 시행하여야 한다.

제114조【영장의 방식】 ① 압수·수색영장에는 다음 각 호의 사항을 기재하고 재판장이나 수명법관이 서명날인하여야 한다. 다만, 압수·수색할 물건이 전기통신에 관한 것인 경우에는 작성기간을 기재하여야 한다. <개정 2011.7.18, 2020.12.8>

1. 피고인의 성명
2. 죄명
3. 압수할 물건
4. 수색할 장소·신체·물건
5. 영장 발부 연월일
6. 영장의 유효기간과 그 기간이 지나면 집행에 착수할 수 없으며 영장을 반환하여야 한다는 취지
7. 그 밖에 대법원규칙으로 정하는 사항

② 제1항의 영장에 관하여는 제75조 제2항을 준용한다. <개정 2020.12.8>

[제목개정 2020.12.8]

제115조【영장의 집행】 ① 압수·수색영장은 검사의 지휘에 의하여 사법경찰관리가 집행한다. 단, 필요한 경우에는 재판장은 법원사무관 등에게 그 집행을 명할 수 있다. <개정 2007.6.1>

② 제83조의 규정은 압수·수색영장의 집행에 준용한다.

제116조【주의사항】 압수·수색영장을 집행할 때에는 타인의 비밀을 보호하여야 하며 처분받은 자의 명예를 해하지 아니하도록 주의하여야 한다.

[전문개정 2020.12.8]

제117조【집행의 보조】 법원사무관 등은 압수·수색영장의 집행에 관하여 필요한 때에는 사법경찰관리에게 보조를 구할 수 있다. <개정 2007.6.1>

제118조【영장의 제시와 사본교부】 압수·수색영장은 처분을 받는 자에게 반드시 제시하여야 하고, 처분을 받는 자가 피고인인 경우에는 그 사본을 교부하여야 한다. 다만, 처분을 받는 자가 현장에 없는 등 영장의 제시나 그 사본의 교부가 현실적으로 불가능한 경우 또는 처분을 받는 자가 영장의 제시나 사본의 교부를 거부한 때에는 예외로 한다. <개정 2022.2.3>
[제목개정 2022.2.3]

제119조【집행중의 출입금지】 ① 압수·수색영장의 집행중에는 타인의 출입을 금지할 수 있다.
② 전항의 규정에 위배한 자에게는 퇴거하게 하거나 집행종료시까지 간수자를 붙일 수 있다.

제120조【집행과 필요한 처분】 ① 압수·수색영장의 집행에 있어서는 건정을 열거나 개봉 기타 필요한 처분을 할 수 있다.
② 전항의 처분은 압수물에 대하여도 할 수 있다.

제121조【영장집행과 당사자의 참여】 검사, 피고인 또는 변호인은 압수·수색영장의 집행에 참여할 수 있다.

제122조【영장집행과 참여권자에의 통지】 압수·수색영장을 집행함에는 미리 집행의 일시와 장소를 전조에 규정한 자에게 통지하여야 한다. 단, 전조에 규정한 자가 참여하지 아니한다는 의사를 명시한 때 또는 급속을 요하는 때에는 예외로 한다.

제123조【영장의 집행과 책임자의 참여】 ① 공무소, 군사용 항공기 또는 선박·차량 안에서 압수·수색영장을 집행하려면 그 책임자에게 참여할 것을 통지하여야 한다.
② 제1항에 규정한 장소 외에 타인의 주거, 간수자 있는 가옥, 건조물(건조물), 항공기 또는 선박·차량 안에서 압수·수색영장을 집행할 때에는 주거주(주거주), 간수자 또는 이에 준하는 사람을 참여하게 하여야 한다.
③ 제2항의 사람을 참여하게 하지 못할 때에는 이웃 사람 또는 지방공공단체의 직원을 참여하게 하여야 한다.
[전문개정 2020.12.8]

제124조【여자의 수색과 참여】 여자의 신체에 대하여 수색할 때에는 성년의 여자를 참여하게 하여야 한다.

제125조【야간집행의 제한】 일출전, 일몰후에는 압수·수색영장에 야간집행을 할 수 있는 기재가 없으면 그 영장을 집행하기 위하여 타인의 주거, 간수자있는 가옥, 건조물, 항공기 또는 선거 내에 들어가지 못한다.

제126조【야간집행제한의 예외】 다음 장소에서 압수·수색영장을 집행함에는 전조의 제한을 받지 아니한다.
1. 도박 기타 풍속을 해하는 행위에 상용된다고 인정하는 장소
2. 여관, 음식점 기타 야간에 공중이 출입할 수 있는 장소. 단, 공개한 시간내에 한한다.

제127조【집행중지와 필요한 처분】 압수·수색영장의 집행을 중지한 경우에 필요한 때에는 집행이 종료될 때까지 그 장소를 폐쇄하거나 간수자를 둘 수 있다.

제128조【증명서의 교부】 수색한 경우에 증거물 또는 몰수할 물건이 없는 때에는 그 취지의 증명서를 교부하여야 한다.

제129조【압수목록의 교부】 압수한 경우에는 목록을 작성하여 소유자, 소지자, 보관자 기타 이에 준할 자에게 교부하여야 한다.

제130조【압수물의 보관과 폐기】 ① 운반 또는 보관에 불편한 압수물에 관하여는 간수자를 두거나 소유자 또는 적당한 자의 승낙을 얻어 보관하게 할 수 있다.
② 위험발생의 염려가 있는 압수물은 폐기할 수 있다.
③ 법령상 생산·제조·소지·소유 또는 유통이 금지된 압수물로서 부패의 염려가 있거나 보관하기 어려운 압수물은 소유자 등 권한 있는 자의 동의를 받아 폐기할 수 있다. <신설 2007.6.1>

제131조【주의사항】 압수물에 대하여는 그 상실 또는 파손 등의 방지를 위하여 상당한 조치를 하여야 한다.

제132조【압수물의 대가보관】 ① 몰수하여야 할 압수물로서 멸실·파손·부패 또는 현저한 가치감소의 염려가 있거나 보관하기 어려운 압수물은 매각하여 대가를 보관할 수 있다.

② 환부하여야 할 압수물 중 환부를 받을 자가 누구인지 알 수 없거나 그 소재가 불명한 경우로서 그 압수물의 멸실·파손·부패 또는 현저한 가치감소의 염려가 있거나 보관하기 어려운 압수물은 매각하여 대가를 보관할 수 있다.
[전문개정 2007.6.1]

제133조【압수물의 환부, 가환부】 ① 압수를 계속할 필요가 없다고 인정되는 압수물은 피고사건 종결전이라도 결정으로 환부하여야 하고 증거에 공할 압수물은 소유자, 소지자, 보관자 또는 제출인의 청구에 의하여 가환부할 수 있다.
② 증거에만 공할 목적으로 압수한 물건으로서 그 소유자 또는 소지자가 계속 사용하여야 할 물건은 사진촬영 기타 원형보존의 조치를 취하고 신속히 가환부하여야 한다.

제134조【압수장물의 피해자환부】 압수한 장물은 피해자에게 환부할 이유가 명백한 때에는 피고사건의 종결전이라도 결정으로 피해자에게 환부할 수 있다.

제135조【압수물처분과 당사자에의 통지】 전3조의 결정을 함에는 검사, 피해자, 피고인 또는 변호인에게 미리 통지하여야 한다.

제136조【수명법관, 수탁판사】 ① 법원은 압수 또는 수색을 합의부원에게 명할 수 있고 그 목적물의 소재지를 관할하는 지방법원 판사에게 촉탁할 수 있다.
② 수탁판사는 압수 또는 수색의 목적물이 그 관할구역 내에 없는 때에는 그 목적물 소재지지방법원 판사에게 전촉할 수 있다.
③ 수명법관, 수탁판사가 행하는 압수 또는 수색에 관하여는 법원이 행하는 압수 또는 수색에 관한 규정을 준용한다.

제137조【구속영장집행과 수색】 검사, 사법경찰관리 또는 제81조 제2항의 규정에 의한 법원사무관 등이 구속영장을 집행할 경우에 필요한 때에는 미리 수색영장을 발부받기 어려운 긴급한 사정이 있는 경우에 한정하여 타인의 주거, 간수자 있는 가옥, 건조물, 항공기, 선차 내에 들어가 피고인을 수색할 수 있다. <개정 2007.6.1, 2019.12.31>

제138조【준용규정】 제119조, 제120조, 제123조와 제127조의 규정은 전조의 규정에 의한 검사, 사법경찰관리, 법원사무관 등의 수색에 준용한다. <개정 2007.6.1>

제11장 검 증

제139조【검증】 법원은 사실을 발견함에 필요한 때에는 검증을 할 수 있다.

제140조【검증과 필요한 처분】 검증을 함에는 신체의 검사, 사체의 해부, 분묘의 발굴, 물건의 파괴 기타 필요한 처분을 할 수 있다.

제141조【신체검사에 관한 주의】 ① 신체의 검사에 관하여는 검사를 받는 사람의 성별, 나이, 건강상태, 그 밖의 사정을 고려하여 그 사람의 건강과 명예를 해하지 아니하도록 주의하여야 한다.
② 피고인 아닌 사람의 신체검사는 증거가 될 만한 흔적을 확인할 수 있는 현저한 사유가 있는 경우에만 할 수 있다.
③ 여자의 신체를 검사하는 경우에는 의사나 성년 여자를 참여하게 하여야 한다.
④ 시체의 해부 또는 분묘의 발굴을 하는 때에는 예(예)에 어긋나지 아니하도록 주의하고 미리 유족에게 통지하여야 한다.
[전문개정 2020.12.8]

제142조【신체검사와 소환】 법원은 신체를 검사하기 위하여 피고인 아닌 자를 법원 기타 지정한 장소에 소환할 수 있다.

제143조【시각의 제한】 ① 일출 전, 일몰 후에는 가주, 간수자 또는 이에 준하는 자의 승낙이 없으면 검증을 하기 위하여 타인의 주거, 간수자 있는 가옥, 건조물, 항공기, 선거 내에 들어가지 못한다. 단, 일출 후에는 검증의 목적을 달성할 수 없을 염려가 있는 경우에는 예외로 한다.
② 일몰 전에 검증에 착수한 때에는 일몰 후라도 검증을 계속할 수 있다.
③ 제126조에 규정한 장소에는 제1항의 제한을 받지 아니한다.

제144조【검증의 보조】 검증을 함에 필요한 때에는 사법경찰관리에게 보조를 명할 수 있다.

제145조【준용규정】 제110조, 제119조 내지 제123조, 제127조와 제136조의 규정은 검증에 관하여 준용한다.

제12장 증인신문

제146조【증인의자격】 법원은 법률에 다른 규정이 없으면 누구든지 증인으로 신문할 수 있다.

제147조【공무상 비밀과 증인자격】 ① 공무원 또는 공무원이었던 자가 그 직무에 관하여 알게 된 사실에 관하여 본인 또는 당해공무소가 직무상 비밀에 속한 사항임을 신고한 때에는 그 소속공무소 또는 감독관공서의 승낙없이는 증인으로 신문하지 못한다.

② 그 소속공무소 또는 당해감독관공서는 국가에 중대한 이익을 해하는 경우를 제외하고는 승낙을 거부하지 못한다.

제148조【근친자의 형사책임과 증언 거부】 누구든지 자기나 다음 각 호의 어느 하나에 해당하는 자가 형사소추 또는 공소제기를 당하거나 유죄판결을 받을 사실이 드러날 염려가 있는 증언을 거부할 수 있다.

1. 친족이거나 친족이었던 사람
2. 법정대리인, 후견감독인

[전문개정 2020.12.8]

제149조【업무상 비밀과 증언거부】 변호사, 변리사, 공증인, 공인회계사, 세무사, 대서업자, 의사, 한의사, 치과의사, 약사, 약종상, 조산사, 간호사, 종교의 직에 있는 자 또는 이러한 직에 있던 자가 그 업무상 위탁을 받은 관계로 알게 된 사실로서 타인의 비밀에 관한 것은 증언을 거부할 수 있다. 단, 본인의 승낙이 있거나 중대한 공익상 필요있는 때에는 예외로 한다.

제150조【증언거부사유의 소명】 증언을 거부하는 자는 거부사유를 소명하여야 한다.

제150조의 2【증인의 소환】 ① 법원은 소환장의 송달, 전화, 전자우편, 그 밖의 상당한 방법으로 증인을 소환한다.

② 증인을 신청한 자는 증인이 출석하도록 합리적인 노력을 할 의무가 있다.

[본조신설 2007.6.1]

제151조【증인이 출석하지 아니한 경우의 과태료 등】 ① 법원은 소환장을 송달받은 증인이 정당한 사유 없이 출석하지 아니한 때에는 결정으로 당해 불출석으로 인한 소송비용을 증인이 부담하도록 명하고, 500만원 이하의 과태료를 부과할 수 있다. 제153조에 따라 준용되는 제76조 제2항·제5항에 따라 소환장의 송달과 동일한 효력이 있는 경우에도 또한 같다.

② 법원은 증인이 제1항에 따른 과태료 재판을 받고도 정당한 사유 없이 다시 출석하지 아니한 때에는 결정으로 증인을 7일 이내의 감치에 처한다.

③ 법원은 감치재판기일에 증인을 소환하여 제2항에 따른 정당한 사유가 있는지의 여부를 심리하여야 한다.

④ 감치는 그 재판을 한 법원의 재판장의 명령에 따라 사법경찰관리·교도관·법원경위 또는 법원사무관 등이 교도소·구치소 또는 경찰서유치장에 유치하여 집행한다.

⑤ 감치에 처하는 재판을 받은 증인이 제4항에 규정된 감치시설에 유치된 경우 당해 감치시설의 장은 즉시 그 사실을 법원에 통보하여야 한다.

⑥ 법원은 제5항의 통보를 받은 때에는 지체 없이 증인신문기일을 열어야 한다.

⑦ 법원은 감치의 재판을 받은 증인이 감치의 집행 중에 증언을 한 때에는 즉시 감치결정을 취소하고 그 증인을 석방하도록 명하여야 한다.

⑧ 제1항과 제2항의 결정에 대하여는 즉시항고를 할 수 있다. 이 경우 제410조는 적용하지 아니한다.

[전문개정 2007.6.1]

제152조【소환불응과 구인】 정당한 사유없이 소환에 응하지 아니하는 증인은 구인할 수 있다.

제153조【준용규정】 제73조, 제74조, 제76조의 규정은 증인의 소환에 준용한다.

제154조【구내증인의 소환】 증인이 법원의 구내에 있는 때에는 소환함이 없이 신문할 수 있다.

제155조【준용규정】 제73조, 제75조, 제77조, 제81조 내지 제83조, 제85조 제1항, 제2항의 규정은 증인의 구인에 준용한다.

제156조【증인의 선서】 증인에게는 신문전에 선서하게 하여야 한다. 단, 법률에 다른 규정이 있는

경우에는 예외로 한다.

제157조【선서의 방식】 ① 선서는 선서서에 따라 하여야 한다.

② 선서서에는 "양심에 따라 숨김과 보탬이 없이 사실 그대로 말하고 만일 거짓말이 있으면 위증의 벌을 받기로 맹세합니다."라고 기재하여야 한다.

③ 재판장은 증인에게 선서서를 낭독하고 기명날인하거나 서명하게 하여야 한다. 다만, 증인이 선서서를 낭독하지 못하거나 서명을 하지 못하는 경우에는 참여한 법원사무관 등이 대행한다.

④ 선서는 일어서서 엄숙하게 하여야 한다.

[전문개정 2020.12.8]

제158조【선서한 증인에 대한 경고】 재판장은 선서할 증인에 대하여 선서전에 위증의 벌을 경고하여야 한다.

제159조【선서무능력】 증인이 다음 각호의 1에 해당한 때에는 선서하게 하지 아니하고 신문하여야 한다.

1. 16세 미만의 자
2. 선서의 취지를 이해하지 못하는 자

제160조【증언거부권의 고지】 증인이 제148조, 제149조에 해당하는 경우에는 재판장은 신문 전에 증언을 거부할 수 있음을 설명하여야 한다.

제161조【선서, 증언의 거부와 과태료】 ① 증인이 정당한 이유없이 선서나 증언을 거부한 때에는 결정으로 50만원 이하의 과태료에 처할 수 있다.

② 제1항의 결정에 대하여는 즉시항고를 할 수 있다.

제161조의 2【증인신문의 방식】 ① 증인은 신청한 검사, 변호인 또는 피고인이 먼저 이를 신문하고 다음에 다른 검사, 변호인 또는 피고인이 신문한다.

② 재판장은 전항의 신문이 끝난 뒤에 신문할 수 있다.

③ 재판장은 필요하다고 인정하면 전2항의 규정에 불구하고 어느 때나 신문할 수 있으며 제1항의 신문순서를 변경할 수 있다.

④ 법원이 직권으로 신문할 증인이나 범죄로 인한 피해자의 신청에 의하여 신문할 증인의 신문방식은 재판장이 정하는 바에 의한다.

⑤ 합의부원은 재판장에게 고하고 신문할 수 있다.

제162조【개별신문과 대질】 ① 증인신문은 각 증인에 대하여 신문하여야 한다.

② 신문하지 아니한 증인이 재정한때에는 퇴정을 명하여야 한다.

③ 필요한 때에는 증인과 다른 증인 또는 피고인과 대질하게 할 수 있다.

④ 삭제 <1961.9.1>

제163조【당사자의 참여권, 신문권】 ① 검사, 피고인 또는 변호인은 증인신문에 참여할 수 있다.

② 증인신문의 시일과 장소는 전항의 규정에 의하여 참여할 수 있는 자에게 미리 통지하여야 한다. 단, 참여하지 아니한다는 의사를 명시한 때에는 예외로 한다.

제163조의 2【신뢰관계에 있는 자의 동석】 ① 법원은 범죄로 인한 피해자를 증인으로 신문하는 경우 증인의 연령, 심신의 상태, 그 밖의 사정을 고려하여 증인이 현저하게 불안 또는 긴장을 느낄 우려가 있다고 인정되는 때에는 직권 또는 피해자·법정대리인·검사의 신청에 따라 피해자와 신뢰관계에 있는 자를 동석하게 할 수 있다.

② 법원은 범죄로 인한 피해자가 13세 미만이거나 신체적 또는 정신적 장애로 사물을 변별하거나 의사를 결정할 능력이 미약한 경우에 재판에 지장을 초래할 우려가 있는 등 부득이한 경우가 아닌 한 피해자와 신뢰관계에 있는 자를 동석하게 하여야 한다.

③ 제1항 또는 제2항에 따라 동석한 자는 법원·소송관계인의 신문 또는 증인의 진술을 방해하거나 그 진술의 내용에 부당한 영향을 미칠 수 있는 행위를 하여서는 아니 된다.

④ 제1항 또는 제2항에 따라 동석할 수 있는 신뢰관계에 있는 자의 범위, 동석의 절차 및 방법 등에 관하여 필요한 사항은 대법원규칙으로 정한다.

[본조신설 2007.6.1]

제164조【신문의 청구】 ① 검사, 피고인 또는 변호인이 증인신문에 참여하지 아니할 경우에는 법원에 대하여 필요한 사항의 신문을 청구할 수 있다.

② 피고인 또는 변호인의 참여없이 증인을 신문한 경우에 피고인에게 예기하지 아니한 불이익의 증언이 진술된 때에는 반드시 그 진술내용을 피고인 또는 변호인에게 알려주어야 한다.

③ 삭제 <1961.9.1>

제165조【증인의 법정외신문】 법원은 증인의 연령, 직업, 건강상태 기타의 사정을 고려하여 검사, 피고인 또는 변호인의 의견을 묻고 법정외에 소환하거나 현재지에서 신문할 수 있다.

제165조의 2【비디오 등 중계장치 등에 의한 증인신문】 ① 법원은 다음 각 호의 어느 하나에 해당하는 사람을 증인으로 신문하는 경우 상당하다고 인정할 때에는 검사와 피고인 또는 변호인의 의견을 들어 비디오 등 중계장치에 의한 중계시설을 통하여 신문하거나 가림 시설 등을 설치하고 신문할 수 있다. <개정 2009.6.9, 2011.8.4, 2012.12.18, 2020.12.8, 2021.8.17>

1. 「아동복지법」 제71조 제1항 제1호·제1호의 2·제2호·제3호에 해당하는 죄의 피해자
2. 「아동·청소년의 성보호에 관한 법률」 제7조, 제8조, 제11조부터 제15조까지 및 제17조 제1항의 규정에 해당하는 죄의 대상이 되는 아동·청소년 또는 피해자
3. 범죄의 성질, 증인의 나이, 심신의 상태, 피고인과의 관계, 그 밖의 사정으로 인하여 피고인 등과 대면하여 진술할 경우 심리적인 부담으로 정신의 평온을 현저하게 잃을 우려가 있다고 인정되는 사람

② 법원은 증인이 멀리 떨어진 곳 또는 교통이 불편한 곳에 살고 있거나 건강상태 등 그 밖의 사정으로 말미암아 법정에 직접 출석하기 어렵다고 인정하는 때에는 검사와 피고인 또는 변호인의 의견을 들어 비디오 등 중계장치에 의한 중계시설을 통하여 신문할 수 있다. <신설 2021.8.17>

③ 제1항과 제2항에 따른 증인신문은 증인이 법정에 출석하여 이루어진 증인신문으로 본다. <신설 2021.8.17>

④ 제1항과 제2항에 따른 증인신문의 실시에 필요한 사항은 대법원규칙으로 정한다. <신설 2021.8.17>

[본조신설 2007.6.1]

제166조【동행명령과 구인】 ① 법원은 필요한 때에는 결정으로 지정한 장소에 증인의 동행을 명할 수 있다.

② 증인이 정당한 사유없이 동행을 거부하는 때에는 구인할 수 있다.

제167조【수명법관, 수탁판사】 ① 법원은 합의부원에게 법정외의 증인신문을 명할 수 있고 또는 증인현재지의 지방법원판사에게 그 신문을 촉탁할 수 있다.

② 수탁판사는 증인이 관할구역 내에 현재하지 아니한 때에는 그 현재지의 지방법원판사에게 전촉할 수 있다.

③ 수명법관 또는 수탁판사는 증인의 신문에 관하여 법원 또는 재판장에 속한 처분을 할 수 있다.

제168조【증인의 여비, 일당, 숙박료】 소환받은 증인은 법률의 규정한 바에 의하여 여비, 일당과 숙박료를 청구할 수 있다. 단, 정당한 사유없이 선서 또는 증언을 거부한 자는 예외로 한다.

제13장 감 정

제169조【감정】 법원은 학식경험 있는 자에게 감정을 명할 수 있다.

제170조【선서】 ① 감정인에게는 감정 전에 선서하게 하여야 한다.

② 선서는 선서서에 의하여야 한다.

③ 선서서에는 「양심에 따라 성실히 감정하고 만일 거짓이 있으면 허위감정의 벌을 받기로 맹서합니다.」라고 기재하여야 한다.

④ 제157조 제3항, 제4항과 제158조의 규정은 감정인의 선서에 준용한다.

제171조【감정보고】 ① 감정의 경과와 결과는 감정인으로 하여금 서면으로 제출하게 하여야 한다.

② 감정인이 수인인 때에는 각각 또는 공동으로 제출하게 할 수 있다.

③ 감정의 결과에는 그 판단의 이유를 명시하여야 한다.

④ 필요한 때에는 감정인에게 설명하게 할 수 있다.

제172조【법원 외의 감정】 ① 법원은 필요한 때에는 감정인으로 하여금 법원 외에서 감정하게 할 수 있다.

② 전항의 경우에는 감정을 요하는 물건을 감정인에게 교부할 수 있다.

③ 피고인의 정신 또는 신체에 관한 감정에 필요한 때에는 법원은 기간을 정하여 병원 기타 적당한 장소에 피고인을 유치하게 할 수 있고 감정이 완료되면 즉시 유치를 해제하여야 한다.
④ 전항의 유치를 함에는 감정유치장을 발부하여야 한다.
⑤ 제3항의 유치를 함에 있어서 필요한 때에는 법원은 직권 또는 피고인을 수용할 병원 기타 장소의 관리자의 신청에 의하여 사법경찰관리에게 피고인의 간수를 명할 수 있다.
⑥ 법원은 필요한 때에는 유치기간을 연장하거나 단축할 수 있다.
⑦ 구속에 관한 규정은 이 법률에 특별한 규정이 없는 경우에는 제3항의 유치에 관하여 이를 준용한다. 단, 보석에 관한 규정은 그러하지 아니하다.
⑧ 제3항의 유치는 미결구금일수의 산입에 있어서는 이를 구속으로 간주한다.

제172조의 2【감정유치와 구속】 ① 구속 중인 피고인에 대하여 감정유치장이 집행되었을 때에는 피고인이 유치되어 있는 기간 구속은 그 집행이 정지된 것으로 간주한다.
② 전항의 경우에 전조 제3항의 유치처분이 취소되거나 유치기간이 만료된 때에는 구속의 집행정지가 취소된 것으로 간주한다.

제173조【감정에 필요한 처분】 ① 감정인은 감정에 관하여 필요한 때에는 법원의 허가를 얻어 타인의 주거, 간수자 있는 가옥, 건조물, 항공기, 선거 내에 들어갈 수 있고 신체의 검사, 사체의 해부, 분묘의 발굴, 물건의 파괴를 할 수 있다.
② 전항의 허가에는 피고인의 성명, 죄명, 들어갈 장소, 검사할 신체, 해부할 사체, 발굴할 분묘, 파괴할 물건, 감정인의 성명과 유효기간을 기재한 허가장을 발부하여야 한다.
③ 감정인은 제1항의 처분을 받는 자에게 허가장을 제시하여야 한다.
④ 전2항의 규정은 감정인이 공판정에서 행하는 제1항의 처분에는 적용하지 아니한다.
⑤ 제141조, 제143조의 규정은 제1항의 경우에 준용한다.

제174조【감정인의 참여권, 신문권】 ① 감정인은 감정에 관하여 필요한 경우에는 재판장의 허가를 얻어 서류와 증거물을 열람 또는 등사하고 피고인 또는 증인의 신문에 참여할 수 있다.
② 감정인은 피고인 또는 증인의 신문을 구하거나 재판장의 허가를 얻어 직접 발문할 수 있다.

제175조【수명법관】 법원은 합의부원으로 하여금 감정에 관하여 필요한 처분을 하게 할 수 있다.

제176조【당사자의 참여】 ① 검사, 피고인 또는 변호인은 감정에 참여할 수 있다.
② 제122조의 규정은 전항의 경우에 준용한다.

제177조【준용규정】 감정에 관하여는 제12장(구인에 관한 규정은 제외한다)을 준용한다.
[전문개정 2020.12.8]

제178조【여비, 감정료 등】 감정인은 법률의 정하는 바에 의하여 여비, 일당, 숙박료 외에 감정료와 체당금의 변상을 청구할 수 있다.

제179조【감정증인】 특별한 지식에 의하여 알게 된 과거의 사실을 신문하는 경우에는 본장의 규정에 의하지 아니하고 전장의 규정에 의한다.

제179조의 2【감정의 촉탁】 ① 법원은 필요하다고 인정하는 때에는 공무소·학교·병원 기타 상당한 설비가 있는 단체 또는 기관에 대하여 감정을 촉탁할 수 있다. 이 경우 선서에 관한 규정은 이를 적용하지 아니한다.
② 제1항의 경우 법원은 당해 공무소·학교·병원·단체 또는 기관이 지정한 자로 하여금 감정서의 설명을 하게 할 수 있다.

제14장 통역과 번역

제180조【통역】 국어에 통하지 아니하는 자의 진술에는 통역인으로 하여금 통역하게 하여야 한다.

제181조【청각 또는 언어장애인의 통역】 듣거나 말하는 데 장애가 있는 사람의 진술에 대해서는 통역인으로 하여금 통역하게 할 수 있다.
[전문개정 2020.12.8]

제182조【번역】 국어 아닌 문자 또는 부호는 번역하게 하여야 한다.

제183조【준용규정】 전장의 규정은 통역과 번역에 준용한다.

제15장 증거보전

제184조【증거보전의 청구와 그 절차】 ① 검사, 피고인, 피의자 또는 변호인은 미리 증거를 보전하지 아니하면 그 증거를 사용하기 곤란한 사정이 있는 때에는 제1회 공판기일 전이라도 판사에게 압수, 수색, 검증, 증인신문 또는 감정을 청구할 수 있다.
② 전항의 청구를 받은 판사는 그 처분에 관하여 법원 또는 재판장과 동일한 권한이 있다.
③ 제1항의 청구를 함에는 서면으로 그 사유를 소명하여야 한다.
④ 제1항의 청구를 기각하는 결정에 대하여는 3일 이내에 항고할 수 있다. <신설 2007.6.1>

제185조【서류의 열람 등】 검사, 피고인, 피의자 또는 변호인은 판사의 허가를 얻어 전조의 처분에 관한 서류와 증거물을 열람 또는 등사할 수 있다.

제16장 소송비용

제186조【피고인의 소송비용부담】 ① 형의 선고를 하는 때에는 피고인에게 소송비용의 전부 또는 일부를 부담하게 하여야 한다. 다만, 피고인의 경제적 사정으로 소송비용을 납부할 수 없는 때에는 그러하지 아니하다.
② 피고인에게 책임지울 사유로 발생된 비용은 형의 선고를 하지 아니하는 경우에도 피고인에게 부담하게 할 수 있다.

제187조【공범의 소송비용】 공범의 소송비용은 공범인에게 연대부담하게 할 수 있다.

제188조【고소인 등의 소송비용부담】 고소 또는 고발에 의하여 공소를 제기한 사건에 관하여 피고인이 무죄 또는 면소의 판결을 받은 경우에 고소인 또는 고발인에게 고의 또는 중대한 과실이 있는 때에는 그 자에게 소송비용의 전부 또는 일부를 부담하게 할 수 있다.

제189조【검사의 상소취하와 소송비용부담】 검사만이 상소 또는 재심청구를 한 경우에 상소 또는 재심의 청구가 기각되거나 취하된 때에는 그 소송비용을 피고인에게 부담하게 하지 못한다.

제190조【제삼자의 소송비용부담】 ① 검사 아닌 자가 상소 또는 재심청구를 한 경우에 상소 또는 재심의 청구가 기각되거나 취하된 때에는 그 자에게 그 소송비용을 부담하게 할 수 있다.
② 피고인 아닌 자가 피고인이 제기한 상소 또는 재심의 청구를 취하한 경우에도 전항과 같다.

제191조【소송비용부담의 재판】 ① 재판으로 소송절차가 종료되는 경우에 피고인에게 소송비용을 부담하게 하는 때에는 직권으로 재판하여야 한다.
② 전항의 재판에 대하여는 본안의 재판에 관하여 상소하는 경우에 한하여 불복할 수 있다.

제192조【제삼자부담의 재판】 ① 재판으로 소송절차가 종료되는 경우에 피고인 아닌 자에게 소송비용을 부담하게 하는 때에는 직권으로 결정을 하여야 한다.
② 전항의 결정에 대하여는 즉시항고를 할 수 있다.

제193조【재판에 의하지 아니한 절차종료】 ① 재판에 의하지 아니하고 소송절차가 종료되는 경우에 소송비용을 부담하게 하는 때에는 사건의 최종계속법원이 직권으로 결정을 하여야 한다.
② 전항의 결정에 대하여는 즉시항고를 할 수 있다.

제194조【부담액의 산정】 소송비용의 부담을 명하는 재판에 그 금액을 표시하지 아니한 때에는 집행을 지휘하는 검사가 산정한다.

제194조의 2【무죄판결과 비용보상】 ① 국가는 무죄판결이 확정된 경우에는 당해 사건의 피고인이었던 자에 대하여 그 재판에 소요된 비용을 보상하여야 한다.
② 다음 각 호의 어느 하나에 해당하는 경우에는 제1항에 따른 비용의 전부 또는 일부를 보상하지 아니할 수 있다.
1. 피고인이었던 자가 수사 또는 재판을 그르칠 목적으로 거짓 자백을 하거나 다른 유죄의 증거를 만들어 기소된 것으로 인정된 경우
2. 1개의 재판으로써 경합범의 일부에 대하여 무

죄판결이 확정되고 다른 부분에 대하여 유죄판결이 확정된 경우
3. 「형법」 제9조 및 제10조 제1항의 사유에 따른 무죄판결이 확정된 경우
4. 그 비용이 피고인이었던 자에게 책임지울 사유로 발생한 경우

[본조신설 2007.6.1]

제194조의 3【비용보상의 절차 등】 ① 제194조의 2 제1항에 따른 비용의 보상은 피고인이었던 자의 청구에 따라 무죄판결을 선고한 법원의 합의부에서 결정으로 한다.

② 제1항에 따른 청구는 무죄판결이 확정된 사실을 안 날부터 3년, 무죄판결이 확정된 때부터 5년 이내에 하여야 한다. <개정 2014.12.30>

③ 제1항의 결정에 대하여는 즉시항고를 할 수 있다.

[본조신설 2007.6.1]

제194조의 4【비용보상의 범위】 ① 제194조의 2에 따른 비용보상의 범위는 피고인이었던 자 또는 그 변호인이었던 자가 공판준비 및 공판기일에 출석하는데 소요된 여비·일당·숙박료와 변호인이었던 자에 대한 보수에 한한다. 이 경우 보상금액에 관하여는 「형사소송비용 등에 관한 법률」을 준용하되, 피고인이었던 자에 대하여는 증인에 관한 규정을, 변호인이었던 자에 대하여는 국선변호인에 관한 규정을 준용한다.

② 법원은 공판준비 또는 공판기일에 출석한 변호인이 2인 이상이었던 경우에는 사건의 성질, 심리 상황, 그 밖의 사정을 고려하여 변호인이었던 자의 여비·일당 및 숙박료를 대표변호인이나 그 밖의 일부 변호인의 비용만으로 한정할 수 있다.

[본조신설 2007.6.1]

제194조의 5【준용규정】 비용보상청구, 비용보상절차, 비용보상과 다른 법률에 따른 손해배상과의 관계, 보상을 받을 권리의 양도·압류 또는 피고인이었던 자의 상속인에 대한 비용보상에 관하여 이 법에 규정한 것을 제외하고는 「형사보상법」에 따른 보상의 예에 따른다.

[본조신설 2007.6.1]

제2편 ▌재 심

제1장 수 사

제195조【검사와 사법경찰관의 관계 등】 ① 검사와 사법경찰관은 수사, 공소제기 및 공소유지에 관하여 서로 협력하여야 한다.

② 제1항에 따른 수사를 위하여 준수하여야 하는 일반적 수사준칙에 관한 사항은 대통령령으로 정한다.

[본조신설 2020.2.4]

[종전 제195조는 제196조로 이동 <2020.2.4>]

제196조【검사의 수사】 ① 검사는 범죄의 혐의가 있다고 사료하는 때에는 범인, 범죄사실과 증거를 수사한다. <개정 2022.5.9>

② 검사는 제197조의 3 제6항, 제198조의 2 제2항 및 제245조의 7 제2항에 따라 사법경찰관으로부터 송치받은 사건에 관하여는 해당 사건과 동일성을 해치지 아니하는 범위 내에서 수사할 수 있다. <신설 2022.5.9>

[전문개정 2020.2.4]

[제195조에서 이동, 종전 제196조는 제197조로 이동 <2020.2.4>]

제197조【사법경찰관리】 ① 경무관, 총경, 경정, 경감, 경위는 사법경찰관으로서 범죄의 혐의가 있다고 사료하는 때에는 범인, 범죄사실과 증거를 수사한다. <개정 2020.2.4>

② 경사, 경장, 순경은 사법경찰리로서 수사의 보조를 하여야 한다. <개정 2020.2.4>

③ 삭제 <2020.2.4>

④ 삭제 <2020.2.4>

⑤ 삭제 <2020.2.4>

⑥ 삭제 <2020.2.4>

[전문개정 2011.7.18]

[제196조에서 이동, 종전 제197조는 삭제 <2020.2.4>]

제197조의 2【보완수사요구】 ① 검사는 다음 각 호의 어느 하나에 해당하는 경우에 사법경찰관에게 보완수사를 요구할 수 있다.
1. 송치사건의 공소제기 여부 결정 또는 공소의 유지에 관하여 필요한 경우

2. 사법경찰관이 신청한 영장의 청구 여부 결정에 관하여 필요한 경우

② 사법경찰관은 제1항의 요구가 있는 때에는 정당한 이유가 없는 한 지체 없이 이를 이행하고, 그 결과를 검사에게 통보하여야 한다.

③ 검찰총장 또는 각급 검찰청 검사장은 사법경찰관이 정당한 이유 없이 제1항의 요구에 따르지 아니하는 때에는 권한 있는 사람에게 해당 사법경찰관의 직무배제 또는 징계를 요구할 수 있고, 그 징계 절차는 「공무원 징계령」 또는 「경찰공무원 징계령」에 따른다.

[본조신설 2020.2.4]

제197조의 3【시정조치요구 등】 ① 검사는 사법경찰관리의 수사과정에서 법령위반, 인권침해 또는 현저한 수사권 남용이 의심되는 사실의 신고가 있거나 그러한 사실을 인식하게 된 경우에는 사법경찰관에게 사건기록 등본의 송부를 요구할 수 있다.

② 제1항의 송부 요구를 받은 사법경찰관은 지체 없이 검사에게 사건기록 등본을 송부하여야 한다.

③ 제2항의 송부를 받은 검사는 필요하다고 인정되는 경우에는 사법경찰관에게 시정조치를 요구할 수 있다.

④ 사법경찰관은 제3항의 시정조치 요구가 있는 때에는 정당한 이유가 없으면 지체 없이 이를 이행하고, 그 결과를 검사에게 통보하여야 한다.

⑤ 제4항의 통보를 받은 검사는 제3항에 따른 시정조치 요구가 정당한 이유 없이 이행되지 않았다고 인정되는 경우에는 사법경찰관에게 사건을 송치할 것을 요구할 수 있다.

⑥ 제5항의 송치 요구를 받은 사법경찰관은 검사에게 사건을 송치하여야 한다.

⑦ 검찰총장 또는 각급 검찰청 검사장은 사법경찰관리의 수사과정에서 법령위반, 인권침해 또는 현저한 수사권 남용이 있었던 때에는 권한 있는 사람에게 해당 사법경찰관리의 징계를 요구할 수 있고, 그 징계 절차는 「공무원 징계령」 또는 「경찰공무원 징계령」에 따른다.

⑧ 사법경찰관은 피의자를 신문하기 전에 수사과정에서 법령위반, 인권침해 또는 현저한 수사권 남용이 있는 경우 검사에게 구제를 신청할 수 있음을 피의자에게 알려주어야 한다.

[본조신설 2020.2.4]

제197조의 4【수사의 경합】 ① 검사는 사법경찰관과 동일한 범죄사실을 수사하게 된 때에는 사법경찰관에게 사건을 송치할 것을 요구할 수 있다.

② 제1항의 요구를 받은 사법경찰관은 지체 없이 검사에게 사건을 송치하여야 한다. 다만, 검사가 영장을 청구하기 전에 동일한 범죄사실에 관하여 사법경찰관이 영장을 신청한 경우에는 해당 영장에 기재된 범죄사실을 계속 수사할 수 있다.

[본조신설 2020.2.4]

제198조【준수사항】 ① 피의자에 대한 수사는 불구속 상태에서 함을 원칙으로 한다.

② 검사·사법경찰관리와 그밖에 직무상 수사에 관계있는 자는 피의자 또는 다른 사람의 인권을 존중하고 수사과정에서 취득한 비밀을 엄수하며 수사에 방해되는 일이 없도록 하여야 한다.

③ 검사·사법경찰관리와 그 밖에 직무상 수사에 관계있는 자는 수사과정에서 수사와 관련하여 작성하거나 취득한 서류 또는 물건에 대한 목록을 빠짐 없이 작성하여야 한다. <신설 2011.7.18>

④ 수사기관은 수사 중인 사건의 범죄 혐의를 밝히기 위한 목적으로 합리적인 근거 없이 별개의 사건을 부당하게 수사하여서는 아니 되고, 다른 사건의 수사를 통하여 확보된 증거 또는 자료를 내세워 관련 없는 사건에 대한 자백이나 진술을 강요하여서도 아니 된다. <신설 2022.5.9>

[전문개정 2007.6.1]

제198조의 2【검사의 체포·구속장소감찰】 ① 지방검찰청 검사장 또는 지청장은 불법체포·구속의 유무를 조사하기 위하여 검사로 하여금 매월 1회 이상 관하수사관서의 피의자의 체포·구속장소를 감찰하게 하여야 한다. 감찰하는 검사는 체포 또는 구속된 자를 심문하고 관련서류를 조사하여야 한다.

② 검사는 적법한 절차에 의하지 아니하고 체포 또는 구속된 것이라고 의심할 만한 상당한 이유가 있는 경우에는 즉시 체포 또는 구속된 자를 석방하거나 사건을 검찰에 송치할 것을 명하여야 한다.

제199조【수사와 필요한 조사】 ① 수사에 관하여는 그 목적을 달성하기 위하여 필요한 조사를 할 수 있다. 다만, 강제처분은 이 법률에 특별한 규정이 있는 경우에 한하며, 필요한 최소한도의 범위 안에서만 하여야 한다.

② 수사에 관하여는 공무소 기타 공사단체에 조회하여 필요한 사항의 보고를 요구할 수 있다.

제200조【피의자의 출석요구】 검사 또는 사법경찰관은 수사에 필요한 때에는 피의자의 출석을 요구하여 진술을 들을 수 있다.

[전문개정 2007.6.1]

제200조의 2【영장에 의한 체포】 ① 피의자가 죄를 범하였다고 의심할 만한 상당한 이유가 있고, 정당한 이유없이 제200조의 규정에 의한 출석요구에 응하지 아니하거나 응하지 아니할 우려가 있는 때에는 검사는 관할 지방법원판사에게 청구하여 체포영장을 발부 받아 피의자를 체포할 수 있고, 사법경찰관은 검사에게 신청하여 검사의 청구로 관할 지방법원판사의 체포영장을 발부받아 피의자를 체포할 수 있다. 다만, 다액 50만원 이하의 벌금, 구류 또는 과료에 해당하는 사건에 관하여는 피의자가 일정한 주거가 없는 경우 또는 정당한 이유없이 제200조의 규정에 의한 출석요구에 응하지 아니한 경우에 한한다.

② 제1항의 청구를 받은 지방법원판사는 상당하다고 인정할 때에는 체포영장을 발부한다. 다만, 명백히 체포의 필요가 인정되지 아니하는 경우에는 그러하지 아니하다.

③ 제1항의 청구를 받은 지방법원판사가 체포영장을 발부하지 아니할 때에는 청구서에 그 취지 및 이유를 기재하고 서명날인하여 청구한 검사에게 교부한다.

④ 검사가 제1항의 청구를 함에 있어서 동일한 범죄사실에 관하여 그 피의자에 대하여 전에 체포영장을 청구하였거나 발부받은 사실이 있는 때에는 다시 체포영장을 청구하는 취지 및 이유를 기재하여야 한다.

⑤ 체포한 피의자를 구속하고자 할 때에는 체포한 때부터 48시간 이내에 제201조의 규정에 의하여 구속영장을 청구하여야 하고, 그 기간 내에 구속영장을 청구하지 아니하는 때에는 피의자를 즉시 석방하여야 한다.

[제목개정 2007.6.1]

제200조의 3【긴급체포】 ① 검사 또는 사법경찰관은 피의자가 사형·무기 또는 장기 3년 이상의 징역이나 금고에 해당하는 죄를 범하였다고 의심할 만한 상당한 이유가 있고, 다음 각 호의 어느 하나에 해당하는 사유가 있는 경우에 긴급을 요하여 지방법원판사의 체포영장을 받을 수 없는 때에는 그 사유를 알리고 영장없이 피의자를 체포할 수 있다. 이 경우 긴급을 요한다 함은 피의자를 우연히 발견한 경우 등과 같이 체포영장을 받을 시간적 여유가 없는 때를 말한다. <개정 2007.6.1>

1. 피의자가 증거를 인멸할 염려가 있는 때
2. 피의자가 도망하거나 도망할 우려가 있는 때

② 사법경찰관이 제1항의 규정에 의하여 피의자를 체포한 경우에는 즉시 검사의 승인을 얻어야 한다.

③ 검사 또는 사법경찰관은 제1항의 규정에 의하여 피의자를 체포한 경우에는 즉시 긴급체포서를 작성하여야 한다.

④ 제3항의 규정에 의한 긴급체포서에는 범죄사실의 요지, 긴급체포의 사유 등을 기재하여야 한다.

제200조의 4【긴급체포와 영장청구기간】 ① 검사 또는 사법경찰관이 제200조의 3의 규정에 의하여 피의자를 체포한 경우 피의자를 구속하고자 할 때에는 지체 없이 검사는 관할지방법원판사에게 구속영장을 청구하여야 하고, 사법경찰관은 검사에게 신청하여 검사의 청구로 관할지방법원판사에게 구속영장을 청구하여야 한다. 이 경우 구속영장은 피의자를 체포한 때부터 48시간 이내에 청구하여야 하며, 제200조의 3 제3항에 따른 긴급체포서를 첨부하여야 한다. <개정 2007.6.1>

② 제1항의 규정에 의하여 구속영장을 청구하지 아니하거나 발부받지 못한 때에는 피의자를 즉시 석방하여야 한다.

③ 제2항의 규정에 의하여 석방된 자는 영장없이는 동일한 범죄사실에 관하여 체포하지 못한다.

④ 검사는 제1항에 따른 구속영장을 청구하지 아니하고 피의자를 석방한 경우에는 석방한 날부터 30일 이내에 서면으로 다음 각 호의 사항을 법원

에 통지하여야 한다. 이 경우 긴급체포서의 사본을 첨부하여야 한다. <신설 2007.6.1>

1. 긴급체포 후 석방된 자의 인적사항
2. 긴급체포의 일시·장소와 긴급체포하게 된 구체적 이유
3. 석방의 일시·장소 및 사유
4. 긴급체포 및 석방한 검사 또는 사법경찰관의 성명

⑤ 긴급체포 후 석방된 자 또는 그 변호인·법정대리인·배우자·직계친족·형제자매는 통지서 및 관련 서류를 열람하거나 등사할 수 있다. <신설 2007.6.1>

⑥ 사법경찰관은 긴급체포한 피의자에 대하여 구속영장을 신청하지 아니하고 석방한 경우에는 즉시 검사에게 보고하여야 한다. <신설 2007.6.1>

제200조의 5 【체포와 피의사실 등의 고지】 검사 또는 사법경찰관은 피의자를 체포하는 경우에는 피의사실의 요지, 체포의 이유와 변호인을 선임할 수 있음을 말하고 변명할 기회를 주어야 한다. [본조신설 2007.6.1]

제200조의 6 【준용규정】 제75조, 제81조 제1항 본문 및 제3항, 제82조, 제83조, 제85조 제1항·제3항 및 제4항, 제86조, 제87조, 제89조부터 제91조까지, 제93조, 제101조 제4항 및 제102조 제2항 단서의 규정은 검사 또는 사법경찰관이 피의자를 체포하는 경우에 이를 준용한다. 이 경우 "구속"은 이를 "체포"로, "구속영장"은 이를 "체포영장"으로 본다. <개정 2007.6.1>

제201조 【구속】 ① 피의자가 죄를 범하였다고 의심할 만한 상당한 이유가 있고 제70조 제1항 각호의 1에 해당하는 사유가 있을 때에는 검사는 관할지방법원판사에게 청구하여 구속영장을 받아 피의자를 구속할 수 있고 사법경찰관은 검사에게 신청하여 검사의 청구로 관할지방법원판사의 구속영장을 받아 피의자를 구속할 수 있다. 다만, 다액 50만원 이하의 벌금, 구류 또는 과료에 해당하는 범죄에 관하여는 피의자가 일정한 주거가 없는 경우에 한한다.

② 구속영장의 청구에는 구속의 필요를 인정할 수 있는 자료를 제출하여야 한다.

③ 제1항의 청구를 받은 지방법원판사는 신속히 구속영장의 발부여부를 결정하여야 한다.

④ 제1항의 청구를 받은 지방법원판사는 상당하다고 인정할 때에는 구속영장을 발부한다. 이를 발부하지 아니할 때에는 청구서에 그 취지 및 이유를 기재하고 서명날인하여 청구한 검사에게 교부한다.

⑤ 검사가 제1항의 청구를 함에 있어서 동일한 범죄사실에 관하여 그 피의자에 대하여 전에 구속영장을 청구하거나 발부받은 사실이 있을 때에는 다시 구속영장을 청구하는 취지 및 이유를 기재하여야 한다.

제201조의 2 【구속영장 청구와 피의자심문】 ① 제200조의 2·제200조의 3 또는 제212조에 따라 체포된 피의자에 대하여 구속영장을 청구받은 판사는 지체 없이 피의자를 심문하여야 한다. 이 경우 특별한 사정이 없는 한 구속영장이 청구된 날의 다음날까지 심문하여야 한다.

② 제1항 외의 피의자에 대하여 구속영장을 청구받은 판사는 피의자가 죄를 범하였다고 의심할 만한 이유가 있는 경우에 구인을 위한 구속영장을 발부하여 피의자를 구인한 후 심문하여야 한다. 다만, 피의자가 도망하는 등의 사유로 심문할 수 없는 경우에는 그러하지 아니하다.

③ 판사는 제1항의 경우에는 즉시, 제2항의 경우에는 피의자를 인치한 후 즉시 검사, 피의자 및 변호인에게 심문기일과 장소를 통지하여야 한다. 이 경우 검사는 피의자가 체포되어 있는 때에는 심문기일에 피의자를 출석시켜야 한다.

④ 검사와 변호인은 제3항에 따른 심문기일에 출석하여 의견을 진술할 수 있다.

⑤ 판사는 제1항 또는 제2항에 따라 심문하는 때에는 공범의 분리심문이나 그밖에 수사상의 비밀보호를 위하여 필요한 조치를 하여야 한다.

⑥ 제1항 또는 제2항에 따라 피의자를 심문하는 경우 법원사무관 등은 심문의 요지 등을 조서로 작성하여야 한다.

⑦ 피의자심문을 하는 경우 법원이 구속영장청구서·수사 관계 서류 및 증거물을 접수한 날부터 구속영장을 발부하여 검찰청에 반환한 날까지의 기간은 제202조 및 제203조의 적용에 있어서 그 구속기간에 이를 산입하지 아니한다.

⑧ 심문할 피의자에게 변호인이 없는 때에는 지방법원판사는 직권으로 변호인을 선정하여야 한다. 이 경우 변호인의 선정은 피의자에 대한 구속영장 청구가 기각되어 효력이 소멸한 경우를 제외하고는 제1심까지 효력이 있다.

⑨ 법원은 변호인의 사정이나 그 밖의 사유로 변호인 선정결정이 취소되어 변호인이 없게 된 때에는 직권으로 변호인을 다시 선정할 수 있다.

⑩ 제71조, 제71조의 2, 제75조, 제81조부터 제83조까지, 제85조 제1항·제3항·제4항, 제86조, 제87조 제1항, 제89조부터 제91조까지 및 제200조의 5는 제2항에 따라 구인을 하는 경우에 준용하고, 제48조, 제51조, 제53조, 제56조의 2 및 제276조의 2는 피의자에 대한 심문의 경우에 준용한다.

[전문개정 2007.6.1]

제202조【사법경찰관의 구속기간】 사법경찰관이 피의자를 구속한 때에는 10일 이내에 피의자를 검사에게 인치하지 아니하면 석방하여야 한다.

제203조【검사의 구속기간】 검사가 피의자를 구속한 때 또는 사법경찰관으로부터 피의자의 인치를 받은 때에는 10일 이내에 공소를 제기하지 아니하면 석방하여야 한다.

제203조의 2【구속기간에의 산입】 피의자가 제200조의 2·제200조의 3·제201조의 2 제2항 또는 제212조의 규정에 의하여 체포 또는 구인된 경우에는 제202조 또는 제203조의 구속기간은 피의자를 체포 또는 구인한 날부터 기산한다. <개정 2007.6.1>

제204조【영장발부와 법원에 대한 통지】 체포영장 또는 구속영장의 발부를 받은 후 피의자를 체포 또는 구속하지 아니하거나 체포 또는 구속한 피의자를 석방한 때에는 지체없이 검사는 영장을 발부한 법원에 그 사유를 서면으로 통지하여야 한다.

제205조【구속기간의 연장】 ① 지방법원판사는 검사의 신청에 의하여 수사를 계속함에 상당한 이유가 있다고 인정한 때에는 10일을 초과하지 아니하는 한도에서 제203조의 구속기간의 연장을 1차에 한하여 허가할 수 있다.

② 전항의 신청에는 구속기간의 연장의 필요를 인정할 수 있는 자료를 제출하여야 한다.

제206조 삭제 <1995.12.29>

제207조 삭제 <1995.12.29>

제208조【재구속의 제한】 ① 검사 또는 사법경찰관에 의하여 구속되었다가 석방된 자는 다른 중요한 증거를 발견한 경우를 제외하고는 동일한 범죄사실에 관하여 재차 구속하지 못한다.

② 전항의 경우에는 1개의 목적을 위하여 동시 또는 수단결과의 관계에서 행하여진 행위는 동일한 범죄사실로 간주한다.

제209조【준용규정】 제70조 제2항, 제71조, 제75조, 제81조 제1항 본문·제3항, 제82조, 제83조, 제85조부터 제87조까지, 제89조부터 제91조까지, 제93조, 제101조 제1항, 제102조 제2항 본문(보석의 취소에 관한 부분은 제외한다) 및 제200조의 5는 검사 또는 사법경찰관의 피의자 구속에 관하여 준용한다. <개정 2007.12.21>

[전문개정 2007.6.1]

제210조【사법경찰관리의 관할구역 외의 수사】 사법경찰관리가 관할구역 외에서 수사하거나 관할구역 외의 사법경찰관리의 촉탁을 받아 수사할 때에는 관할지방검찰청검사장 또는 지청장에게 보고하여야 한다. 다만, 제200조의 3, 제212조, 제214조, 제216조와 제217조의 규정에 의한 수사를 하는 경우에 긴급을 요할 때에는 사후에 보고할 수 있다.

제211조【현행범인과 준현행범인】 ① 범죄를 실행하고 있거나 실행하고 난 직후의 사람을 현행범인이라 한다.

② 다음 각 호의 어느 하나에 해당하는 사람은 현행범인으로 본다.

1. 범인으로 불리며 추적되고 있을 때
2. 장물이나 범죄에 사용되었다고 인정하기에 충분한 흉기나 그 밖의 물건을 소지하고 있을 때
3. 신체나 의복류에 증거가 될 만한 뚜렷한 흔적이 있을 때
4. 누구냐고 묻자 도망하려고 할 때

[전문개정 2020.12.8]

제212조【현행범인의 체포】 현행범인은 누구든지 영장없이 체포할 수 있다.

제212조의 2 삭제 <1987.11.28>

제213조【체포된 현행범인의 인도】 ① 검사 또는

사법경찰관리 아닌 자가 현행범인을 체포한 때에는 즉시 검사 또는 사법경찰관리에게 인도하여야 한다.

② 사법경찰관리가 현행범인의 인도를 받은 때에는 체포자의 성명, 주거, 체포의 사유를 물어야 하고 필요한 때에는 체포자에 대하여 경찰관서에 동행함을 요구할 수 있다.

③ 삭제 <1987.11.28>

제213조의 2【준용규정】 제87조, 제89조, 제90조, 제200조의 2 제5항 및 제200조의 5의 규정은 검사 또는 사법경찰관리가 현행범인을 체포하거나 현행범인을 인도받은 경우에 이를 준용한다. <개정 2007.6.1>

제214조【경미사건과 현행범인의 체포】 다액 50만원 이하의 벌금, 구류 또는 과료에 해당하는 죄의 현행범인에 대하여는 범인의 주거가 분명하지 아니한 때에 한하여 제212조 내지 제213조의 규정을 적용한다.

제214조의 2【체포와 구속의 적부심사】 ① 체포되거나 구속된 피의자 또는 그 변호인, 법정대리인, 배우자, 직계친족, 형제자매나 가족, 동거인 또는 고용주는 관할법원에 체포 또는 구속의 적부심사를 청구할 수 있다. <개정 2020.12.8>

② 피의자를 체포하거나 구속한 검사 또는 사법경찰관은 체포되거나 구속된 피의자와 제1항에 규정된 사람 중에서 피의자가 지정하는 사람에게 제1항에 따른 적부심사를 청구할 수 있음을 알려야 한다. <신설 2007.6.1, 2020.12.8>

③ 법원은 제1항에 따른 청구가 다음 각 호의 어느 하나에 해당하는 때에는 제4항에 따른 심문 없이 결정으로 청구를 기각할 수 있다. <개정 1987.11.28, 1995.12.29, 2007.6.1, 2020.12.8>

1. 청구권자 아닌 사람이 청구하거나 동일한 체포영장 또는 구속영장의 발부에 대하여 재청구한 때
2. 공범이나 공동피의자의 순차청구(순차청구)가 수사 방해를 목적으로 하고 있음이 명백한 때

④ 제1항의 청구를 받은 법원은 청구서가 접수된 때부터 48시간 이내에 체포되거나 구속된 피의자를 심문하고 수사 관계 서류와 증거물을 조사하여 그 청구가 이유 없다고 인정한 경우에는 결정으로 기각하고, 이유 있다고 인정한 경우에는 결정으로 체포되거나 구속된 피의자의 석방을 명하여야 한다. 심사 청구 후 피의자에 대하여 공소제기가 있는 경우에도 또한 같다. <개정 2020.12.8>

⑤ 법원은 구속된 피의자(심사청구 후 공소제기된 사람을 포함한다)에 대하여 피의자의 출석을 보증할 만한 보증금의 납입을 조건으로 하여 결정으로 제4항의 석방을 명할 수 있다. 다만, 다음 각 호에 해당하는 경우에는 그러하지 아니하다. <개정 2020.12.8>

1. 범죄의 증거를 인멸할 염려가 있다고 믿을 만한 충분한 이유가 있는 때
2. 피해자, 당해 사건의 재판에 필요한 사실을 알고 있다고 인정되는 사람 또는 그 친족의 생명·신체나 재산에 해를 가하거나 가할 염려가 있다고 믿을 만한 충분한 이유가 있는 때

⑥ 제5항의 석방 결정을 하는 경우에는 주거의 제한, 법원 또는 검사가 지정하는 일시·장소에 출석할 의무, 그 밖의 적당한 조건을 부가할 수 있다. <개정 2020.12.8>

⑦ 제5항에 따라 보증금 납입을 조건으로 석방을 하는 경우에는 제99조와 제100조를 준용한다. <개정 2020.12.8>

⑧ 제3항과 제4항의 결정에 대해서는 항고할 수 없다. <개정 2020.12.8>

⑨ 검사·변호인·청구인은 제4항의 심문기일에 출석하여 의견을 진술할 수 있다. <개정 2020.12.8>

⑩ 체포되거나 구속된 피의자에게 변호인이 없는 때에는 제33조를 준용한다. <개정 2020.12.8>

⑪ 법원은 제4항의 심문을 하는 경우 공범의 분리심문이나 그 밖에 수사상의 비밀보호를 위한 적절한 조치를 하여야 한다. <개정 2007.6.1, 2020.12.8>

⑫ 체포영장이나 구속영장을 발부한 법관은 제4항부터 제6항까지의 심문·조사·결정에 관여할 수 없다. 다만, 체포영장이나 구속영장을 발부한 법관 외에는 심문·조사·결정을 할 판사가 없는 경우에는 그러하지 아니하다. <개정 2020.12.8>

⑬ 법원이 수사 관계 서류와 증거물을 접수한 때부터 결정 후 검찰청에 반환된 때까지의 기간은 제200조의 2 제5항(제213조의 2에 따라 준용되는

경우를 포함한다) 및 제200조의 4 제1항을 적용할 때에는 그 제한기간에 산입하지 아니하고, 제202조·제203조 및 제205조를 적용할 때에는 그 구속기간에 산입하지 아니한다. <개정 2007.6.1, 2020.12.8>

⑭ 제4항에 따라 피의자를 심문하는 경우에는 제201조의 2 제6항을 준용한다. <개정 2020.12.8>

[본조신설 1980.12.18] [제목개정 2020.12.8]

제214조의 3【재체포 및 재구속의 제한】 ① 제214조의 2 제4항에 따른 체포 또는 구속 적부심사결정에 의하여 석방된 피의자가 도망하거나 범죄의 증거를 인멸하는 경우를 제외하고는 동일한 범죄사실로 재차 체포하거나 구속할 수 없다. <개정 2020.12.8>

② 제214조의 2 제5항에 따라 석방된 피의자에게 다음 각 호의 어느 하나에 해당하는 사유가 있는 경우를 제외하고는 동일한 범죄사실로 재차 체포하거나 구속할 수 없다. <신설 1995.12.29, 2007.6.1, 2020.12.8>

1. 도망한 때
2. 도망하거나 범죄의 증거를 인멸할 염려가 있다고 믿을 만한 충분한 이유가 있는 때
3. 출석요구를 받고 정당한 이유없이 출석하지 아니한 때
4. 주거의 제한이나 그 밖에 법원이 정한 조건을 위반한 때

[본조신설 1980.12.18] [제목개정 2020.12.8]

제214조의 4【보증금의 몰수】 ① 법원은 다음 각 호의 1의 경우에 직권 또는 검사의 청구에 의하여 결정으로 제214조의 2 제5항에 따라 납입된 보증금의 전부 또는 일부를 몰수할 수 있다. <개정 2007.6.1>

1. 제214조의 2 제5항에 따라 석방된 자를 제214조의 3 제2항에 열거된 사유로 재차 구속할 때
2. 공소가 제기된 후 법원이 제214조의 2 제5항에 따라 석방된 자를 동일한 범죄사실에 관하여 재차 구속할 때

② 법원은 제214조의 2 제5항에 따라 석방된 자가 동일한 범죄사실에 관하여 형의 선고를 받고 그 판결이 확정된 후, 집행하기 위한 소환을 받고 정당한 이유없이 출석하지 아니하거나 도망한 때에는 직권 또는 검사의 청구에 의하여 결정으로 보증금의 전부 또는 일부를 몰수하여야 한다. <개정 2007.6.1>

제215조【압수, 수색, 검증】 ① 검사는 범죄수사에 필요한 때에는 피의자가 죄를 범하였다고 의심할 만한 정황이 있고 해당 사건과 관계가 있다고 인정할 수 있는 것에 한정하여 지방법원판사에게 청구하여 발부받은 영장에 의하여 압수, 수색 또는 검증을 할 수 있다.

② 사법경찰관이 범죄수사에 필요한 때에는 피의자가 죄를 범하였다고 의심할 만한 정황이 있고 해당 사건과 관계가 있다고 인정할 수 있는 것에 한정하여 검사에게 신청하여 검사의 청구로 지방법원판사가 발부한 영장에 의하여 압수, 수색 또는 검증을 할 수 있다.

[전문개정 2011.7.18]

제216조【영장에 의하지 아니한 강제처분】 ① 검사 또는 사법경찰관은 제200조의 2·제200조의 3·제201조 또는 제212조의 규정에 의하여 피의자를 체포 또는 구속하는 경우에 필요한 때에는 영장없이 다음 처분을 할 수 있다. <개정 1995.12.29, 2019.12.31>

1. 타인의 주거나 타인이 간수하는 가옥, 건조물, 항공기, 선차 내에서의 피의자 수색. 다만, 제200조의 2 또는 제201조에 따라 피의자를 체포 또는 구속하는 경우의 피의자 수색은 미리 수색영장을 발부받기 어려운 긴급한 사정이 있는 때에 한정한다.
2. 체포현장에서의 압수, 수색, 검증

② 전항 제2호의 규정은 검사 또는 사법경찰관이 피고인에 대한 구속영장의 집행의 경우에 준용한다.

③ 범행 중 또는 범행 직후의 범죄 장소에서 긴급을 요하여 법원판사의 영장을 받을 수 없는 때에는 영장없이 압수, 수색 또는 검증을 할 수 있다. 이 경우에는 사후에 지체없이 영장을 받아야 한다.

제217조【영장에 의하지 아니하는 강제처분】 ① 검사 또는 사법경찰관은 제200조의 3에 따라 체포된 자가 소유·소지 또는 보관하는 물건에 대하여 긴

급히 압수할 필요가 있는 경우에는 체포한 때부터 24시간 이내에 한하여 영장 없이 압수·수색 또는 검증을 할 수 있다.
② 검사 또는 사법경찰관은 제1항 또는 제216조 제1항 제2호에 따라 압수한 물건을 계속 압수할 필요가 있는 경우에는 지체 없이 압수수색영장을 청구하여야 한다. 이 경우 압수수색영장의 청구는 체포한 때부터 48시간 이내에 하여야 한다.
③ 검사 또는 사법경찰관은 제2항에 따라 청구한 압수수색영장을 발부받지 못한 때에는 압수한 물건을 즉시 반환하여야 한다.
[전문개정 2007.6.1]

제218조【영장에 의하지 아니한 압수】 검사, 사법경찰관은 피의자 기타인의 유류한 물건이나 소유자, 소지자 또는 보관자가 임의로 제출한 물건을 영장없이 압수할 수 있다.

제218조의 2【압수물의 환부, 가환부】 ① 검사는 사본을 확보한 경우 등 압수를 계속할 필요가 없다고 인정되는 압수물 및 증거에 사용할 압수물에 대하여 공소제기 전이라도 소유자, 소지자, 보관자 또는 제출인의 청구가 있는 때에는 환부 또는 가환부하여야 한다.
② 제1항의 청구에 대하여 검사가 이를 거부하는 경우에는 신청인은 해당 검사의 소속 검찰청에 대응한 법원에 압수물의 환부 또는 가환부 결정을 청구할 수 있다.
③ 제2항의 청구에 대하여 법원이 환부 또는 가환부를 결정하면 검사는 신청인에게 압수물을 환부 또는 가환부하여야 한다.
④ 사법경찰관의 환부 또는 가환부 처분에 관하여는 제1항부터 제3항까지의 규정을 준용한다. 이 경우 사법경찰관은 검사의 지휘를 받아야 한다.
[본조신설 2011.7.18]

제219조【준용규정】 제106조, 제107조, 제109조 내지 제112조, 제114조, 제115조 제1항 본문, 제2항, 제118조부터 제132조까지, 제134조, 제135조, 제140조, 제141조, 제333조 제2항, 제486조의 규정은 검사 또는 사법경찰관의 본장의 규정에 의한 압수, 수색 또는 검증에 준용한다. 단, 사법경찰관이 제130조, 제132조 및 제134조에 따른 처분을 함에는 검사의 지휘를 받아야 한다. <개정 1980.12.18, 2007.6.1, 2011.7.18>

제220조【요급처분】 제216조의 규정에 의한 처분을 하는 경우에 급속을 요하는 때에는 제123조 제2항, 제125조의 규정에 의함을 요하지 아니한다.

제221조【제3자의 출석요구 등】 ① 검사 또는 사법경찰관은 수사에 필요한 때에는 피의자가 아닌 자의 출석을 요구하여 진술을 들을 수 있다. 이 경우 그의 동의를 받아 영상녹화할 수 있다.
② 검사 또는 사법경찰관은 수사에 필요한 때에는 감정·통역 또는 번역을 위촉할 수 있다.
③ 제163조의 2 제1항부터 제3항까지는 검사 또는 사법경찰관이 범죄로 인한 피해자를 조사하는 경우에 준용한다.
[전문개정 2007.6.1]

제221조의 2【증인신문의 청구】 ① 범죄의 수사에 없어서는 아니될 사실을 안다고 명백히 인정되는 자가 전조의 규정에 의한 출석 또는 진술을 거부한 경우에는 검사는 제1회 공판기일 전에 한하여 판사에게 그에 대한 증인신문을 청구할 수 있다.
② 삭제 <2007.6.1>
③ 제1항의 청구를 함에는 서면으로 그 사유를 소명하여야 한다. <개정 2007.6.1>
④ 제1항의 청구를 받은 판사는 증인신문에 관하여 법원 또는 재판장과 동일한 권한이 있다. <개정 2007.6.1>
⑤ 판사는 제1항의 청구에 따라 증인신문기일을 정한 때에는 피고인·피의자 또는 변호인에게 이를 통지하여 증인신문에 참여할 수 있도록 하여야 한다. <개정 2007.6.1>
⑥ 판사는 제1항의 청구에 의한 증인신문을 한 때에는 지체없이 이에 관한 서류를 검사에게 송부하여야 한다. <개정 2007.6.1>

제221조의 3【감정의 위촉과 감정유치의 청구】 ① 검사는 제221조의 규정에 의하여 감정을 위촉하는 경우에 제172조 제3항의 유치처분이 필요할 때에는 판사에게 이를 청구하여야 한다.
② 판사는 제1항의 청구가 상당하다고 인정할 때에는 유치처분을 하여야 한다. 제172조 및 제172조의 2의 규정은 이 경우에 준용한다.

제221조의 4【감정에 필요한 처분, 허가장】 ① 제221조의 규정에 의하여 감정의 위촉을 받은 자는 판사의 허가를 얻어 제173조 제1항에 규정된 처분을 할 수 있다.
② 제1항의 허가의 청구는 검사가 하여야 한다.
③ 판사는 제2항의 청구가 상당하다고 인정할 때에는 허가장을 발부하여야 한다.
④ 제173조 제2항, 제3항 및 제5항의 규정은 제3항의 허가장에 준용한다.

제221조의 5【사법경찰관이 신청한 영장의 청구 여부에 대한 심의】 ① 검사가 사법경찰관이 신청한 영장을 정당한 이유 없이 판사에게 청구하지 아니한 경우 사법경찰관은 그 검사 소속의 지방검찰청 소재지를 관할하는 고등검찰청에 영장 청구 여부에 대한 심의를 신청할 수 있다.
② 제1항에 관한 사항을 심의하기 위하여 각 고등검찰청에 영장심의위원회(이하 이 조에서 "심의위원회"라 한다)를 둔다.
③ 심의위원회는 위원장 1명을 포함한 10명 이내의 외부 위원으로 구성하고, 위원은 각 고등검찰청 검사장이 위촉한다.
④ 사법경찰관은 심의위원회에 출석하여 의견을 개진할 수 있다.
⑤ 심의위원회의 구성 및 운영 등 그 밖에 필요한 사항은 법무부령으로 정한다.
[본조신설 2020.2.4]

제222조【변사자의 검시】 ① 변사자 또는 변사의 의심있는 사체가 있는 때에는 그 소재지를 관할하는 지방검찰청검사가 검시하여야 한다.
② 전항의 검시로 범죄의 혐의를 인정하고 긴급을 요할 때에는 영장없이 검증할 수 있다.
③ 검사는 사법경찰관에게 전2항의 처분을 명할 수 있다.

제223조【고소권자】 범죄로 인한 피해자는 고소할 수 있다.

제224조【고소의 제한】 자기 또는 배우자의 직계존속을 고소하지 못한다.

제225조【비피해자인 고소권자】 ① 피해자의 법정대리인은 독립하여 고소할 수 있다.
② 피해자가 사망한 때에는 그 배우자, 직계친족 또는 형제자매는 고소할 수 있다. 단, 피해자의 명시한 의사에 반하지 못한다.

제226조【동전】 피해자의 법정대리인이 피의자이거나 법정대리인의 친족이 피의자인 때에는 피해자의 친족은 독립하여 고소할 수 있다.

제227조【동전】 사자의 명예를 훼손한 범죄에 대하여는 그 친족 또는 자손은 고소할 수 있다.

제228조【고소권자의 지정】 친고죄에 대하여 고소할 자가 없는 경우에 이해관계인의 신청이 있으면 검사는 10일 이내에 고소할 수 있는 자를 지정하여야 한다.

제229조【배우자의 고소】 ①「형법」 제241조의 경우에는 혼인이 해소되거나 이혼소송을 제기한 후가 아니면 고소할 수 없다. <개정 2007.6.1>
② 전항의 경우에 다시 혼인을 하거나 이혼소송을 취하한 때에는 고소는 취소된 것으로 간주한다.

제230조【고소기간】 ① 친고죄에 대하여는 범인을 알게 된 날로부터 6월을 경과하면 고소하지 못한다. 단, 고소할 수 없는 불가항력의 사유가 있는 때에는 그 사유가 없어진 날로부터 기산한다.
② 삭제 <2013.4.5>

제231조【수인의 고소권자】 고소할 수 있는 자가 수인인 경우에는 1인의 기간의 해태는 타인의 고소에 영향이 없다.

제232조【고소의 취소】 ① 고소는 제1심 판결선고 전까지 취소할 수 있다.
② 고소를 취소한 자는 다시 고소할 수 없다.
③ 피해자의 명시한 의사에 반하여 공소를 제기할 수 없는 사건에서 처벌을 원하는 의사표시를 철회한 경우에도 제1항과 제2항을 준용한다.
[전문개정 2020.12.8]

제233조【고소의 불가분】 친고죄의 공범 중 그 1인 또는 수인에 대한 고소 또는 그 취소는 다른 공범자에 대하여도 효력이 있다.

제234조【고발】 ① 누구든지 범죄가 있다고 사료하는 때에는 고발할 수 있다.
② 공무원은 그 직무를 행함에 있어 범죄가 있다고 사료하는 때에는 고발하여야 한다.

제235조【고발의 제한】 제224조의 규정은 고발에 준용한다.

제236조【대리고소】 고소 또는 그 취소는 대리인으로 하여금 하게 할 수 있다.

제237조【고소, 고발의 방식】 ① 고소 또는 고발은 서면 또는 구술로써 검사 또는 사법경찰관에게 하여야 한다.

② 검사 또는 사법경찰관이 구술에 의한 고소 또는 고발을 받은 때에는 조서를 작성하여야 한다.

제238조【고소, 고발과 사법경찰관의 조치】 사법경찰관이 고소 또는 고발을 받은 때에는 신속히 조사하여 관계서류와 증거물을 검사에게 송부하여야 한다.

제239조【준용규정】 전2조의 규정은 고소 또는 고발의 취소에 관하여 준용한다.

제240조【자수와 준용규정】 제237조와 제238조의 규정은 자수에 대하여 준용한다.

제241조【피의자신문】 검사 또는 사법경찰관이 피의자를 신문함에는 먼저 그 성명, 연령, 등록기준지, 주거와 직업을 물어 피의자임에 틀림없음을 확인하여야 한다.

제242조【피의자신문사항】 검사 또는 사법경찰관은 피의자에 대하여 범죄사실과 정상에 관한 필요사항을 신문하여야 하며 그 이익되는 사실을 진술할 기회를 주어야 한다.

제243조【피의자신문과 참여자】 검사가 피의자를 신문함에는 검찰청수사관 또는 서기관이나 서기를 참여하게 하여야 하고 사법경찰관이 피의자를 신문함에는 사법경찰관리를 참여하게 하여야 한다. <개정 2007.12.21>

제243조의 2【변호인의 참여 등】 ① 검사 또는 사법경찰관은 피의자 또는 그 변호인·법정대리인·배우자·직계친족·형제자매의 신청에 따라 변호인을 피의자와 접견하게 하거나 정당한 사유가 없는 한 피의자에 대한 신문에 참여하게 하여야 한다.

② 신문에 참여하고자 하는 변호인이 2인 이상인 때에는 피의자가 신문에 참여할 변호인 1인을 지정한다. 지정이 없는 경우에는 검사 또는 사법경찰관이 이를 지정할 수 있다.

③ 신문에 참여한 변호인은 신문 후 의견을 진술할 수 있다. 다만, 신문 중이라도 부당한 신문방법에 대하여 이의를 제기할 수 있고, 검사 또는 사법경찰관의 승인을 얻어 의견을 진술할 수 있다.

④ 제3항에 따른 변호인의 의견이 기재된 피의자신문조서는 변호인에게 열람하게 한 후 변호인으로 하여금 그 조서에 기명날인 또는 서명하게 하여야 한다.

⑤ 검사 또는 사법경찰관은 변호인의 신문참여 및 그 제한에 관한 사항을 피의자신문조서에 기재하여야 한다.

[본조신설 2007.6.1]

제244조【피의자신문조서의 작성】 ① 피의자의 진술은 조서에 기재하여야 한다.

② 제1항의 조서는 피의자에게 열람하게 하거나 읽어 들려주어야 하며, 진술한 대로 기재되지 아니하였거나 사실과 다른 부분의 유무를 물어 피의자가 증감 또는 변경의 청구 등 이의를 제기하거나 의견을 진술한 때에는 이를 조서에 추가로 기재하여야 한다. 이 경우 피의자가 이의를 제기하였던 부분은 읽을 수 있도록 남겨두어야 한다. <개정 2007.6.1>

③ 피의자가 조서에 대하여 이의나 의견이 없음을 진술한 때에는 피의자로 하여금 그 취지를 자필로 기재하게 하고 조서에 간인한 후 기명날인 또는 서명하게 한다. <개정 2007.6.1>

제244조의 2【피의자진술의 영상녹화】 ① 피의자의 진술은 영상녹화할 수 있다. 이 경우 미리 영상녹화사실을 알려주어야 하며, 조사의 개시부터 종료까지의 전 과정 및 객관적 정황을 영상녹화하여야 한다.

② 제1항에 따른 영상녹화가 완료된 때에는 피의자 또는 변호인 앞에서 지체 없이 그 원본을 봉인하고 피의자로 하여금 기명날인 또는 서명하게 하여야 한다.

③ 제2항의 경우에 피의자 또는 변호인의 요구가 있는 때에는 영상녹화물을 재생하여 시청하게 하여야 한다. 이 경우 그 내용에 대하여 이의를 진술하는 때에는 그 취지를 기재한 서면을 첨부하여야 한다.

[본조신설 2007.6.1]

제244조의 3【진술거부권 등의 고지】 ① 검사 또는 사법경찰관은 피의자를 신문하기 전에 다음 각 호의 사항을 알려주어야 한다.

1. 일체의 진술을 하지 아니하거나 개개의 질문에 대하여 진술을 하지 아니할 수 있다는 것
2. 진술을 하지 아니하더라도 불이익을 받지 아니한다는 것
3. 진술을 거부할 권리를 포기하고 행한 진술은 법정에서 유죄의 증거로 사용될 수 있다는 것
4. 신문을 받을 때에는 변호인을 참여하게 하는 등 변호인의 조력을 받을 수 있다는 것

② 검사 또는 사법경찰관은 제1항에 따라 알려 준 때에는 피의자가 진술을 거부할 권리와 변호인의 조력을 받을 권리를 행사할 것인지의 여부를 질문하고, 이에 대한 피의자의 답변을 조서에 기재하여야 한다. 이 경우 피의자의 답변은 피의자로 하여금 자필로 기재하게 하거나 검사 또는 사법경찰관이 피의자의 답변을 기재한 부분에 기명날인 또는 서명하게 하여야 한다.

[본조신설 2007.6.1]

제244조의 4【수사과정의 기록】 ① 검사 또는 사법경찰관은 피의자가 조사장소에 도착한 시각, 조사를 시작하고 마친 시각, 그밖에 조사과정의 진행경과를 확인하기 위하여 필요한 사항을 피의자신문조서에 기록하거나 별도의 서면에 기록한 후 수사기록에 편철하여야 한다.

② 제244조 제2항 및 제3항은 제1항의 조서 또는 서면에 관하여 준용한다.

③ 제1항 및 제2항은 피의자가 아닌 자를 조사하는 경우에 준용한다.

[본조신설 2007.6.1]

제244조의 5【장애인 등 특별히 보호를 요하는 자에 대한 특칙】 검사 또는 사법경찰관은 피의자를 신문하는 경우 다음 각 호의 어느 하나에 해당하는 때에는 직권 또는 피의자·법정대리인의 신청에 따라 피의자와 신뢰관계에 있는 자를 동석하게 할 수 있다.

1. 피의자가 신체적 또는 정신적 장애로 사물을 변별하거나 의사를 결정·전달할 능력이 미약한 때
2. 피의자의 연령·성별·국적 등의 사정을 고려하여 그 심리적 안정의 도모와 원활한 의사소통을 위하여 필요한 경우

[본조신설 2007.6.1]

제245조【참고인과의 대질】 검사 또는 사법경찰관이 사실을 발견함에 필요한 때에는 피의자와 다른 피의자 또는 피의자 아닌 자와 대질하게 할 수 있다.

제245조의 2【전문수사자문위원의 참여】 ① 검사는 공소제기 여부와 관련된 사실관계를 분명하게 하기 위하여 필요한 경우에는 직권이나 피의자 또는 변호인의 신청에 의하여 전문수사자문위원을 지정하여 수사절차에 참여하게 하고 자문을 들을 수 있다.

② 전문수사자문위원은 전문적인 지식에 의한 설명 또는 의견을 기재한 서면을 제출하거나 전문적인 지식에 의하여 설명이나 의견을 진술할 수 있다.

③ 검사는 제2항에 따라 전문수사자문위원이 제출한 서면이나 전문수사자문위원의 설명 또는 의견의 진술에 관하여 피의자 또는 변호인에게 구술 또는 서면에 의한 의견진술의 기회를 주어야 한다.

[본조신설 2007.12.21]

제245조의 3【전문수사자문위원 지정 등】 ① 제245조의 2 제1항에 따라 전문수사자문위원을 수사절차에 참여시키는 경우 검사는 각 사건마다 1인 이상의 전문수사자문위원을 지정한다.

② 검사는 상당하다고 인정하는 때에는 전문수사자문위원의 지정을 취소할 수 있다.

③ 피의자 또는 변호인은 검사의 전문수사자문위원 지정에 대하여 관할 고등검찰청검사장에게 이의를 제기할 수 있다.

④ 전문수사자문위원에게는 수당을 지급하고, 필요한 경우에는 그 밖의 여비, 일당 및 숙박료를 지급할 수 있다.

⑤ 전문수사자문위원의 지정 및 지정취소, 이의제기 절차 및 방법, 수당지급, 그 밖에 필요한 사항은 법무부령으로 정한다.

[본조신설 2007.12.21]

제245조의 4【준용규정】 제279조의 7 및 제279조의 8은 검사의 전문수사자문위원에게 준용한다.

[본조신설 2007.12.21]

제245조의 5【사법경찰관의 사건송치 등】 사법경찰관은 고소·고발 사건을 포함하여 범죄를 수사한 때에는 다음 각 호의 구분에 따른다.

1. 범죄의 혐의가 있다고 인정되는 경우에는 지체

없이 검사에게 사건을 송치하고, 관계 서류와 증거물을 검사에게 송부하여야 한다.
2. 그 밖의 경우에는 그 이유를 명시한 서면과 함께 관계 서류와 증거물을 지체 없이 검사에게 송부하여야 한다. 이 경우 검사는 송부받은 날부터 90일 이내에 사법경찰관에게 반환하여야 한다.
[본조신설 2020.2.4]

제245조의 6【고소인 등에 대한 송부통지】 사법경찰관은 제245조의 5 제2호의 경우에는 그 송부한 날부터 7일 이내에 서면으로 고소인 · 고발인 · 피해자 또는 그 법정대리인(피해자가 사망한 경우에는 그 배우자 · 직계친족 · 형제자매를 포함한다)에게 사건을 검사에게 송치하지 아니하는 취지와 그 이유를 통지하여야 한다.
[본조신설 2020.2.4]

제245조의 7【고소인 등의 이의신청】 ① 제245조의 6의 통지를 받은 사람(고발인을 제외한다)은 해당 사법경찰관의 소속 관서의 장에게 이의를 신청할 수 있다. <개정 2022.5.9>
② 사법경찰관은 제1항의 신청이 있는 때에는 지체 없이 검사에게 사건을 송치하고 관계 서류와 증거물을 송부하여야 하며, 처리결과와 그 이유를 제1항의 신청인에게 통지하여야 한다.
[본조신설 2020.2.4]

제245조의 8【재수사요청 등】 ① 검사는 제245조의 5 제2호의 경우에 사법경찰관이 사건을 송치하지 아니한 것이 위법 또는 부당한 때에는 그 이유를 문서로 명시하여 사법경찰관에게 재수사를 요청할 수 있다.
② 사법경찰관은 제1항의 요청이 있는 때에는 사건을 재수사하여야 한다.
[본조신설 2020.2.4]

제245조의 9【검찰청 직원】 ① 검찰청 직원으로서 사법경찰관리의 직무를 행하는 자와 그 직무의 범위는 법률로 정한다.
② 사법경찰관의 직무를 행하는 검찰청 직원은 검사의 지휘를 받아 수사하여야 한다.
③ 사법경찰리의 직무를 행하는 검찰청 직원은 검사 또는 사법경찰관의 직무를 행하는 검찰청 직원의 수사를 보조하여야 한다.
④ 사법경찰관리의 직무를 행하는 검찰청 직원에 대하여는 제197조의 2부터 제197조의 4까지, 제221조의 5, 제245조의 5부터 제245조의 8까지의 규정을 적용하지 아니한다.
[본조신설 2020.2.4]

제245조의 10【특별사법경찰관리】 ① 삼림, 해사, 전매, 세무, 군수사기관, 그 밖에 특별한 사항에 관하여 사법경찰관리의 직무를 행할 특별사법경찰관리와 그 직무의 범위는 법률로 정한다.
② 특별사법경찰관은 모든 수사에 관하여 검사의 지휘를 받는다.
③ 특별사법경찰관은 범죄의 혐의가 있다고 인식하는 때에는 범인, 범죄사실과 증거에 관하여 수사를 개시 · 진행하여야 한다.
④ 특별사법경찰관리는 검사의 지휘가 있는 때에는 이에 따라야 한다. 검사의 지휘에 관한 구체적 사항은 법무부령으로 정한다.
⑤ 특별사법경찰관은 범죄를 수사한 때에는 지체 없이 검사에게 사건을 송치하고, 관계 서류와 증거물을 송부하여야 한다.
⑥ 특별사법경찰관리에 대하여는 제197조의 2부터 제197조의 4까지, 제221조의 5, 제245조의 5부터 제245조의 8까지의 규정을 적용하지 아니한다.
[본조신설 2020.2.4]

제2장 공 소

제246조【국가소추주의】 공소는 검사가 제기하여 수행한다.

제247조【기소편의주의】 검사는 「형법」 제51조의 사항을 참작하여 공소를 제기하지 아니할 수 있다.
[전문개정 2007.6.1]

제248조【공소효력의 범위】 ① 공소의 효력은 검사가 피고인으로 지정한 자에게만 미친다. <개정 2020.12.8>
② 범죄사실의 일부에 대한 공소의 효력은 범죄사실 전부에 미친다. <개정 2020.12.8>
[전문개정 2007.6.1] [제목개정 2020.12.8]

제249조【공소시효의 기간】 ① 공소시효는 다음 기간의 경과로 완성한다.

1. 사형에 해당하는 범죄에는 25년 <개정 2007.12.21>
2. 무기징역 또는 무기금고에 해당하는 범죄에는 15년 <개정 2007.12.21>
3. 장기 10년 이상의 징역 또는 금고에 해당하는 범죄에는 10년 <개정 2007.12.21>
4. 장기 10년 미만의 징역 또는 금고에 해당하는 범죄에는 7년 <개정 2007.12.21>
5. 장기 5년 미만의 징역 또는 금고, 장기 10년 이상의 자격정지 또는 벌금에 해당하는 범죄에는 5년 <개정 2007.12.21>
6. 장기 5년 이상의 자격정지에 해당하는 범죄에는 3년 <개정 2007.12.21>
7. 장기 5년 미만의 자격정지, 구류, 과료 또는 몰수에 해당하는 범죄에는 1년 <개정 2007.12.21>

② 공소가 제기된 범죄는 판결의 확정이 없이 공소를 제기한 때로부터 25년을 경과하면 공소시효가 완성한 것으로 간주한다. <개정 2007.12.21>

제250조【두 개 이상의 형과 시효기간】 두 개 이상의 형을 병과하거나 두 개 이상의 형에서 한 개를 과(과)할 범죄에 대해서는 무거운 형에 의하여 제249조를 적용한다.

[전문개정 2020.12.8]

제251조【형의 가중, 감경과 시효기간】 「형법」에 의하여 형을 가중 또는 감경한 경우에는 가중 또는 감경하지 아니한 형에 의하여 제249조의 규정을 적용한다. <개정 2007.6.1>

제252조【시효의 기산점】 ① 시효는 범죄행위의 종료한 때로부터 진행한다.

② 공범에는 최종행위의 종료한 때로부터 전공범에 대한 시효기간을 기산한다.

제253조【시효의 정지와 효력】 ① 시효는 공소의 제기로 진행이 정지되고 공소기각 또는 관할위반의 재판이 확정된 때로부터 진행한다.

② 공범의 1인에 대한 전항의 시효정지는 다른 공범자에게 대하여 효력이 미치고 당해사건의 재판이 확정된 때로부터 진행한다.

③ 범인이 형사처분을 면할 목적으로 국외에 있는 경우 그 기간동안 공소시효는 정지된다.

④ 피고인이 형사처분을 면할 목적으로 국외에 있는 경우 그 기간 동안 제249조 제2항에 따른 기간의 진행은 정지된다. <신설 2024.2.13>

제253조의 2【공소시효의 적용 배제】 사람을 살해한 범죄(종범은 제외한다)로 사형에 해당하는 범죄에 대하여는 제249조부터 제253조까지에 규정된 공소시효를 적용하지 아니한다.

[본조신설 2015.7.31]

제254조【공소제기의 방식과 공소장】 ① 공소를 제기함에는 공소장을 관할법원에 제출하여야 한다.

② 공소장에는 피고인수에 상응한 부본을 첨부하여야 한다.

③ 공소장에는 다음 사항을 기재하여야 한다.

1. 피고인의 성명 기타 피고인을 특정할 수 있는 사실
2. 죄 명
3. 공소사실
4. 적용법조

④ 공소사실의 기재는 범죄의 시일, 장소와 방법을 명시하여 사실을 특정할 수 있도록 하여야 한다.

⑤ 수개의 범죄사실과 적용법조를 예비적 또는 택일적으로 기재할 수 있다.

제255조【공소의 취소】 ① 공소는 제1심판결의 선고 전까지 취소할 수 있다.

② 공소취소는 이유를 기재한 서면으로 하여야 한다. 단, 공판정에서는 구술로써 할 수 있다.

제256조【타관송치】 검사는 사건이 그 소속검찰청에 대응한 법원의 관할에 속하지 아니한 때에는 사건을 서류와 증거물과 함께 관할법원에 대응한 검찰청검사에게 송치하여야 한다.

제256조의 2【군검사에의 사건송치】 검사는 사건이 군사법원의 재판권에 속하는 때에는 사건을 서류와 증거물과 함께 재판권을 가진 관할 군검찰부 군검사에게 송치하여야 한다. 이 경우에 송치전에 행한 소송행위는 송치 후에도 그 효력에 영향이 없다. [제목개정 2016.1.6]

제257조【고소 등에 의한 사건의 처리】 검사가 고소 또는 고발에 의하여 범죄를 수사할 때에는 고소 또는 고발을 수리한 날로부터 3월 이내에 수사를 완료하여 공소제기여부를 결정하여야 한다.

제258조【고소인 등에의 처분고지】 ① 검사는 고소 또는 고발있는 사건에 관하여 공소를 제기하거나 제기하지 아니하는 처분, 공소의 취소 또는 제256조의 송치를 한 때에는 그 처분한 날로부터 7일 이내에 서면으로 고소인 또는 고발인에게 그 취지를 통지하여야 한다.

② 검사는 불기소 또는 제256조의 처분을 한 때에는 피의자에게 즉시 그 취지를 통지하여야 한다.

제259조【고소인 등에의 공소불제기 이유고지】 검사는 고소 또는 고발있는 사건에 관하여 공소를 제기하지 아니하는 처분을 한 경우에 고소인 또는 고발인의 청구가 있는 때에는 7일 이내에 고소인 또는 고발인에게 그 이유를 서면으로 설명하여야 한다.

제259조의 2【피해자 등에 대한 통지】 검사는 범죄로 인한 피해자 또는 그 법정대리인(피해자가 사망한 경우에는 그 배우자 · 직계친족 · 형제자매를 포함한다)의 신청이 있는 때에는 당해 사건의 공소제기여부, 공판의 일시 · 장소, 재판결과, 피의자 · 피고인의 구속 · 석방 등 구금에 관한 사실 등을 신속하게 통지하여야 한다.

[본조신설 2007.6.1]

제260조【재정신청】 ① 고소권자로서 고소를 한 자(「형법」 제123조부터 제126조까지의 죄에 대하여는 고발을 한 자를 포함한다. 이하 이 조에서 같다)는 검사로부터 공소를 제기하지 아니한다는 통지를 받은 때에는 그 검사 소속의 지방검찰청 소재지를 관할하는 고등법원(이하 "관할 고등법원"이라 한다)에 그 당부에 관한 재정을 신청할 수 있다. 다만, 「형법」 제126조의 죄에 대하여는 피공표자의 명시한 의사에 반하여 재정을 신청할 수 없다. <개정 2011.7.18>

② 제1항에 따른 재정신청을 하려면 「검찰청법」 제10조에 따른 항고를 거쳐야 한다. 다만, 다음 각 호의 어느 하나에 해당하는 경우에는 그러하지 아니하다.

1. 항고 이후 재기수사가 이루어진 다음에 다시 공소를 제기하지 아니한다는 통지를 받은 경우
2. 항고 신청 후 항고에 대한 처분이 행하여지지 아니하고 3개월이 경과한 경우
3. 검사가 공소시효 만료일 30일 전까지 공소를 제기하지 아니하는 경우

③ 제1항에 따른 재정신청을 하려는 자는 항고기각 결정을 통지받은 날 또는 제2항 각 호의 사유가 발생한 날부터 10일 이내에 지방검찰청검사장 또는 지청장에게 재정신청서를 제출하여야 한다. 다만, 제2항 제3호의 경우에는 공소시효 만료일 전날까지 재정신청서를 제출할 수 있다.

④ 재정신청서에는 재정신청의 대상이 되는 사건의 범죄사실 및 증거 등 재정신청을 이유있게 하는 사유를 기재하여야 한다.

제261조【지방검찰청검사장 등의 처리】 제260조 제3항에 따라 재정신청서를 제출받은 지방검찰청 검사장 또는 지청장은 재정신청서를 제출받은 날부터 7일 이내에 재정신청서 · 의견서 · 수사관계 서류 및 증거물을 관할 고등검찰청을 경유하여 관할 고등법원에 송부하여야 한다. 다만, 제260조 제2항 각 호의 어느 하나에 해당하는 경우에는 지방검찰청검사장 또는 지청장은 다음의 구분에 따른다.

1. 신청이 이유 있는 것으로 인정하는 때에는 즉시 공소를 제기하고 그 취지를 관할 고등법원과 재정신청인에게 통지한다.
2. 신청이 이유 없는 것으로 인정하는 때에는 30일 이내에 관할 고등법원에 송부한다.

[전문개정 2007.6.1]

제262조【심리와 결정】 ① 법원은 재정신청서를 송부받은 때에는 송부받은 날부터 10일 이내에 피의자에게 그 사실을 통지하여야 한다.

② 법원은 재정신청서를 송부받은 날부터 3개월 이내에 항고의 절차에 준하여 다음 각 호의 구분에 따라 결정한다. 이 경우 필요한 때에는 증거를 조사할 수 있다.

1. 신청이 법률상의 방식에 위배되거나 이유 없는 때에는 신청을 기각한다.
2. 신청이 이유 있는 때에는 사건에 대한 공소제기를 결정한다.

③ 재정신청사건의 심리는 특별한 사정이 없는 한 공개하지 아니한다.

④ 제2항 제1호의 결정에 대하여는 제415조에 따른 즉시항고를 할 수 있고, 제2항 제2호의 결정에

대하여는 불복할 수 없다. 제2항 제1호의 결정이 확정된 사건에 대하여는 다른 중요한 증거를 발견한 경우를 제외하고는 소추할 수 없다. <개정 2016.1.6>

⑤ 법원은 제2항의 결정을 한 때에는 즉시 그 정본을 재정신청인·피의자와 관할 지방검찰청검사장 또는 지청장에게 송부하여야 한다. 이 경우 제2항 제2호의 결정을 한 때에는 관할 지방검찰청검사장 또는 지청장에게 사건기록을 함께 송부하여야 한다.

⑥ 제2항 제2호의 결정에 따른 재정결정서를 송부받은 관할 지방검찰청 검사장 또는 지청장은 지체 없이 담당 검사를 지정하고 지정받은 검사는 공소를 제기하여야 한다.

[전문개정 2007.6.1]

제262조의 2【재정신청사건 기록의 열람·등사 제한】 재정신청사건의 심리 중에는 관련 서류 및 증거물을 열람 또는 등사할 수 없다. 다만, 법원은 제262조 제2항 후단의 증거조사과정에서 작성된 서류의 전부 또는 일부의 열람 또는 등사를 허가할 수 있다.

[본조신설 2007.6.1]

제262조의 3【비용부담 등】 ① 법원은 제262조 제2항 제1호의 결정 또는 제264조 제2항의 취소가 있는 경우에는 결정으로 재정신청인에게 신청절차에 의하여 생긴 비용의 전부 또는 일부를 부담하게 할 수 있다.

② 법원은 직권 또는 피의자의 신청에 따라 재정신청인에게 피의자가 재정신청절차에서 부담하였거나 부담할 변호인선임료 등 비용의 전부 또는 일부의 지급을 명할 수 있다.

③ 제1항 및 제2항의 결정에 대하여는 즉시항고를 할 수 있다.

④ 제1항 및 제2항에 따른 비용의 지급범위와 절차 등에 대하여는 대법원규칙으로 정한다.

[본조신설 2007.6.1]

제262조의 4【공소시효의 정지 등】 ① 제260조에 따른 재정신청이 있으면 제262조에 따른 재정결정이 확정될 때까지 공소시효의 진행이 정지된다. <개정 2007.12.21, 2016.1.6>

② 제262조 제2항 제2호의 결정이 있는 때에는 공소시효에 관하여 그 결정이 있는 날에 공소가 제기된 것으로 본다.

[전문개정 2007.6.1]

제263조 삭제 <2007.6.1>

제264조【대리인에 의한 신청과 1인의 신청의 효력, 취소】 ① 재정신청은 대리인에 의하여 할 수 있으며 공동신청권자 중 1인의 신청은 그 전원을 위하여 효력을 발생한다.

② 재정신청은 제262조 제2항의 결정이 있을 때까지 취소할 수 있다. 취소한 자는 다시 재정신청을 할 수 없다. <개정 2007.6.1>

③ 전항의 취소는 다른 공동신청권자에게 효력을 미치지 아니한다.

제264조의 2【공소취소의 제한】 검사는 제262조 제2항 제2호의 결정에 따라 공소를 제기한 때에는 이를 취소할 수 없다.

[본조신설 2007.6.1]

제265조 삭제 <2007.6.1>

제3장 공 판

제1절 공판준비와 공판절차

제266조【공소장부본의 송달】 법원은 공소의 제기가 있는 때에는 지체없이 공소장의 부본을 피고인 또는 변호인에게 송달하여야 한다. 단, 제1회 공판기일 전 5일까지 송달하여야 한다.

제266조의 2【의견서의 제출】 ① 피고인 또는 변호인은 공소장 부본을 송달받은 날부터 7일 이내에 공소사실에 대한 인정 여부, 공판준비절차에 관한 의견 등을 기재한 의견서를 법원에 제출하여야 한다. 다만, 피고인이 진술을 거부하는 경우에는 그 취지를 기재한 의견서를 제출할 수 있다.

② 법원은 제1항의 의견서가 제출된 때에는 이를 검사에게 송부하여야 한다.

[본조신설 2007.6.1]

제266조의 3【공소제기 후 검사가 보관하고 있는 서류 등의 열람·등사】 ① 피고인 또는 변호인은 검사에게 공소제기된 사건에 관한 서류 또는

물건(이하 "서류 등"이라 한다)의 목록과 공소사실의 인정 또는 양형에 영향을 미칠 수 있는 다음 서류 등의 열람·등사 또는 서면의 교부를 신청할 수 있다. 다만, 피고인에게 변호인이 있는 경우에는 피고인은 열람만을 신청할 수 있다.

1. 검사가 증거로 신청할 서류 등
2. 검사가 증인으로 신청할 사람의 성명·사건과의 관계 등을 기재한 서면 또는 그 사람이 공판기일 전에 행한 진술을 기재한 서류 등
3. 제1호 또는 제2호의 서면 또는 서류 등의 증명력과 관련된 서류 등
4. 피고인 또는 변호인이 행한 법률상·사실상 주장과 관련된 서류 등(관련 형사재판확정기록, 불기소처분기록 등을 포함한다)

② 검사는 국가안보, 증인보호의 필요성, 증거인멸의 염려, 관련 사건의 수사에 장애를 가져올 것으로 예상되는 구체적인 사유 등 열람·등사 또는 서면의 교부를 허용하지 아니할 상당한 이유가 있다고 인정하는 때에는 열람·등사 또는 서면의 교부를 거부하거나 그 범위를 제한할 수 있다.

③ 검사는 열람·등사 또는 서면의 교부를 거부하거나 그 범위를 제한하는 때에는 지체 없이 그 이유를 서면으로 통지하여야 한다.

④ 피고인 또는 변호인은 검사가 제1항의 신청을 받은 때부터 48시간 이내에 제3항의 통지를 하지 아니하는 때에는 제266조의 4 제1항의 신청을 할 수 있다.

⑤ 검사는 제2항에도 불구하고 서류 등의 목록에 대하여는 열람 또는 등사를 거부할 수 없다.

⑥ 제1항의 서류 등은 도면·사진·녹음테이프·비디오테이프·컴퓨터용 디스크, 그밖에 정보를 담기 위하여 만들어진 물건으로서 문서가 아닌 특수매체를 포함한다. 이 경우 특수매체에 대한 등사는 필요 최소한의 범위에 한한다.

[본조신설 2007.6.1]

제266조의 4【법원의 열람·등사에 관한 결정】 ① 피고인 또는 변호인은 검사가 서류 등의 열람·등사 또는 서면의 교부를 거부하거나 그 범위를 제한한 때에는 법원에 그 서류 등의 열람·등사 또는 서면의 교부를 허용하도록 할 것을 신청할 수 있다.

② 법원은 제1항의 신청이 있는 때에는 열람·등사 또는 서면의 교부를 허용하는 경우에 생길 폐해의 유형·정도, 피고인의 방어 또는 재판의 신속한 진행을 위한 필요성 및 해당 서류 등의 중요성 등을 고려하여 검사에게 열람·등사 또는 서면의 교부를 허용할 것을 명할 수 있다. 이 경우 열람 또는 등사의 시기·방법을 지정하거나 조건·의무를 부과할 수 있다.

③ 법원은 제2항의 결정을 하는 때에는 검사에게 의견을 제시할 수 있는 기회를 부여하여야 한다.

④ 법원은 필요하다고 인정하는 때에는 검사에게 해당 서류 등의 제시를 요구할 수 있고, 피고인이나 그 밖의 이해관계인을 심문할 수 있다.

⑤ 검사는 제2항의 열람·등사 또는 서면의 교부에 관한 법원의 결정을 지체 없이 이행하지 아니하는 때에는 해당 증인 및 서류 등에 대한 증거신청을 할 수 없다.

[본조신설 2007.6.1]

제266조의 5【공판준비절차】 ① 재판장은 효율적이고 집중적인 심리를 위하여 사건을 공판준비절차에 부칠 수 있다.

② 공판준비절차는 주장 및 입증계획 등을 서면으로 준비하게 하거나 공판준비기일을 열어 진행한다.

③ 검사, 피고인 또는 변호인은 증거를 미리 수집·정리하는 등 공판준비절차가 원활하게 진행될 수 있도록 협력하여야 한다.

[본조신설 2007.6.1]

제266조의 6【공판준비를 위한 서면의 제출】 ① 검사, 피고인 또는 변호인은 법률상·사실상 주장의 요지 및 입증취지 등이 기재된 서면을 법원에 제출할 수 있다.

② 재판장은 검사, 피고인 또는 변호인에 대하여 제1항에 따른 서면의 제출을 명할 수 있다.

③ 법원은 제1항 또는 제2항에 따라 서면이 제출된 때에는 그 부본을 상대방에게 송달하여야 한다.

④ 재판장은 검사, 피고인 또는 변호인에게 공소장 등 법원에 제출된 서면에 대한 설명을 요구하거나 그 밖에 공판준비에 필요한 명령을 할 수 있다.

[본조신설 2007.6.1]

제266조의 7【공판준비기일】 ① 법원은 검사, 피고인 또는 변호인의 의견을 들어 공판준비기일을 지정할 수 있다.
② 검사, 피고인 또는 변호인은 법원에 대하여 공판준비기일의 지정을 신청할 수 있다. 이 경우 당해 신청에 관한 법원의 결정에 대하여는 불복할 수 없다.
③ 법원은 합의부원으로 하여금 공판준비기일을 진행하게 할 수 있다. 이 경우 수명법관은 공판준비기일에 관하여 법원 또는 재판장과 동일한 권한이 있다.
④ 공판준비기일은 공개한다. 다만, 공개하면 절차의 진행이 방해될 우려가 있는 때에는 공개하지 아니할 수 있다.
[본조신설 2007.6.1]

제266조의 8【검사 및 변호인 등의 출석】 ① 공판준비기일에는 검사 및 변호인이 출석하여야 한다.
② 공판준비기일에는 법원사무관 등이 참여한다.
③ 법원은 검사, 피고인 및 변호인에게 공판준비기일을 통지하여야 한다.
④ 법원은 공판준비기일이 지정된 사건에 관하여 변호인이 없는 때에는 직권으로 변호인을 선정하여야 한다.
⑤ 법원은 필요하다고 인정하는 때에는 피고인을 소환할 수 있으며, 피고인은 법원의 소환이 없는 때에도 공판준비기일에 출석할 수 있다.
⑥ 재판장은 출석한 피고인에게 진술을 거부할 수 있음을 알려주어야 한다.
[본조신설 2007.6.1]

제266조의 9【공판준비에 관한 사항】 ① 법원은 공판준비절차에서 다음 행위를 할 수 있다.
1. 공소사실 또는 적용법조를 명확하게 하는 행위
2. 공소사실 또는 적용법조의 추가·철회 또는 변경을 허가하는 행위
3. 공소사실과 관련하여 주장할 내용을 명확히 하여 사건의 쟁점을 정리하는 행위
4. 계산이 어렵거나 그 밖에 복잡한 내용에 관하여 설명하도록 하는 행위
5. 증거신청을 하도록 하는 행위
6. 신청된 증거와 관련하여 입증 취지 및 내용 등을 명확하게 하는 행위
7. 증거신청에 관한 의견을 확인하는 행위
8. 증거 채부(채부)의 결정을 하는 행위
9. 증거조사의 순서 및 방법을 정하는 행위
10. 서류 등의 열람 또는 등사와 관련된 신청의 당부를 결정하는 행위
11. 공판기일을 지정 또는 변경하는 행위
12. 그 밖에 공판절차의 진행에 필요한 사항을 정하는 행위

② 제296조 및 제304조는 공판준비절차에 관하여 준용한다.
[본조신설 2007.6.1]

제266조의 10【공판준비기일 결과의 확인】 ① 법원은 공판준비기일을 종료하는 때에는 검사, 피고인 또는 변호인에게 쟁점 및 증거에 관한 정리결과를 고지하고, 이에 대한 이의의 유무를 확인하여야 한다.
② 법원은 쟁점 및 증거에 관한 정리결과를 공판준비기일조서에 기재하여야 한다.
[본조신설 2007.6.1]

제266조의 11【피고인 또는 변호인이 보관하고 있는 서류 등의 열람·등사】 ① 검사는 피고인 또는 변호인이 공판기일 또는 공판준비절차에서 현장부재·심신상실 또는 심신미약 등 법률상·사실상의 주장을 한 때에는 피고인 또는 변호인에게 다음 서류 등의 열람·등사 또는 서면의 교부를 요구할 수 있다.
1. 피고인 또는 변호인이 증거로 신청할 서류 등
2. 피고인 또는 변호인이 증인으로 신청할 사람의 성명, 사건과의 관계 등을 기재한 서면
3. 제1호의 서류 등 또는 제2호의 서면의 증명력과 관련된 서류 등
4. 피고인 또는 변호인이 행한 법률상·사실상의 주장과 관련된 서류 등

② 피고인 또는 변호인은 검사가 제266조의 3 제1항에 따른 서류 등의 열람·등사 또는 서면의 교부를 거부한 때에는 제1항에 따른 서류 등의 열람·등사 또는 서면의 교부를 거부할 수 있다. 다만, 법원이 제266조의 4 제1항에 따른 신청을 기각하는 결정을 한 때에는 그러하지 아니하다.

③ 검사는 피고인 또는 변호인이 제1항에 따른 요구를 거부한 때에는 법원에 그 서류 등의 열람·등사 또는 서면의 교부를 허용하도록 할 것을 신청할 수 있다.
④ 제266조의 4 제2항부터 제5항까지의 규정은 제3항의 신청이 있는 경우에 준용한다.
⑤ 제1항에 따른 서류 등에 관하여는 제266조의 3 제6항을 준용한다.
[본조신설 2007.6.1]

제266조의 12 【공판준비절차의 종결사유】 법원은 다음 각 호의 어느 하나에 해당하는 사유가 있는 때에는 공판준비절차를 종결하여야 한다. 다만, 제2호 또는 제3호에 해당하는 경우로서 공판의 준비를 계속하여야 할 상당한 이유가 있는 때에는 그러하지 아니하다.
1. 쟁점 및 증거의 정리가 완료된 때
2. 사건을 공판준비절차에 부친 뒤 3개월이 지난 때
3. 검사·변호인 또는 소환받은 피고인이 출석하지 아니한 때

[본조신설 2007.6.1]

제266조의 13 【공판준비기일 종결의 효과】 ① 공판준비기일에서 신청하지 못한 증거는 다음 각 호의 어느 하나에 해당하는 경우에 한하여 공판기일에 신청할 수 있다.
1. 그 신청으로 인하여 소송을 현저히 지연시키지 아니하는 때
2. 중대한 과실없이 공판준비기일에 제출하지 못하는 등 부득이한 사유를 소명한 때

② 제1항에도 불구하고 법원은 직권으로 증거를 조사할 수 있다.
[본조신설 2007.6.1]

제266조의 14 【준용규정】 제305조는 공판준비기일의 재개에 관하여 준용한다. [본조신설 2007.6.1]

제266조의 15 【기일간 공판준비절차】 법원은 쟁점 및 증거의 정리를 위하여 필요한 경우에는 제1회 공판기일 후에도 사건을 공판준비절차에 부칠 수 있다. 이 경우 기일 전 공판준비절차에 관한 규정을 준용한다. [본조신설 2007.6.1]

제266조의 16 【열람·등사된 서류 등의 남용금지】 ① 피고인 또는 변호인(피고인 또는 변호인이었던 자를 포함한다. 이하 이 조에서 같다)은 검사가 열람 또는 등사하도록 한 제266조의 3 제1항에 따른 서면 및 서류 등의 사본을 당해 사건 또는 관련 소송의 준비에 사용할 목적이 아닌 다른 목적으로 다른 사람에게 교부 또는 제시(전기통신설비를 이용하여 제공하는 것을 포함한다)하여서는 아니 된다.
② 피고인 또는 변호인이 제1항을 위반하는 때에는 1년 이하의 징역 또는 500만원 이하의 벌금에 처한다.
[본조신설 2007.6.1]

제267조 【공판기일의 지정】 ① 재판장은 공판기일을 정하여야 한다.
② 공판기일에는 피고인, 대표자 또는 대리인을 소환하여야 한다.
③ 공판기일은 검사, 변호인과 보조인에게 통지하여야 한다.

제267조의 2 【집중심리】 ① 공판기일의 심리는 집중되어야 한다.
② 심리에 2일 이상이 필요한 경우에는 부득이한 사정이 없는 한 매일 계속 개정하여야 한다.
③ 재판장은 여러 공판기일을 일괄하여 지정할 수 있다.
④ 재판장은 부득이한 사정으로 매일 계속 개정하지 못하는 경우에도 특별한 사정이 없는 한 전회의 공판기일부터 14일 이내로 다음 공판기일을 지정하여야 한다.
⑤ 소송관계인은 기일을 준수하고 심리에 지장을 초래하지 아니하도록 하여야 하며, 재판장은 이에 필요한 조치를 할 수 있다.
[본조신설 2007.6.1]

제268조 【소환장송달의 의제】 법원의 구내에 있는 피고인에 대하여 공판기일을 통지한 때에는 소환장송달의 효력이 있다.

제269조 【제1회 공판기일의 유예기간】 ① 제1회 공판기일은 소환장의 송달 후 5일 이상의 유예기간을 두어야 한다.
② 피고인이 이의 없는 때에는 전항의 유예기간을 두지 아니할 수 있다.

제270조 【공판기일의 변경】 ① 재판장은 직권 또는 검사, 피고인이나 변호인의 신청에 의하여 공

판기일을 변경할 수 있다.

② 공판기일 변경신청을 기각한 명령은 송달하지 아니한다.

제271조【불출석사유, 자료의 제출】 공판기일에 소환 또는 통지서를 받은 자가 질병 기타의 사유로 출석하지 못할 때에는 의사의 진단서 기타의 자료를 제출하여야 한다.

제272조【공무소 등에 대한 조회】 ① 법원은 직권 또는 검사, 피고인이나 변호인의 신청에 의하여 공무소 또는 공사단체에 조회하여 필요한 사항의 보고 또는 그 보관서류의 송부를 요구할 수 있다.

② 전항의 신청을 기각함에는 결정으로 하여야 한다.

제273조【공판기일 전의 증거조사】 ① 법원은 검사, 피고인 또는 변호인의 신청에 의하여 공판준비에 필요하다고 인정한 때에는 공판기일 전에 피고인 또는 증인을 신문할 수 있고 검증, 감정 또는 번역을 명할 수 있다.

② 재판장은 부원으로 하여금 전항의 행위를 하게 할 수 있다.

③ 제1항의 신청을 기각함에는 결정으로 하여야 한다.

제274조【당사자의 공판기일 전의 증거제출】 검사, 피고인 또는 변호인은 공판기일 전에 서류나 물건을 증거로 법원에 제출할 수 있다.

제275조【공판정의 심리】 ① 공판기일에는 공판정에서 심리한다.

② 공판정은 판사와 검사, 법원사무관 등이 출석하여 개정한다. <개정 2007.6.1>

③ 검사의 좌석과 피고인 및 변호인의 좌석은 대등하며, 법대의 좌우측에 마주 보고 위치하고, 증인의 좌석은 법대의 정면에 위치한다. 다만, 피고인신문을 하는 때에는 피고인은 증인석에 좌석한다. <개정 2007.6.1>

제275조의 2【피고인의 무죄추정】 피고인은 유죄의 판결이 확정될 때까지는 무죄로 추정된다.

[본조신설 1980.12.18]

제275조의 3【구두변론주의】 공판정에서의 변론은 구두로 하여야 한다.

[본조신설 2007.6.1]

제276조【피고인의 출석권】 피고인이 공판기일에 출석하지 아니한 때에는 특별한 규정이 없으면 개정하지 못한다. 단, 피고인이 법인인 경우에는 대리인을 출석하게 할 수 있다.

제276조의 2【장애인 등 특별히 보호를 요하는 자에 대한 특칙】 ① 재판장 또는 법관은 피고인을 신문하는 경우 다음 각 호의 어느 하나에 해당하는 때에는 직권 또는 피고인·법정대리인·검사의 신청에 따라 피고인과 신뢰관계에 있는 자를 동석하게 할 수 있다.

1. 피고인이 신체적 또는 정신적 장애로 사물을 변별하거나 의사를 결정·전달할 능력이 미약한 경우
2. 피고인의 연령·성별·국적 등의 사정을 고려하여 그 심리적 안정의 도모와 원활한 의사소통을 위하여 필요한 경우

② 제1항에 따라 동석할 수 있는 신뢰관계에 있는 자의 범위, 동석의 절차 및 방법 등에 관하여 필요한 사항은 대법원규칙으로 정한다.

[본조신설 2007.6.1]

제277조【경미사건 등과 피고인의 불출석】 다음 각 호의 어느 하나에 해당하는 사건에 관하여는 피고인의 출석을 요하지 아니한다. 이 경우 피고인은 대리인을 출석하게 할 수 있다.

1. 다액 500만원 이하의 벌금 또는 과료에 해당하는 사건
2. 공소기각 또는 면소의 재판을 할 것이 명백한 사건
3. 장기 3년 이하의 징역 또는 금고, 다액 500만원을 초과하는 벌금 또는 구류에 해당하는 사건에서 피고인의 불출석허가신청이 있고 법원이 피고인의 불출석이 그의 권리를 보호함에 지장이 없다고 인정하여 이를 허가한 사건. 다만, 제284조에 따른 절차를 진행하거나 판결을 선고하는 공판기일에는 출석하여야 한다.
4. 제453조 제1항에 따라 피고인만이 정식재판의 청구를 하여 판결을 선고하는 사건

[전문개정 2007.6.1]

제277조의 2【피고인의 출석거부와 공판절차】 ① 피고인이 출석하지 아니하면 개정하지 못하는 경우에 구속된 피고인이 정당한 사유없이 출석을

거부하고, 교도관에 의한 인치가 불가능하거나 현저히 곤란하다고 인정되는 때에는 피고인의 출석없이 공판절차를 진행할 수 있다. <개정 2007.6.1>
② 제1항의 규정에 의하여 공판절차를 진행할 경우에는 출석한 검사 및 변호인의 의견을 들어야 한다.

제278조【검사의 불출석】 검사가 공판기일의 통지를 2회 이상 받고 출석하지 아니하거나 판결만을 선고하는 때에는 검사의 출석없이 개정할 수 있다.

제279조【재판장의 소송지휘권】 공판기일의 소송지휘는 재판장이 한다.

제279조의 2【전문심리위원의 참여】 ① 법원은 소송관계를 분명하게 하거나 소송절차를 원활하게 진행하기 위하여 필요한 경우에는 직권으로 또는 검사, 피고인 또는 변호인의 신청에 의하여 결정으로 전문심리위원을 지정하여 공판준비 및 공판기일 등 소송절차에 참여하게 할 수 있다.
② 전문심리위원은 전문적인 지식에 의한 설명 또는 의견을 기재한 서면을 제출하거나 기일에 전문적인 지식에 의하여 설명이나 의견을 진술할 수 있다. 다만, 재판의 합의에는 참여할 수 없다.
③ 전문심리위원은 기일에 재판장의 허가를 받아 피고인 또는 변호인, 증인 또는 감정인 등 소송관계인에게 소송관계를 분명하게 하기 위하여 필요한 사항에 관하여 직접 질문할 수 있다.
④ 법원은 제2항에 따라 전문심리위원이 제출한 서면이나 전문심리위원의 설명 또는 의견의 진술에 관하여 검사, 피고인 또는 변호인에게 구술 또는 서면에 의한 의견진술의 기회를 주어야 한다.
[본조신설 2007.12.21]

제279조의 3【전문심리위원 참여결정의 취소】 ① 법원은 상당하다고 인정하는 때에는 검사, 피고인 또는 변호인의 신청이나 직권으로 제279조의 2 제1항에 따른 결정을 취소할 수 있다.
② 법원은 검사와 피고인 또는 변호인이 합의하여 제279조의 2 제1항의 결정을 취소할 것을 신청한 때에는 그 결정을 취소하여야 한다.
[본조신설 2007.12.21]

제279조의 4【전문심리위원의 지정 등】 ① 제279조의 2 제1항에 따라 전문심리위원을 소송절차에 참여시키는 경우 법원은 검사, 피고인 또는 변호인의 의견을 들어 각 사건마다 1인 이상의 전문심리위원을 지정한다.
② 전문심리위원에게는 대법원규칙으로 정하는 바에 따라 수당을 지급하고, 필요한 경우에는 그 밖의 여비, 일당 및 숙박료를 지급할 수 있다.
③ 그 밖에 전문심리위원의 지정에 관하여 필요한 사항은 대법원규칙으로 정한다.
[본조신설 2007.12.21]

제279조의 5【전문심리위원의 제척 및 기피】 ① 제17조부터 제20조까지 및 제23조는 전문심리위원에게 준용한다.
② 제척 또는 기피 신청이 있는 전문심리위원은 그 신청에 관한 결정이 확정될 때까지 그 신청이 있는 사건의 소송절차에 참여할 수 없다. 이 경우 전문심리위원은 해당 제척 또는 기피 신청에 대하여 의견을 진술할 수 있다.
[본조신설 2007.12.21]

제279조의 6【수명법관 등의 권한】 수명법관 또는 수탁판사가 소송절차를 진행하는 경우에는 제279조의 2 제2항부터 제4항까지의 규정에 따른 법원 및 재판장의 직무는 그 수명법관이나 수탁판사가 행한다. [본조신설 2007.12.21]

제279조의 7【비밀누설죄】 전문심리위원 또는 전문심리위원이었던 자가 그 직무수행 중에 알게 된 다른 사람의 비밀을 누설한 때에는 2년 이하의 징역이나 금고 또는 1천만원 이하의 벌금에 처한다.
[본조신설 2007.12.21]

제279조의 8【벌칙 적용에서의 공무원 의제】 전문심리위원은 「형법」 제129조부터 제132조까지의 규정에 따른 벌칙의 적용에서는 공무원으로 본다.
[본조신설 2007.12.21]

제280조【공판정에서의 신체구속의 금지】 공판정에서는 피고인의 신체를 구속하지 못한다. 다만, 재판장은 피고인이 폭력을 행사하거나 도망할 염려가 있다고 인정하는 때에는 피고인의 신체의 구속을 명하거나 기타 필요한 조치를 할 수 있다.

제281조【피고인의 재정의무, 법정경찰권】 ① 피고인은 재판장의 허가없이 퇴정하지 못한다.
② 재판장은 피고인의 퇴정을 제지하거나 법정의

질서를 유지하기 위하여 필요한 처분을 할 수 있다.

제282조【필요적 변호】 제33조 제1항 각 호의 어느 하나에 해당하는 사건 및 같은 조 제2항·제3항의 규정에 따라 변호인이 선정된 사건에 관하여는 변호인 없이 개정하지 못한다. 단, 판결만을 선고할 경우에는 예외로 한다. <개정 2006.7.19>
[제목개정 2006.7.19]

제283조【국선변호인】 제282조 본문의 경우 변호인이 출석하지 아니한 때에는 법원은 직권으로 변호인을 선정하여야 한다. <개정 2006.7.19>
[제목개정 2006.7.19]

제283조의 2【피고인의 진술거부권】 ① 피고인은 진술하지 아니하거나 개개의 질문에 대하여 진술을 거부할 수 있다.
② 재판장은 피고인에게 제1항과 같이 진술을 거부할 수 있음을 고지하여야 한다.
[본조신설 2007.6.1]

제284조【인정신문】 재판장은 피고인의 성명, 연령, 등록기준지, 주거와 직업을 물어서 피고인임에 틀림없음을 확인하여야 한다. <개정 2007.5.17>

제285조【검사의 모두진술】 검사는 공소장에 의하여 공소사실·죄명 및 적용법조를 낭독하여야 한다. 다만, 재판장은 필요하다고 인정하는 때에는 검사에게 공소의 요지를 진술하게 할 수 있다.
[전문개정 2007.6.1]

제286조【피고인의 모두진술】 ① 피고인은 검사의 모두진술이 끝난 뒤에 공소사실의 인정 여부를 진술하여야 한다. 다만, 피고인이 진술거부권을 행사하는 경우에는 그러하지 아니하다.
② 피고인 및 변호인은 이익이 되는 사실 등을 진술할 수 있다.
[전문개정 2007.6.1]

제286조의 2【간이공판절차의 결정】 피고인이 공판정에서 공소사실에 대하여 자백한 때에는 법원은 그 공소사실에 한하여 간이공판절차에 의하여 심판할 것을 결정할 수 있다.

제286조의 3【결정의 취소】 법원은 전조의 결정을 한 사건에 대하여 피고인의 자백이 신빙할 수 없다고 인정되거나 간이공판절차로 심판하는 것이 현저히 부당하다고 인정할 때에는 검사의 의견을 들어 그 결정을 취소하여야 한다.

제287조【재판장의 쟁점정리 및 검사·변호인의 증거관계 등에 대한 진술】 ① 재판장은 피고인의 모두진술이 끝난 다음에 피고인 또는 변호인에게 쟁점의 정리를 위하여 필요한 질문을 할 수 있다.
② 재판장은 증거조사를 하기에 앞서 검사 및 변호인으로 하여금 공소사실 등의 증명과 관련된 주장 및 입증계획 등을 진술하게 할 수 있다. 다만, 증거로 할 수 없거나 증거로 신청할 의사가 없는 자료에 기초하여 법원에 사건에 대한 예단 또는 편견을 발생하게 할 염려가 있는 사항은 진술할 수 없다.
[전문개정 2007.6.1]

제288조 삭제 <1961.9.1>

제289조 삭제 <2007.6.1>

제290조【증거조사】 증거조사는 제287조에 따른 절차가 끝난 후에 실시한다. [전문개정 2007.6.1]

제291조【동전】 ① 소송관계인이 증거로 제출한 서류나 물건 또는 제272조, 제273조의 규정에 의하여 작성 또는 송부된 서류는 검사, 변호인 또는 피고인이 공판정에서 개별적으로 지시설명하여 조사하여야 한다.
② 재판장은 직권으로 전항의 서류나 물건을 공판정에서 조사할 수 있다.

제291조의 2【증거조사의 순서】 ① 법원은 검사가 신청한 증거를 조사한 후 피고인 또는 변호인이 신청한 증거를 조사한다.
② 법원은 제1항에 따른 조사가 끝난 후 직권으로 결정한 증거를 조사한다.
③ 법원은 직권 또는 검사, 피고인·변호인의 신청에 따라 제1항 및 제2항의 순서를 변경할 수 있다.
[본조신설 2007.6.1]

제292조【증거서류에 대한 조사방식】 ① 검사, 피고인 또는 변호인의 신청에 따라 증거서류를 조사하는 때에는 신청인이 이를 낭독하여야 한다.
② 법원이 직권으로 증거서류를 조사하는 때에는 소지인 또는 재판장이 이를 낭독하여야 한다.
③ 재판장은 필요하다고 인정하는 때에는 제1항 및 제2항에도 불구하고 내용을 고지하는 방법으로 조사할 수 있다.
④ 재판장은 법원사무관 등으로 하여금 제1항부

터 제3항까지의 규정에 따른 낭독이나 고지를 하게 할 수 있다.

⑤ 재판장은 열람이 다른 방법보다 적절하다고 인정하는 때에는 증거서류를 제시하여 열람하게 하는 방법으로 조사할 수 있다.

[전문개정 2007.6.1]

제292조의 2【증거물에 대한 조사방식】 ① 검사, 피고인 또는 변호인의 신청에 따라 증거물을 조사하는 때에는 신청인이 이를 제시하여야 한다.

② 법원이 직권으로 증거물을 조사하는 때에는 소지인 또는 재판장이 이를 제시하여야 한다.

③ 재판장은 법원사무관 등으로 하여금 제1항 및 제2항에 따른 제시를 하게 할 수 있다.

[본조신설 2007.6.1]

제292조의 3【그 밖의 증거에 대한 조사방식】 도면·사진·녹음테이프·비디오테이프·컴퓨터용 디스크, 그 밖에 정보를 담기 위하여 만들어진 물건으로서 문서가 아닌 증거의 조사에 관하여 필요한 사항은 대법원규칙으로 정한다.

[본조신설 2007.6.1]

제293조【증거조사 결과와 피고인의 의견】 재판장은 피고인에게 각 증거조사의결과에 대한 의견을 묻고 권리를 보호함에 필요한 증거조사를 신청할 수 있음을 고지하여야 한다.

제294조【당사자의 증거신청】 ① 검사, 피고인 또는 변호인은 서류나 물건을 증거로 제출할 수 있고, 증인·감정인·통역인 또는 번역인의 신문을 신청할 수 있다.

② 법원은 검사, 피고인 또는 변호인이 고의로 증거를 뒤늦게 신청함으로써 공판의 완결을 지연하는 것으로 인정할 때에는 직권 또는 상대방의 신청에 따라 결정으로 이를 각하할 수 있다.

[전문개정 2007.6.1]

제294조의 2【피해자 등의 진술권】 ① 법원은 범죄로 인한 피해자 또는 그 법정대리인(피해자가 사망한 경우에는 배우자·직계친족·형제자매를 포함한다. 이하 이 조에서 "피해자 등"이라 한다)의 신청이 있는 때에는 그 피해자 등을 증인으로 신문하여야 한다. 다만, 다음 각 호의 어느 하나에 해당하는 경우에는 그러하지 아니하다. <개정 2007.6.1>

1. 삭제 <2007.6.1>
2. 피해자 등 이미 당해 사건에 관하여 공판절차에서 충분히 진술하여 다시 진술할 필요가 없다고 인정되는 경우
3. 피해자 등의 진술로 인하여 공판절차가 현저하게 지연될 우려가 있는 경우

② 법원은 제1항에 따라 피해자 등을 신문하는 경우 피해의 정도 및 결과, 피고인의 처벌에 관한 의견, 그 밖에 당해 사건에 관한 의견을 진술할 기회를 주어야 한다. <개정 2007.6.1>

③ 법원은 동일한 범죄사실에서 제1항의 규정에 의한 신청인이 여러 명인 경우에는 진술할 자의 수를 제한할 수 있다. <개정 2007.6.1>

④ 제1항의 규정에 의한 신청인이 출석통지를 받고도 정당한 이유없이 출석하지 아니한 때에는 그 신청을 철회한 것으로 본다. <개정 2007.6.1>

[제목개정 2007.6.1]

제294조의 3【피해자 진술의 비공개】 ① 법원은 범죄로 인한 피해자를 증인으로 신문하는 경우 당해 피해자·법정대리인 또는 검사의 신청에 따라 피해자의 사생활의 비밀이나 신변보호를 위하여 필요하다고 인정하는 때에는 결정으로 심리를 공개하지 아니할 수 있다.

② 제1항의 결정은 이유를 붙여 고지한다.

③ 법원은 제1항의 결정을 한 경우에도 적당하다고 인정되는 자의 재정을 허가할 수 있다.

[본조신설 2007.6.1]

제294조의 4【피해자 등의 공판기록 열람·등사】 ① 소송계속 중인 사건의 피해자(피해자가 사망하거나 그 심신에 중대한 장애가 있는 경우에는 그 배우자·직계친족 및 형제자매를 포함한다), 피해자 본인의 법정대리인 또는 이들로부터 위임을 받은 피해자 본인의 배우자·직계친족·형제자매·변호사는 소송기록의 열람 또는 등사를 재판장에게 신청할 수 있다.

② 재판장은 제1항의 신청이 있는 때에는 지체 없이 검사, 피고인 또는 변호인에게 그 취지를 통지하여야 한다.

③ 재판장은 피해자 등의 권리구제를 위하여 필요하다고 인정하거나 그 밖의 정당한 사유가 있

는 경우 범죄의 성질, 심리의 상황, 그 밖의 사정을 고려하여 상당하다고 인정하는 때에는 열람 또는 등사를 허가할 수 있다.
④ 재판장이 제3항에 따라 등사를 허가하는 경우에는 등사한 소송기록의 사용목적을 제한하거나 적당하다고 인정하는 조건을 붙일 수 있다.
⑤ 제1항에 따라 소송기록을 열람 또는 등사한 자는 열람 또는 등사에 의하여 알게 된 사항을 사용함에 있어서 부당히 관계인의 명예나 생활의 평온을 해하거나 수사와 재판에 지장을 주지 아니하도록 하여야 한다.
⑥ 제3항 및 제4항에 관한 재판에 대하여는 불복할 수 없다.
[본조신설 2007.6.1]

제294조의 5【금전 공탁과 피해자 등의 의견 청취】 ① 법원은 피고인이 피해자의 권리 회복에 필요한 금전을 공탁한 경우에는 판결을 선고하기 전에 피해자 또는 그 법정대리인(피해자가 사망한 경우에는 배우자·직계친족·형제자매를 포함한다)의 의견을 들어야 한다. 다만, 그 의견을 청취하기 곤란한 경우로서 대법원규칙으로 정하는 특별한 사정이 있는 경우에는 그러하지 아니하다.
② 제1항에 따른 의견 청취의 방법·절차 및 그 밖에 필요한 사항은 대법원규칙으로 정한다.
[본조신설 2024.10.16]

제295조【증거신청에 대한 결정】 법원은 제294조 및 제294조의 2의 증거신청에 대하여 결정을 하여야 하며 직권으로 증거조사를 할 수 있다.

제296조【증거조사에 대한 이의신청】 ① 검사, 피고인 또는 변호인은 증거조사에 관하여 이의신청을 할 수 있다.
② 법원은 전항의 신청에 대하여 결정을 하여야 한다.

제296조의 2【피고인신문】 ① 검사 또는 변호인은 증거조사 종료 후에 순차로 피고인에게 공소사실 및 정상에 관하여 필요한 사항을 신문할 수 있다. 다만, 재판장은 필요하다고 인정하는 때에는 증거조사가 완료되기 전이라도 이를 허가할 수 있다.
② 재판장은 필요하다고 인정하는 때에는 피고인을 신문할 수 있다.
③ 제161조의 2 제1항부터 제3항까지 및 제5항은 제1항의 신문에 관하여 준용한다.
[본조신설 2007.6.1]

제297조【피고인 등의 퇴정】 ① 재판장은 증인 또는 감정인이 피고인 또는 어떤 재정인의 면전에서 충분한 진술을 할 수 없다고 인정한 때에는 그를 퇴정하게 하고 진술하게 할 수 있다. 피고인이 다른 피고인의 면전에서 충분한 진술을 할 수 없다고 인정한 때에도 같다.
② 전항의 규정에 의하여 피고인을 퇴정하게 한 경우에 증인, 감정인 또는 공동피고인의 진술이 종료한 때에는 퇴정한 피고인을 입정하게 한 후 법원사무관 등으로 하여금 진술의 요지를 고지하게 하여야 한다. <개정 2007.6.1>

제297조의 2【간이공판절차에서의 증거조사】 제286조의 2의 결정이 있는 사건에 대하여는 제161조의 2, 제290조 내지 제293조, 제297조의 규정을 적용하지 아니하며 법원이 상당하다고 인정하는 방법으로 증거조사를 할 수 있다.

제298조【공소장의 변경】 ① 검사는 법원의 허가를 얻어 공소장에 기재한 공소사실 또는 적용법조의 추가, 철회 또는 변경을 할 수 있다. 이 경우에 법원은 공소사실의 동일성을 해하지 아니하는 한도에서 허가하여야 한다.
② 법원은 심리의 경과에 비추어 상당하다고 인정할 때에는 공소사실 또는 적용법조의 추가 또는 변경을 요구하여야 한다.
③ 법원은 공소사실 또는 적용법조의 추가, 철회 또는 변경이 있을 때에는 그 사유를 신속히 피고인 또는 변호인에게 고지하여야 한다.
④ 법원은 전3항의 규정에 의한 공소사실 또는 적용법조의 추가, 철회 또는 변경이 피고인의 불이익을 증가할 염려가 있다고 인정한 때에는 직권 또는 피고인이나 변호인의 청구에 의하여 피고인으로 하여금 필요한 방어의 준비를 하게 하기 위하여 결정으로 필요한 기간 공판절차를 정지할 수 있다.

제299조【불필요한 변론 등의 제한】 재판장은 소송관계인의 진술 또는 신문이 중복된 사항이거나 그 소송에 관계없는 사항인 때에는 소송관계인의

본질적 권리를 해하지 아니하는 한도에서 이를 제한할 수 있다.

제300조【변론의 분리와 병합】 법원은 필요하다고 인정한 때에는 직권 또는 검사, 피고인이나 변호인의 신청에 의하여 결정으로 변론을 분리하거나 병합할 수 있다.

제301조【공판절차의 갱신】 공판개정후 판사의 경질이 있는 때에는 공판절차를 갱신하여야 한다. 단, 판결의 선고만을 하는 경우에는 예외로 한다.

제301조의 2【간이공판절차결정의 취소와 공판절차의 갱신】 제286조의 2의 결정이 취소된 때에는 공판절차를 갱신하여야 한다. 단, 검사, 피고인 또는 변호인이 이의가 없는 때에는 그러하지 아니한다.

제302조【증거조사 후의 검사의 의견진술】 피고인신문과 증거조사가 종료한 때에는 검사는 사실과 법률적용에 관하여 의견을 진술하여야 한다. 단, 제278조의 경우에는 공소장의 기재사항에 의하여 검사의 의견진술이 있는 것으로 간주한다.

제303조【피고인의 최후진술】 재판장은 검사의 의견을 들은 후 피고인과 변호인에게 최종의 의견을 진술할 기회를 주어야 한다.

제304조【재판장의 처분에 대한 이의】 ① 검사, 피고인 또는 변호인은 재판장의 처분에 대하여 이의신청을 할 수 있다.

② 전항의 이의신청이 있는 때에는 법원은 결정을 하여야 한다.

제305조【변론의 재개】 법원은 필요하다고 인정한 때에는 직권 또는 검사, 피고인이나 변호인의 신청에 의하여 결정으로 종결한 변론을 재개할 수 있다.

제306조【공판절차의 정지】 ① 피고인이 사물의 변별 또는 의사의 결정을 할 능력이 없는 상태에 있는 때에는 법원은 검사와 변호인의 의견을 들어서 결정으로 그 상태가 계속하는 기간 공판절차를 정지하여야 한다.

② 피고인이 질병으로 인하여 출정할 수 없는 때에는 법원은 검사와 변호인의 의견을 들어서 결정으로 출정할 수 있을 때까지 공판절차를 정지하여야 한다.

③ 전2항의 규정에 의하여 공판절차를 정지함에는 의사의 의견을 들어야 한다.

④ 피고사건에 대하여 무죄, 면소, 형의 면제 또는 공소기각의 재판을 할 것으로 명백한 때에는 제1항, 제2항의 사유있는 경우에도 피고인의 출정없이 재판할 수 있다.

⑤ 제277조의 규정에 의하여 대리인이 출정할 수 있는 경우에는 제1항 또는 제2항의 규정을 적용하지 아니한다.

제2절 증 거

제307조【증거재판주의】 ① 사실의 인정은 증거에 의하여야 한다.

② 범죄사실의 인정은 합리적인 의심이 없는 정도의 증명에 이르러야 한다.

[전문개정 2007.6.1]

제308조【자유심증주의】 증거의 증명력은 법관의 자유판단에 의한다.

제308조의 2【위법수집증거의 배제】 적법한 절차에 따르지 아니하고 수집한 증거는 증거로 할 수 없다.

[본조신설 2007.6.1]

제309조【강제 등 자백의 증거능력】 피고인의 자백이 고문, 폭행, 협박, 신체구속의 부당한 장기화 또는 기망 기타의 방법으로 임의로 진술한 것이 아니라고 의심할 만한 이유가 있는 때에는 이를 유죄의 증거로 하지 못한다.

제310조【불이익한 자백의 증거능력】 피고인의 자백이 그 피고인에게 불이익한 유일의 증거인 때에는 이를 유죄의 증거로 하지 못한다.

제310조의 2【전문증거와 증거능력의 제한】 제311조 내지 제316조에 규정한 것 이외에는 공판준비 또는 공판기일에서의 진술에 대신하여 진술을 기재한 서류나 공판준비 또는 공판기일외에서의 타인의 진술을 내용으로 하는 진술은 이를 증거로 할 수 없다.

제311조【법원 또는 법관의 조서】 공판준비 또는 공판기일에 피고인이나 피고인 아닌 자의 진술을 기재한 조서와 법원 또는 법관의 검증의 결과를 기재한 조서는 증거로 할 수 있다. 제184조 및 제221조의 2의 규정에 의하여 작성한 조서도 또한 같다.

제312조【검사 또는 사법경찰관의 조서 등】 ① 검사가 작성한 피의자신문조서는 적법한 절차와 방

식에 따라 작성된 것으로서 공판준비, 공판기일에 그 피의자였던 피고인 또는 변호인이 그 내용을 인정할 때에 한정하여 증거로 할 수 있다. <개정 2020.2.4>

② 삭제 <2020.2.4>

③ 검사 이외의 수사기관이 작성한 피의자신문조서는 적법한 절차와 방식에 따라 작성된 것으로서 공판준비 또는 공판기일에 그 피의자였던 피고인 또는 변호인이 그 내용을 인정할 때에 한하여 증거로 할 수 있다.

④ 검사 또는 사법경찰관이 피고인이 아닌 자의 진술을 기재한 조서는 적법한 절차와 방식에 따라 작성된 것으로서 그 조서가 검사 또는 사법경찰관 앞에서 진술한 내용과 동일하게 기재되어 있음이 원진술자의 공판준비 또는 공판기일에서의 진술이나 영상녹화물 또는 그 밖의 객관적인 방법에 의하여 증명되고, 피고인 또는 변호인이 공판준비 또는 공판기일에 그 기재 내용에 관하여 원진술자를 신문할 수 있었던 때에는 증거로 할 수 있다. 다만, 그 조서에 기재된 진술이 특히 신빙할 수 있는 상태하에서 행하여졌음이 증명된 때에 한한다.

⑤ 제1항부터 제4항까지의 규정은 피고인 또는 피고인이 아닌 자가 수사과정에서 작성한 진술서에 관하여 준용한다.

⑥ 검사 또는 사법경찰관이 검증의 결과를 기재한 조서는 적법한 절차와 방식에 따라 작성된 것으로서 공판준비 또는 공판기일에서의 작성자의 진술에 따라 그 성립의 진정함이 증명된 때에는 증거로 할 수 있다.

[전문개정 2007.6.1]

제313조【진술서 등】 ① 전2조의 규정 이외에 피고인 또는 피고인이 아닌 자가 작성한 진술서나 그 진술을 기재한 서류로서 그 작성자 또는 진술자의 자필이거나 그 서명 또는 날인이 있는 것(피고인 또는 피고인 아닌 자가 작성하였거나 진술한 내용이 포함된 문자·사진·영상 등의 정보로서 컴퓨터용디스크, 그 밖에 이와 비슷한 정보저장매체에 저장된 것을 포함한다. 이하 이 조에서 같다)은 공판준비나 공판기일에서의 그 작성자 또는 진술자의 진술에 의하여 그 성립의 진정함이 증명된 때에는 증거로 할 수 있다. 단, 피고인의 진술을 기재한 서류는 공판준비 또는 공판기일에서의 그 작성자의 진술에 의하여 그 성립의 진정함이 증명되고 그 진술이 특히 신빙할 수 있는 상태하에서 행하여진 때에 한하여 피고인의 공판준비 또는 공판기일에서의 진술에 불구하고 증거로 할 수 있다. <개정 2016.5.29>

② 제1항 본문에도 불구하고 진술서의 작성자가 공판준비나 공판기일에서 그 성립의 진정을 부인하는 경우에는 과학적 분석결과에 기초한 디지털포렌식 자료, 감정 등 객관적 방법으로 성립의 진정함이 증명되는 때에는 증거로 할 수 있다. 다만, 피고인 아닌 자가 작성한 진술서는 피고인 또는 변호인이 공판준비 또는 공판기일에 그 기재 내용에 관하여 작성자를 신문할 수 있었을 것을 요한다. <개정 2016.5.29>

③ 감정의 경과와 결과를 기재한 서류도 제1항 및 제2항과 같다. <신설 2016.5.29>

[전문개정 1961.9.1]

제314조【증거능력에 대한 예외】 제312조 또는 제313조의 경우에 공판준비 또는 공판기일에 진술을 요하는 자가 사망·질병·외국거주·소재불명 그 밖에 이에 준하는 사유로 인하여 진술할 수 없는 때에는 그 조서 및 그 밖의 서류(피고인 또는 피고인 아닌 자가 작성하였거나 진술한 내용이 포함된 문자·사진·영상 등의 정보로서 컴퓨터용디스크, 그 밖에 이와 비슷한 정보저장매체에 저장된 것을 포함한다)를 증거로 할 수 있다. 다만, 그 진술 또는 작성이 특히 신빙할 수 있는 상태하에서 행하여졌음이 증명된 때에 한한다. <개정 2016.5.29>

[전문개정 2007.6.1]

제315조【당연히 증거능력이 있는 서류】 다음에 게기한 서류는 증거로 할 수 있다.

1. 가족관계기록사항에 관한 증명서, 공정증서등본 기타 공무원 또는 외국공무원의 직무상 증명할 수 있는 사항에 관하여 작성한 문서
2. 상업장부, 항해일지 기타 업무상 필요로 작성한 통상문서
3. 기타 특히 신용할 만한 정황에 의하여 작성된 문서

제316조【전문의 진술】 ① 피고인이 아닌 자(공소제기 전에 피고인을 피의자로 조사하였거나 그 조사에 참여하였던 자를 포함한다. 이하 이 조에서 같다)의 공판준비 또는 공판기일에서의 진술이 피고인의 진술을 그 내용으로 하는 것인 때에는 그 진술이 특히 신빙할 수 있는 상태하에서 행하여졌음이 증명된 때에 한하여 이를 증거로 할 수 있다. <개정 2007.6.1>

② 피고인 아닌 자의 공판준비 또는 공판기일에서의 진술이 피고인 아닌 타인의 진술을 그 내용으로 하는 것인 때에는 원진술자가 사망, 질병, 외국거주, 소재불명 그 밖에 이에 준하는 사유로 인하여 진술할 수 없고, 그 진술이 특히 신빙할 수 있는 상태하에서 행하여졌음이 증명된 때에 한하여 이를 증거로 할 수 있다.

제317조【진술의 임의성】 ① 피고인 또는 피고인 아닌 자의 진술이 임의로 된 것이 아닌 것은 증거로 할 수 없다.

② 전항의 서류는 그 작성 또는 내용인 진술이 임의로 되었다는 것이 증명된 것이 아니면 증거로 할 수 없다.

③ 검증조서의 일부가 피고인 또는 피고인 아닌 자의 진술을 기재한 것인 때에는 그 부분에 한하여 전2항의 예에 의한다.

제318조【당사자의 동의와 증거능력】 ① 검사와 피고인이 증거로 할 수 있음을 동의한 서류 또는 물건은 진정한 것으로 인정한 때에는 증거로 할 수 있다.

② 피고인의 출정없이 증거조사를 할 수 있는 경우에 피고인이 출정하지 아니한 때에는 전항의 동의가 있는 것으로 간주한다. 단, 대리인 또는 변호인이 출정한 때에는 예외로 한다.

제318조의 2【증명력을 다투기 위한 증거】 ① 제312조부터 제316조까지의 규정에 따라 증거로 할 수 없는 서류나 진술이라도 공판준비 또는 공판기일에서의 피고인 또는 피고인이 아닌 자(공소제기 전에 피고인을 피의자로 조사하였거나 그 조사에 참여하였던 자를 포함한다. 이하 이 조에서 같다)의 진술의 증명력을 다투기 위하여 증거로 할 수 있다.

② 제1항에도 불구하고 피고인 또는 피고인이 아닌 자의 진술을 내용으로 하는 영상녹화물은 공판준비 또는 공판기일에 피고인 또는 피고인이 아닌 자가 진술함에 있어서 기억이 명백하지 아니한 사항에 관하여 기억을 환기시켜야 할 필요가 있다고 인정되는 때에 한하여 피고인 또는 피고인이 아닌 자에게 재생하여 시청하게 할 수 있다.

[전문개정 2007.6.1]

제318조의 3【간이공판절차에서의 증거능력에 관한 특례】 제286조의 2의 결정이 있는 사건의 증거에 관하여는 제310조의 2, 제312조 내지 제314조 및 제316조의 규정에 의한 증거에 대하여 제318조 제1항의 동의가 있는 것으로 간주한다. 단, 검사, 피고인 또는 변호인이 증거로 함에 이의가 있는 때에는 그러하지 아니하다.

제3절 공판의 재판

제318조의 4【판결선고기일】 ① 판결의 선고는 변론을 종결한 기일에 하여야 한다. 다만, 특별한 사정이 있는 때에는 따로 선고기일을 지정할 수 있다.

② 변론을 종결한 기일에 판결을 선고하는 경우에는 판결의 선고 후에 판결서를 작성할 수 있다.

③ 제1항 단서의 선고기일은 변론종결 후 14일 이내로 지정되어야 한다.

[본조신설 2007.6.1]

제319조【관할위반의 판결】 피고사건이 법원의 관할에 속하지 아니한 때에는 판결로써 관할위반의 선고를 하여야 한다. <개정 2007.12.21>

제320조【토지관할위반】 ① 법원은 피고인의 신청이 없으면 토지관할에 관하여 관할위반의 선고를 하지 못한다.

② 관할위반의 신청은 피고사건에 대한 진술전에 하여야 한다.

제321조【형선고와 동시에 선고될 사항】 ① 피고사건에 대하여 범죄의 증명이 있는 때에는 형의 면제 또는 선고유예의 경우 외에는 판결로써 형을 선고하여야 한다.

② 형의 집행유예, 판결 전 구금의 산입일수, 노역장의 유치기간은 형의 선고와 동시에 판결로써 선고하여야 한다.

제322조【형면제 또는 형의 선고유예의 판결】 피고사건에 대하여 형의 면제 또는 선고유예를 하는 때에는 판결로써 선고하여야 한다.

제323조【유죄판결에 명시될 이유】 ① 형의 선고를 하는 때에는 판결이유에 범죄될 사실, 증거의 요지와 법령의 적용을 명시하여야 한다.

② 법률상 범죄의 성립을 조각하는 이유 또는 형의 가중, 감면의 이유되는 사실의 진술이 있은 때에는 이에 대한 판단을 명시하여야 한다.

제324조【상소에 대한 고지】 형을 선고하는 경우에는 재판장은 피고인에게 상소할 기간과 상소할 법원을 고지하여야 한다.

제325조【무죄의 판결】 피고사건이 범죄로 되지 아니하거나 범죄사실의 증명이 없는 때에는 판결로써 무죄를 선고하여야 한다.

제326조【면소의 판결】 다음 경우에는 판결로써 면소의 선고를 하여야 한다.

1. 확정판결이 있은 때
2. 사면이 있은 때
3. 공소의 시효가 완성되었을 때
4. 범죄 후의 법령개폐로 형이 폐지되었을 때

제327조【공소기각의 판결】 다음 각 호의 경우에는 판결로써 공소기각의 선고를 하여야 한다.

1. 피고인에 대하여 재판권이 없을 때
2. 공소제기의 절차가 법률의 규정을 위반하여 무효일 때
3. 공소가 제기된 사건에 대하여 다시 공소가 제기되었을 때
4. 제329조를 위반하여 공소가 제기되었을 때
5. 고소가 있어야 공소를 제기할 수 있는 사건에서 고소가 취소되었을 때
6. 피해자의 명시한 의사에 반하여 공소를 제기할 수 없는 사건에서 처벌을 원하지 아니하는 의사표시를 하거나 처벌을 원하는 의사표시를 철회하였을 때

[전문개정 2020.12.8]

제328조【공소기각의 결정】 ① 다음 경우에는 결정으로 공소를 기각하여야 한다.

1. 공소가 취소되었을 때
2. 피고인이 사망하거나 피고인인 법인이 존속하지 아니하게 되었을 때
3. 제12조 또는 제13조의 규정에 의하여 재판할 수 없는 때
4. 공소장에 기재된 사실이 진실하다 하더라도 범죄가 될만한 사실이 포함되지 아니하는 때

② 전항의 결정에 대하여는 즉시항고를 할 수 있다.

제329조【공소취소와 재기소】 공소취소에 의한 공소기각의 결정이 확정된 때에는 공소취소후 그 범죄사실에 대한 다른 중요한 증거를 발견한 경우에 한하여 다시 공소를 제기할 수 있다.

제330조【피고인의 진술없이 하는 판결】 피고인이 진술하지 아니하거나 재판장의 허가없이 퇴정하거나 재판장의 질서유지를 위한 퇴정명령을 받은 때에는 피고인의 진술없이 판결할 수 있다.

제331조【무죄 등 선고와 구속영장의 효력】 무죄, 면소, 형의 면제, 형의 선고유예, 형의 집행유예, 공소기각 또는 벌금이나 과료를 과하는 판결이 선고된 때에는 구속영장은 효력을 잃는다.

제332조【몰수의 선고와 압수물】 압수한 서류 또는 물품에 대하여 몰수의 선고가 없는 때에는 압수를 해제한 것으로 간주한다.

제333조【압수장물의 환부】 ① 압수한 장물로서 피해자에게 환부할 이유가 명백한 것은 판결로써 피해자에게 환부하는 선고를 하여야 한다.

② 전항의 경우에 장물을 처분하였을 때에는 판결로써 그 대가로 취득한 것을 피해자에게 교부하는 선고를 하여야 한다.

③ 가환부한 장물에 대하여 별단의 선고가 없는 때에는 환부의 선고가 있는 것으로 간주한다.

④ 전3항의 규정은 이해관계인이 민사소송 절차에 의하여 그 권리를 주장함에 영향을 미치지 아니한다.

제334조【재산형의 가납판결】 ① 법원은 벌금, 과료 또는 추징의 선고를 하는 경우에 판결의 확정 후에는 집행할 수 없거나 집행하기 곤란할 염려가 있다고 인정한 때에는 직권 또는 검사의 청구에 의하여 피고인에게 벌금, 과료 또는 추징에 상당한 금액의 가납을 명할 수 있다.

② 전항의 재판은 형의 선고와 동시에 판결로써 선고하여야 한다.

③ 전항의 판결은 즉시로 집행할 수 있다

제335조【형의 집행유예 취소의 절차】 ① 형의 집행유예를 취소할 경우에는 검사는 피고인의 현재지 또는 최후의 거주지를 관할하는 법원에 청구하여야 한다.
② 전항의 청구를 받은 법원은 피고인 또는 그 대리인의 의견을 물은 후에 결정을 하여야 한다.
③ 전항의 결정에 대하여는 즉시항고를 할 수 있다.
④ 전2항의 규정은 유예한 형을 선고할 경우에 준용한다.

제336조【경합범 중 다시 형을 정하는 절차】 ①「형법」 제36조, 동 제39조 제4항 또는 동 제61조의 규정에 의하여 형을 정할 경우에는 검사는 그 범죄사실에 대한 최종판결을 한 법원에 청구하여야 한다. 단,「형법」 제61조의 규정에 의하여 유예한 형을 선고할 때에는 제323조에 의하여야 하고 선고유예를 해제하는 이유를 명시하여야 한다. <개정 2007.6.1>
② 전조 제2항의 규정은 전항의 경우에 준용한다.

제337조【형의 소멸의 재판】 ①「형법」 제81조 또는 동 제82조의 규정에 의한 선고는 그 사건에 관한 기록이 보관되어 있는 검찰청에 대응하는 법원에 대하여 신청하여야 한다. <개정 2007.6.1>
② 전항의 신청에 의한 선고는 결정으로 한다.
③ 제1항의 신청을 각하하는 결정에 대하여는 즉시항고를 할 수 있다.

제3편 ▌상 소

제1장 통 칙

제338조【상소권자】 ① 검사 또는 피고인은 상소를 할 수 있다.
② 삭제 <2007.12.21>

제339조【항고권자】 검사 또는 피고인 아닌 자가 결정을 받은 때에는 항고할 수 있다.

제340조【당사자 이외의 상소권자】 피고인의 법정대리인은 피고인을 위하여 상소할 수 있다.

제341조【동전】 ① 피고인의 배우자, 직계친족, 형제자매 또는 원심의 대리인이나 변호인은 피고인을 위하여 상소할 수 있다. <개정 2005.3.31>
② 전항의 상소는 피고인의 명시한 의사에 반하여 하지 못한다.

제342조【일부상소】 ① 상소는 재판의 일부에 대하여 할 수 있다.
② 일부에 대한 상소는 그 일부와 불가분의 관계에 있는 부분에 대하여도 효력이 미친다.

제343조【상소 제기기간】 ① 상소의 제기는 그 기간 내에 서면으로 한다.
② 상소의 제기기간은 재판을 선고 또는 고지한 날로부터 진행된다.

제344조【재소자에 대한 특칙】 ① 교도소 또는 구치소에 있는 피고인이 상소의 제기기간 내에 상소장을 교도소장 또는 구치소장 또는 그 직무를 대리하는 자에게 제출한 때에는 상소의 제기기간 내에 상소한 것으로 간주한다.
② 전항의 경우에 피고인이 상소장을 작성할 수 없는 때에는 교도소장 또는 구치소장은 소속공무원으로 하여금 대서하게 하여야 한다.

제345조【상소권회복 청구권자】 제338조부터 제341조까지의 규정에 따라 상소할 수 있는 자는 자기 또는 대리인이 책임질 수 없는 사유로 상소 제기기간 내에 상소를 하지 못한 경우에는 상소권회복의 청구를 할 수 있다.
[전문개정 2020.12.8]

제346조【상소권회복 청구의 방식】 ① 상소권회복을 청구할 때에는 제345조의 사유가 해소된 날부터 상소 제기기간에 해당하는 기간 내에 서면으로 원심법원에 제출하여야 한다.
② 상소권회복을 청구할 때에는 제345조의 책임질 수 없는 사유를 소명하여야 한다.
③ 상소권회복을 청구한 자는 그 청구와 동시에 상소를 제기하여야 한다.
[전문개정 2020.12.8]

제347조【상소권회복에 대한 결정과 즉시항고】
① 상소권회복의 청구를 받은 법원은 청구의 허부에 관한 결정을 하여야 한다.
② 전항의 결정에 대하여는 즉시항고를 할 수 있다.

제348조【상소권회복청구와 집행정지】 ① 상소권회복의 청구가 있는 때에는 법원은 전조의 결정을 할 때까지 재판의 집행을 정지하는 결정을 할 수

있다. <개정 2007.6.1>
② 전항의 집행정지의 결정을 한 경우에 피고인의 구금을 요하는 때에는 구속영장을 발부하여야 한다. 단, 제70조의 요건이 구비된 때에 한한다.

제349조【상소의 포기, 취하】 검사나 피고인 또는 제339조에 규정한 자는 상소의 포기 또는 취하를 할 수 있다. 단, 피고인 또는 제341조에 규정한 자는 사형 또는 무기징역이나 무기금고가 선고된 판결에 대하여는 상소의 포기를 할 수 없다.

제350조【상소의 포기 등과 법정대리인의 동의】 법정대리인이 있는 피고인이 상소의 포기 또는 취하를 함에는 법정대리인의 동의를 얻어야 한다. 단, 법정대리인의 사망 기타 사유로 인하여 그 동의를 얻을 수 없는 때에는 예외로 한다.

제351조【상소의 취하와 피고인의 동의】 피고인의 법정대리인 또는 제341조에 규정한 자는 피고인의 동의를 얻어 상소를 취하할 수 있다.

제352조【상소포기 등의 방식】 ① 상소의 포기 또는 취하는 서면으로 하여야 한다. 단, 공판정에서는 구술로써 할 수있다.
② 구술로써 상소의 포기 또는 취하를 한 경우에는 그 사유를 조서에 기재하여야 한다.

제353조【상소포기 등의 관할】 상소의 포기는 원심법원에, 상소의 취하는 상소법원에 하여야 한다. 단, 소송기록이 상소법원에 송부되지 아니한 때에는 상소의 취하를 원심법원에 제출할 수 있다.

제354조【상소포기 후의 재상소의 금지】 상소를 취하한 자 또는 상소의 포기나 취하에 동의한 자는 그 사건에 대하여 다시 상소를 하지 못한다.

제355조【재소자에 대한 특칙】 제344조의 규정은 교도소 또는 구치소에 있는 피고인이 상소권회복의 청구 또는 상소의 포기나 취하를 하는 경우에 준용한다.

제356조【상소포기 등과 상대방의 통지】 상소, 상소의 포기나 취하 또는 상소권회복의 청구가 있는 때에는 법원은 지체없이 상대방에게 그 사유를 통지하여야 한다.

제2장 항 소

제357조【항소할 수 있는 판결】 제1심법원의 판결에 대하여 불복이 있으면 지방법원 단독판사가 선고한 것은 지방법원 본원합의부에 항소할 수 있으며 지방법원 합의부가 선고한 것은 고등법원에 항소할 수 있다.

제358조【항소제기기간】 항소의 제기기간은 7일로 한다.

제359조【항소제기의 방식】 항소를 함에는 항소장을 원심법원에 제출하여야 한다.

제360조【원심법원의 항소기각 결정】 ① 항소의 제기가 법률상의 방식에 위반하거나 항소권소멸후인 것이 명백한 때에는 원심법원은 결정으로 항소를 기각하여야 한다.
② 전항의 결정에 대하여는 즉시항고를 할 수 있다.

제361조【소송기록과 증거물의 송부】 제360조의 경우를 제외하고는 원심법원은 항소장을 받은 날로부터 14일 이내에 소송기록과 증거물을 항소법원에 송부하여야 한다.

제361조의 2【소송기록접수와 통지】 ① 항소법원이 기록의 송부를 받은 때에는 즉시항소인과 상대방에게 그 사유를 통지하여야 한다.
② 전항의 통지전에 변호인의 선임이 있는 때에는 변호인에게도 전항의 통지를 하여야 한다.
③ 피고인이 교도소 또는 구치소에 있는 경우에는 원심법원에 대응한 검찰청검사는 제1항의 통지를 받은 날부터 14일 이내에 피고인을 항소법원소재지의 교도소 또는 구치소에 이송하여야 한다.

제361조의 3【항소이유서와 답변서】 ① 항소인 또는 변호인은 전조의 통지를 받은 날로부터 20일 이내에 항소이유서를 항소법원에 제출하여야 한다. 이 경우 제344조를 준용한다. <개정 2007.12.21>
② 항소이유서의 제출을 받은 항소법원은 지체없이 부본 또는 등본을 상대방에게 송달하여야 한다.
③ 상대방은 전항의 송달을 받은 날로부터 10일 이내에 답변서를 항소법원에 제출하여야 한다.
④ 답변서의 제출을 받은 항소법원은 지체없이 그 부본 또는 등본을 항소인 또는 변호인에게 송달하여야 한다.

제361조의 4【항소기각의 결정】 ① 항소인이나 변호인이 전조 제1항의 기간 내에 항소이유서를 제출하지 아니한 때에는 결정으로 항소를 기각하여야 한다. 단, 직권조사사유가 있거나 항소장에 항소이유의 기재가 있는 때에는 예외로 한다.

② 전항의 결정에 대하여는 즉시항고를 할 수 있다.

제361조의 5【항소이유】 다음 사유가 있을 경우에는 원심판결에 대한 항소이유로 할 수 있다.

1. 판결에 영향을 미친 헌법·법률·명령 또는 규칙의 위반이 있는 때
2. 판결후 형의 폐지나 변경 또는 사면이 있는 때
3. 관할 또는 관할위반의 인정이 법률에 위반한 때
4. 판결법원의 구성이 법률에 위반한 때
5. 삭제 <1963.12.13>
6. 삭제 <1963.12.13>
7. 법률상 그 재판에 관여하지 못할 판사가 그 사건의 심판에 관여한 때
8. 사건의 심리에 관여하지 아니한 판사가 그 사건의 판결에 관여한 때
9. 공판의 공개에 관한 규정에 위반한 때
10. 삭제 <1963.12.13>
11. 판결에 이유를 붙이지 아니하거나 이유에 모순이 있는 때
12. 삭제 <1963.12.13>
13. 재심청구의 사유가 있는 때
14. 사실의 오인이 있어 판결에 영향을 미칠 때
15. 형의 양정이 부당하다고 인정할 사유가 있는 때

제362조【항소기각의 결정】 ① 제360조의 규정에 해당한 경우에 원심법원이 항소기각의 결정을 하지 아니한 때에는 항소법원은 결정으로 항소를 기각하여야 한다.

② 전항의 결정에 대하여는 즉시 항고를 할 수 있다.

제363조【공소기각의 결정】 ① 제328조 제1항 각 호의 규정에 해당한 사유가 있는 때에는 항소법원은 결정으로 공소를 기각하여야 한다.

② 전항의 결정에 대하여는 즉시 항고를 할 수 있다.

제364조【항소법원의 심판】 ① 항소법원은 항소이유에 포함된 사유에 관하여 심판하여야 한다.

② 항소법원은 판결에 영향을 미친 사유에 관하여는 항소이유서에 포함되지 아니한 경우에도 직권으로 심판할 수 있다.

③ 제1심법원에서 증거로 할 수 있었던 증거는 항소법원에서도 증거로 할 수 있다.

④ 항소이유 없다고 인정한 때에는 판결로써 항소를 기각하여야 한다.

⑤ 항소이유 없음이 명백한 때에는 항소장, 항소이유서 기타의 소송기록에 의하여 변론없이 판결로써 항소를 기각할 수 있다.

⑥ 항소이유가 있다고 인정한 때에는 원심판결을 파기하고 다시 판결을 하여야 한다.

제364조의 2【공동피고인을 위한 파기】 피고인을 위하여 원심판결을 파기하는 경우에 파기의 이유가 항소한 공동피고인에게 공통되는 때에는 그 공동피고인에게 대하여도 원심판결을 파기하여야 한다.

제365조【피고인의 출정】 ① 피고인이 공판기일에 출정하지 아니한 때에는 다시 기일을 정하여야 한다.

② 피고인이 정당한 사유없이 다시 정한 기일에 출정하지 아니한 때에는 피고인의 진술없이 판결을 할 수 있다.

제366조【원심법원에의 환송】 공소기각 또는 관할위반의 재판이 법률에 위반됨을 이유로 원심판결을 파기하는 때에는 판결로써 사건을 원심법원에 환송하여야 한다.

제367조【관할법원에의 이송】 관할인정이 법률에 위반됨을 이유로 원심판결을 파기하는 때에는 판결로써 사건을 관할법원에 이송하여야 한다. 단, 항소법원이 그 사건의 제1심관할권이 있는 때에는 제1심으로 심판하여야 한다.

제368조【불이익변경의 금지】 피고인이 항소한 사건과 피고인을 위하여 항소한 사건에 대해서는 원심판결의 형보다 무거운 형을 선고할 수 없다. [전문개정 2020.12.8]

제369조【재판서의 기재방식】 항소법원의 재판서에는 항소이유에 대한 판단을 기재하여야 하며 원심판결에 기재한 사실과 증거를 인용할 수 있다.

제370조【준용규정】 제2편중 공판에 관한 규정은 본장에 특별한 규정이 없으면 항소의 심판에 준용한다.

제3장 상 고

제371조【상고할 수 있는 판결】 제2심판결에 대하여 불복이 있으면 대법원에 상고할 수 있다.

제372조【비약적 상고】 다음 경우에는 제1심판결에 대하여 항소를 제기하지 아니하고 상고를 할 수 있다.

1. 원심판결이 인정한 사실에 대하여 법령을 적용하지 아니하였거나 법령의 적용에 착오가 있는 때
2. 원심판결이 있은 후 형의 폐지나 변경 또는 사면이 있는 때

제373조【항소와 비약적 상고】 제1심판결에 대한 상고는 그 사건에 대한 항소가 제기된 때에는 그 효력을 잃는다. 단, 항소의 취하 또는 항소기각의 결정이 있는 때에는 예외로 한다.

제374조【상고기간】 상고의 제기기간은 7일로 한다.

제375조【상고제기의 방식】 상고를 함에는 상고장을 원심법원에 제출하여야 한다.

제376조【원심법원에서의 상고기각 결정】 ① 상고의 제기가 법률상의 방식에 위반하거나 상고권소멸후인 것이 명백한 때에는 원심법원은 결정으로 상고를 기각하여야 한다.

② 전항의 결정에 대하여는 즉시항고를 할 수 있다.

제377조【소송기록과 증거물의 송부】 제376조의 경우를 제외하고는 원심법원은 상고장을 받은 날부터 14일 이내에 소송기록과 증거물을 상고법원에 송부하여야 한다.

제378조【소송기록접수와 통지】 ① 상고법원이 소송기록의 송부를 받은 때에는 즉시 상고인과 상대방에 대하여 그 사유를 통지하여야 한다. <개정 1961.9.1>

② 전항의 통지 전에 변호인의 선임이 있는 때에는 변호인에 대하여도 전항의 통지를 하여야 한다.

제379조【상고이유서와 답변서】 ① 상고인 또는 변호인이 전조의 통지를 받은 날로부터 20일 이내에 상고이유서를 상고법원에 제출하여야 한다. 이 경우 제344조를 준용한다. <개정 2007.12.21>

② 상고이유서에는 소송기록과 원심법원의 증거조사에 표현된 사실을 인용하여 그 이유를 명시하여야 한다.

③ 상고이유서의 제출을 받은 상고법원은 지체없이 그 부본 또는 등본을 상대방에 송달하여야 한다. <개정 1961.9.1>

④ 상대방은 전항의 송달을 받은 날로부터 10일 이내에 답변서를 상고법원에 제출할 수 있다.

⑤ 답변서의 제출을 받은 상고법원은 지체없이 그 부본 또는 등본을 상고인 또는 변호인에게 송달하여야 한다.

제380조【상고기각 결정】 ① 상고인이나 변호인이 전조 제1항의 기간 내에 상고이유서를 제출하지 아니한 때에는 결정으로 상고를 기각하여야 한다. 단, 상고장에 이유의 기재가 있는 때에는 예외로 한다. <개정 1961.9.1, 2014.5.14>

② 상고장 및 상고이유서에 기재된 상고이유의 주장이 제383조 각 호의 어느 하나의 사유에 해당하지 아니함이 명백한 때에는 결정으로 상고를 기각하여야 한다. <신설 2014.5.14>

제381조【동전】 제376조의 규정에 해당한 경우에 원심법원이 상고기각의 결정을 하지 아니한 때에는 상고법원은 결정으로 상고를 기각하여야 한다.

제382조【공소기각의 결정】 제328조 제1항 각호의 규정에 해당하는 사유가 있는 때에는 상고법원은 결정으로 공소를 기각하여야 한다.

제383조【상고이유】 다음 사유가 있을 경우에는 원심판결에 대한 상고이유로 할 수 있다.

1. 판결에 영향을 미친 헌법·법률·명령 또는 규칙의 위반이 있을 때
2. 판결 후 형의 폐지나 변경 또는 사면이 있는 때
3. 재심청구의 사유가 있는 때
4. 사형, 무기 또는 10년 이상의 징역이나 금고가 선고된 사건에 있어서 중대한 사실의 오인이 있어 판결에 영향을 미친 때 또는 형의 양정이 심히 부당하다고 인정할 현저한 사유가 있는 때

제384조【심판범위】 상고법원은 상고이유서에 포함된 사유에 관하여 심판하여야 한다. 그러나 전조 제1호 내지 제3호의 경우에는 상고이유서에 포함되지 아니한 때에도 직권으로 심판할 수 있다.

제385조 삭제 <1961.9.1>

제386조【변호인의 자격】 상고심에는 변호사 아닌 자를 변호인으로 선임하지 못한다.

제387조【변론능력】 상고심에는 변호인 아니면 피고인을 위하여 변론하지 못한다.

제388조【변론방식】 검사와 변호인은 상고이유서에 의하여 변론하여야 한다.

제389조【변호인의 불출석 등】 ① 변호인의 선임이 없거나 변호인이 공판기일에 출정하지 아니한 때에는 검사의 진술을 듣고 판결을 할 수 있다. 단, 제283조의 규정에 해당한 경우에는 예외로 한다.

② 전항의 경우에 적법한 이유서의 제출이 있는 때에는 그 진술이 있는 것으로 간주한다.

제389조의 2【피고인의 소환 여부】 상고심의 공판기일에는 피고인의 소환을 요하지 아니한다.

제390조【서면심리에 의한 판결】 ① 상고법원은 상고장, 상고이유서 기타의 소송기록에 의하여 변론없이 판결할 수 있다. <개정 2007.6.1>

② 상고법원은 필요한 경우에는 특정한 사항에 관하여 변론을 열어 참고인의 진술을 들을 수 있다. <신설 2007.6.1>

제391조【원심판결의 파기】 상고이유가 있는 때에는 판결로써 원심판결을 파기하여야 한다.

제392조【공동피고인을 위한 파기】 피고인의 이익을 위하여 원심판결을 파기하는 경우에 파기의 이유가 상고한 공동피고인에 공통되는 때에는 그 공동피고인에 대하여도 원심판결을 파기하여야 한다.

제393조【공소기각과 환송의 판결】 적법한 공소를 기각하였다는 이유로 원심판결 또는 제1심판결을 파기하는 경우에는 판결로써 사건을 원심법원 또는 제1심법원에 환송하여야 한다.

제394조【관할인정과 이송의 판결】 관할의 인정이 법률에 위반됨을 이유로 원심판결 또는 제1심판결을 파기하는 경우에는 판결로써 사건을 관할있는 법원에 이송하여야 한다.

제395조【관할위반과 환송의 판결】 관할위반의 인정이 법률에 위반됨을 이유로 원심판결 또는 제1심판결을 파기하는 경우에는 판결로써 사건을 원심법원 또는 제1심법원에 환송하여야 한다.

제396조【파기자판】 ① 상고법원은 원심판결을 파기한 경우에 그 소송기록과 원심법원과 제1심법원이 조사한 증거에 의하여 판결하기 충분하다고 인정한 때에는 피고사건에 대하여 직접판결을 할 수 있다.

② 제368조의 규정은 전항의 판결에 준용한다.

제397조【환송 또는 이송】 전4조의 경우외에 원심판결을 파기한 때에는 판결로써 사건을 원심법원에 환송하거나 그와 동등한 다른 법원에 이송하여야 한다.

제398조【재판서의 기재방식】 재판서에는 상고의 이유에 관한 판단을 기재하여야 한다.

제399조【준용규정】 전장의 규정은 본장에 특별한 규정이 없으면 상고의 심판에 준용한다.

제400조【판결정정의 신청】 ① 상고법원은 그 판결의 내용에 오류가 있음을 발견한 때에는 직권 또는 검사, 상고인이나 변호인의 신청에 의하여 판결로써 정정할 수 있다.

② 전항의 신청은 판결의 선고가 있은 날로부터 10일 이내에 하여야 한다.

③ 제1항의 신청은 신청의 이유를 기재한 서면으로 하여야 한다.

제401조【정정의 판결】 ① 정정의 판결은 변론없이 할 수 있다.

② 정정할 필요가 없다고 인정한 때에는 지체없이 결정으로 신청을 기각하여야 한다.

제4장 항 고

제402조【항고할 수 있는 재판】 법원의 결정에 대하여 불복이 있으면 항고를 할 수 있다. 단, 이 법률에 특별한 규정이 있는 경우에는 예외로 한다.

제403조【판결 전의 결정에 대한 항고】 ① 법원의 관할 또는 판결 전의 소송절차에 관한 결정에 대하여는 특히 즉시항고를 할 수 있는 경우 외에는 항고하지 못한다.

② 전항의 규정은 구금, 보석, 압수나 압수물의 환부에 관한 결정 또는 감정하기 위한 피고인의 유치에 관한 결정에 적용하지 아니한다.

제404조【보통항고의 시기】 항고는 즉시항고외에는 언제든지 할 수 있다. 단, 원심결정을 취소하여도 실익이 없게 된 때에는 예외로 한다.

제405조【즉시항고의 제기기간】 즉시항고의 제기기간은 7일로 한다. <개정 2019.12.31>

제406조【항고의 절차】 항고를 함에는 항고장을 원심법원에 제출하여야 한다.

제407조【원심법원의 항고기각 결정】 ① 항고의 제기가 법률상의 방식에 위반하거나 항고권소멸 후인 것이 명백한 때에는 원심법원은 결정으로 항고를 기각하여야 한다.

② 전항의 결정에 대하여는 즉시 항고를 할 수 있다.

제408조【원심법원의 갱신 결정】 ① 원심법원은 항고가 이유있다고 인정한 때에는 결정을 경정하여야 한다.

② 항고의 전부 또는 일부가 이유없다고 인정한 때에는 항고장을 받은 날로부터 3일 이내에 의견서를 첨부하여 항고법원에 송부하여야 한다.

제409조【보통항고와 집행정지】 항고는 즉시항고외에는 재판의 집행을 정지하는 효력이 없다. 단, 원심법원 또는 항고법원은 결정으로 항고에 대한 결정이 있을 때까지 집행을 정지할 수 있다.

제410조【즉시항고와 집행정지의 효력】 즉시항고의 제기기간 내와 그 제기가 있는 때에는 재판의 집행은 정지된다.

제411조【소송기록 등의 송부】 ① 원심법원이 필요하다고 인정한 때에는 소송기록과 증거물을 항고법원에 송부하여야 한다.

② 항고법원은 소송기록과 증거물의 송부를 요구할 수 있다.

③ 전2항의 경우에 항고법원이 소송기록과 증거물의 송부를 받은 날로부터 5일 이내에 당사자에게 그 사유를 통지하여야 한다.

제412조【검사의 의견진술】 검사는 항고사건에 대하여 의견을 진술할 수 있다.

제413조【항고기각의 결정】 제407조의 규정에 해당한 경우에 원심법원이 항고기각의 결정을 하지 아니한 때에는 항고법원은 결정으로 항고를 기각하여야 한다.

제414조【항고기각과 항고이유 인정】 ① 항고를 이유없다고 인정한 때에는 결정으로 항고를 기각하여야 한다.

② 항고이유 있다고 인정한 때에는 결정으로 원심결정을 취소하고 필요한 경우에는 항고사건에 대하여 직접재판을 하여야 한다.

제415조【재항고】 항고법원 또는 고등법원의 결정에 대하여는 재판에 영향을 미친 헌법·법률·명령 또는 규칙의 위반이 있음을 이유로 하는 때에 한하여 대법원에 즉시항고를 할 수 있다.

제416조【준항고】 ① 재판장 또는 수명법관이 다음 각호의 1에 해당한 재판을 고지한 경우에 불복이 있으면 그 법관소속의 법원에 재판의 취소 또는 변경을 청구할 수 있다.

1. 기피신청을 기각한 재판
2. 구금, 보석, 압수 또는 압수물환부에 관한 재판
3. 감정하기 위하여 피고인의 유치를 명한 재판
4. 증인, 감정인, 통역인 또는 번역인에 대하여 과태료 또는 비용의 배상을 명한 재판

② 지방법원이 전항의 청구를 받은 때에는 합의부에서 결정을 하여야 한다.

③ 제1항의 청구는 재판의 고지있는 날로부터 7일 이내에 하여야 한다. <개정 2019.12.31>

④ 제1항 제4호의 재판은 전항의 청구기간 내와 청구가 있는 때에는 그 재판의 집행은 정지된다.

제417조【동전】 검사 또는 사법경찰관의 구금, 압수 또는 압수물의 환부에 관한 처분과 제243조의2에 따른 변호인의 참여 등에 관한 처분에 대하여 불복이 있으면 그 직무집행지의 관할법원 또는 검사의 소속검찰청에 대응한 법원에 그 처분의 취소 또는 변경을 청구할 수 있다. <개정 2007.6.1, 2007.12.21>

제418조【준항고의 방식】 전2조의 청구는 서면으로 관할법원에 제출하여야 한다.

제419조【준용규정】 제409조, 제413조, 제414조, 제415조의 규정은 제416조, 제417조의 청구있는 경우에 준용한다.

제4편 ▌특별소송절차

제1장 재 심

제420조【재심이유】 재심은 다음 각 호의 어느 하나에 해당하는 이유가 있는 경우에 유죄의 확정판결에 대하여 그 선고를 받은 자의 이익을 위하여

청구할 수 있다.

1. 원판결의 증거가 된 서류 또는 증거물이 확정판결에 의하여 위조되거나 변조된 것임이 증명된 때
2. 원판결의 증거가 된 증언, 감정, 통역 또는 번역이 확정판결에 의하여 허위임이 증명된 때
3. 무고(무고)로 인하여 유죄를 선고받은 경우에 그 무고의 죄가 확정판결에 의하여 증명된 때
4. 원판결의 증거가 된 재판이 확정재판에 의하여 변경된 때
5. 유죄를 선고받은 자에 대하여 무죄 또는 면소를, 형의 선고를 받은 자에 대하여 형의 면제 또는 원판결이 인정한 죄보다 가벼운 죄를 인정할 명백한 증거가 새로 발견된 때
6. 저작권, 특허권, 실용신안권, 디자인권 또는 상표권을 침해한 죄로 유죄의 선고를 받은 사건에 관하여 그 권리에 대한 무효의 심결 또는 무효의 판결이 확정된 때
7. 원판결, 전심판결 또는 그 판결의 기초가 된 조사에 관여한 법관, 공소의 제기 또는 그 공소의 기초가 된 수사에 관여한 검사나 사법경찰관이 그 직무에 관한 죄를 지은 것이 확정판결에 의하여 증명된 때. 다만, 원판결의 선고 전에 법관, 검사 또는 사법경찰관에 대하여 공소가 제기되었을 경우에는 원판결의 법원이 그 사유를 알지 못한 때로 한정한다.

[전문개정 2020.12.8]

제421조【동전】 ① 항소 또는 상고의 기각판결에 대하여는 전조 제1호, 제2호, 제7호의 사유있는 경우에 한하여 그 선고를 받은 자의 이익을 위하여 재심을 청구할 수 있다.

② 제1심확정판결에 대한 재심청구사건의 판결이 있은 후에는 항소기각판결에 대하여 다시 재심을 청구하지 못한다.

③ 제1심 또는 제2심의 확정판결에 대한 재심청구사건의 판결이 있은 후에는 상고기각판결에 대하여 다시 재심을 청구하지 못한다.

제422조【확정판결에 대신하는 증명】 전2조의 규정에 의하여 확정판결로써 범죄가 증명됨을 재심청구의 이유로 할 경우에 그 확정판결을 얻을 수 없는 때에는 그 사실을 증명하여 재심의 청구를 할 수 있다. 단, 증거가 없다는 이유로 확정판결을 얻을 수 없는 때에는 예외로 한다.

제423조【재심의 관할】 재심의 청구는 원판결의 법원이 관할한다.

제424조【재심청구권자】 다음 각호의 1에 해당하는 자는 재심의 청구를 할 수 있다.

1. 검 사
2. 유죄의 선고를 받은 자
3. 유죄의 선고를 받은 자의 법정대리인
4. 유죄의 선고를 받은 자가 사망하거나 심신장애가 있는 경우에는 그 배우자, 직계친족 또는 형제자매

제425조【검사만이 청구할 수 있는 재심】 제420조 제7호의 사유에 의한 재심의 청구는 유죄의 선고를 받은 자가 그 죄를 범하게 한 경우에는 검사가 아니면 하지 못한다.

제426조【변호인의 선임】 ① 검사 이외의 자가 재심의 청구를 하는 경우에는 변호인을 선임할 수 있다.

② 전항의 규정에 의한 변호인의 선임은 재심의 판결이 있을 때까지 그 효력이 있다.

제427조【재심청구의 시기】 재심의 청구는 형의 집행을 종료하거나 형의 집행을 받지 아니하게 된 때에도 할 수 있다.

제428조【재심과 집행정지의 효력】 재심의 청구는 형의 집행을 정지하는 효력이 없다. 단 관할법원에 대응한 검찰청검사는 재심청구에 대한 재판이 있을 때까지 형의 집행을 정지할 수 있다.

제429조【재심청구의 취하】 ① 재심의 청구는 취하할 수 있다.

② 재심의 청구를 취하한 자는 동일한 이유로써 다시 재심을 청구하지 못한다.

제430조【재소자에 대한 특칙】 제344조의 규정은 재심의 청구와 그 취하에 준용한다.

제431조【사실조사】 ① 재심의 청구를 받은 법원은 필요하다고 인정한 때에는 합의부원에게 재심청구의 이유에 대한 사실조사를 명하거나 다른 법원판사에게 이를 촉탁할 수 있다.

② 전항의 경우에는 수명법관 또는 수탁판사는 법

원 또는 재판장과 동일한 권한이 있다.

제432조【재심에 대한 결정과 당사자의 의견】 재심의 청구에 대하여 결정을 함에는 청구한 자와 상대방의 의견을 들어야 한다. 단, 유죄의 선고를 받은 자의 법정대리인이 청구한 경우에는 유죄의 선고를 받은 자의 의견을 들어야 한다.

제433조【청구기각 결정】 재심의청구가 법률상의 방식에 위반하거나 청구권의 소멸후인 것이 명백한 때에는 결정으로 기각하여야 한다.

제434조【동전】 ① 재심의 청구가 이유없다고 인정한 때에는 결정으로 기각하여야 한다.

② 전항의 결정이 있는 때에는 누구든지 동일한 이유로써 다시 재심을 청구하지 못한다.

제435조【재심개시의 결정】 ① 재심의 청구가 이유있다고 인정한 때에는 재심개시의 결정을 하여야 한다.

② 재심개시의 결정을 할 때에는 결정으로 형의 집행을 정지할 수 있다.

제436조【청구의 경합과 청구기각의 결정】 ① 항소기각의 확정판결과 그 판결에 의하여 확정된 제1심판결에 대하여 재심의 청구가 있는 경우에 제1심법원이 재심의 판결을 한 때에는 항소법원은 결정으로 재심의 청구를 기각하여야 한다.

② 제1심 또는 제2심판결에 대한 상고기각의 판결과 그 판결에 의하여 확정된 제1심 또는 제2심의 판결에 대하여 재심의 청구가 있는 경우에 제1심법원 또는 항소법원이 재심의 판결을 한 때에는 상고법원은 결정으로 재심의 청구를 기각하여야 한다.

제437조【즉시항고】 제433조, 제434조 제1항, 제435조 제1항과 전조 제1항의 결정에 대하여는 즉시항고를 할 수 있다.

제438조【재심의 심판】 ① 재심개시의 결정이 확정한 사건에 대하여는 제436조의 경우외에는 법원은 그 심급에 따라 다시 심판을 하여야 한다.

② 다음 경우에는 제306조 제1항, 제328조 제1항 제2호의 규정은 전항의 심판에 적용하지 아니한다. <개정 2014.12.30>

1. 사망자 또는 회복할 수 없는 심신장애인을 위하여 재심의 청구가 있는 때
2. 유죄의 선고를 받은 자가 재심의 판결 전에 사망하거나 회복할 수 없는 심신장애인으로 된 때

③ 전항의 경우에는 피고인이 출정하지 아니하여도 심판을 할 수 있다. 단, 변호인이 출정하지 아니하면 개정하지 못한다.

④ 전2항의 경우에 재심을 청구한 자가 변호인을 선임하지 아니한 때에는 재판장은 직권으로 변호인을 선임하여야 한다.

제439조【불이익변경의 금지】 재심에는 원판결의 형보다 무거운 형을 선고할 수 없다.
[전문개정 2020.12.8]

제440조【무죄판결의 공시】 재심에서 무죄의 선고를 한 때에는 그 판결을 관보와 그 법원소재지의 신문지에 기재하여 공고하여야 한다. 다만, 다음 각 호의 어느 하나에 해당하는 사람이 이를 원하지 아니하는 의사를 표시한 경우에는 그러하지 아니하다.

1. 제424조 제1호부터 제3호까지의 어느 하나에 해당하는 사람이 재심을 청구한 때에는 재심에서 무죄의 선고를 받은 사람
2. 제424조 제4호에 해당하는 사람이 재심을 청구한 때에는 재심을 청구한 그 사람

[전문개정 2016.5.29]

제2장 비상상고

제441조【비상상고이유】 검찰총장은 판결이 확정한 후 그 사건의 심판이 법령에 위반한 것을 발견한 때에는 대법원에 비상상고를 할 수 있다.

제442조【비상상고의 방식】 비상상고를 함에는 그 이유를 기재한 신청서를 대법원에 제출하여야 한다.

제443조【공판기일】 공판기일에는 검사는 신청서에 의하여 진술하여야 한다.

제444조【조사의 범위, 사실의 조사】 ① 대법원은 신청서에 포함된 이유에 한하여 조사하여야 한다.

② 법원의 관할, 공소의 수리와 소송절차에 관하여는 사실조사를 할 수 있다.

③ 전항의 경우에는 제431조의 규정을 준용한다.

제445조【기각의 판결】 비상상고가 이유없다고 인정한 때에는 판결로써 이를 기각하여야 한다.

제446조【파기의 판결】 비상상고가 이유있다고

인정한 때에는 다음의 구별에 따라 판결을 하여야 한다.

1. 원판결이 법령에 위반한 때에는 그 위반된 부분을 파기하여야 한다. 단, 원판결이 피고인에게 불이익한 때에는 원판결을 파기하고 피고사건에 대하여 다시 판결을 한다.
2. 원심소송절차가 법령에 위반한 때에는 그 위반된 절차를 파기한다.

제447조【판결의 효력】 비상상고의 판결은 전조 제1호 단행의 규정에 의한 판결외에는 그 효력이 피고인에게 미치지 아니한다.

제3장 약식절차

제448조【약식명령을 할 수 있는 사건】 ① 지방법원은 그 관할에 속한 사건에 대하여 검사의 청구가 있는 때에는 공판절차없이 약식명령으로 피고인을 벌금, 과료 또는 몰수에 처할 수 있다.

② 전항의 경우에는 추징 기타 부수의 처분을 할 수 있다.

제449조【약식명령의 청구】 약식명령의 청구는 공소의 제기와 동시에 서면으로 하여야 한다.

제450조【보통의 심판】 약식명령의 청구가 있는 경우에 그 사건이 약식명령으로 할 수 없거나 약식명령으로 하는 것이 적당하지 아니하다고 인정한 때에는 공판절차에 의하여 심판하여야 한다.

제451조【약식명령의 방식】 약식명령에는 범죄사실, 적용법령, 주형, 부수처분과 약식명령의 고지를 받은 날로부터 7일 이내에 정식재판의 청구를 할 수 있음을 명시하여야 한다.

제452조【약식명령의 고지】 약식명령의 고지는 검사와 피고인에 대한 재판서의 송달에 의하여 한다.

제453조【정식재판의 청구】 ① 검사 또는 피고인은 약식명령의 고지를 받은 날로부터 7일 이내에 정식재판의 청구를 할 수 있다. 단, 피고인은 정식재판의 청구를 포기할 수 없다.

② 정식재판의 청구는 약식명령을 한 법원에 서면으로 제출하여야 한다.

③ 정식재판의 청구가 있는 때에는 법원은 지체없이 검사 또는 피고인에게 그 사유를 통지하여야 한다.

제454조【정식재판청구의 취하】 정식재판의 청구는 제1심판결선고전까지 취하할 수 있다.

제455조【기각의 결정】 ① 정식재판의 청구가 법령상의 방식에 위반하거나 청구권의 소멸후인 것이 명백한 때에는 결정으로 기각하여야 한다.

② 전항의 결정에 대하여는 즉시항고를 할 수 있다.

③ 정식재판의 청구가 적법한 때에는 공판절차에 의하여 심판하여야 한다.

제456조【약식명령의 실효】 약식명령은 정식재판의 청구에 의한 판결이 있는 때에는 그 효력을 잃는다.

제457조【약식명령의 효력】 약식명령은 정식재판의 청구기간이 경과하거나 그 청구의 취하 또는 청구기각의 결정이 확정한 때에는 확정판결과 동일한 효력이 있다.

제457조의 2【형종 상향의 금지 등】 ① 피고인이 정식재판을 청구한 사건에 대하여는 약식명령의 형보다 중한 종류의 형을 선고하지 못한다.

② 피고인이 정식재판을 청구한 사건에 대하여 약식명령의 형보다 중한 형을 선고하는 경우에는 판결서에 양형의 이유를 적어야 한다.

[전문개정 2017.12.19]

제458조【준용규정】 ① 제340조 내지 제342조, 제345조 내지 제352조, 제354조의 규정은 정식재판의 청구 또는 그 취하에 준용한다.

② 제365조의 규정은 정식재판절차의 공판기일에 정식재판을 청구한 피고인이 출석하지 아니한 경우에 이를 준용한다.

제5편 ▌재판의 집행

제459조【재판의 확정과 집행】 재판은 이 법률에 특별한 규정이 없으면 확정한 후에 집행한다.

제460조【집행지휘】 ① 재판의 집행은 그 재판을 한 법원에 대응한 검찰청검사가 지휘한다. 단, 재판의 성질상 법원 또는 법관이 지휘할 경우에는 예외로 한다.

② 상소의 재판 또는 상소의 취하로 인하여 하급법원의 재판을 집행할 경우에는 상소법원에 대응한 검찰청검사가 지휘한다. 단, 소송기록이 하급

법원 또는 그 법원에 대응한 검찰청에 있는 때에는 그 검찰청검사가 지휘한다.

제461조【집행지휘의 방식】 재판의 집행지휘는 재판서 또는 재판을 기재한 조서의 등본 또는 초본을 첨부한 서면으로 하여야 한다. 단, 형의 집행을 지휘하는 경우외에는 재판서의 원본, 등본이나 초본 또는 조서의 등본이나 초본에 인정하는 날인으로 할 수 있다.

제462조【형 집행의 순서】 2이상의 형을 집행하는 경우에 자격상실, 자격정지, 벌금, 과료와 몰수 외에는 무거운 형을 먼저 집행한다. 다만, 검사는 소속 장관의 허가를 얻어 무거운 형의 집행을 정지하고 다른 형의 집행을 할 수 있다.
[전문개정 2020.12.8]

제463조【사형의 집행】 사형은 법무부장관의 명령에 의하여 집행한다.

제464조【사형판결확정과 소송기록의 제출】 사형을 선고한 판결이 확정한 때에는 검사는 지체없이 소송기록을 법무부장관에게 제출하여야 한다.

제465조【사형집행명령의 시기】 ① 사형집행의 명령은 판결이 확정된 날로부터 6월 이내에 하여야 한다.
② 상소권회복의 청구, 재심의 청구 또는 비상상고의 신청이 있는 때에는 그 절차가 종료할 때까지의 기간은 전항의 기간에 산입하지 아니한다.

제466조【사형집행의 기간】 법무부장관이 사형의 집행을 명한 때에는 5일 이내에 집행하여야 한다.

제467조【사형집행의 참여】 ① 사형의 집행에는 검사와 검찰청서기관과 교도소장 또는 구치소장이나 그 대리자가 참여하여야 한다.
② 검사 또는 교도소장 또는 구치소장의 허가가 없으면 누구든지 형의 집행장소에 들어가지 못한다.

제468조【사형집행조서】 사형의 집행에 참여한 검찰청서기관은 집행조서를 작성하고 검사와 교도소장 또는 구치소장이나 그 대리자와 함께 기명날인 또는 서명하여야 한다. <개정 2007.6.1>

제469조【사형집행의 정지】 ① 사형선고를 받은 사람이 심신의 장애로 의사능력이 없는 상태이거나 임신 중인 여자인 때에는 법무부장관의 명령으로 집행을 정지한다.
② 제1항에 따라 형의 집행을 정지한 경우에는 심신장애의 회복 또는 출산 후에 법무부장관의 명령에 의하여 형을 집행한다.
[전문개정 2020.12.8]

제470조【자유형집행의 정지】 ① 징역, 금고 또는 구류의 선고를 받은 자가 심신의 장애로 의사능력이 없는 상태에 있는 때에는 형을 선고한 법원에 대응한 검찰청검사 또는 형의 선고를 받은 자의 현재지를 관할하는 검찰청검사의 지휘에 의하여 심신장애가 회복될 때까지 형의 집행을 정지한다.
② 전항의 규정에 의하여 형의 집행을 정지한 경우에는 검사는 형의 선고를 받은 자를 감호의무자 또는 지방공공단체에 인도하여 병원 기타 적당한 장소에 수용하게 할 수 있다.
③ 형의 집행이 정지된 자는 전항의 처분이 있을 때까지 교도소 또는 구치소에 구치하고 그 기간을 형기에 산입한다.

제471조【동전】 ① 징역, 금고 또는 구류의 선고를 받은 자에 대하여 다음 각호의 1에 해당한 사유가 있는 때에는 형을 선고한 법원에 대응한 검찰청검사 또는 형의 선고를 받은 자의 현재지를 관할하는 검찰청검사의 지휘에 의하여 형의 집행을 정지할 수 있다. <개정 2007.12.21>
1. 형의 집행으로 인하여 현저히 건강을 해하거나 생명을 보전할 수 없을 염려가 있는 때
2. 연령 70세 이상인 때
3. 잉태 후 6월 이상인 때
4. 출산 후 60일을 경과하지 아니한 때
5. 직계존속이 연령 70세 이상 또는 중병이나 장애인으로 보호할 다른 친족이 없는 때
6. 직계비속이 유년으로 보호할 다른 친족이 없는 때
7. 기타 중대한 사유가 있는 때

② 검사가 전항의 지휘를 함에는 소속 고등검찰청검사장 또는 지방검찰청검사장의 허가를 얻어야 한다. <개정 2004.1.20, 2007.6.1>

제471조의 2【형집행정지 심의위원회】 ① 제471조 제1항 제1호의 형집행정지 및 그 연장에 관한 사항을 심의하기 위하여 각 지방검찰청에 형집행정지 심의위원회(이하 이 조에서 "심의위원회"라 한다)를 둔다.

② 심의위원회는 위원장 1명을 포함한 10명 이내의 위원으로 구성하고, 위원은 학계, 법조계, 의료계, 시민단체 인사 등 학식과 경험이 있는 사람 중에서 각 지방검찰청 검사장이 임명 또는 위촉한다.

③ 심의위원회의 구성 및 운영 등 그 밖에 필요한 사항은 법무부령으로 정한다.

[본조신설 2015.7.31]

제472조【소송비용의 집행정지】 제487조에 규정된 신청기간 내와 그 신청이 있는 때에는 소송비용부담의 재판의 집행은 그 신청에 대한 재판이 확정될 때까지 정지된다.

제473조【집행하기 위한 소환】 ① 사형, 징역, 금고 또는 구류의 선고를 받은 자가 구금되지 아니한 때에는 검사는 형을 집행하기 위하여 이를 소환하여야 한다.

② 소환에 응하지 아니한 때에는 검사는 형집행장을 발부하여 구인하여야 한다.

③ 제1항의 경우에 형의 선고를 받은 자가 도망할 염려가 있는 때 또는 현재지를 알 수 없는 때에는 소환함이 없이 형집행장을 발부하여 구인할 수 있다.

제474조【형집행장의 방식과 효력】 ① 전조의 형집행장에는 형의 선고를 받은 자의 성명, 주거, 연령, 형명, 형기 기타 필요한 사항을 기재하여야 한다.

② 형집행장은 구속영장과 동일한 효력이 있다.

제475조【형집행장의 집행】 전2조의 규정에 의한 형집행장의 집행에는 제1편 제9장 피고인의 구속에 관한 규정을 준용한다.

제476조【자격형의 집행】 자격상실 또는 자격정지의 선고를 받은 자에 대하여는 이를 수형자원부에 기재하고 지체없이 그 등본을 형의 선고를 받은 자의 등록기준지와 주거지의 시(구가 설치되지 아니한 시를 말한다. 이하 같다)·구·읍·면장(도농복합형태의 시에 있어서는 동지역인 경우에는 시·구의 장, 읍·면지역인 경우에는 읍·면의 장으로 한다)에게 송부하여야 한다. <개정 2007.5.17>

제477조【재산형 등의 집행】 ① 벌금, 과료, 몰수, 추징, 과태료, 소송비용, 비용배상 또는 가납의 재판은 검사의 명령에 의하여 집행한다.

② 전항의 명령은 집행력 있는 채무명의와 동일한 효력이 있다.

③ 제1항의 재판의 집행에는 「민사집행법」의 집행에 관한 규정을 준용한다. 단, 집행전에 재판의 송달을 요하지 아니한다. <개정 2002.1.26, 2007.6.1>

④ 제3항에도 불구하고 제1항의 재판은 「국세징수법」에 따른 국세체납처분의 예에 따라 집행할 수 있다. <신설 2007.6.1>

⑤ 검사는 제1항의 재판을 집행하기 위하여 필요한 조사를 할 수 있다. 이 경우 제199조 제2항을 준용한다. <신설 2007.6.1>

⑥ 벌금, 과료, 추징, 과태료, 소송비용 또는 비용배상의 분할납부, 납부연기 및 납부대행기관을 통한 납부 등 납부방법에 필요한 사항은 법무부령으로 정한다. <신설 2016.1.6>

제478조【상속재산에 대한 집행】 몰수 또는 조세, 전매 기타 공과에 관한 법령에 의하여 재판한 벌금 또는 추징은 그 재판을 받은 자가 재판확정 후 사망한 경우에는 그 상속재산에 대하여 집행할 수 있다.

제479조【합병후 법인에 대한 집행】 법인에 대하여 벌금, 과료, 몰수, 추징, 소송비용 또는 비용배상을 명한 경우에 법인이 그 재판확정후 합병에 의하여 소멸한 때에는 합병후 존속한 법인 또는 합병에 의하여 설립된 법인에 대하여 집행할 수 있다.

제480조【가납집행의 조정】 제1심가납의 재판을 집행한 후에 제2심가납의 재판이 있는 때에는 제1심재판의 집행은 제2심가납금액의 한도에서 제2심재판의 집행으로 간주한다.

제481조【가납집행과 본형의 집행】 가납의 재판을 집행한 후 벌금, 과료 또는 추징의 재판이 확정한 때에는 그 금액의 한도에서 형의 집행이 된 것으로 간주한다.

제482조【판결확정 전 구금일수 등의 산입】 ① 판결선고 후 판결확정 전 구금일수(판결선고 당일의 구금일수를 포함한다)는 전부를 본형에 산입한다. <개정 2015.7.31>

② 상소기각 결정 시에 송달기간이나 즉시항고기간 중의 미결구금일수는 전부를 본형에 산입한다. <신설 2007.6.1, 2015.7.31>

③ 제1항 및 제2항의 경우에는 구금일수의 1일을 형기의 1일 또는 벌금이나 과료에 관한 유치기간

의 1일로 계산한다. <개정 2015.7.31>
[제목개정 2015.7.31]

제483조【몰수물의 처분】 몰수물은 검사가 처분하여야 한다.

제484조【몰수물의 교부】 ① 몰수를 집행한 후 3월 이내에 그 몰수물에 대하여 정당한 권리있는 자가 몰수물의 교부를 청구한 때에는 검사는 파괴 또는 폐기할 것이 아니면 이를 교부하여야 한다.
② 몰수물을 처분한 후 전항의 청구가 있는 경우에는 검사는 공매에 의하여 취득한 대가를 교부하여야 한다.

제485조【위조 등의 표시】 ① 위조 또는 변조한 물건을 환부하는 경우에는 그 물건의 전부 또는 일부에 위조나 변조인 것을 표시하여야 한다.
② 위조 또는 변조한 물건이 압수되지 아니한 경우에는 그 물건을 제출하게 하여 전항의 처분을 하여야 한다. 단, 그 물건이 공무소에 속한 것인 때에는 위조나 변조의 사유를 공무소에 통지하여 적당한 처분을 하게 하여야 한다.

제486조【환부불능과 공고】 ① 압수물의 환부를 받을 자의 소재가 불명하거나 기타 사유로 인하여 환부를 할 수 없는 경우에는 검사는 그 사유를 관보에 공고하여야 한다.
② 공고한 후 3월 이내에 환부의 청구가 없는 때에는 그 물건은 국고에 귀속한다.
③ 전항의 기간 내에도 가치없는 물건은 폐기할 수 있고 보관하기 어려운 물건은 공매하여 그 대가를 보관할 수 있다. <개정 2007.6.1>

제487조【소송비용의 집행면제의 신청】 소송비용부담의 재판을 받은 자가 빈곤하여 이를 완납할 수 없는 때에는 그 재판의 확정 후 10일 이내에 재판을 선고한 법원에 소송비용의 전부 또는 일부에 대한 재판의 집행면제를 신청할 수 있다.

제488조【의의신청】 형의 선고를 받은 자는 집행에 관하여 재판의 해석에 대한 의의가 있는 때에는 재판을 선고한 법원에 의의신청을 할 수 있다.

제489조【이의신청】 재판의 집행을 받은 자 또는 그 법정대리인이나 배우자는 집행에 관한 검사의 처분이 부당함을 이유로 재판을 선고한 법원에 이의신청을 할 수 있다.

제490조【신청의 취하】 ① 전3조의 신청은 법원의 결정이 있을 때까지 취하할 수 있다.
② 제344조의 규정은 전3조의 신청과 그 취하에 준용한다.

제491조【즉시항고】 ① 제487조 내지 제489조의 신청이 있는 때에는 법원은 결정을 하여야 한다.
② 전항의 결정에 대하여는 즉시항부를 할 수 있다.

제492조【노역장유치의 집행】 벌금 또는 과료를 완납하지 못한 자에 대한 노역장유치의 집행에는 형의 집행에 관한 규정을 준용한다.

제493조【집행비용의 부담】 제477조 제1항의 재판집행비용은 집행을 받은 자의 부담으로 하고 「민사집행법」의 규정에 준하여 집행과 동시에 징수하여야 한다. <개정 2007.6.1>

부 칙 〈1954. 9. 23〉

제1조 본법 시행 전에 공소를 제기한 사건에는 구법을 적용한다.

제2조 본법 시행 후에 공소를 제기한 사건에는 본법을 적용한다. 단, 본법시행 전에 구법에 의하여 행한 소송행위의 효력에는 영향을 미치지 아니한다.

제3조 본법 시행 전에 구법에 의하여 행한 소송절차로 본법의 규정에 상당한 것은 본법에 의하여 행한 것으로 간주한다.

제4조 본법 시행 전 진행된 법정기간과 소송행위를 할 자의 주거나 사무소의 소재지와 법원 소재지의 거리에 의한 부가기간은 구법의 규정에 의한다.

제5조 본법 제45조의 규정에 의하여 소송관계인이 재판서나 재판을 기재한 조서의 등본 또는 초본의 교부를 청구할 경우에는 용지 1매에 50환으로 계산한 수입인지를 첨부하여야 한다.

제6조 본법 시행당시 법원에 계속된 사건의 처리에 관한 필요사항은 본법에 특별한 규정이 없으면 대법원규칙의 정한 바에 의한다.

제7조 당분간 본법에 규정한 과태료와 부칙 제5조의 용지요금액은 경제사정의 변동에 따라 대법원규칙으로 증감할 수 있다.

제8조 본법 시행직전까지 시행된 다음 법령은 폐지한다.

1. 조선형사령 중 본법에 저촉되는 법조
2. 미군정법령 중 본법에 저촉되는 법조

제9조【시행일】 이 법률은 단기 4287년 5월 30일부터 시행한다.

부 칙〈2007. 6. 1〉

제1조【시행일】 이 법은 2008년 1월 1일부터 시행한다.

제2조【일반적 경과조치】 이 법은 이 법 시행 당시 수사 중이거나 법원에 계속 중인 사건에도 적용한다. 다만, 이 법 시행 전에 종전의 규정에 따라 행한 행위의 효력에는 영향을 미치지 아니한다.

제3조【구속기간에 관한 경과조치】 ① 제92조 제2항의 개정규정은 이 법 시행 후 최초로 제기된 상소사건부터 적용한다.

② 제92조 제3항의 개정규정은 이 법 시행 후 최초로 공소제기 전의 체포·구인·구금이 이루어지는 사건부터 적용한다.

제4조【과태료 등에 관한 경과조치】 제151조의 개정규정은 이 법 시행 후 소환장을 송달받은 증인이 최초로 출석하지 아니하는 분부터 적용한다.

제5조【재정신청사건에 관한 경과조치】 ① 이 법의 재정신청에 관한 개정규정은 이 법 시행 후 최초로 불기소처분된 사건, 이 법 시행 전에 '검찰청법'에 따라 항고 또는 재항고를 제기할 수 있는 사건, 이 법 시행 당시 고등검찰청 또는 대검찰청에 항고 또는 재항고가 계속 중인 사건에 대하여 적용한다. 다만, 이 법 시행 전에 동일한 범죄사실에 관하여 이미 불기소처분을 받은 경우에는 그러하지 아니하다.

② 이 법 시행 전에 지방검찰청검사장 또는 지청장에게 재정신청서를 제출한 사건은 종전의 규정에 따른다.

③ 제260조 제3항의 개정규정에도 불구하고 이 법 시행 전에 대검찰청에 재항고할 수 있는 사건의 재정신청기간은 이 법 시행일부터 10일 이내, 대검찰청에 재항고가 계속 중인 사건의 경우에는 재항고기각결정을 통지 받은 날부터 10일 이내로 한다.

제6조【상고 등에 관한 경과조치】 이 법 시행 전에 상고되거나 재항고된 사건은 종전의 규정에 따른다.

제7조【다른 법률의 개정】 ① 부패방지법 일부를 다음과 같이 개정한다.

제31조 제1항 중 "위원회는 그 통보를 받은 날부터 10일 이내에 그 검사"를 "위원회는 그 검사"로 하고, 같은 조 제2항 중 "형사소송법 제260조 제2항·제261조·제262조 및 제263조 내지 제265조의 규정"을 "「형사소송법」 제260조 제2항부터 제4항까지, 제261조, 제262조, 제262조의 4, 제264조 및 제264조의 2"로 하며, 같은 조 제3항을 삭제한다.

② 공직선거법 일부를 다음과 같이 개정한다.

제273조 제1항 중 "선거관리위원회는 검사로부터 공소를 제기하지 아니한다는 통지를 받은 날부터 10일 이내에 그 검사소속의"를 "선거관리위원회는 그 검사소속의"로 하고, 같은 조 제2항 중 "제260조(재정신청)제2항·제261조(지방검찰청검사장 또는 지청장 및 고등검찰청검사장 또는 지청장의 처리)·제262조(고등법원의 재정결정)·제263조(공소제기의 의제)·제264조(대리인에 의한 신청과 1인의 신청의 효력, 취소) 및 제265조(공소의 유지와 지정변호사)"를 "제260조 제2항부터 제4항까지, 제261조, 제262조, 제262조의 4 제2항, 제264조 및 제264조의 2"로 한다.

③ 의문사진상규명에 관한 특별법 일부를 다음과 같이 개정한다.

제32조 제3항 단서 중 "형사소송법 제262조 제3항"을 "「형사소송법」 제262조 제5항"으로 한다.

④ 군의문사 진상규명 등에 관한 특별법 일부를 다음과 같이 개정한다.

제32조 제3항 단서 중 "제262조 제3항"을 "제262조 제5항"으로 한다.

부 칙〈2007. 12. 21〉

제1조【시행일】 이 법은 공포한 날부터 시행한다. 다만, 제245조의 2부터 제245조의 4까지 및 제279조의 2부터 제279조의 8까지의 개정규정은 공포 후 1개월이 경과한 날부터 시행하고, 제209조, 제243조, 제262조의 4 제1항, 제319조 단서, 제338조 제2항 및 제417조의 개정규정과 부칙 제4조는 2008년 1월 1일부터 시행한다.

제2조【전문수사자문위원 및 전문심리위원에 대한 적용례】 제245조의 2부터 제245조의 4까지 및 제279조의 2부터 제279조의 8까지의 개정규정은 이 법 시행 당시 수사 중이거나 법원에 계속 중인 사건에도 적용한다.

제3조【공소시효에 관한 경과조치】 이 법 시행 전에 범한 죄에 대하여는 종전의 규정을 적용한다.

제4조 이하 생략

부 칙 〈2009. 6. 9〉

제1조【시행일】 이 법은 2010년 1월 1일부터 시행한다. <단서 생략>

제2조부터 제5조까지 생략

제6조【다른 법률의 개정】 ①부터 ④까지 생략

⑤ 형사소송법 일부를 다음과 같이 개정한다.

제165조의 2 제2호 중 "「청소년의 성보호에 관한 법률」 제5조부터 제10조"까지를 "「아동·청소년의 성보호에 관한 법률」 제7조부터 제12조까지"로, "청소년 또는"을 "아동·청소년 또는"으로 한다.

제7조 생략

부 칙 〈2011. 7. 18〉

제1조【시행일】 ① 이 법은 2012년 1월 1일부터 시행한다.

② 제1항에도 불구하고 제59조의 3의 개정규정은 2013년 1월 1일부터 시행한다. 다만, 다음 각 호의 사항은 2014년 1월 1일부터 시행한다.

1. 증거목록이나 그 등본, 그 밖에 검사나 피고인 또는 변호인이 법원에 제출한 서류·물건의 명칭·목록 또는 이에 해당하는 정보의 전자적 방법에 따른 열람 및 복사에 관한 사항
2. 단독판사가 심판하는 사건 및 그에 대한 상소심 사건에서 증거목록이나 그 등본, 그 밖에 검사나 피고인 또는 변호인이 법원에 제출한 서류·물건의 명칭·목록 또는 이에 해당하는 정보의 열람 및 복사에 관한 사항(전자적 방법에 따른 열람 및 복사를 포함한다)

제2조【확정 판결서 등의 열람·복사에 관한 적용례】 제59조의 3의 개정규정은 같은 개정규정 시행 후 최초로 판결이 확정되는 사건의 판결서 등부터 적용한다.

제3조【재정신청사건에 관한 적용례 및 경과조치】

① 제260조의 개정규정은 이 법 시행 후 최초로 불기소처분된 사건, 이 법 시행 전에 「검찰청법」에 따라 항고 또는 재항고를 제기할 수 있는 사건, 이 법 시행 당시 고등검찰청 또는 대검찰청에 항고 또는 재항고가 계속 중인 사건에 대하여 적용한다. 다만, 이 법 시행 전에 동일한 범죄사실에 관하여 이미 불기소처분을 받은 경우에는 그러하지 아니하다.

② 이 법 시행 전에 지방검찰청검사장 또는 지청장에게 재정신청서를 제출한 사건은 종전의 규정에 따른다.

제4조【일반적 경과조치】 이 법은 이 법 시행 당시 수사 중이거나 법원에 계속 중인 사건에도 적용한다. 다만, 이 법 시행 전에 종전의 규정에 따라 행한 행위의 효력에는 영향을 미치지 아니한다.

부 칙 〈법률 제11002호, 2011. 8. 4〉 (아동복지법)

제1조【시행일】 이 법은 공포 후 1년이 경과한 날부터 시행한다.

제2조부터 제5조까지 생략

제6조【다른 법률의 개정】 ①부터 ⑪까지 생략

⑫ 형사소송법 일부를 다음과 같이 개정한다.

제165조의 2 제1호를 다음과 같이 한다.

1. 「아동복지법」 제71조 제1항 제1호부터 제3호까지에 해당하는 죄의 피해자

⑬ 생략

제7조 생략

부 칙 〈법률 제11572호, 2012. 12. 18〉
(아동·청소년의 성보호에 관한 법률)

제1조【시행일】 이 법은 공포 후 6개월이 경과한 날부터 시행한다.

제2조부터 제9조까지 생략

제10조【다른 법률의 개정】 ①부터 ⑧까지 생략

⑨ 형사소송법 일부를 다음과 같이 개정한다.
제165조의 2 제2호 중 "「아동·청소년의 성보호에 관한 법률」 제7조부터 제12조까지"를 "「아동·청소년의 성보호에 관한 법률」 제7조, 제8조, 제11조부터 제15조까지 및 제17조 제1항"으로 한다.

부 칙〈법률 제11731호, 2013. 4. 5〉(형법)

제1조【시행일】 이 법은 공포한 날부터 시행한다. <단서 생략>
제2조【다른 법률의 개정】 ①부터 <16>까지 생략
<17> 형사소송법 일부를 다음과 같이 개정한다.
제230조 제2항을 삭제한다.
제3조 생략

부 칙〈법률 제12576호, 2014. 5. 14〉

이 법은 공포한 날부터 시행한다.

부 칙〈법률 제12784호, 2014. 10. 15〉

이 법은 공포한 날부터 시행한다.

부 칙〈법률 제12899호, 2014. 12. 30〉

제1조【시행일】 이 법은 공포한 날부터 시행한다.
제2조【보상청구의 기간에 관한 적용례】 제194조의 3 제2항의 개정규정은 이 법 시행 후 최초로 확정된 무죄판결부터 적용한다.

부 칙〈법률 제13454호, 2015. 7. 31〉

제1조【시행일】 이 법은 공포한 날부터 시행한다. 다만, 제471조의 2의 개정규정은 공포 후 6개월이 경과한 날부터 시행한다.
제2조【공소시효의 적용 배제에 관한 경과조치】 제253조의 2의 개정규정은 이 법 시행 전에 범한 범죄로 아직 공소시효가 완성되지 아니한 범죄에 대하여도 적용한다.

부 칙〈법률 제13720호, 2016. 1. 6〉

제1조【시행일】 이 법은 공포한 날부터 시행한다. 다만, 제477조 제6항의 개정규정은 공포 후 2년이 경과한 날부터 시행한다.
제2조【재정신청사건에 관한 적용례】 제262조 제4항 전단 및 제262조의 4 제1항의 개정규정은 이 법 시행 후 최초로 제260조 제3항에 따라 지방검찰청검사장 또는 지청장에게 재정신청서를 제출한 사건부터 적용한다.

부 칙〈법률 제13722호, 2016. 1. 6〉
(군사법원법)

제1조【시행일】 이 법은 공포 후 1년 6개월이 경과한 날부터 시행한다. <단서 생략>
제2조부터 제8조까지 생략
제9조【다른 법률의 개정】 ①부터 ⑮까지 생략
<16> 형사소송법 일부를 다음과 같이 개정한다.
제256조의 2의 제목 중 "군검찰관"을 "군검사"로 하고, 같은 조 전단 중 "관할군사법원검찰부검찰관"을 "관할 군검찰부 군검사"로 한다.
제10조 생략

부 칙〈법률 제14179호, 2016. 5. 29〉

제1조【시행일】 이 법은 공포한 날부터 시행한다. 다만, 제35조 제3항 및 제4항의 개정규정은 2016년 10월 1일부터 시행한다.
제2조【진술서 등의 증거능력에 관한 적용례】 제313조 및 제314조 본문의 개정규정은 이 법 시행 후 최초로 공소제기되는 사건부터 적용한다.

부 칙〈법률 제15164호, 2017. 12. 12〉

제1조【시행일】 이 법은 공포한 날부터 시행한다.
제2조【적용례】 제59조 및 제74조의 개정규정은 이 법 시행 후 최초로 공무원 아닌 사람이 이 법에 따라 서류를 작성하거나 법원이 피고인에게 소환장을 발부하는 경우부터 적용한다.

부 칙 〈법률 제15257호, 2017. 12. 19〉

제1조【시행일】 이 법은 공포한 날부터 시행한다.

제2조【정식재판 청구사건의 불이익변경의 금지에 관한 경과조치】 이 법 시행 전에 제453조에 따라 정식재판을 청구한 사건에 대해서는 제457조의 2의 개정규정에도 불구하고 종전의 규정에 따른다.

부 칙 〈법률 제16850호, 2019. 12. 31〉

제1조【시행일】 이 법은 공포한 날부터 시행한다.

제2조【즉시항고 및 준항고 제기기간에 관한 적용례】 제405조 및 제416조 제3항의 개정규정은 이 법 시행 당시 종전의 규정에 따른 즉시항고 및 준항고의 제기기간이 지나지 않은 경우에도 적용한다.

부 칙 〈법률 제16924호, 2020. 2. 4〉

제1조【시행일】 이 법은 공포 후 6개월이 경과한 날부터 1년 내에 시행하되, 그 기간 내에 대통령령으로 정하는 시점부터 시행한다. 다만, 제312조 제1항의 개정규정은 공포 후 4년 내에 시행하되, 그 기간 내에 대통령령으로 정하는 시점부터 시행한다.

제1조의 2【검사가 작성한 피의자신문조서의 증거능력에 관한 적용례 및 경과조치】 ① 제312조 제1항의 개정규정은 같은 개정규정 시행 후 공소제기된 사건부터 적용한다.

② 제312조 제1항의 개정규정 시행 전에 공소제기된 사건에 관하여는 종전의 규정에 따른다.

[본조신설 2021.12.21]

제2조【다른 법률의 개정】 법률 제16863호 고위공직자범죄수사처 설치 및 운영에 관한 법률 일부를 다음과 같이 개정한다.

제21조 제2항 중 "형사소송법 제196조 제1항"을 "형사소송법 제197조 제1항"으로 한다.

부 칙 〈법률 제17572호, 2020. 12. 8〉

제1조【시행일】 이 법은 공포 후 1년이 경과한 날부터 시행한다. 다만, 제17조 제8호 및 제9호의 개정규정은 공포 후 6개월이 경과한 날부터 시행한다.

제2조【법관의 제척에 관한 적용례】 제17조 제8호 및 제9호의 개정규정은 이 법 시행 후 최초로 공소장이 제출된 사건부터 적용한다.

부 칙 〈제18398호, 2021. 8. 17〉

제1조【시행일】 이 법은 공포 후 3개월이 경과한 날부터 시행한다. 다만, 법률 제17572호 형사소송법 일부개정법률 제165조의 2의 개정규정은 2021년 12월 9일부터 시행한다.

제2조【계속사건에 대한 경과조치】 이 법은 이 법 시행 당시 법원에 계속 중인 사건에 대하여도 적용한다.

부 칙 〈제18598호, 2021. 12. 21〉

이 법은 공포한 날부터 시행한다.

부 칙 〈제18799호, 2022. 2. 3〉

이 법은 공포한 날부터 시행한다.

부 칙 〈제18862호, 2022. 5. 9〉

제1조【시행일】 이 법은 공포 후 4개월이 경과한 날부터 시행한다.

제2조【이의신청에 관한 적용례】 제245조의 7의 개정규정은 이 법 시행 후 해당 개정규정에 따른 이의신청을 하는 경우부터 적용한다.

부 칙 〈제20265호, 2024. 2. 13〉

제1조【시행일】 이 법은 공포한 날부터 시행한다.

제2조【공소시효가 완성한 것으로 간주하기 위한 기간의 정지에 관한 적용례】 제253조 제4항의 개정규정은 이 법 시행 전에 공소가 제기된 범죄로서 이 법 시행 당시 공소시효가 완성한 것으로 간주되지 아니한 경우에도 적용한다. 이 경우 같은 개정규정에 따라 정지되는 기간에는 이 법 시행 전에 피고인이 형사처분을 면할 목적으로 국외에 있던 기간을 포함한다.

부 칙 〈제20460호, 2024. 10. 16〉

제1조【시행일】 이 법은 공포 후 3개월이 경과한 날부터 시행한다.

제2조【의견 청취에 관한 적용례】 제294조의 5의 개정규정은 이 법 시행 이후 피고인이 피해자의 권리 회복에 필요한 금전을 공탁한 경우부터 적용한다.

형사소송규칙

제 정	1982. 12. 31.	대법원규칙 제828호	일부개정	2016. 3. 1.	대법원규칙 제2641호
일부개정	2006. 3. 23.	대법원규칙 제2013호	일부개정	2016. 6. 27.	대법원규칙 제2667호
일부개정	2006. 8. 17.	대법원규칙 제2038호	일부개정	2016. 9. 6.	대법원규칙 제2678호
일부개정	2007. 10. 29.	대법원규칙 제2106호	일부개정	2016. 11. 29.	대법원규칙 제2696호
일부개정	2007. 12. 31.	대법원규칙 제2144호	타법개정	2020. 6. 26.	대법원규칙 제2906호
일부개정	2011. 12. 30.	대법원규칙 제2376호	일부개정	2020. 12. 28.	대법원규칙 제2939호
일부개정	2012. 5. 29.	대법원규칙 제2403호	일부개정	2021. 1. 29.	대법원규칙 제2949호
일부개정	2014. 8. 6.	대법원규칙 제2546호	타법개정	2021. 10. 29.	대법원규칙 제3004호
일부개정	2014. 12. 30.	대법원규칙 제2576호	일부개정	2021. 12. 31.	대법원규칙 제3016호
일부개정	2015. 1. 28.	대법원규칙 제2587호	일부개정	2024. 12. 31.	대법원규칙 제3184호
일부개정	2015. 6. 29.	대법원규칙 제2608호			

제1편 ▌총 칙

제1조【목적】 이 규칙은 「형사소송법」(다음부터 “법”이라 한다)이 대법원규칙에 위임한 사항, 그 밖에 형사소송절차에 관하여 필요한 사항을 규정함을 목적으로 한다.
[전문개정 2007.10.29]

제1장 법원의 관할

제2조【토지관할의 병합심리 신청 등】 ① 법 제6조의 규정에 의한 신청을 함에는 그 사유를 기재한 신청서를 공통되는 직근 상급법원에 제출하여야 한다.
② 검사의 신청서에는 피고인의 수에 상응한 부본을, 피고인의 신청서에는 부본 1통을 각 첨부하여야 한다.
③ 법 제6조의 신청을 받은 법원은 지체없이 각 사건계속법원에 그 취지를 통지하고 제2항의 신청서 부본을 신청인의 상대방에게 송달하여야 한다.
④ 사건계속법원과 신청인의 상대방은 제3항의 송달을 받은 날로부터 3일 이내에 의견서를 제1항의 법원에 제출할 수 있다. <개정 1991.8.3>

제3조【토지관할의 병합심리절차】 ① 법 제6조의 신청을 받은 법원이 신청을 이유있다고 인정한 때에는 관련사건을 병합심리할 법원을 지정하여 그 법원으로 하여금 병합심리하게 하는 취지의 결정을, 이유없다고 인정한 때에는 신청을 기각하는 취지의 결정을 각하고, 그 결정등본을 신청인과 그 상대방에게 송달하고 사건계속법원에 송부하여야 한다.
② 제1항의 결정에 의하여 병합심리하게 된 법원 이외의 법원은 그 결정등본을 송부받은 날로부터 7일 이내에 소송기록과 증거물을 병합심리하게 된 법원에 송부하여야 한다.

제4조【사물관할의 병합심리】 ① 법 제10조의 규정은 법원합의부와 단독판사에 계속된 각 사건이 토지관할을 달리하는 경우에도 이를 적용한다.
② 단독판사는 그가 심리 중인 사건과 관련된 사건이 합의부에 계속된 사실을 알게 된 때에는 즉시 합의부의 재판장에게 그 사실을 통지하여야 한다.
③ 합의부가 법 제10조의 규정에 의한 병합심리 결정을 한 때에는 즉시 그 결정등본을 단독판사에게 송부하여야 하고, 단독판사는 그 결정등본을 송부받은 날로부터 5일 이내에 소송기록과 증거물을 합의부에 송부하여야 한다.

제4조의 2【항소사건의 병합심리】 ① 사물관할을

달리하는 수개의 관련항소사건이 각각 고등법원과 지방법원본원합의부에 계속된 때에는 고등법원은 결정으로 지방법원본원합의부에 계속한 사건을 병합하여 심리할 수 있다. 수개의 관련항소사건이 토지관할을 달리하는 경우에도 같다.
② 지방법원본원합의부의 재판장은 그 부에서 심리 중인 항소사건과 관련된 사건이 고등법원에 계속된 사실을 알게 된 때에는 즉시 고등법원의 재판장에게 그 사실을 통지하여야 한다.
③ 고등법원이 제1항의 규정에 의한 병합심리결정을 한 때에는 즉시 그 결정등본을 지방법원본원합의부에 송부하여야 하고, 지방법원본원합의부는 그 결정등본을 송부받은 날로부터 5일 이내에 소송기록과 증거물을 고등법원에 송부하여야 한다.
[본조신설 1991.8.3]

제5조【관할지정 또는 관할이전의 신청 등】 ① 법 제16조 제1항의 규정에 의하여, 검사가 관할지정 또는 관할이전의 신청서를 제출할 때에는 피고인 또는 피의자의 수에 상응한 부본을, 피고인이 관할이전의 신청서를 제출할 때에는 부본 1통을 각 첨부하여야 한다.
② 제1항의 신청서를 제출받은 법원은 지체없이 검사의 신청서부본을 피고인 또는 피의자에게 송달하여야 하고, 피고인의 신청서부본을 검사에게 송달함과 함께 공소를 접수한 법원에 그 취지를 통지하여야 한다.
③ 검사, 피고인 또는 피의자는 제2항의 신청서부본을 송부받은 날로부터 3일 이내에 의견서를 제2항의 법원에 제출할 수 있다.

제6조【관할지정 또는 관할이전의 결정에 의한 처리절차】 ① 공소제기전의 사건에 관하여 관할지정 또는 관할이전의 결정을 한 경우 결정을 한 법원은 결정등본을 검사와 피의자에게 각 송부하여야 하며, 검사가 그 사건에 관하여 공소를 제기할 때에는 공소장에 그 결정등본을 첨부하여야 한다.
② 공소가 제기된 사건에 관하여 관할지정 또는 관할이전의 결정을 한 경우 결정을 한 법원은 결정등본을 검사와 피고인 및 사건계속법원에 각 송부하여야 한다.
③ 제2항의 경우 사건계속법원은 지체없이 소송기록과 증거물을 제2항의 결정등본과 함께 그 지정 또는 이전된 법원에 송부하여야 한다. 다만, 사건계속법원이 관할법원으로 지정된 경우에는 그러하지 아니하다.

제7조【소송절차의 정지】 법원은 그 계속 중인 사건에 관하여 토지관할의 병합심리신청, 관할지정신청 또는 관할이전신청이 제기된 경우에는 그 신청에 대한 결정이 있기까지 소송절차를 정지하여야 한다. 다만, 급속을 요하는 경우에는 그러하지 아니하다.

제8조【소송기록 등의 송부방법 등】 ① 제3조 제2항, 제4조 제3항, 제4조의 2 제3항 또는 제6조 제3항의 각 규정에 의하여 또는 법 제8조의 규정에 의한 이송결정에 의하여 소송기록과 증거물을 다른 법원으로 송부할 때에는 이를 송부받을 법원으로 직접 송부한다.
② 제1항의 송부를 한 법원 및 송부를 받은 법원은 각각 그 법원에 대응하는 검찰청 검사 또는 고위공직자범죄수사처에 소속된 검사(이하 "수사처검사"라고 한다)에게 그 사실을 통지하여야 한다. <개정 2021.1.29>
[전문개정 1991.8.3]

제2장 법원직원의 기피

제9조【기피신청의 방식등】 ① 법 제18조의 규정에 의한 기피신청을 함에 있어서는 기피의 원인되는 사실을 구체적으로 명시하여야 한다.
② 제1항에 위배된 기피신청의 처리는 법 제20조 제1항의 규정에 의한다.

제3장 소송행위의 대리와 보조

제10조【피의자의 특별대리인 선임청구사건의 관할】 법 제28조 제1항 후단의 규정에 의한 피의자의 특별대리인 선임청구는 그 피의사건을 수사 중인 검사 또는 사법경찰관이 소속된 관서의 소재지를 관할하는 지방법원에 이를 하여야 한다.

제11조【보조인의 신고】 ① 법 제29조 제2항에 따

른 보조인의 신고는 보조인이 되고자 하는 자와 피고인 또는 피의자 사이의 신분관계를 소명하는 서면을 첨부하여 이를 하여야 한다. <개정 2007.10.29>
② 공소제기전의 보조인 신고는 제1심에도 그 효력이 있다.

제4장 변 호

제12조 【법정대리인등의 변호인 선임】 법 제30조 제2항에 규정한 자가 변호인을 선임하는 때에는 그 자와 피고인 또는 피의자와의 신분관계를 소명하는 서면을 법 제32조 제1항의 서면에 첨부하여 제출하여야 한다.

제13조 【사건이 병합되었을 경우의 변호인 선임의 효력】 하나의 사건에 관하여 한 변호인 선임은 동일법원의 동일피고인에 대하여 병합된 다른 사건에 관하여도 그 효력이 있다. 다만, 피고인 또는 변호인이 이와 다른 의사표시를 한 때에는 그러하지 아니하다. <개정 1996.12.3>
[제목개정 1996.12.3]

제13조의 2 【대표변호인 지정 등의 신청】 대표변호인의 지정, 지정의 철회 또는 변경의 신청은 그 사유를 기재한 서면으로 한다. 다만, 공판기일에서는 구술로 할 수 있다.
[전문개정 1996.12.3]

제13조의 3 【대표변호인의 지정 등의 통지】 대표변호인의 지정, 지정의 철회 또는 변경은 피고인 또는 피의자의 신청에 의한 때에는 검사 및 대표변호인에게, 변호인의 신청에 의하거나 직권에 의한 때에는 피고인 또는 피의자 및 검사에게 이를 통지하여야 한다. <개정 2007.10.29>
[전문개정 1996.12.3]

제13조의 4 【기소전 대표변호인 지정의 효력】 법 제32조의 2 제5항에 의한 대표변호인의 지정은 기소후에도 그 효력이 있다.
[전문개정 1996.12.3]

제13조의 5 【준용규정】 제13조의 규정은 대표변호인의 경우에 이를 준용한다.
[본조신설 1996.12.3]

제14조 【국선변호인의 자격】 ① 국선변호인은 법원의 관할구역 안에 사무소를 둔 변호사, 그 관할구역 안에서 근무하는 공익법무관에관한법률에 의한 공익법무관(법무부와 그 소속기관 및 각급검찰청에서 근무하는 공익법무관을 제외한다. 이하 "공익법무관"이라 한다) 또는 그 관할구역 안에서 수습 중인 사법연수생 중에서 이를 선정한다.
② 제1항의 변호사, 공익법무관 또는 사법연수생이 없거나 기타 부득이한 때에는 인접한 법원의 관할구역 안에 사무소를 둔 변호사, 그 관할구역 안에서 근무하는 공익법무관 또는 그 관할구역 안에서 수습 중인 사법연수생 중에서 이를 선정할 수 있다.
③ 제1항 및 제2항의 변호사, 공익법무관 또는 사법연수생이 없거나 기타 부득이한 때에는 법원의 관할구역 안에서 거주하는 변호사 아닌 자 중에서 이를 선정할 수 있다.
[전문개정 1995.7.10]

제15조 【변호인의 수】 ① 국선변호인은 피고인 또는 피의자마다 1인을 선정한다. 다만, 사건의 특수성에 비추어 필요하다고 인정할 때에는 1인의 피고인 또는 피의자에게 수인의 국선변호인을 선정할 수 있다.
② 피고인 또는 피의자 수인간에 이해가 상반되지 아니할 때에는 그 수인의 피고인 또는 피의자를 위하여 동일한 국선변호인을 선정할 수 있다.

제15조의 2 【국선전담변호사】 법원은 기간을 정하여 법원의 관할구역 안에 사무소를 둔 변호사(그 관할구역 안에 사무소를 둘 예정인 변호사를 포함한다) 중에서 국선변호를 전담하는 변호사를 지정할 수 있다.
[본조신설 2006.8.17]

제16조 【공소가 제기되기 전의 국선변호인 선정】 ① 법 제201조의 2에 따라 심문할 피의자에게 변호인이 없거나 법 제214조의 2에 따라 체포 또는 구속의 적부심사가 청구된 피의자에게 변호인이 없는 때에는 법원 또는 지방법원 판사는 지체 없이 국선변호인을 선정하고, 피의자와 변호인에게 그 뜻을 고지하여야 한다. <개정 2007.10.29>
② 제1항의 경우 국선변호인에게 피의사실의 요지 및 피의자의 연락처 등을 함께 고지할 수 있다.

<개정 2007.10.29>

③ 제1항의 고지는 서면 이외에 구술 · 전화 · 모사전송 · 전자우편 · 휴대전화 문자전송 그 밖에 적당한 방법으로 할 수 있다. <개정 2007.10.29>

④ 구속영장이 청구된 후 또는 체포 · 구속의 적부심사를 청구한 후에 변호인이 없게 된 때에도 제1항 및 제2항의 규정을 준용한다.

[전문개정 2006.8.17][제목개정 2007.10.29]

제16조의 2 【국선변호인 예정자명부의 작성】 ① 지방법원 또는 지원은 국선변호를 담당할 것으로 예정한 변호사, 공익법무관, 사법연수생 등을 일괄 등재한 국선변호인 예정자명부(이하 '명부'라고 한다)를 작성할 수 있다. 이 경우 국선변호 업무의 내용 및 국선변호 예정일자를 미리 지정할 수 있다.

② 지방법원 또는 지원의 장은 제1항의 명부 작성에 관하여 관할구역 또는 인접한 법원의 관할구역 안에 있는 지방변호사회장에게 협조를 요청할 수 있다.

③ 지방법원 또는 지원은 제1항의 명부를 작성한 후 지체없이 국선변호인 예정자에게 명부의 내용을 고지하여야 한다. 이 경우 제16조 제3항의 규정을 적용한다.

④ 제1항의 명부에 기재된 국선변호인 예정자는 제3항의 고지를 받은 후 3일 이내에 명부의 변경을 요청할 수 있다.

⑤ 제1항의 명부가 작성된 경우 법원 또는 지방법원 판사는 특별한 사정이 없는 한 명부의 기재에 따라 국선변호인을 선정하여야 한다.

[본조신설 2006.8.17]

제17조 【공소제기의 경우 국선변호인의 선정 등】 ① 재판장은 공소제기가 있는 때에는 변호인 없는 피고인에게 다음 각호의 취지를 고지한다.

1. 법 제33조 제1항 제1호 내지 제6호의 어느 하나에 해당하는 때에는 변호인 없이 개정할 수 없는 취지와 피고인 스스로 변호인을 선임하지 아니할 경우에는 법원이 국선변호인을 선정하게 된다는 취지
2. 법 제33조 제2항에 해당하는 때에는 법원에 대하여 국선변호인의 선정을 청구할 수 있다는 취지
3. 법 제33조 제3항에 해당하는 때에는 법원에 대하여 국선변호인의 선정을 희망하지 아니한다는 의사를 표시할 수 있다는 취지

② 제1항의 고지는 서면으로 하여야 한다.

③ 법원은 제1항의 고지를 받은 피고인이 변호인을 선임하지 아니한 때 및 법 제33조 제2항의 규정에 의하여 국선변호인 선정청구가 있거나 같은 조 제3항에 의하여 국선변호인을 선정하여야 할 때에는 지체없이 국선변호인을 선정하고, 피고인 및 변호인에게 그 뜻을 고지하여야 한다.

④ 공소제기가 있은 후 변호인이 없게 된 때에도 제1항 내지 제3항의 규정을 준용한다.

[전문개정 2006.8.17]

제17조의 2 【국선변호인 선정청구 사유의 소명】 법 제33조 제2항에 의하여 국선변호인 선정을 청구하는 경우 피고인은 소명자료를 제출하여야 한다. 다만, 기록에 의하여 그 사유가 소명되었다고 인정될 때에는 그러하지 아니하다.

[본조신설 2006.8.17]

제18조 【선정취소】 ① 법원 또는 지방법원 판사는 다음 각호의 어느 하나에 해당하는 때에는 국선변호인의 선정을 취소하여야 한다. <개정 2006.8.17>

1. 피고인 또는 피의자에게 변호인이 선임된 때
2. 국선변호인이 제14조 제1항 및 제2항에 규정한 자격을 상실한 때
3. 법원 또는 지방법원 판사가 제20조의 규정에 의하여 국선변호인의 사임을 허가한 때

② 법원 또는 지방법원 판사는 다음 각호의 어느 하나에 해당하는 때에는 국선변호인의 선정을 취소할 수 있다. <개정 2006.8.17>

1. 국선변호인이 그 직무를 성실하게 수행하지 아니하는 때
2. 피고인 또는 피의자의 국선변호인 변경 신청이 상당하다고 인정하는 때
3. 그 밖에 국선변호인의 선정결정을 취소할 상당한 이유가 있는 때

③ 법원이 국선변호인의 선정을 취소한 때에는 지체없이 그 뜻을 해당되는 국선변호인과 피고인 또는 피의자에게 통지하여야 한다.

제19조 【법정에서의 선정 등】 ① 제16조 제1항 또는 법 제283조의 규정에 의하여 국선변호인을 선정

할 경우에 이미 선임된 변호인 또는 선정된 국선변호인이 출석하지 아니하거나 퇴정한 경우에 부득이한 때에는 피고인 또는 피의자의 의견을 들어 재정 중인 변호사 등 제14조에 규정된 사람을 국선변호인으로 선정할 수 있다. <개정 1995.7.10, 2006.8.17>

② 제1항의 경우에는 이미 선정되었던 국선변호인에 대하여 그 선정을 취소할 수 있다.

③ 국선변호인이 공판기일 또는 피의자 심문기일에 출석할 수 없는 사유가 발생한 때에는 지체없이 법원 또는 지방법원 판사에게 그 사유를 소명하여 통지하여야 한다. <개정 2006.8.17>

제20조【사임】 국선변호인은 다음 각호의 어느 하나에 해당하는 경우에는 법원 또는 지방법원 판사의 허가를 얻어 사임할 수 있다. <개정 2006.8.17>

1. 질병 또는 장기여행으로 인하여 국선변호인의 직무를 수행하기 곤란할 때
2. 피고인 또는 피의자로부터 폭행, 협박 또는 모욕을 당하여 신뢰관계를 지속할 수 없을 때
3. 피고인 또는 피의자로부터 부정한 행위를 할 것을 종용받았을 때
4. 그 밖에 국선변호인으로서의 직무를 수행하는 것이 어렵다고 인정할 만한 상당한 사유가 있을 때

제21조【감독】 법원은 국선변호인이 그 임무를 해태하여 국선변호인으로서의 불성실한 사적이 현저하다고 인정할 때에는 그 사유를 대한변호사협회장 또는 소속지방변호사회장에게 통고할 수 있다.

제22조 삭제<1999.12.31>

제23조 삭제 <2007.10.29>

제5장 재 판

제24조【결정, 명령을 위한 사실조사】 ① 결정 또는 명령을 함에 있어 법 제37조 제3항의 규정에 의하여 사실을 조사하는 때 필요한 경우에는 법 및 이 규칙의 정하는 바에 따라 증인을 신문하거나 감정을 명할 수 있다.

② 제1항의 경우에는 검사, 피고인, 피의자 또는 변호인을 참여하게 할 수 있다.

제25조【재판서의 결정】 ① 재판서에 잘못된 계산이나 기재, 그 밖에 이와 비슷한 잘못이 있음이 분명한 때에는 법원은 직권으로 또는 당사자의 신청에 따라 경정결정(경정결정)을 할 수 있다. <개정 2007.10.29>

② 경정결정은 재판서의 원본과 등본에 덧붙여 적어야 한다. 다만, 등본에 덧붙여 적을 수 없을 때에는 경정결정의 등본을 작성하여 재판서의 등본을 송달받은 자에게 송달하여야 한다. <개정 2007.10.29>

③ 경정결정에 대하여는 즉시 항고를 할 수 있다. 다만, 재판에 대하여 적법한 상소가 있는 때에는 그러하지 아니하다.

제25조의 2【기명날인할 수 없는 재판서】 법 제41조 제3항에 따라 서명날인에 갈음하여 기명날인할 수 없는 재판서는 판결과 각종 영장(감정유치장 및 감정처분허가장을 포함한다)을 말한다. [본조신설 2007.10.29]

제26조【재판서의 등, 초본 청구권자의 범위】 ① 법 제45조에 규정한 기타의 소송관계인이라 함은 검사, 변호인, 보조인, 법인인 피고인의 대표자, 법 제28조의 규정에 의한 특별대리인, 법 제340조 및 제341조 제1항의 규정에 의한 상소권자를 말한다.

② 고소인, 고발인 또는 피해자는 비용을 납입하고 재판서 또는 재판을 기재한 조서의 등본 또는 초본의 교부를 청구할 수 있다. 다만, 그 청구하는 사유를 소명하여야 한다.

제27조【소송에 관한 사항의 증명서의 청구】 피고인과 제26조 제1항에 규정한 소송관계인 및 고소인, 고발인 또는 피해자는 소송에 관한 사항의 증명서의 교부를 청구할 수 있다. 다만, 고소인, 고발인 또는 피해자의 청구에 관하여는 제26조 제2항 단서의 규정을 준용한다.

제28조【등, 초본 등의 작성방법】 법 제45조에 규정한 등본, 초본(제26조 제2항에 규정한 등본, 초본을 포함한다) 또는 제27조에 규정한 증명서를 작성함에 있어서는 담당 법원서기관, 법원사무관, 법원주사, 법원주사보(이하 "법원사무관 등"이라 한다)가 등본, 초본 또는 소송에 관한 사항의 증명서라는 취지를 기재하고 기명날인하여야 한다.

부록 03

제6장 서 류

제29조 【조서에의 인용】 ① 조서에는 서면, 사진, 속기록, 녹음물, 영상녹화물, 녹취서 등 법원이 적당하다고 인정한 것을 인용하고 소송기록에 첨부하거나 전자적 형태로 보관하여 조서의 일부로 할 수 있다. <개정 2014.12.30>

② 제1항에 따라 속기록, 녹음물, 영상녹화물, 녹취서를 조서의 일부로 한 경우라도 재판장은 법원사무관 등으로 하여금 피고인, 증인, 그 밖의 소송관계인의 진술 중 중요한 사항을 요약하여 조서의 일부로 기재하게 할 수 있다. <신설 2014.12.30>

[전문개정 2012.5.29]

제29조의 2 【변경청구나 이의제기가 있는 경우의 처리】 공판조서의 기재에 대하여 법 제54조 제3항에 따른 변경청구나 이의제기가 있는 경우, 법원사무관 등은 신청의 연월일 및 그 요지와 그에 대한 재판장의 의견을 기재하여 조서를 작성한 후 당해 공판조서 뒤에 이를 첨부하여야 한다.

[본조신설 2007.10.29]

제30조 【공판조서의 낭독】 법 제55조 제2항에 따른 피고인의 낭독청구가 있는 때에는 재판장의 명에 의하여 법원사무관 등이 낭독하거나 녹음물 또는 영상녹화물을 재생한다.

[전문개정 2012.5.29]

제30조의 2 【속기 등의 신청】 ① 속기, 녹음 또는 영상녹화(녹음이 포함된 것을 말한다. 다음부터 같다)의 신청은 공판기일·공판준비기일을 열기 전까지 하여야 한다. <개정 2014.12.30>

② 피고인, 변호인 또는 검사의 신청이 있음에도 불구하고 특별한 사정이 있는 때에는 속기, 녹음 또는 영상녹화를 하지 아니하거나 신청하는 것과 다른 방법으로 속기, 녹음 또는 영상녹화를 할 수 있다. 다만, 이 경우 재판장은 공판기일에 그 취지를 고지하여야 한다.

[전문개정 2007.10.29]

제31조 삭제 <2007.10.29>

제32조 삭제 <2007.10.29>

제33조 【속기록에 대한 조치】 속기를 하게 한 경우에 재판장은 법원사무관 등으로 하여금 속기록의 전부 또는 일부를 조서에 인용하고 소송기록에 첨부하여 조서의 일부로 하게 할 수 있다.

[전문개정 2007.10.29]

제34조 【진술자에 대한 확인 등】 속기를 하게 한 경우 법 제48조 제3항 또는 법 제52조 단서에 따른 절차의 이행은 법원사무관 등 또는 법원에 소속되어 있거나 법원이 선정한 속기능력소지자(다음부터 "속기사 등"이라고 한다)로 하여금 속기록의 내용을 읽어주게 하거나 진술자에게 속기록을 열람하도록 하는 방법에 의한다.

[전문개정 2007.10.29]

제35조 삭제 <2007.10.29>

제36조 삭제 <2007.10.29>

제37조 삭제 <2007.10.29>

제38조 【녹취서의 작성 등】 ① 재판장은 필요하다고 인정하는 때에는 법원사무관 등 또는 속기사 등에게 녹음 또는 영상녹화된 내용의 전부 또는 일부를 녹취할 것을 명할 수 있다. <개정 2007.10.29>

② 재판장은 법원사무관 등으로 하여금 제1항에 따라 작성된 녹취서의 전부 또는 일부를 조서에 인용하고 소송기록에 첨부하여 조서의 일부로 하게 할 수 있다. <개정 2007.10.29>

제38조의 2 【속기록, 녹음물 또는 영상녹화물의 사본 교부】 ① 재판장은 법 제56조의 2 제3항에도 불구하고 피해자 또는 그 밖의 소송관계인의 사생활에 관한 비밀 보호 또는 신변에 대한 위해 방지 등을 위하여 특히 필요하다고 인정하는 경우에는 속기록, 녹음물 또는 영상녹화물의 사본의 교부를 불허하거나 그 범위를 제한할 수 있다. <개정 2014.12.30>

② 법 제56조의 2 제3항에 따라 속기록, 녹음물 또는 영상녹화물의 사본을 교부받은 사람은 그 사본을 당해 사건 또는 관련 소송의 수행과 관계 없는 용도로 사용하여서는 아니 된다.

[본조신설 2007.10.29]

제39조 【속기록 등의 보관과 폐기】 속기록, 녹음물, 영상녹화물 또는 녹취서는 전자적 형태로 이를 보관할 수 있으며, 재판이 확정되면 폐기한다. 다만, 속기록, 녹음물, 영상녹화물 또는 녹취서가 조서의 일부가 된 경우에는 그러하지 아니하다. <개정 2012.5.29>

제40조 삭제 <2007.10.29>

제40조의 2

[종전 제40조의 2는 제40조로 이동 <1996.12.3>]

제41조【서명의 특칙】 공무원이 아닌 자가 서명날인을 하여야 할 경우에 서명을 할 수 없으면 타인이 대서한다. 이 경우에는 대서한 자가 그 사유를 기재하고 기명날인 또는 서명하여야 한다. <개정 2007.10.29>

[제목개정 2007.10.29]

제7장 송 달

제42조【법 제60조에 의한 법원소재지의 범위】 법 제60조 제1항에 규정한 법원소재지는 당해 법원이 위치한 특별시, 광역시, 시 또는 군(다만, 광역시내의 군은 제외)으로 한다. <개정 1996.12.3>

제43조【공시송달을 명하는 재판】 법원은 공시송달의 사유가 있다고 인정한 때에는 직권으로 결정에 의하여 공시송달을 명한다.

제8장 기 간

제44조【법정기간의 연장】 ① 소송행위를 할 자가 국내에 있는 경우 주거 또는 사무소의 소재지와 법원 또는 검찰청, 고위공직자범죄수사처(이하 "수사처"라고 한다) 소재지와의 거리에 따라 해로는 100킬로미터, 육로는 200킬로미터마다 각 1일을 부가한다. 그 거리의 전부 또는 잔여가 기준에 미달할지라도 50킬로미터 이상이면 1일을 부가한다. 다만, 법원은 홍수, 천재지변 등 불가피한 사정이 있거나 교통통신의 불편정도를 고려하여 법정기간을 연장함이 상당하다고 인정하는 때에는 이를 연장할 수 있다. <개정 2021.1.29>

② 소송행위를 할 자가 외국에 있는 경우의 법정기간에는 그 거주국의 위치에 따라 다음 각호의 기간을 부가한다.

1. 아시아주 및 오세아니아주 : 15일
2. 북아메리카주 및 유럽주 : 20일
3. 중남아메리카주 및 아프리카주 : 30일

[전문개정 1996.12.3]

제9장 피고인의 소환, 구속

제45조【소환의 유예기간】 피고인에 대한 소환장은 법 제269조의 경우를 제외하고는 늦어도 출석할 일시 12시간 이전에 송달하여야 한다. 다만, 피고인이 이의를 하지 아니하는 때에는 그러하지 아니하다.

제45조의 2【비디오 등 중계장치에 의한 구속사유 고지】 ① 법 제72조의 2 제2항에 따른 절차를 위한 기일의 통지는 서면 이외에 전화・모사전송・전자우편・휴대전화 문자전송 그 밖에 적당한 방법으로 할 수 있다. 이 경우 통지의 증명은 그 취지를 조서에 기재함으로써 할 수 있다.

② 법 제72조의 2 제2항에 따른 절차 진행에 관하여는 제123조의 13 제1항 내지 제4항과 제6항 내지 제8항을 준용한다.

[본조신설 2021.10.29]

제46조【구속영장의 기재사항】 구속영장에는 법 제75조에 규정한 사항외에 피고인의 주민등록번호(외국인인 경우에는 외국인등록번호, 위 번호들이 없거나 이를 알 수 없는 경우에는 생년월일 및 성별, 다음부터 '주민등록번호 등'이라 한다)・직업 및 법 제70조 제1항 각호에 규정한 구속의 사유를 기재하여야 한다. <개정 1996.12.3, 2007.10.29>

제47조【수탁판사 또는 재판장 등의 구속영장 등의 기재요건】 수탁판사가 법 제77조 제3항의 규정에 의하여 구속영장을 발부하는 때나 재판장 또는 합의부원이 법 제80조의 규정에 의하여 소환장 또는 구속영장을 발부하는 때에는 그 취지를 소환장 또는 구속영장에 기재하여야 한다.

제48조【검사에 대한 구속영장의 송부】 검사의 지휘에 의하여 구속영장을 집행하는 경우에는 구속영장을 발부한 법원이 그 원본을 검사에게 송부하여야 한다.

제49조【구속영장집행 후의 조치】 ① 구속영장집행사무를 담당한 자가 구속영장을 집행한 때에는 구속영장에 집행일시와 장소를, 집행할 수 없었을 때에는 그 사유를 각 기재하고 기명날인하여야 한다. <개정 1996.12.3>

② 구속영장의 집행에 관한 서류는 집행을 지휘한

검사 또는 수탁판사를 경유하여 구속영장을 발부한 법원에 이를 제출하여야 한다.

③ 삭제 <2007.10.29>

제49조의 2【구인을 위한 구속영장 집행 후의 조치】 구인을 위한 구속영장의 집행에 관한 서류를 제출받은 법원의 재판장은 법원사무관 등에게 피고인이 인치된 일시를 구속영장에 기재하게 하여야 하고, 법 제71조의 2에 따라 피고인을 유치할 경우에는 유치할 장소를 구속영장에 기재하고 서명 날인하여야 한다.

[본조신설 2007.10.29]

제50조【구속영장등본의 교부청구】 ① 피고인, 변호인, 피고인의 법정대리인, 법 제28조에 따른 피고인의 특별대리인, 배우자, 직계친족과 형제자매는 구속영장을 발부한 법원에 구속영장의 등본의 교부를 청구할 수 있다. <개정 1996.12.3, 2007.10.29>

② 제1항의 경우에 고소인, 고발인 또는 피해자에 대하여는 제26조 제2항의 규정을 준용한다.

제51조【구속의 통지】 ① 피고인을 구속한 때에 그 변호인이나 법 제30조 제2항에 규정한 자가 없는 경우에는 피고인이 지정하는 자 1인에게 법 제87조 제1항에 규정한 사항을 통지하여야 한다. <개정 1996.12.3>

② 구속의 통지는 구속을 한 때로부터 늦어도 24시간 이내에 서면으로 하여야 한다. 제1항에 규정한 자가 없어 통지를 하지 못한 경우에는 그 취지를 기재한 서면을 기록에 철하여야 한다. <개정 1996.12.3>

③ 급속을 요하는 경우에는 구속되었다는 취지 및 구속의 일시·장소를 전화 또는 모사전송기 기타 상당한 방법에 의하여 통지할 수 있다. 다만, 이 경우에도 구속통지는 다시 서면으로 하여야 한다. <신설 1996.12.3>

제52조【구속과 범죄사실 등의 고지】 법원 또는 법관은 법 제72조 및 법 제88조의 규정에 의한 고지를 할 때에는 법원사무관 등을 참여시켜 조서를 작성하게 하거나 피고인 또는 피의자로 하여금 확인서 기타 서면을 작성하게 하여야 한다. <개정 1996.12.3, 1997.12.31>

[제목개정 1996.12.3]

제53조【보석 등의 청구】 ① 보석청구서 또는 구속취소청구서에는 다음 사항을 기재하여야 한다.

1. 사건번호
2. 구속된 피고인의 성명, 주민등록번호 등, 주거
3. 청구의 취지 및 청구의 이유
4. 청구인의 성명 및 구속된 피고인과의 관계

② 보석의 청구를 하거나 검사 아닌 자가 구속취소의 청구를 할 때에는 그 청구서의 부본을 첨부하여야 한다.

③ 법원은 제1항의 보석 또는 구속취소에 관하여 검사의 의견을 물을 때에는 제2항의 부본을 첨부하여야 한다.

[전문개정 2007.10.29]

제53조의 2【진술서 등의 제출】 ① 보석의 청구인은 적합한 보석조건에 관한 의견을 밝히고 이에 관한 소명자료를 낼 수 있다.

② 보석의 청구인은 보석조건을 결정함에 있어 법 제99조 제2항에 따른 이행가능한 조건인지 여부를 판단하기 위하여 필요한 범위 내에서 피고인(피고인이 미성년자인 경우에는 그 법정대리인 등)의 자력 또는 자산 정도에 관한 서면을 제출하여야 한다.

[전문개정 2007.10.29]

제54조【기록 등의 제출】 ① 검사는 법원으로부터 보석, 구속취소 또는 구속집행정지에 관한 의견요청이 있을 때에는 의견서와 소송서류 및 증거물을 지체 없이 법원에 제출하여야 한다. 이 경우 특별한 사정이 없는 한 의견요청을 받은 날의 다음날까지 제출하여야 한다. <개정 2007.10.29>

② 보석에 대한 의견 요청을 받은 검사는 보석허가가 상당하지 아니하다는 의견일 때에는 그 사유를 명시하여야 한다. <신설 1997.12.31>

③ 제2항의 경우 보석허가가 상당하다는 의견일 때에는 보석조건에 대하여 의견을 나타낼 수 있다. <신설 1997.12.31, 2007.10.29>

제54조의 2【보석의 심리】 ① 보석의 청구를 받은 법원은 지체없이 심문기일을 정하여 구속된 피고인을 심문하여야 한다. 다만, 다음 각호의 어느 하나에 해당하는 때에는 그러하지 아니하다. <개정 2007.10.29>

1. 법 제94조에 규정된 청구권자 이외의 사람이 보

석을 청구한 때
2. 동일한 피고인에 대하여 중복하여 보석을 청구하거나 재청구한 때
3. 공판준비 또는 공판기일에 피고인에게 그 이익되는 사실을 진술할 기회를 준 때
4. 이미 제출한 자료만으로 보석을 허가하거나 불허가할 것이 명백한 때

② 제1항의 규정에 의하여 심문기일을 정한 법원은 즉시 검사, 변호인, 보석청구인 및 피고인을 구금하고 있는 관서의 장에게 심문기일과 장소를 통지하여야 하고, 피고인을 구금하고 있는 관서의 장은 위 심문기일에 피고인을 출석시켜야 한다.

③ 제2항의 통지는 서면외에 전화·모사전송·전자우편·휴대전화 문자전송 그 밖에 적당한 방법으로 할 수 있다. 이 경우 통지의 증명은 그 취지를 심문조서에 기재함으로써 할 수 있다. <신설 1996.12.3, 2007.10.29>

④ 피고인, 변호인, 보석청구인은 피고인에게 유리한 자료를 낼 수 있다. <개정 2007.10.29>

⑤ 검사, 변호인, 보석청구인은 제1항의 심문기일에 출석하여 의견을 진술할 수 있다.

⑥ 법원은 피고인, 변호인 또는 보석청구인에게 보석조건을 결정함에 있어 필요한 자료의 제출을 요구할 수 있다. <신설 2007.10.29>

⑦ 법원은 피고인의 심문을 합의부원에게 명할 수 있다. <신설 1996.12.3, 2007.10.29>

[본조신설 1989.6.7]

제55조 【보석 등의 결정기한】 법원은 특별한 사정이 없는 한 보석 또는 구속취소의 청구를 받은 날부터 7일 이내에 그에 관한 결정을 하여야 한다.

[전문개정 2007.10.29]

제55조의 2 【불허가 결정의 이유】 보석을 허가하지 아니하는 결정을 하는 때에는 결정이유에 법 제95조 각호 중 어느 사유에 해당하는 지를 명시하여야 한다.

[본조신설 1989.6.7]

제55조의 3 【보석석방 후의 조치】 ① 법원은 법 제98조 제3호의 보석조건으로 석방된 피고인이 보석조건을 이행함에 있어 피고인의 주거지를 관할하는 경찰서장에게 피고인이 주거제한을 준수하고 있는지 여부 등에 관하여 조사할 것을 요구하는 등 보석조건의 준수를 위하여 적절한 조치를 취할 것을 요구할 수 있다.

② 법원은 법 제98조 제6호의 보석조건을 정한 경우 출입국사무를 관리하는 관서의 장에게 피고인에 대한 출국을 금지하는 조치를 취할 것을 요구할 수 있다.

③ 법 제100조 제5항에 따라 보석조건 준수에 필요한 조치를 요구받은 관공서 그 밖의 공사단체의 장은 그 조치의 내용과 경과 등을 법원에 통지하여야 한다.

[본조신설 2007.10.29]

[종전 제55조의 3은 제55조의 4로 이동 <2007.10.29>]

제55조의 4 【보석조건 변경의 통지】 법원은 보석을 허가한 후에 보석의 조건을 변경하거나 보석조건의 이행을 유예하는 결정을 한 경우에는 그 취지를 검사에게 지체 없이 통지하여야 한다. <개정 2007.10.29>

[본조신설 1997.12.31]

[제55조의 3에서 이동 <2007.10.29>]

제55조의 5 【보석조건의 위반과 피고인에 대한 과태료 등】 ① 법 제102조 제3항·제4항에 따른 과태료 재판의 절차에 관하여는 비송사건절차법 제248조, 제250조(다만, 검사에 관한 부분을 제외한다)를 준용한다.

② 법 제102조 제3항에 따른 감치재판절차는 법원의 감치재판개시결정에 따라 개시된다. 이 경우 감치사유가 있은 날부터 20일이 지난 때에는 감치재판개시결정을 할 수 없다.

③ 법원은 감치재판절차를 개시한 이후에도 감치에 처함이 상당하지 아니하다고 인정되는 때에는 불처벌의 결정을 할 수 있다.

④ 제2항의 감치재판개시결정과 제3항의 불처벌 결정에 대하여는 불복할 수 없다.

⑤ 제2항부터 제4항까지 및 법 제102조 제3항·제4항에 따른 감치절차에 관하여는 「법정 등의 질서유지를 위한 재판에 관한 규칙」 제3조, 제6조, 제7조의 2, 제8조, 제10조, 제11조, 제13조, 제15조, 제16조, 제18조, 제19조, 제21조부터 제23조, 제25조 제1항을 준용한다.

[본조신설 2007.10.29]

제56조 【보석 등의 취소에 의한 재구금절차】 ① 법

제102조 제2항에 따른 보석취소 또는 구속집행정지취소의 결정이 있는 때 또는 기간을 정한 구속집행정지결정의 기간이 만료된 때에는 검사는 그 취소결정의 등본 또는 기간을 정한 구속집행정지결정의 등본에 의하여 피고인을 재구금하여야 한다. 다만, 급속을 요하는 경우에는 재판장, 수명법관 또는 수탁판사가 재구금을 지휘할 수 있다. <개정 1996.12.3, 2007.10.29>

② 제1항 단서의 경우에는 법원사무관 등에게 그 집행을 명할 수 있다. 이 경우에 법원사무관 등은 그 집행에 관하여 필요한 때에는 사법경찰관리 또는 교도관에게 보조를 요구할 수 있으며 관할구역 외에서도 집행할 수 있다. <신설 1996.12.3>

제57조 【상소 등과 구속에 관한 결정】 ① 상소기간 중 또는 상소 중의 사건에 관한 피고인의 구속, 구속기간갱신, 구속취소, 보석, 보석의 취소, 구속집행정지와 그 정지의 취소의 결정은 소송기록이 상소법원에 도달하기까지는 원심법원이 이를 하여야 한다. <개정 1997.12.31>

② 이송, 파기환송 또는 파기이송중의 사건에 관한 제1항의 결정은 소송기록이 이송 또는 환송법원에 도달하기까지는 이송 또는 환송한 법원이 이를 하여야 한다.

제10장 압수와 수색

제58조 【압수수색영장의 기재사항】 압수수색영장에는 압수수색의 사유를 기재하여야 한다. <개정 1996.12.3>

제59조 【준용규정】 제48조의 규정은 압수수색영장에 이를 준용한다.

제60조 【압수와 수색의 참여】 ① 법원이 압수수색을 할 때에는 법원사무관 등을 참여하게 하여야 한다.

② 법원사무관 등 또는 사법경찰관리가 압수수색영장에 의하여 압수수색을 할 때에는 다른 법원사무관 등 또는 사법경찰관리를 참여하게 하여야 한다.

제61조 【수색증명서, 압수품목록의 작성등】 법 제128조에 규정된 증명서 또는 법 제129조에 규정된 목록은 제60조 제1항의 규정에 의한 압수수색을 한 때에는 참여한 법원사무관 등이 제60조 제2항의 규정에 의한 압수수색을 한 때에는 그 집행을 한 자가 각 작성 교부한다.

제62조 【압수수색조서의 기재】 압수수색에 있어서 제61조의 규정에 의한 증명서 또는 목록을 교부하거나 법 제130조의 규정에 의한 처분을 한 경우에는 압수수색의 조서에 그 취지를 기재하여야 한다.

제63조 【압수수색영장 집행 후의 조치】 압수수색영장의 집행에 관한 서류와 압수한 물건은 압수수색영장을 발부한 법원에 이를 제출하여야 한다. 다만, 검사의 지휘에 의하여 집행된 경우에는 검사를 경유하여야 한다.

제11장 검 증

제64조 【피고인의 신체검사 소환장의 기재사항】 피고인에 대한 신체검사를 하기 위한 소환장에는 신체검사를 하기 위하여 소환한다는 취지를 기재하여야 한다.

제65조 【피고인 아닌 자의 신체검사의 소환장의 기재사항】 피고인이 아닌 자에 대한 신체검사를 하기 위한 소환장에는 그 성명 및 주거, 피고인의 성명, 죄명, 출석일시 및 장소와 신체검사를 하기 위하여 소환한다는 취지를 기재하고 재판장 또는 수명법관이 기명날인하여야 한다. <개정 1996.12.3>

제12장 증인신문

제66조 【신문사항 등】 재판장은 피해자 · 증인의 인적사항의 공개 또는 누설을 방지하거나 그 밖에 피해자 · 증인의 안전을 위하여 필요하다고 인정할 때에는 증인의 신문을 청구한 자에 대하여 사전에 신문사항을 기재한 서면의 제출을 명할 수 있다. [전문개정 2007.10.29]

제67조 【결정의 취소】 법원은 제66조의 명을 받은 자가 신속히 그 서면을 제출하지 아니한 경우에는 증거결정을 취소할 수 있다. <개정 2007.10.29>

제67조의 2【증인의 소환방법】 ① 법 제150조의 2 제1항에 따른 증인의 소환은 소환장의 송달, 전화, 전자우편, 모사전송, 휴대전화 문자전송 그 밖에 적당한 방법으로 할 수 있다.
② 증인을 신청하는 자는 증인의 소재, 연락처와 출석 가능성 및 출석 가능 일시 그 밖에 증인의 소환에 필요한 사항을 미리 확인하는 등 증인 출석을 위한 합리적인 노력을 다하여야 한다.
[본조신설 2007.10.29]

제68조【소환장, 구속영장의 기재사항】 ① 증인에 대한 소환장에는 그 성명, 피고인의 성명, 죄명, 출석일시 및 장소, 정당한 이유없이 출석하지 아니할 경우에는 과태료에 처하거나 출석하지 아니함으로써 생긴 비용의 배상을 명할 수 있고 또 구인할 수 있음을 기재하고 재판장이 기명날인하여야 한다. <개정 1996.12.3>
② 증인에 대한 구속영장에는 그 성명, 주민등록번호(주민등록번호가 없거나 이를 알 수 없는 경우에는 생년월일), 직업 및 주거, 피고인의 성명, 죄명, 인치할 일시 및 장소, 발부 연월일 및 유효기간과 그 기간이 경과한 후에는 집행에 착수하지 못하고 구속영장을 반환하여야 한다는 취지를 기재하고 재판장이 서명날인하여야 한다. <개정 1996.12.3>

제68조의 2【불출석의 신고】 증인이 출석요구를 받고 기일에 출석할 수 없을 경우에는 법원에 바로 그 사유를 밝혀 신고하여야 한다. [본조신설 2007.10.29]

제68조의 3【증인에 대한 과태료 등】 법 제151조 제1항에 따른 과태료와 소송비용 부담의 재판절차에 관하여는 비송사건절차법 제248조, 제250조(다만, 제248조 제3항 후문과 검사에 관한 부분을 제외한다)를 준용한다.
[본조신설 2007.10.29]

제68조의 4【증인에 대한 감치】 ① 법 제151조 제2항부터 제8항까지의 감치재판절차는 법원의 감치재판개시결정에 따라 개시된다. 이 경우 감치사유가 발생한 날부터 20일이 지난 때에는 감치재판개시결정을 할 수 없다.
② 감치재판절차를 개시한 후 감치결정 전에 그 증인이 증언을 하거나 그 밖에 감치에 처하는 것이 상당하지 아니하다고 인정되는 때에는 법원은 불처벌결정을 하여야 한다.
③ 제1항의 감치재판개시결정과 제2항의 불처벌결정에 대하여는 불복할 수 없다.
④ 법 제151조 제7항의 규정에 따라 증인을 석방한 때에는 재판장은 바로 감치시설의 장에게 그 취지를 서면으로 통보하여야 한다.
⑤ 제1항부터 제4항 및 법 제151조 제2항부터 제8항까지에 따른 감치절차에 관하여는 「법정 등의 질서유지를 위한 재판에 관한 규칙」 제3조, 제6조부터 제8조까지, 제10조, 제11조, 제13조, 제15조부터 제19조까지, 제21조부터 제23조까지 및 제25조 제1항(다만, 제23조 제8항 중 "감치의 집행을 한 날"은 "법 제151조 제5항의 규정에 따른 통보를 받은 날"로 고쳐 적용한다)을 준용한다.
[본조신설 2007.10.29]

제69조【준용규정】 제48조, 제49조, 제49조의 2 전단의 규정은 증인의 구인에 이를 준용한다. <개정 2007.10.29>

제70조【소환의 유예기간】 증인에 대한 소환장은 늦어도 출석할 일시 24시간 이전에 송달하여야 한다. 다만, 급속을 요하는 경우에는 그러하지 아니하다.

제70조의 2【소환장이 송달불능된 때의 조치】 제68조에 따른 증인에 대한 소환장이 송달불능된 경우 증인을 신청한 자는 재판장의 명에 의하여 증인의 주소를 서면으로 보정하여야 하고, 이 때 증인의 소재, 연락처와 출석가능성 등을 충분히 조사하여 성실하게 기재하여야 한다.
[본조신설 2007.10.29]

제71조【증인의 동일성 확인】 재판장은 증인으로부터 주민등록증 등 신분증을 제시받거나 그 밖의 적당한 방법으로 증인임이 틀림없음을 확인하여야 한다.
[전문개정 2006.3.23]

제72조【선서취지의 설명】 증인이 선서의 취지를 이해할 수 있는가에 대하여 의문이 있는 때에는 선서전에 그 점에 대하여 신문하고, 필요하다고 인정할 때에는 선서의 취지를 설명하여야 한다.

제73조【서면에 의한 신문】 증인이 들을 수 없는 때에는 서면으로 묻고 말할 수 없는 때에는 서면으로 답하게 할 수 있다.

제74조【증인신문의 방법】 ① 재판장은 증인신문을 행함에 있어서 증명할 사항에 관하여 가능한 한 증인으로 하여금 개별적이고 구체적인 내용을 진술하게 하여야 한다. <개정 1996.12.3>

② 다음 각호의 1에 규정한 신문을 하여서는 아니된다. 다만, 제2호 내지 제4호의 신문에 관하여 정당한 이유가 있는 경우에는 그러하지 아니하다.

1. 위협적이거나 모욕적인 신문
2. 전의 신문과 중복되는 신문
3. 의견을 묻거나 의논에 해당하는 신문
4. 증인이 직접 경험하지 아니한 사항에 해당하는 신문

제75조【주신문】 ① 법 제161조의 2 제1항 전단의 규정에 의한 신문(이하 "주신문"이라 한다)은 증명할 사항과 이에 관련된 사항에 관하여 한다.

② 주신문에 있어서는 유도신문을 하여서는 아니된다. 다만, 다음 각호의 1의 경우에는 그러하지 아니하다.

1. 증인과 피고인과의 관계, 증인의 경력, 교우관계등 실질적인 신문에 앞서 미리 밝혀둘 필요가 있는 준비적인 사항에 관한 신문의 경우
2. 검사, 피고인 및 변호인 사이에 다툼이 없는 명백한 사항에 관한 신문의 경우
3. 증인이 주신문을 하는 자에 대하여 적의 또는 반감을 보일 경우
4. 증인이 종전의 진술과 상반되는 진술을 하는 때에 그 종전 진술에 관한 신문의 경우
5. 기타 유도신문을 필요로 하는 특별한 사정이 있는 경우

③ 재판장은 제2항 단서의 각호에 해당하지 아니하는 경우의 유도신문은 이를 제지하여야 하고, 유도신문의 방법이 상당하지 아니하다고 인정할 때에는 이를 제한할 수 있다.

제76조【반대신문】 ① 법 제161조의 2 제1항 후단의 규정에 의한 신문(이하 "반대신문"이라 한다)은 주신문에 나타난 사항과 이에 관련된 사항에 관하여 한다.

② 반대신문에 있어서 필요할 때에는 유도신문을 할 수 있다.

③ 재판장은 유도신문의 방법이 상당하지 아니하다고 인정할 때에는 이를 제한할 수 있다.

④ 반대신문의 기회에 주신문에 나타나지 아니한 새로운 사항에 관하여 신문하고자 할 때에는 재판장의 허가를 받아야 한다.

⑤ 제4항의 신문은 그 사항에 관하여는 주신문으로 본다.

제77조【증언의 증명력을 다투기 위하여 필요한 사항의 신문】 ① 주신문 또는 반대신문의 경우에는 증언의 증명력을 다투기 위하여 필요한 사항에 관한 신문을 할 수 있다.

② 제1항에 규정한 신문은 증인의 경험, 기억 또는 표현의 정확성 등 증언의 신빙성에 관한 사항 및 증인의 이해관계, 편견 또는 예단 등 증인의 신용성에 관한 사항에 관하여 한다. 다만, 증인의 명예를 해치는 내용의 신문을 하여서는 아니된다.

제78조【재 주신문】 ① 주신문을 한 검사, 피고인 또는 변호인은 반대신문이 끝난 후 반대신문에 나타난 사항과 이와 관련된 사항에 관하여 다시 신문(이하 "재 주신문"이라 한다)을 할 수 있다.

② 재 주신문은 주신문의 예에 의한다.

③ 제76조 제4항, 제5항의 규정은 재 주신문의 경우에 이를 준용한다.

제79조【재판장의 허가에 의한 재신문】 검사, 피고인 또는 변호인은 주신문, 반대신문 및 재 주신문이 끝난 후에도 재판장의 허가를 얻어 다시 신문을 할 수 있다.

제80조【재판장에 의한 신문순서 변경의 경우】 ① 재판장이 법 제161조의 2 제3항 전단의 규정에 의하여 검사, 피고인 및 변호인에 앞서 신문을 한 경우에 있어서 그 후에 하는 검사, 피고인 및 변호인의 신문에 관하여는 이를 신청한 자와 상대방의 구별에 따라 제75조 내지 제79조의 규정을 각 준용한다.

② 재판장이 법 제161조의 2 제3항 후단의 규정에 의하여 신문순서를 변경한 경우의 신문방법은 재판장이 정하는 바에 의한다.

제81조【직권에 의한 증인의 신문】 법 제161조의 2 제4항에 규정한 증인에 대하여 재판장이 신문한 후 검사, 피고인 또는 변호인이 신문하는 때에는 반대신문의 예에 의한다.

제82조【서류 또는 물건에 관한 신문】 ① 증인에 대하여 서류 또는 물건의 성립, 동일성 기타 이에 준하는 사항에 관한 신문을 할 때에는 그 서류 또는 물건을 제시할 수 있다.

② 제1항의 서류 또는 물건이 증거조사를 마치지 않은 것일 때에는 먼저 상대방에게 이를 열람할 기회를 주어야 한다. 다만, 상대방이 이의하지 아니할 때에는 그러하지 아니한다.

제83조【기억의 환기가 필요한 경우】 ① 증인의 기억이 명백치 아니한 사항에 관하여 기억을 환기시켜야 할 필요가 있을 때에는 재판장의 허가를 얻어 서류 또는 물건을 제시하면서 신문할 수 있다.

② 제1항의 경우에는 제시하는 서류의 내용이 증인의 진술에 부당한 영향을 미치지 아니하도록 하여야 한다.

③ 제82조 제2항의 규정은 제1항의 경우에 이를 준용한다.

제84조【증언을 명확히 할 필요가 있는 경우】 ① 증인의 진술을 명확히 할 필요가 있을 때에는 도면, 사진, 모형, 장치 등을 이용하여 신문할 수 있다.

② 제83조 제2항의 규정은 제1항의 경우에 이를 준용한다.

제84조의 2【증인의 증인신문조서열람 등】 증인은 자신에 대한 증인신문조서 및 그 일부로 인용된 속기록, 녹음물, 영상녹화물 또는 녹취서의 열람, 등사 또는 사본을 청구할 수 있다.

[전문개정 2012.5.29]

제84조의 3【신뢰관계에 있는 자의 동석】 ① 법 제163조의 2에 따라 피해자와 동석할 수 있는 신뢰관계에 있는 사람은 피해자의 배우자, 직계친족, 형제자매, 가족, 동거인, 고용주, 변호사, 그 밖에 피해자의 심리적 안정과 원활한 의사소통에 도움을 줄 수 있는 사람을 말한다. <개정 2012.5.29>

② 법 제163조의 2 제1항에 따른 동석 신청에는 동석하고자 하는 자와 피해자 사이의 관계, 동석이 필요한 사유 등을 명시하여야 한다.

③ 재판장은 법 제163조의 2 제1항 또는 제2항에 따라 동석한 자가 부당하게 재판의 진행을 방해하는 때에는 동석을 중지시킬 수 있다.

[본조신설 2007.10.29] [제목개정 2012.5.29]

제84조의 4【비디오 등 중계장치 등에 의한 신문 여부의 결정】 ① 법원은 신문할 증인이 법 제165조의 2 제1항에서 정한 자에 해당한다고 인정될 경우, 증인으로 신문하는 결정을 할 때 비디오 등 중계장치에 의한 중계시설 또는 차폐시설을 통한 신문 여부를 함께 결정하여야 한다. 이 때 증인의 연령, 증언할 당시의 정신적·심리적 상태, 범행의 수단과 결과 및 범행 후의 피고인이나 사건관계인의 태도 등을 고려하여 판단하여야 한다. <개정 2021.10.29>

② 법원은 증인신문 전 또는 증인신문 중에도 비디오 등 중계장치에 의한 중계시설 또는 차폐시설을 통하여 신문할 것을 결정할 수 있다.

[본조신설 2007.10.29]

제84조의 5【비디오 등 중계장치에 의한 신문의 실시】 제123조의 13 제1항 내지 제4항과 제6항 내지 제8항은 법 제165조의 2 제1항, 제2항에 따라 비디오 등 중계장치에 의한 중계시설을 통하여 증인신문을 하는 경우에 준용한다.

[전문개정 2021.10.29]

제84조의 6【심리의 비공개】 ① 법원은 법 제165조의 2 제1항에 따라 비디오 등 중계장치에 의한 중계시설 또는 차폐시설을 통하여 증인을 신문하는 경우, 증인의 보호를 위하여 필요하다고 인정하는 경우에는 결정으로 이를 공개하지 아니할 수 있다. <개정 2021.10.29>

② 증인으로 소환받은 증인과 그 가족은 증인보호 등의 사유로 증인신문의 비공개를 신청할 수 있다.

③ 재판장은 제2항의 신청이 있는 때에는 그 허가 여부 및 공개, 법정외의 장소에서의 신문 등 증인의 신문방식 및 장소에 관하여 결정하여야 한다.

④ 제1항의 결정을 한 경우에도 재판장은 적당하다고 인정되는 자의 재정을 허가할 수 있다.

[본조신설 2007.10.29]

제84조의 7【중계시설의 동석 등】 ① 법원은 비디오 등 중계장치에 의한 중계시설을 통하여 증인신문을 하는 경우, 법 제163조의 2의 규정에 의하여 신뢰관계에 있는 자를 동석하게 할 때에는 제84조의5에 정한 비디오 등 중계장치에 의한 중계시설에 동석하게 한다. <개정 2021.10.29>

② 법원은 법원 직원이나 비디오 등 중계장치에 의한 중계시설을 관리하는 사람으로 하여금 비디오 등 중계장치의 조작과 증인신문 절차를 보조하게 할 수 있다. <개정 2021.10.29>

[본조신설 2007.10.29] [제목개정 2021.10.29]

제84조의 8【증인을 위한 배려】 ① 법 제165조의 2 제1항에 따라 증인신문을 하는 경우, 증인은 증언을 보조할 수 있는 인형, 그림 그 밖에 적절한 도구를 사용할 수 있다. <개정 2021.10.29>

② 제1항의 증인은 증언을 하는 동안 담요, 장난감, 인형 등 증인이 선택하는 물품을 소지할 수 있다.

[본조신설 2007.10.29]

제84조의 9【차폐시설 등】 ① 법원은 법 제165조의 2 제1항에 따라 차폐시설을 설치함에 있어 피고인과 증인이 서로의 모습을 볼 수 없도록 필요한 조치를 취하여야 한다. <개정 2021.10.29>

② 법 제165조의 2 제1항에 따라 비디오 등 중계장치에 의한 중계시설을 통하여 증인신문을 할 때 중계장치를 통하여 증인이 피고인을 대면하거나 피고인이 증인을 대면하는 것이 증인의 보호를 위하여 상당하지 않다고 인정되는 경우 재판장은 검사, 변호인의 의견을 들어 증인 또는 피고인이 상대방을 영상으로 인식할 수 있는 장치의 작동을 중지시킬 수 있다. <신설 2021.10.29>

[본조신설 2007.10.29] [제목개정 2021.10.29]

제84조의 10【증인지원시설의 설치 및 운영】 ① 법원은 특별한 사정이 없는 한 예산의 범위 안에서 증인의 보호 및 지원에 필요한 시설을 설치한다.

② 법원은 제1항의 시설을 설치한 경우, 예산의 범위 안에서 그 시설을 관리·운영하고 증인의 보호 및 지원을 담당하는 직원을 둔다.

[본조신설 2012.5.29]

제13장 감 정 <개정 2021.10.29>

제85조【감정유치장의 기재사항 등】 ① 감정유치장에는 피고인의 성명, 주민등록번호 등, 직업, 주거, 죄명, 범죄사실의 요지, 유치할 장소, 유치기간, 감정의 목적 및 유효기간과 그 기간 경과후에는 집행에 착수하지 못하고 영장을 반환하여야 한다는 취지를 기재하고 재판장 또는 수명법관이 서명날인하여야 한다. <개정 1996.12.3, 2007.10.29>

② 감정유치기간의 연장이나 단축 또는 유치할 장소의 변경 등은 결정으로 한다.

제86조【간수의 신청방법】 법 제172조 제5항의 규정에 의한 신청은 피고인의 간수를 필요로 하는 사유를 명시하여 서면으로 하여야 한다. <개정 1996.12.3>

제87조【비용의 지급】 ① 법원은 감정하기 위하여 피고인을 병원 기타 장소에 유치한 때에는 그 관리자의 청구에 의하여 입원료 기타 수용에 필요한 비용을 지급하여야 한다.

② 제1항의 비용은 법원이 결정으로 정한다.

제88조【준용규정】 구속에 관한 규정은 이 규칙에 특별한 규정이 없는 경우에는 감정하기 위한 피고인의 유치에 이를 준용한다. 다만, 보석에 관한 규정은 그러하지 아니하다.

제89조【감정허가장의 기재사항】 ① 감정에 필요한 처분의 허가장에는 법 제173조 제2항에 규정한 사항 외에 감정인의 직업, 유효기간을 경과하면 허가된 처분에 착수하지 못하며 허가장을 반환하여야 한다는 취지 및 발부 연월일을 기재하고 재판장 또는 수명법관이 서명날인하여야 한다.

② 법원이 감정에 필요한 처분의 허가에 관하여 조건을 붙인 경우에는 제1항의 허가장에 이를 기재하여야 한다.

제89조의 2【감정자료의 제공】 재판장은 필요하다고 인정하는 때에는 감정인에게 소송기록에 있는 감정에 참고가 될 자료를 제공할 수 있다.

[본조신설 1996.12.3]

제89조의 3【감정서의 설명】 ① 법 제179조의 2 제2항의 규정에 의하여 감정서의 설명을 하게 할

때에는 검사, 피고인 또는 변호인을 참여하게 하여야 한다.

② 제1항의 설명의 요지는 조서에 기재하여야 한다.
[본조신설 1996.12.3]

제90조【준용규정】 제12장의 규정은 구인에 관한 규정을 제외하고는 감정, 통역과 번역에 이를 준용한다. <개정 2021.10.29>

제14장 증거보전

제91조【증거보전처분을 하여야 할 법관】 ① 증거보전의 청구는 다음 지역을 관할하는 지방법원 판사에게 하여야 한다.

1. 압수에 관하여는 압수할 물건의 소재지
2. 수색 또는 검증에 관하여는 수색 또는 검증할 장소, 신체 또는 물건의 소재지
3. 증인신문에 관하여는 증인의 주거지 또는 현재지
4. 감정에 관하여는 감정대상의 소재지 또는 현재지

② 감정의 청구는 제1항 제4호의 규정에 불구하고 감정함에 편리한 지방법원판사에게 할 수 있다.

제92조【청구의 방식】 ① 증거보전청구서에는 다음 사항을 기재하여야 한다.

1. 사건의 개요
2. 증명할 사실
3. 증거 및 보전의 방법
4. 증거보전을 필요로 하는 사유

② 삭제<1996.12.3>

제15장 소송비용〈신설 2020.6.26〉

제92조의 2【듣거나 말하는 데 장애가 있는 사람을 위한 비용 등】 듣거나 말하는 데 장애가 있는 사람을 위한 통역·속기·녹음·녹화 등에 드는 비용은 국고에서 부담하고, 형사소송법 제186조부터 제194조까지에 따라 피고인 등에게 부담하게 할 소송비용에 산입하지 아니한다.
[본조신설 2020.6.26]

제2편 ▌제1심

제1장 수 사

제93조【영장청구의 방식】 ① 영장의 청구는 서면으로 하여야 한다.

② 체포영장 및 구속영장의 청구서에는 범죄사실의 요지를 따로 기재한 서면 1통(수통의 영장을 청구하는 때에는 그에 상응하는 통수)을 첨부하여야 한다. <개정 2007.10.29>

③ 압수·수색·검증영장의 청구서에는 범죄사실의 요지, 압수·수색·검증의 장소 및 대상을 따로 기재한 서면 1통(수통의 영장을 청구하는 때에는 그에 상응하는 통수)을 첨부하여야 한다. <신설 2007.10.29>

제94조【영장의 방식】 검사의 청구에 의하여 발부하는 영장에는 그 영장을 청구한 검사의 성명과 그 검사의 청구에 의하여 발부한다는 취지를 기재하여야 한다. <개정 1996.12.3>

제95조【체포영장청구서의 기재사항】 체포영장의 청구서에는 다음 각 호의 사항을 기재하여야 한다.

1. 피의자의 성명(분명하지 아니한 때에는 인상, 체격, 그 밖에 피의자를 특정할 수 있는 사항), 주민등록번호 등, 직업, 주거
2. 피의자에게 변호인이 있는 때에는 그 성명
3. 죄명 및 범죄사실의 요지
4. 7일을 넘는 유효기간을 필요로 하는 때에는 그 취지 및 사유
5. 여러 통의 영장을 청구하는 때에는 그 취지 및 사유
6. 인치구금할 장소
7. 법 제200조의 2 제1항에 규정한 체포의 사유
8. 동일한 범죄사실에 관하여 그 피의자에 대하여 전에 체포영장을 청구하였거나 발부받은 사실이 있는 때에는 다시 체포영장을 청구하는 취지 및 이유
9. 현재 수사 중인 다른 범죄사실에 관하여 그 피의자에 대하여 발부된 유효한 체포영장이 있는 경우에는 그 취지 및 그 범죄사실

[전문개정 2007.10.29]

제95조의 2【구속영장청구서의 기재사항】 구속영

장의 청구서에는 다음 각 호의 사항을 기재하여야 한다.

1. 제95조 제1호부터 제6호까지 규정한 사항
2. 법 제70조 제1항 각 호에 규정한 구속의 사유
3. 피의자의 체포여부 및 체포된 경우에는 그 형식
4. 법 제200조의 6, 법 제87조에 의하여 피의자가 지정한 사람에게 체포이유 등을 알린 경우에는 그 사람의 성명과 연락처

[본조신설 2007.10.29]

제96조 【자료의 제출 등】 ① 체포영장의 청구에는 체포의 사유 및 필요를 인정할 수 있는 자료를 제출하여야 한다.

② 체포영장에 의하여 체포된 자 또는 현행범인으로 체포된 자에 대하여 구속영장을 청구하는 경우에는 법 제201조 제2항에 규정한 자료 외에 다음 각호의 자료를 제출하여야 한다.

1. 피의자가 체포영장에 의하여 체포된 자인 때에는 체포영장
2. 피의자가 현행범인으로 체포된 자인 때에는 그 취지와 체포의 일시 및 장소가 기재된 서류

③ 법 제214조의 2 제1항에 규정한 자는 체포영장 또는 구속영장의 청구를 받은 판사에게 유리한 자료를 제출할 수 있다.

④ 판사는 영장 청구서의 기재 사항에 흠결이 있는 경우에는 전화 기타 신속한 방법으로 영장을 청구한 검사에게 그 보정을 요구할 수 있다. <신설 1997.12.31>

[전문개정 1996.12.3][제목개정 1997.12.31]

제96조의 2 【체포의 필요】 체포영장의 청구를 받은 판사는 체포의 사유가 있다고 인정되는 경우에도 피의자의 연령과 경력, 가족관계나 교우관계, 범죄의 경중 및 태양 기타 제반 사정에 비추어 피의자가 도망할 염려가 없고 증거를 인멸할 염려가 없는 등 명백히 체포의 필요가 없다고 인정되는 때에는 체포영장의 청구를 기각하여야 한다.

[본조신설 1996.12.3]

제96조의 3 【인치·구금할 장소의 변경】 검사는 체포영장을 발부받은 후 피의자를 체포하기 이전에 체포영장을 첨부하여 판사에게 인치·구금할 장소의 변경을 청구할 수 있다.

[본조신설 1997.12.31]

[종전 제96조의 3은 제96조의 5로 이동 <1997.12.31>]

제96조의 4 【체포영장의 갱신】 검사는 체포영장의 유효기간을 연장할 필요가 있다고 인정하는 때에는 그 사유를 소명하여 다시 체포영장을 청구하여야 한다.

[전문개정 1997.12.31]

제96조의 5 【영장전담법관의 지정】 지방법원 또는 지원의 장은 구속영장청구에 대한 심사를 위한 전담법관을 지정할 수 있다.

[본조신설 1996.12.3]

[제96조의 3에서 이동, 종전 제96조의 5는 제96조의 12로 이동 <1997.12.31>]

제96조의 6 삭제 <2007.10.29>

제96조의 7 삭제 <2007.10.29>

제96조의 8 삭제 <2007.10.29>

제96조의 9 삭제 <2007.10.29>

제96조의 10 삭제 <2007.10.29>

제96조의 11 【구인 피의자의 유치 등】 ① 구인을 위한 구속영장의 집행을 받아 인치된 피의자를 법원에 유치한 경우에 법원사무관 등은 피의자의 도망을 방지하기 위한 적절한 조치를 취하여야 한다.

② 제1항의 피의자를 법원 외의 장소에 유치하는 경우에 판사는 구인을 위한 구속영장에 유치할 장소를 기재하고 서명날인하여 이를 교부하여야 한다.

[본조신설 1997.12.31]

제96조의 12 【심문기일의 지정, 통지】 ① 삭제 <2007.10.29>

② 체포된 피의자 외의 피의자에 대한 심문기일은 관계인에 대한 심문기일의 통지 및 그 출석에 소요되는 시간 등을 고려하여 피의자가 법원에 인치된 때로부터 가능한 한 빠른 일시로 지정하여야 한다. <신설 1997.12.31>

③ 심문기일의 통지는 서면 이외에 구술·전화·모사전송·전자우편·휴대전화 문자전송 그 밖에 적당한 방법으로 신속하게 하여야 한다. 이 경우 통지의 증명은 그 취지를 심문조서에 기재함으로써 할 수 있다. <개정 2007.10.29>

[본조신설 1996.12.3]

[제96조의 5에서 이동 <1997.12.31>]

제96조의 13 (피의자의 심문절차) ① 판사는 피의

자가 심문기일에의 출석을 거부하거나 질병 그 밖의 사유로 출석이 현저하게 곤란하고, 피의자를 심문 법정에 인치할 수 없다고 인정되는 때에는 피의자의 출석 없이 심문절차를 진행할 수 있다.

② 검사는 피의자가 심문기일에의 출석을 거부하는 때에는 판사에게 그 취지 및 사유를 기재한 서면을 작성 제출하여야 한다.

③ 제1항의 규정에 의하여 심문절차를 진행할 경우에는 출석한 검사 및 변호인의 의견을 듣고, 수사기록 그 밖에 적당하다고 인정하는 방법으로 구속사유의 유무를 조사할 수 있다.

[전문개정 2007.10.29]

제96조의 14【심문의 비공개】 피의자에 대한 심문절차는 공개하지 아니한다. 다만, 판사는 상당하다고 인정하는 경우에는 피의자의 친족, 피해자 등 이해관계인의 방청을 허가할 수 있다.

[본조신설 1996.12.3]

[제96조의 7에서 이동 <1997.12.31>]

제96조의 15【심문장소】 피의자의 심문은 법원청사내에서 하여야 한다. 다만, 피의자가 출석을 거부하거나 질병 기타 부득이한 사유로 법원에 출석할 수 없는 때에는 경찰서, 구치소 기타 적당한 장소에서 심문할 수 있다.

[본조신설 1996.12.3]

[제96조의 8에서 이동 <1997.12.31>]

제96조의 16【심문기일의 절차】 ① 판사는 피의자에게 구속영장청구서에 기재된 범죄사실의 요지를 고지하고, 피의자에게 일체의 진술을 하지 아니하거나 개개의 질문에 대하여 진술을 거부할 수 있으며, 이익되는 사실을 진술할 수 있음을 알려주어야 한다.

② 판사는 구속 여부를 판단하기 위하여 필요한 사항에 관하여 신속하고 간결하게 심문하여야 한다. 증거인멸 또는 도망의 염려를 판단하기 위하여 필요한 때에는 피의자의 경력, 가족관계나 교우관계 등 개인적인 사항에 관하여 심문할 수 있다.

③ 검사와 변호인은 판사의 심문이 끝난 후에 의견을 진술할 수 있다. 다만, 필요한 경우에는 심문 도중에도 판사의 허가를 얻어 의견을 진술할 수 있다.

④ 피의자는 판사의 심문 도중에도 변호인에게 조력을 구할 수 있다.

⑤ 판사는 구속 여부의 판단을 위하여 필요하다고 인정하는 때에는 심문장소에 출석한 피해자 그 밖의 제3자를 심문할 수 있다.

⑥ 구속영장이 청구된 피의자의 법정대리인, 배우자, 직계친족, 형제자매나 가족, 동거인 또는 고용주는 판사의 허가를 얻어 사건에 관한 의견을 진술할 수 있다.

⑦ 판사는 심문을 위하여 필요하다고 인정하는 경우에는 호송경찰관 기타의 자를 퇴실하게 하고 심문을 진행할 수 있다.

[전문개정 2007.10.29]

제96조의 17 삭제 <2007.10.29>

제96조의 18【처리시각의 기재】 구속영장을 청구받은 판사가 피의자심문을 한 경우 법원사무관 등은 구속영장에 구속영장청구서·수사관계서류 및 증거물을 접수한 시각과 이를 반환한 시각을 기재하여야 한다. 다만, 체포된 피의자 외의 피의자에 대하여는 그 반환 시각을 기재한다.

[본조신설 1997.12.31]

제96조의 19【영장발부와 통지】 ① 법 제204조의 규정에 의한 통지는 다음 각호의 1에 해당하는 사유가 발생한 경우에 이를 하여야 한다.

1. 피의자를 체포 또는 구속하지 아니하거나 못한 경우
2. 체포 후 구속영장 청구기간이 만료하거나 구속 후 구속기간이 만료하여 피의자를 석방한 경우
3. 체포 또는 구속의 취소로 피의자를 석방한 경우
4. 체포된 국회의원에 대하여 헌법 제44조의 규정에 의한 석방요구가 있어 체포영장의 집행이 정지된 경우
5. 구속집행정지의 경우

② 제1항의 통지서에는 다음 각호의 사항을 기재하여야 한다.

1. 피의자의 성명
2. 제1항 각호의 사유 및 제1항 제2호 내지 제5호에 해당하는 경우에는 그 사유발생일
3. 영장 발부 연월일 및 영장번호

③ 제1항 제1호에 해당하는 경우에는 체포영장 또는 구속영장의 원본을 첨부하여야 한다.

[본조신설 1997.12.31]

제96조의 20【변호인의 접견 등】 ① 변호인은 구속영장이 청구된 피의자에 대한 심문 시작 전에 피의자와 접견할 수 있다.
② 지방법원 판사는 심문할 피의자의 수, 사건의 성격 등을 고려하여 변호인과 피의자의 접견 시간을 정할 수 있다.
③ 지방법원 판사는 검사 또는 사법경찰관에게 제1항의 접견에 필요한 조치를 요구할 수 있다.
[본조신설 2006.8.17]

제96조의 21【구속영장청구서 및 소명자료의 열람】 ① 피의자 심문에 참여할 변호인은 지방법원 판사에게 제출된 구속영장청구서 및 그에 첨부된 고소·고발장, 피의자의 진술을 기재한 서류와 피의자가 제출한 서류를 열람할 수 있다.
② 검사는 증거인멸 또는 피의자나 공범관계에 있는 자가 도망할 염려가 있는 등 수사에 방해가 될 염려가 있는 때에는 지방법원 판사에게 제1항에 규정된 서류(구속영장청구서는 제외한다)의 열람 제한에 관한 의견을 제출할 수 있고, 지방법원 판사는 검사의 의견이 상당하다고 인정하는 때에는 그 전부 또는 일부의 열람을 제한할 수 있다. <개정 2011.12.30>
③ 지방법원 판사는 제1항의 열람에 관하여 그 일시, 장소를 지정할 수 있다.
[본조신설 2006.8.17]

제96조의 22【심문기일의 변경】 판사는 지정된 심문기일에 피의자를 심문할 수 없는 특별한 사정이 있는 경우에는 그 심문기일을 변경할 수 있다.
[본조신설 2007.10.29]

제97조【구속기간연장의 신청】 ① 구속기간연장의 신청은 서면으로 하여야 한다.
② 제1항의 서면에는 수사를 계속하여야 할 상당한 이유와 연장을 구하는 기간을 기재하여야 한다.

제98조【구속기간연장기간의 계산】 구속기간연장허가결정이 있은 경우에 그 연장기간은 법 제203조의 규정에 의한 구속기간만료 다음날로부터 기산한다.

제99조【재체포·재구속영장의 청구】 ① 재체포영장의 청구서에는 재체포영장의 청구라는 취지와 법 제200조의 2 제4항에 규정한 재체포의 이유 또는 법 제214조의 3에 규정한 재체포의 사유를 기재하여야 한다. <개정 1996.12.3>
② 재구속영장의 청구서에는 재구속영장의 청구라는 취지와 법 제208조 제1항 또는 법 제214조의 3에 규정한 재구속의 사유를 기재하여야 한다. <개정 1996.12.3>
③ 제95조, 제95조의 2, 제96조, 제96조의 2 및 제96조의 4의 규정은 재체포 또는 재구속의 영장의 청구 및 그 심사에 이를 준용한다. <신설 1996.12.3, 2007.10.29>
[제목개정 1996.12.3]

제100조【준용규정】 ① 제46조, 제49조 제1항 및 제51조의 규정은 검사 또는 사법경찰관의 피의자 체포 또는 구속에 이를 준용한다. 다만, 체포영장에는 법 제200조의 2 제1항에서 규정한 체포의 사유를 기재하여야 한다. <개정 1996.12.3>
② 체포영장에 의하여 체포되었거나 현행범으로 체포된 피의자에 대하여 구속영장청구가 기각된 경우에는 법 제200조의 4 제2항의 규정을 준용한다. <신설 1996.12.3>
③ 제96조의 3의 규정은 구속영장의 인치·구금할 장소의 변경 청구에 준용한다. <신설 2020.12.28>

제101조【체포·구속적부심사청구권자의 체포·구속영장등본 교부청구 등】 구속영장이 청구되거나 체포 또는 구속된 피의자, 그 변호인, 법정대리인, 배우자, 직계친족, 형제자매나 동거인 또는 고용주는 긴급체포서, 현행범인체포서, 체포영장, 구속영장 또는 그 청구서를 보관하고 있는 검사, 사법경찰관 또는 법원사무관 등에게 그 등본의 교부를 청구할 수 있다. <개정 1989.6.7, 1996.12.3, 1997.12.31, 2007.10.29>
[제목개정 1996.12.3, 1997.12.31]

제102조【체포·구속적부심사청구서의 기재사항】 체포 또는 구속의 적부심사청구서에는 다음 사항을 기재하여야 한다. <개정 1996.12.3, 2007.10.29>
1. 체포 또는 구속된 피의자의 성명, 주민등록번호 등, 주거
2. 체포 또는 구속된 일자
3. 청구의 취지 및 청구의 이유

4. 청구인의 성명 및 체포 또는 구속된 피의자와의 관계

[제목개정 1996.12.3]

제103조 삭제 <2007.10.29>

제104조【심문기일의 통지 및 수사관계서류 등의 제출】 ① 체포 또는 구속의 적부심사의 청구를 받은 법원은 지체 없이 청구인, 변호인, 검사 및 피의자를 구금하고 있는 관서(경찰서, 교도소 또는 구치소등)의 장에게 심문기일과 장소를 통지하여야 한다. <개정 2007.10.29>

② 사건을 수사 중인 검사 또는 사법경찰관은 제1항의 심문기일까지 수사관계서류와 증거물을 법원에 제출하여야 하고, 피의자를 구금하고 있는 관서의 장은 위 심문기일에 피의자를 출석시켜야 한다. 법원사무관 등은 체포적부심사청구사건의 기록표지에 수사관계서류와 증거물의 접수 및 반환의 시각을 기재하여야 한다. <개정 1996.12.3>

③ 제54조의 2 제3항의 규정은 제1항에 따른 통지에 이를 준용한다. <개정 1996.12.3, 2007.10.29>

제104조의 2【준용규정】 제96조의 21의 규정은 체포·구속의 적부심사를 청구한 피의자의 변호인에게 이를 준용한다.

[본조신설 2006.8.17]

제105조【심문기일의 절차】 ① 법 제214조의 2 제9항에 따라 심문기일에 출석한 검사·변호인·청구인은 법원의 심문이 끝난 후 의견을 진술할 수 있다. 다만, 필요한 경우에는 심문 도중에도 판사의 허가를 얻어 의견을 진술할 수 있다.

② 피의자는 판사의 심문 도중에도 변호인에게 조력을 구할 수 있다.

③ 체포 또는 구속된 피의자, 변호인, 청구인은 피의자에게 유리한 자료를 낼 수 있다.

④ 법원은 피의자의 심문을 합의부원에게 명할 수 있다.

[전문개정 2007.10.29]

제106조【결정의 기한】 체포 또는 구속의 적부심사청구에 대한 결정은 체포 또는 구속된 피의자에 대한 심문이 종료된 때로부터 24시간 이내에 이를 하여야 한다. <개정 1996.12.3>

제107조【압수, 수색, 검증 영장청구서의 기재사항】 ① 압수, 수색 또는 검증을 위한 영장의 청구서에는 다음 각호의 사항을 기재하여야 한다. <개정 1996.12.3, 2007.10.29, 2011. 12.30>

1. 제95조 제1호부터 제5호까지에 규정한 사항
2. 압수할 물건, 수색 또는 검증할 장소, 신체나 물건
3. 압수, 수색 또는 검증의 사유
4. 일출전 또는 일몰후에 압수, 수색 또는 검증을 할 필요가 있는 때에는 그 취지 및 사유
5. 법 제216조 제3항에 따라 청구하는 경우에는 영장 없이 압수, 수색 또는 검증을 한 일시 및 장소
6. 법 제217조 제2항에 따라 청구하는 경우에는 체포한 일시 및 장소와 영장 없이 압수, 수색 또는 검증을 한 일시 및 장소
7. 「통신비밀보호법」 제2조 제3호에 따른 전기통신을 압수·수색하고자 할 경우 그 작성기간

② 신체검사를 내용으로 하는 검증을 위한 영장의 청구서에는 제1항 각호의 사항외에 신체검사를 필요로 하는 이유와 신체검사를 받을 자의 성별, 건강상태를 기재하여야 한다.

제108조【자료의 제출】 ① 법 제215조의 규정에 의한 청구를 할 때에는 피의자에게 범죄의 혐의가 있다고 인정되는 자료와 압수, 수색 또는 검증의 필요 및 해당 사건과의 관련성을 인정할 수 있는 자료를 제출하여야 한다. <개정 2011.12.30>

② 피의자 아닌 자의 신체, 물건, 주거 기타 장소의 수색을 위한 영장의 청구를 할 때에는 압수하여야 할 물건이 있다고 인정될만한 자료를 제출하여야 한다.

제109조【준용규정】 제58조, 제62조의 규정은 검사 또는 사법경찰관의 압수, 수색에 제64조, 제65조의 규정은 검사 또는 사법경찰관의 검증에 각 이를 준용한다.

제110조【압수, 수색, 검증의 참여】 검사 또는 사법경찰관이 압수, 수색, 검증을 함에는 법제243조에 규정한 자를 각 참여하게 하여야 한다.

제111조【제1회 공판기일 전 증인신문청구서의 기재사항】 법 제221조의 2에 따른 증인신문 청구서에는 다음 각 호의 사항을 기재하여야 한다.

1. 증인의 성명, 직업 및 주거
2. 피의자 또는 피고인의 성명
3. 죄명 및 범죄사실의 요지
4. 증명할 사실
5. 신문사항
6. 증인신문청구의 요건이 되는 사실
7. 피의자 또는 피고인에게 변호인이 있는 때에는 그 성명

[전문개정 2007.10.29]

제112조【증인신문 등의 통지】 판사가 법 제221조의 2에 따른 증인신문을 실시할 경우에는 피고인, 피의자 또는 변호인에게 신문기일과 장소 및 증인신문에 참여할 수 있다는 취지를 통지하여야 한다. <개정 2007.10.29>

[전문개정 1996.12.3]

제113조【감정유치청구서의 기재사항】 법 제221조의 3에 따른 감정유치청구서에는 다음 각호의 사항을 기재하여야 한다. <개정 2007.10.29>

1. 제95조 제1호부터 제5호까지에 규정한 사항
2. 유치할 장소 및 유치기간
3. 감정의 목적 및 이유
4. 감정인의 성명, 직업

[전문개정 1996.12.3]

제114조【감정에 필요한 처분허가청구서의 기재사항】 법 제221조의 4의 규정에 의한 처분허가청구서에는 다음 각호의 사항을 기재하여야 한다.

1. 법 제173조 제2항에 규정한 사항. 다만, 피의자의 성명이 분명하지 아니한 때에는 인상, 체격 기타 피의자를 특정할 수 있는 사항을 기재하여야 한다.
2. 제95조 제2호 내지 제5호에 규정한 사항
3. 감정에 필요한 처분의 이유

[전문개정 1996.12.3]

제115조【준용규정】 제85조, 제86조 및 제88조의 규정은 법 제221조의 3에 규정한 유치처분에, 제89조의 규정은 법 제221조의 4에 규정한 허가장에 각 이를 준용한다.

제116조【고소인의 신분관계 자료제출】 ① 법 제225조 내지 제227조의 규정에 의하여 고소할 때에는 고소인과 피해자와의 신분관계를 소명하는 서면을, 법 제229조에 의하여 고소할 때에는 혼인의 해소 또는 이혼소송의 제기사실을 소명하는 서면을 각 제출하여야 한다.

② 법 제228조의 규정에 의하여 검사의 지정을 받은 고소인이 고소할 때에는 그 지정받은 사실을 소명하는 서면을 제출하여야 한다.

제2장 공 소

제117조【공소장의 기재요건】 ① 공소장에는 법 제254조 제3항에 규정한 사항외에 다음 각호의 사항을 기재하여야 한다. <개정 1996.12.3, 2007.10.29>

1. 피고인의 주민등록번호 등, 직업, 주거 및 등록기준지. 다만, 피고인이 법인인 때에는 사무소 및 대표자의 성명과 주소
2. 피고인이 구속되어 있는지 여부

② 제1항 제1호에 규정한 사항이 명백하지 아니할 때에는 그 취지를 기재하여야 한다.

제118조【공소장의 첨부서류】 ① 공소장에는 공소제기전에 변호인이 선임되거나 보조인의 신고가 있는 경우 그 변호인선임서 또는 보조인신고서를, 공소제기전에 특별대리인의 선임이 있는 경우 그 특별대리인 선임결정등본을, 공소제기당시 피고인이 구속되어 있거나, 체포 또는 구속된 후 석방된 경우 체포영장, 긴급체포서 구속영장 기타 구속에 관한 서류를 각 첨부하여야 한다. <개정 1996.12.3>

② 공소장에는 제1항에 규정한 서류외에 사건에 관하여 법원에 예단이 생기게 할 수 있는 서류 기타 물건을 첨부하거나 그 내용을 인용하여서는 아니된다. <개정 1996.12.3>

제119조 삭제 <2007.10.29>

제120조【재정신청인에 대한 통지】 법원은 재정신청서를 송부받은 때에는 송부받은 날로부터 10일 이내에 피의자 이외에 재정신청인에게도 그 사유를 통지하여야 한다.

[전문개정 2007.10.29]

제121조【재정신청의 취소방식 및 취소의 통지】 ① 법 제264조 제2항에 규정된 취소는 관할고등법원에 서면으로 하여야 한다. 다만, 기록이 관할고등법원에 송부되기 전에는 그 기록이 있는 검찰청

검사장 또는 지청장에게 하여야 한다.

② 제1항의 취소서를 제출받은 고등법원의 법원사무관 등은 즉시 관할 고등검찰청 검사장 및 피의자에게 그 사유를 통지하여야 한다. <개정 2007.10.29>

제122조【재정신청에 대한 결정과 이유의 기재】 법 제262조 제2항 제2호에 따라 공소제기를 결정하는 때에는 죄명과 공소사실이 특정될 수 있도록 이유를 명시하여야 한다.

[전문개정 2007.10.29]

제122조의 2【국가에 대한 비용부담의 범위】 법 제262조의 3 제1항에 따른 비용은 다음 각 호에 해당하는 것으로 한다. <개정 2020.6.26>

1. 증인·감정인·통역인(듣거나 말하는 데 장애가 있는 사람을 위한 통역인을 제외한다)·번역인에게 지급되는 일당·여비·숙박료·감정료·통역료·번역료
2. 현장검증 등을 위한 법관, 법원사무관 등의 출장경비
3. 그 밖에 재정신청 사건의 심리를 위하여 법원이 지출한 송달료 등 절차진행에 필요한 비용

[본조신설 2007.10.29]

제122조의 3【국가에 대한 비용부담의 절차】 ① 법 제262조의 3 제1항에 따른 재판의 집행에 관하여는 법 제477조의 규정을 준용한다.

② 제1항의 비용의 부담을 명하는 재판에 그 금액을 표시하지 아니한 때에는 집행을 지휘하는 검사가 산정한다.

[본조신설 2007.10.29]

제122조의 4【피의자에 대한 비용지급의 범위】 ① 법 제262조의 3 제2항과 관련한 비용은 다음 각 호에 해당하는 것으로 한다.

1. 피의자 또는 변호인이 출석함에 필요한 일당·여비·숙박료
2. 피의자가 변호인에게 부담하였거나 부담하여야 할 선임료
3. 기타 재정신청 사건의 절차에서 피의자가 지출한 비용으로 법원이 피의자의 방어권행사에 필요하다고 인정한 비용

② 제1항 제2호의 비용을 계산함에 있어 선임료를 부담하였거나 부담할 변호인이 여러 명이 있은 경우에는 그 중 가장 고액의 선임료를 상한으로 한다.

③ 제1항 제2호의 변호사 선임료는 사안의 성격·난이도, 조사에 소요된 기간 그 밖에 변호인의 변론활동에 소요된 노력의 정도 등을 종합적으로 고려하여 상당하다고 인정되는 금액으로 정한다.

[본조신설 2007.10.29]

제122조의 5【피의자에 대한 비용지급의 절차】 ① 피의자가 법 제262조의 3 제2항에 따른 신청을 할 때에는 다음 각 호의 사항을 기재한 서면을 재정신청사건의 관할 법원에 제출하여야 한다.

1. 재정신청 사건번호
2. 피의자 및 재정신청인
3. 피의자가 재정신청절차에서 실제 지출하였거나 지출하여야 할 금액 및 그 용도
4. 재정신청인에게 지급을 구하는 금액 및 그 이유

② 피의자는 제1항의 서면을 제출함에 있어 비용명세서 그 밖에 비용액을 소명하는 데 필요한 서면과 고소인 수에 상응하는 부본을 함께 제출하여야 한다.

③ 법원은 제1항 및 제2항의 서면의 부본을 재정신청인에게 송달하여야 하고, 재정신청인은 위 서면을 송달받은 날로부터 10일 이내에 이에 대한 의견을 서면으로 법원에 낼 수 있다.

④ 법원은 필요하다고 인정하는 경우에는 피의자 또는 변호인에게 비용액의 심리를 위하여 필요한 자료의 제출 등을 요구할 수 있고, 재정신청인, 피의자 또는 변호인을 심문할 수 있다.

⑤ 비용지급명령에는 피의자 및 재정신청인, 지급을 명하는 금액을 표시하여야 한다. 비용지급명령의 이유는 특히 필요하다고 인정되는 경우가 아니면 이를 기재하지 아니한다.

⑥ 비용지급명령은 피의자 및 재정신청인에게 송달하여야 하고, 법 제262조의 3 제3항에 따른 즉시항고기간은 피의자 또는 재정신청인이 비용지급명령서를 송달받은 날부터 진행한다.

⑦ 확정된 비용지급명령정본은 「민사집행법」에 따른 강제집행에 관하여는 민사절차에서의 집행력 있는 판결정본과 동일한 효력이 있다.

[본조신설 2007.10.29]

제3장 공 판

제1절 공판준비와 공판절차

제123조【제1회 공판기일소환장의 송달시기】 피고인에 대한 제1회 공판기일소환장은 법 제266조의 규정에 의한 공소장부본의 송달 전에는 이를 송달하여서는 아니된다.

제123조의 2【공소제기 후 검사가 보관하는 서류 등의 열람·등사 신청】 법 제266조의 3 제1항의 신청은 다음 사항을 기재한 서면으로 하여야 한다.
1. 사건번호, 사건명, 피고인
2. 신청인 및 피고인과의 관계
3. 열람 또는 등사할 대상
[본조신설 2007.10.29]

제123조의 3【영상녹화물과 열람·등사】 법 제221조·법 제244조의 2에 따라 작성된 영상녹화물에 대한 법 제266조의 3의 열람·등사는 원본과 함께 작성된 부본에 의하여 이를 행할 수 있다.
[본조신설 2007.10.29]

제123조의 4【법원에 대한 열람·등사 신청】 ① 법 제266조의 4 제1항의 신청은 다음 사항을 기재한 서면으로 하여야 한다.
1. 열람 또는 등사를 구하는 서류 등의 표목
2. 열람 또는 등사를 필요로 하는 사유
② 제1항의 신청서에는 다음 각 호의 서류를 첨부하여야 한다.
1. 제123조의 2의 신청서 사본
2. 검사의 열람·등사 불허 또는 범위 제한 통지서. 다만 검사가 서면으로 통지하지 않은 경우에는 그 사유를 기재한 서면
3. 신청서 부본 1부
③ 법원은 제1항의 신청이 있는 경우, 즉시 신청서 부본을 검사에게 송부하여야 하고, 검사는 이에 대한 의견을 제시할 수 있다.
④ 제1항, 제2항 제1호·제3호의 규정은 법 제266조의 11 제3항에 따른 검사의 신청에 이를 준용한다. 법원은 검사의 신청이 있는 경우 즉시 신청서 부본을 피고인 또는 변호인에게 송부하여야 하고, 피고인 또는 변호인은 이에 대한 의견을 제시할 수 있다.
[본조신설 2007.10.29]

제123조의 5【공판준비기일 또는 공판기일에서의 열람·등사】 ① 검사, 피고인 또는 변호인은 공판준비 또는 공판기일에서 법원의 허가를 얻어 구두로 상대방에게 법 제266조의 3·제266조의 11에 따른 서류 등의 열람 또는 등사를 신청할 수 있다.
② 상대방이 공판준비 또는 공판기일에서 서류 등의 열람 또는 등사를 거부하거나 그 범위를 제한한 때에는 법원은 법 제266조의 4 제2항의 결정을 할 수 있다.
③ 제1항, 제2항에 따른 신청과 결정은 공판준비 또는 공판기일의 조서에 기재하여야 한다.
[본조신설 2007.10.29]

제123조의 6【재판의 고지 등에 관한 특례】 법원은 서면 이외에 전화·모사전송·전자우편·휴대전화 문자전송 그 밖에 적당한 방법으로 검사·피고인 또는 변호인에게 공판준비와 관련된 의견을 요청하거나 결정을 고지할 수 있다.
[본조신설 2007.10.29]

제123조의 7【쟁점의 정리】 ① 사건이 공판준비절차에 부쳐진 때에는 검사는 증명하려는 사실을 밝히고 이를 증명하는 데 사용할 증거를 신청하여야 한다.
② 피고인 또는 변호인은 검사의 증명사실과 증거신청에 대한 의견을 밝히고, 공소사실에 관한 사실상·법률상 주장과 그에 대한 증거를 신청하여야 한다.
③ 검사·피고인 또는 변호인은 필요한 경우 상대방의 주장 및 증거신청에 대하여 필요한 의견을 밝히고, 그에 관한 증거를 신청할 수 있다.
[본조신설 2007.10.29]

제123조의 8【심리계획의 수립】 ① 법원은 사건을 공판준비절차에 부친 때에는 집중심리를 하는 데 필요한 심리계획을 수립하여야 한다.
② 검사·피고인 또는 변호인은 특별한 사정이 없는 한 필요한 증거를 공판준비절차에서 일괄하여 신청하여야 한다.
③ 법원은 증인을 신청한 자에게 증인의 소재, 연락처, 출석 가능성 및 출석이 가능한 일시 등 증인

의 신문에 필요한 사항의 준비를 명할 수 있다.
[본조신설 2007.10.29]

제123조의 9【기일외 공판준비】 ① 재판장은 검사·피고인 또는 변호인에게 기한을 정하여 공판준비 절차의 진행에 필요한 사항을 미리 준비하게 하거나 그 밖에 공판준비에 필요한 명령을 할 수 있다.
② 재판장은 기한을 정하여 법 제266조의 6 제2항에 규정된 서면의 제출을 명할 수 있다.
③ 제2항에 따른 서면에는 필요한 사항을 구체적이고 간결하게 기재하여야 하고, 증거로 할 수 없거나 증거로 신청할 의사가 없는 자료에 기초하여 법원에 사건에 대한 예단 또는 편견을 발생하게 할 염려가 있는 사항을 기재하여서는 아니 된다.
④ 피고인이 제2항에 따른 서면을 낼 때에는 1통의 부본을, 검사가 제2항에 따른 서면을 낼 때에는 피고인의 수에 1을 더한 수에 해당하는 부본을 함께 제출하여야 한다. 다만, 여러 명의 피고인에 대하여 동일한 변호인이 선임된 경우에는 검사는 변호인의 수에 1을 더한 수에 해당하는 부본만을 낼 수 있다.
[본조신설 2007.10.29]

제123조의 10【공판준비기일의 변경】 검사·피고인 또는 변호인은 부득이한 사유로 공판준비기일을 변경할 필요가 있는 때에는 그 사유와 기간 등을 구체적으로 명시하여 공판준비기일의 변경을 신청할 수 있다.
[본조신설 2007.10.29]

제123조의 11【공판준비기일이 지정된 사건의 국선변호인 선정】 ① 법 제266조의 7에 따라 공판준비기일이 지정된 사건에 관하여 피고인에게 변호인이 없는 때에는 법원은 지체없이 국선변호인을 선정하고, 피고인 및 변호인에게 그 뜻을 고지하여야 한다.
② 공판준비기일이 지정된 후에 변호인이 없게 된 때에도 제1항을 준용한다.
[본조신설 2007.10.29]

제123조의 12【공판준비기일조서】 ① 법원이 공판준비기일을 진행한 경우에는 참여한 법원사무관 등이 조서를 작성하여야 한다.
② 제1항의 조서에는 피고인, 증인, 감정인, 통역인 또는 번역인의 진술의 요지와 쟁점 및 증거에 관한 정리결과 그 밖에 필요한 사항을 기재하여야 한다.
③ 제1항, 제2항의 조서에는 재판장 또는 법관과 참여한 법원사무관 등이 기명날인 또는 서명하여야 한다.
[본조신설 2007.10.29]

제123조의 13【비디오 등 중계장치 등에 의한 공판준비기일】 ① 법 제266조의 17 제1항에 따른 공판준비기일(이하 "영상공판준비기일"이라 한다)은 검사, 변호인을 비디오 등 중계장치에 의한 중계시설에 출석하게 하거나 인터넷 화상장치를 이용하여 지정된 인터넷주소에 접속하게 하고, 영상과 음향의 송수신에 의하여 법관, 검사, 변호인이 상대방을 인식할 수 있는 방법으로 한다.
② 제1항의 비디오 등 중계장치에 의한 중계시설은 법원 청사 안에 설치하되, 필요한 경우 법원 청사 밖의 적당한 곳에 설치할 수 있다.
③ 법원은 제2항 후단에 따라 비디오 등 중계장치에 의한 중계시설이 설치된 관공서나 그 밖의 공사단체의 장에게 영상공판준비기일의 원활한 진행에 필요한 조치를 요구할 수 있다.
④ 영상공판준비기일에서의 서류 등의 제시는 비디오 등 중계장치에 의한 중계시설이나 인터넷 화상장치를 이용하거나 모사전송, 전자우편, 그 밖에 이에 준하는 방법으로 할 수 있다.
⑤ 인터넷 화상장치를 이용하는 경우 영상공판준비기일에 지정된 인터넷 주소에 접속하지 아니한 때에는 불출석한 것으로 본다. 다만, 당사자가 책임질 수 없는 사유로 접속할 수 없었던 때에는 그러하지 아니하다.
⑥ 통신불량, 소음, 서류 등 확인의 불편, 제3자 관여 우려 등의 사유로 영상공판준비기일의 실시가 상당하지 아니한 당사자가 있는 경우 법원은 기일을 연기 또는 속행하면서 그 당사자가 법정에 직접 출석하는 기일을 지정할 수 있다.
⑦ 법원조직법 제58조 제2항에 따른 명령을 위반하는 행위, 같은 법 제59조에 위반하는 행위, 심리방해행위 또는 재판의 위신을 현저히 훼손하는 행위가 있는 경우 감치 또는 과태료에 처하는 재판에 관하여는 법정 등의 질서유지를 위한 재판에 관한 규칙에 따른다.

⑧ 영상공판준비기일을 실시한 경우 그 취지를 조서에 적어야 한다.
[본조신설 2021.10.29]

제124조【공판개정시간의 구분 지정】 재판장은 가능한 한 각 사건에 대한 공판개정시간을 구분하여 지정하여야 한다.

제124조의 2【일괄 기일 지정과 당사자의 의견 청취】 재판장은 법 제267조의 2 제3항의 규정에 의하여 여러 공판기일을 일괄하여 지정할 경우에는 검사, 피고인 또는 변호인의 의견을 들어야 한다.
[본조신설 2007.10.29]

제125조【공판기일 변경신청】 법 제270조 제1항에 규정한 공판기일 변경신청에는 공판기일의 변경을 필요로 하는 사유와 그 사유가 계속되리라고 예상되는 기간을 명시하여야 하며 진단서 기타의 자료로써 이를 소명하여야 한다.

제125조의 2【변론의 방식】 공판정에서의 변론은 구체적이고 명료하게 하여야 한다.
[본조신설 2007.10.29]

제126조【피고인의 대리인의 대리권】 피고인이 법 제276조 단서 또는 법 제277조에 따라 공판기일에 대리인을 출석하게 할 때에는 그 대리인에게 대리권을 수여한 사실을 증명하는 서면을 법원에 제출하여야 한다. <개정 2007.10.29>

제126조의 2【신뢰관계 있는 자의 동석】 ① 법 제276조의 2 제1항에 따라 피고인과 동석할 수 있는 신뢰관계에 있는 자는 피고인의 배우자, 직계친족, 형제자매, 가족, 동거인, 고용주 그 밖에 피고인의 심리적 안정과 원활한 의사소통에 도움을 줄 수 있는 자를 말한다.
② 법 제276조의 2 제1항에 따른 동석 신청에는 동석하고자 하는 자와 피고인 사이의 관계, 동석이 필요한 사유 등을 밝혀야 한다.
③ 피고인과 동석한 신뢰관계에 있는 자는 재판의 진행을 방해하여서는 아니 되며, 재판장은 동석한 신뢰관계 있는 자가 부당하게 재판의 진행을 방해하는 때에는 동석을 중지시킬 수 있다.
[본조신설 2007.10.29]
[종전 제126조의 2는 제126조의 4로 이동 <2007.10.29>]

제126조의 3【불출석의 허가와 취소】 ① 법 제277조 제3호에 규정한 불출석허가신청은 공판기일에 출석하여 구술로 하거나 공판기일 외에서 서면으로 할 수 있다.
② 법원은 피고인의 불출석허가신청에 대한 허가 여부를 결정하여야 한다.
③ 법원은 피고인의 불출석을 허가한 경우에도 피고인의 권리보호 등을 위하여 그 출석이 필요하다고 인정되는 때에는 불출석 허가를 취소할 수 있다.
[본조신설 2007.10.29]
[종전 제126조의 3은 제126조의 5로 이동 <2007.10.29>]

제126조의 4【출석거부의 통지】 법 제277조의 2의 사유가 발생하는 경우에는 교도소장은 즉시 그 취지를 법원에 통지하여야 한다.
[본조신설 1996.12.3]
[제126조의 2에서 이동, 종전 제126조의 4는 제126조의 6으로 이동 <2007.10.29>]

제126조의 5【출석거부에 관한 조사】 ① 법원이 법 제277조의 2에 따라 피고인의 출석없이 공판절차를 진행하고자 하는 경우에는 미리 그 사유가 존재하는가의 여부를 조사하여야 한다. <개정 2007.10.29>
② 법원이 제1항의 조사를 함에 있어서 필요하다고 인정하는 경우에는 교도관리 기타 관계자의 출석을 명하여 진술을 듣거나 그들로 하여금 보고서를 제출하도록 명할 수 있다. <개정 2007.10.29>
③ 법원은 합의부원으로 하여금 제1항의 조사를 하게 할 수 있다.
[본조신설 1996.12.3][제목개정 2007.10.29]
[제126조의 3에서 이동 <2007.10.29>]

제126조의 6【피고인 또는 검사의 출석없이 공판절차를 진행한다는 취지의 고지】 법 제277조의 2의 규정에 의하여 피고인의 출석없이 공판절차를 진행하는 경우 또는 법 제278조의 규정에 의하여 검사의 2회이상 불출석으로 공판절차를 진행하는 경우에는 재판장은 공판정에서 소송관계인에게 그 취지를 고지하여야 한다.
[본조신설 1996.12.3]
[제126조의 4에서 이동 <2007.10.29>]

제126조의 7【전문심리위원의 지정】 법원은 전문

심리위원규칙에 따라 정해진 전문심리위원 후보자 중에서 전문심리위원을 지정하여야 한다.
[본조신설 2007.12.31]

제126조의 8【기일 외의 전문심리위원에 대한 설명 등의 요구와 통지】 재판장이 기일 외에서 전문심리위원에 대하여 설명 또는 의견을 요구한 사항이 소송관계를 분명하게 하는 데 중요한 사항일 때에는 법원사무관 등은 검사, 피고인 또는 변호인에게 그 사항을 통지하여야 한다.
[본조신설 2007.12.31]

제126조의 9【서면의 사본 송부】 전문심리위원이 설명이나 의견을 기재 한 서면을 제출한 경우에는 법원사무관 등은 검사, 피고인 또는 변호인에게 그 사본을 보내야 한다.
[본조신설 2007.12.31]

제126조의 10【전문심리위원에 대한 준비지시】
① 재판장은 전문심리위원을 소송절차에 참여시키기 위하여 필요하다고 인정한 때에는 쟁점의 확인 등 적절한 준비를 지시할 수 있다.
② 재판장이 제1항의 준비를 지시한 때에는 법원사무관 등은 검사, 피고인 또는 변호인에게 그 취지를 통지하여야 한다.
[본조신설 2007.12.31]

제126조의 11【증인신문기일에서의 재판장의 조치】 재판장은 전문심리위원의 말이 증인의 증언에 영향을 미치지 않게 하기 위하여 필요하다고 인정할 때에는 직권 또는 검사, 피고인 또는 변호인의 신청에 따라 증인의 퇴정 등 적절한 조치를 취할 수 있다.
[본조신설 2007.12.31]

제126조의 12【조서의 기재】 ① 전문심리위원이 공판준비기일 또는 공판기일에 참여한 때에는 조서에 그 성명을 기재하여야 한다.
② 전문심리위원이 재판장, 수명법관 또는 수탁판사의 허가를 받아 소송관계인에게 질문을 한 때에는 조서에 그 취지를 기재하여야 한다.
[본조신설 2007.12.31]

제126조의13【전문심리위원 참여 결정의 취소 신청방식 등】 ① 법 제279조의 2 제1항에 따른 결정의 취소 신청은 기일에서 하는 경우를 제외하고는 서면으로 하여야 한다.
② 제1항의 신청을 할 때에는 신청 이유를 밝혀야 한다. 다만, 검사와 피고인 또는 변호인이 동시에 신청할 때에는 그러하지 아니하다.

제126조의 14【수명법관 등의 권한】 수명법관 또는 수탁판사가 소송절차를 진행하는 경우에는 제126조의 10부터 제126조의 12까지의 규정에 따른 재판장의 직무는 그 수명법관이나 수탁판사가 행한다.
[본조신설 2007.12.31]

제127조【피고인에 대한 진술거부권 등의 고지】 재판장은 법 제284조에 따른 인정신문을 하기 전에 피고인에게 진술을 하지 아니하거나 개개의 질문에 대하여 진술을 거부할 수 있고, 이익 되는 사실을 진술할 수 있음을 알려 주어야 한다.
[전문개정 2007.10.29]

제127조의 2【피고인의 모두진술】 ① 재판장은 법 제285조에 따른 검사의 모두진술 절차를 마친 뒤에 피고인에게 공소사실을 인정하는지 여부에 관하여 물어야 한다.
② 피고인 및 변호인은 공소에 관한 의견 그 밖에 이익이 되는 사실 등을 진술할 수 있다.
[본조신설 2007.10.29]

제128조 삭제 <2007.10.29>

제129조 삭제 <2007.10.29>

제130조 삭제 <2007.10.29>

제131조【간이공판절차의 결정전의 조치】 법원이 법 제286조의 2의 규정에 의한 결정을 하고자 할 때에는 재판장은 이미 피고인에게 간이공판절차의 취지를 설명하여야 한다.

제132조【증거의 신청】 검사·피고인 또는 변호인은 특별한 사정이 없는 한 필요한 증거를 일괄하여 신청하여야 한다.
[본조신설 2007.10.29]
[종전 제132조는 제132조의 2로 이동 <2007.10.29>]

제132조의 2【증거신청의 방식】 ① 검사, 피고인 또는 변호인이 증거신청을 함에 있어서는 그 증거와 증명하고자 하는 사실과의 관계를 구체적으로 명시하여야 한다.
② 피고인의 자백을 보강하는 증거나 정상에 관한 증거는 보강증거 또는 정상에 관한 증거라는 취지를 특히 명시하여 그 조사를 신청하여야 한다.

③ 서류나 물건의 일부에 대한 증거신청을 함에 있어서는 증거로 할 부분을 특정하여 명시하여야 한다.
④ 법원은 필요하다고 인정할 때에는 증거신청을 한 자에게, 신문할 증인, 감정인, 통역인 또는 번역인의 성명, 주소, 서류나 물건의 표목 및 제1항 내지 제3항에 규정된 사항을 기재한 서면의 제출을 명할 수 있다.
⑤ 제1항 내지 제4항의 규정에 위반한 증거신청은 이를 기각할 수 있다.
[전문개정 1989.6.7]
[제132조에서 이동, 종전 제132조의 2는 제132조의 3으로 이동 <2007.10.29>]

제132조의 3【수사기록의 일부에 대한 증거신청방식】 ① 법 제311조부터 법 제315조까지 또는 법 제318조에 따라 증거로 할 수 있는 서류나 물건이 수사기록의 일부인 때에는 검사는 이를 특정하여 개별적으로 제출함으로써 그 조사를 신청하여야 한다. 수사기록의 일부인 서류나 물건을 자백에 대한 보강증거나 피고인의 정상에 관한 증거로 낼 경우 또는 법 제274조에 따라 공판기일 전에 서류나 물건을 낼 경우에도 이와 같다. <개정 2007.10.29>
② 제1항의 규정에 위반한 증거신청은 이를 기각할 수 있다.
[본조신설 1989.6.7]
[제132조의 2에서 이동, 종전 제132조의 3은 제132조의 4로 이동 <2007.10.29>]

제132조의 4【보관서류에 대한 송부요구】 ① 법 제272조에 따른 보관서류의 송부요구신청은 법원, 검찰청, 수사처, 기타의 공무소 또는 공사단체(이하 "법원 등"이라고 한다)가 보관하고 있는 서류의 일부에 대하여도 할 수 있다. <개정 2007.10.29, 2021.1.29>
② 제1항의 신청을 받은 법원이 송부요구신청을 채택하는 경우에는 서류를 보관하고 있는 법원 등에 대하여 그 서류 중 신청인 또는 변호인이 지정하는 부분의 인증등본을 송부하여 줄 것을 요구할 수 있다.
③ 제2항의 규정에 의한 요구를 받은 법원 등은 당해서류를 보관하고 있지 아니하거나 기타 송부요구에 응할 수 없는 사정이 있는 경우를 제외하고는 신청인 또는 변호인에게 당해서류를 열람하게 하여 필요한 부분을 지정할 수 있도록 하여야 하며 정당한 이유없이 이에 대한 협력을 거절하지 못한다.
④ 서류의 송부요구를 받은 법원 등이 당해서류를 보관하고 있지 아니하거나 기타 송부요구에 응할 수 없는 사정이 있는 때에는 그 사유를 요구법원에 통지하여야 한다.
[본조신설 1996.12.3][제목개정 2007.10.29]
[제132조의 3에서 이동 <2007.10.29>]

제132조의 5【민감정보 등의 처리】 ① 법원은 재판업무 및 그에 부수하는 업무의 수행을 위하여 필요한 경우 「개인정보보호법」 제23조의 민감정보, 제24조의 고유식별정보, 제24조의 2의 주민등록번호 및 그 밖의 개인정보를 처리할 수 있다. <개정 2014.8.6>
② 법원은 필요하다고 인정하는 경우 법 제272조에 따라 법원 등에 대하여 제1항의 민감정보, 고유식별정보, 주민등록번호 및 그 밖의 개인정보가 포함된 자료의 송부를 요구할 수 있다. <개정 2014.8.6>
③ 제2항에 따른 송부에 관하여는 제132조의 4 제2항부터 제4항까지의 규정을 준용한다.
[본조신설 2012.5.29]

제133조【증거신청의 순서】 증거신청은 검사가 먼저 이를 한 후 다음에 피고인 또는 변호인이 이를 한다.

제134조【증거결정의 절차】 ① 법원은 증거결정을 함에 있어서 필요하다고 인정할 때에는 그 증거에 대한 검사, 피고인 또는 변호인의 의견을 들을 수 있다.
② 법원은 서류 또는 물건이 증거로 제출된 경우에 이에 관한 증거결정을 함에 있어서는 제출한 자로 하여금 그 서류 또는 물건을 상대방에게 제시하게 하여 상대방으로 하여금 그 서류 또는 물건의 증거능력 유무에 관한 의견을 진술하게 하여야 한다. 다만, 법 제318조의 3의 규정에 의하여 동의가 있는 것으로 간주되는 경우에는 그러하지 아니하다.

③ 삭제 <2021.12.31>

④ 법원은 증거신청을 기각·각하하거나, 증거신청에 대한 결정을 보류하는 경우, 증거신청인으로부터 당해 증거서류 또는 증거물을 제출받아서는 아니된다. <신설 2007.10.29>

제134조의 2【영상녹화물의 조사 신청】 ① 검사는 피고인이 아닌 피의자의 진술을 영상녹화한 사건에서 피고인이 아닌 피의자가 그 조서에 기재된 내용이 자신이 진술한 내용과 동일하게 기재되어 있음을 인정하지 아니하는 경우 그 부분의 성립의 진정을 증명하기 위하여 영상녹화물의 조사를 신청할 수 있다. <개정 2020.12.28>

② 삭제 <2020.12.28>

③ 제1항의 영상녹화물은 조사가 개시된 시점부터 조사가 종료되어 피의자가 조서에 기명날인 또는 서명을 마치는 시점까지 전과정이 영상녹화된 것으로, 다음 각 호의 내용을 포함하는 것이어야 한다.

1. 피의자의 신문이 영상녹화되고 있다는 취지의 고지
2. 영상녹화를 시작하고 마친 시각 및 장소의 고지
3. 신문하는 검사와 참여한 자의 성명과 직급의 고지
4. 진술거부권·변호인의 참여를 요청할 수 있다는 점 등의 고지
5. 조사를 중단·재개하는 경우 중단 이유와 중단 시각, 중단 후 재개하는 시각
6. 조사를 종료하는 시각

④ 제1항의 영상녹화물은 조사가 행해지는 동안 조사실 전체를 확인할 수 있도록 녹화된 것으로 진술자의 얼굴을 식별할 수 있는 것이어야 한다.

⑤ 제1항의 영상녹화물의 재생 화면에는 녹화 당시의 날짜와 시간이 실시간으로 표시되어야 한다.

⑥ 삭제 <2020.12.28>

[본조신설 2007.10.29]

제134조의 3【제3자의 진술과 영상녹화물】 ① 검사는 피의자가 아닌 자가 공판준비 또는 공판기일에서 조서가 자신이 검사 또는 사법경찰관 앞에서 진술한 내용과 동일하게 기재되어 있음을 인정하지 아니하는 경우 그 부분의 성립의 진정을 증명하기 위하여 영상녹화물의 조사를 신청할 수 있다.

② 검사는 제1항에 따라 영상녹화물의 조사를 신청하는 때에는 피의자가 아닌 자가 영상녹화에 동의하였다는 취지로 기재하고 기명날인 또는 서명한 서면을 첨부하여야 한다.

③ 제134조의 2 제3항 제1호부터 제3호, 제5호, 제6호, 제4항, 제5항은 검사가 피의자가 아닌 자에 대한 영상녹화물의 조사를 신청하는 경우에 준용한다.

[본조신설 2007.10.29]

제134조의 4【영상녹화물의 조사】 ① 법원은 검사가 영상녹화물의 조사를 신청한 경우 이에 관한 결정을 함에 있어 원진술자와 함께 피고인 또는 변호인으로 하여금 그 영상녹화물이 적법한 절차와 방식에 따라 작성되어 봉인된 것인지 여부에 관한 의견을 진술하게 하여야 한다. <개정 2020.12.28>

② 삭제 <2020.12.28>

③ 법원은 공판준비 또는 공판기일에서 봉인을 해체하고 영상녹화물의 전부 또는 일부를 재생하는 방법으로 조사하여야 한다. 이 때 영상녹화물은 그 재생과 조사에 필요한 전자적 설비를 갖춘 법정 외의 장소에서 이를 재생할 수 있다.

④ 재판장은 조사를 마친 후 지체 없이 법원사무관 등으로 하여금 다시 원본을 봉인하도록 하고, 원진술자와 함께 피고인 또는 변호인에게 기명날인 또는 서명하도록 하여 검사에게 반환한다. 다만, 피고인의 출석 없이 개정하는 사건에서 변호인이 없는 때에는 피고인 또는 변호인의 기명날인 또는 서명을 요하지 아니한다.

[본조신설 2007.10.29]

제134조의 5【기억 환기를 위한 영상녹화물의 조사】 ① 법 제318조의 2 제2항에 따른 영상녹화물의 재생은 검사의 신청이 있는 경우에 한하고, 기억의 환기가 필요한 피고인 또는 피고인 아닌 자에게만 이를 재생하여 시청하게 하여야 한다.

② 제134조의 2 제3항부터 제5항까지와 제134조의 4는 검사가 법 제318조의 2 제2항에 의하여 영상녹화물의 재생을 신청하는 경우에 준용한다.

[본조신설 2007.10.29]

제134조의 6【증거서류에 대한 조사방법】 ① 법

제292조 제3항에 따른 증거서류 내용의 고지는 그 요지를 고지하는 방법으로 한다.

② 재판장은 필요하다고 인정하는 때에는 법 제292조 제1항 · 제2항 · 제4항의 낭독에 갈음하여 그 요지를 진술하게 할 수 있다.

[본조신설 2007.10.29]

제134조의 7 【컴퓨터용디스크 등에 기억된 문자정보 등에 대한 증거조사】 ① 컴퓨터용디스크 그 밖에 이와 비슷한 정보저장매체(다음부터 이 조문 안에서 이 모두를 "컴퓨터디스크 등"이라 한다)에 기억된 문자정보를 증거자료로 하는 경우에는 읽을 수 있도록 출력하여 인증한 등본을 낼 수 있다.

② 컴퓨터디스크 등에 기억된 문자정보를 증거로 하는 경우에 증거조사를 신청한 당사자는 법원이 명하거나 상대방이 요구한 때에는 컴퓨터디스크 등에 입력한 사람과 입력한 일시, 출력한 사람과 출력한 일시를 밝혀야 한다.

③ 컴퓨터디스크 등에 기억된 정보가 도면 · 사진 등에 관한 것인 때에는 제1항과 제2항의 규정을 준용한다.

[본조신설 2007.10.29]

제134조의 8 【음성 · 영상자료 등에 대한 증거조사】 ① 녹음 · 녹화테이프, 컴퓨터용디스크, 그 밖에 이와 비슷한 방법으로 음성이나 영상을 녹음 또는 녹화(다음부터 이 조문 안에서 "녹음 · 녹화 등"이라 한다)하여 재생할 수 있는 매체(다음부터 이 조문 안에서 "녹음 · 녹화매체 등"이라 한다)에 대한 증거조사를 신청하는 때에는 음성이나 영상이 녹음 · 녹화 등이 된 사람, 녹음 · 녹화 등을 한 사람 및 녹음 · 녹화 등을 한 일시 · 장소를 밝혀야 한다.

② 녹음 · 녹화매체 등에 대한 증거조사를 신청한 당사자는 법원이 명하거나 상대방이 요구한 때에는 녹음 · 녹음매체 등의 녹취서, 그 밖에 그 내용을 설명하는 서면을 제출하여야 한다.

③ 녹음 · 녹화매체 등에 대한 증거조사는 녹음 · 녹화매체 등을 재생하여 청취 또는 시청하는 방법으로 한다.

[본조신설 2007.10.29]

제134조의 9 【준용규정】 도면 · 사진 그 밖에 정보를 담기 위하여 만들어진 물건으로서 문서가 아닌 증거의 조사에 관하여는 특별한 규정이 없으면 법 제292조, 법 제292조의 2의 규정을 준용한다.

[본조신설 2007.10.29]

제134조의 10 【피해자 등의 의견진술】 ① 법원은 필요하다고 인정하는 경우에는 직권으로 또는 법 제294조의 2 제1항에 정한 피해자 등(이하 이 조 및 제134조의 11에서 '피해자 등'이라 한다)의 신청에 따라 피해자 등을 공판기일에 출석하게 하여 법 제294조의 2 제2항에 정한 사항으로서 범죄사실의 인정에 해당하지 않는 사항에 관하여 증인신문에 의하지 아니하고 의견을 진술하게 할 수 있다.

② 재판장은 재판의 진행상황 등을 고려하여 피해자 등의 의견진술에 관한 사항과 그 시간을 미리 정할 수 있다.

③ 재판장은 피해자 등의 의견진술에 대하여 그 취지를 명확하게 하기 위하여 피해자 등에게 질문할 수 있고, 설명을 촉구할 수 있다.

④ 합의부원은 재판장에게 알리고 제3항의 행위를 할 수 있다.

⑤ 검사, 피고인 또는 변호인은 피해자 등이 의견을 진술한 후 그 취지를 명확하게 하기 위하여 재판장의 허가를 받아 피해자 등에게 질문할 수 있다.

⑥ 재판장은 다음 각 호의 어느 하나에 해당하는 경우에는 피해자 등의 의견진술이나 검사, 피고인 또는 변호인의 피해자 등에 대한 질문을 제한할 수 있다.

1. 피해자 등이나 피해자 변호사가 이미 해당 사건에 관하여 충분히 진술하여 다시 진술할 필요가 없다고 인정되는 경우
2. 의견진술 또는 질문으로 인하여 공판절차가 현저하게 지연될 우려가 있다고 인정되는 경우
3. 의견진술과 질문이 해당 사건과 관계없는 사항에 해당된다고 인정되는 경우
4. 범죄사실의 인정에 관한 것이거나, 그 밖의 사유로 피해자 등의 의견진술로서 상당하지 아니하다고 인정되는 경우

⑦ 제1항의 경우 법 제163조의 2 제1항, 제3항 및 제84조의 3을 준용한다.

[본조신설 2015.6.29]

제134조의 11【의견진술에 갈음한 서면의 제출】 ① 재판장은 재판의 진행상황, 그 밖의 사정을 고려하여 피해자 등에게 제134조의 10 제1항의 의견진술에 갈음하여 의견을 기재한 서면을 제출하게 할 수 있다.

② 피해자 등의 의견진술에 갈음하는 서면이 법원에 제출된 때에는 검사 및 피고인 또는 변호인에게 그 취지를 통지하여야 한다.

③ 제1항에 따라 서면이 제출된 경우 재판장은 공판기일에서 의견진술에 갈음하는 서면의 취지를 명확하게 하여야 한다. 이 경우 재판장은 상당하다고 인정하는 때에는 그 서면을 낭독하거나 요지를 고지할 수 있다.

④ 제2항의 통지는 서면, 전화, 전자우편, 모사전송, 휴대전화 문자전송 그 밖에 적당한 방법으로 할 수 있다.

[본조신설 2015.6.29]

제134조의 12【의견진술·의견진술에 갈음한 서면】 제134조의 10 제1항에 따른 진술과 제134조의 11 제1항에 따른 서면은 범죄사실의 인정을 위한 증거로 할 수 없다.

제134조의 13【금전공탁에 대한 피해자 등의 의견청취】 ① 법원이 법 제294조의 5 제1항 본문에 따라 피해자 또는 그 법정대리인(피해자가 사망한 경우에는 배우자·직계친족·형제자매를 포함한다. 이하 이 조에서 '피해자 등'이라 한다)의 의견을 듣는 경우에는 다음 각 호의 어느 하나에 해당하는 방법으로 한다.

1. 검사 또는 피해자 변호사에게 의견조회서를 교부 또는 송부하여 그로부터 해당 의견조회서를 제출받는 방법
2. 서면·전화·전자우편·모사전송·휴대전화 문자전송 그 밖에 적당한 방법으로 피해자 등의 의견을 확인하는 방법. 이 경우 법원사무관 등은 의견 확인의 상대방·방법·연월일 및 피해자 등이 제출한 의견(피해자 등이 의견제출을 거절하는 등의 경우에는 그러한 취지)을 기재한 서면을 기록에 편철하여야 한다. 다만, 조서에 그 내용을 기재한 경우에는 그러하지 아니하다.

② 법 제294조의 5 제1항 단서에서 "대법원규칙으로 정하는 특별한 사정이 있는 경우"란 다음 각 호의 어느 하나에 해당하는 경우를 말한다.

1. 피해자 등이 이미 해당 사건에서 피고인의 공탁에 관하여 의사를 진술하여 다시 그 의사를 확인할 필요가 없는 경우
2. 피해자 등의 의견 청취로 인하여 공판절차가 현저하게 지연될 우려가 있는 경우
3. 피공탁자의 인적 사항을 확인할 수 없는 등의 사유로 피해자 등의 의견을 듣기 곤란한 경우
4. 그 밖에 심리나 절차 진행의 상황 등에 비추어 피해자 등의 의견을 듣기 곤란한 경우

③ 법 제294조의 5에 따라 피해자 등이 제출한 의견은 범죄사실의 인정을 위한 증거로 할 수 없다.

[본조신설 2024.12.31]

제135조【자백의 조사 시기】 법 제312조 및 법 제313조에 따라 증거로 할 수 있는 피고인 또는 피고인 아닌 자의 진술을 기재한 조서 또는 서류가 피고인의 자백 진술을 내용으로 하는 경우에는 범죄사실에 관한 다른 증거를 조사한 후에 이를 조사하여야 한다.

[본조신설 2007.10.29]

[종전 제135조는 제135조의 2로 이동 <2007.10.29>]

제135조의 2【증거조사에 관한 이의신청의 사유】 법 제296조 제1항의 규정에 의한 이의신청은 법령의 위반이 있거나 상당하지 아니함을 이유로 하여 이를 할 수 있다. 다만, 법 제295조의 규정에 의한 결정에 대한 이의신청은 법령의 위반이 있음을 이유로 하여서만 이를 할 수 있다.

[제135조에서 이동 <2007.10.19>]

제136조【재판장의 처분에 대한 이의신청의 사유】 법 제304조 제1항의 규정에 의한 이의신청은 법령의 위반이 있음을 이유로 하여서만 이를 할 수 있다.

제137조【이의신청의 방식과 시기】 제135조 및 제136조에 규정한 이의신청(이하 이 절에서는 "이의신청"이라 한다)은 개개의 행위, 처분 또는 결정시마다 그 이유를 간결하게 명시하여 즉시 이를 하여야 한다.

제138조【이의신청에 대한 결정의 시기】 이의신청에 대한 법 제296조 제2항 또는 법 제304조 제2항의 결정은 이의신청이 있은 후 즉시 이를 하여야 한다.

제139조【이의신청에 대한 결정의 방식】 ① 시기에 늦은 이의신청, 소송지연만을 목적으로 하는 것임이 명백한 이의신청은 결정으로 이를 기각하여야 한다. 다만, 시기에 늦은 이의신청이 중요한 사항을 대상으로 하고 있는 경우에는 시기에 늦은 것만을 이유로 하여 기각하여서는 아니된다.
② 이의신청이 이유없다고 인정되는 경우에는 결정으로 이를 기각하여야 한다.
③ 이의신청이 이유있다고 인정되는 경우에는 결정으로 이의신청의 대상이 된 행위, 처분 또는 결정을 중지, 철회, 취소, 변경하는 등 그 이의신청에 상응하는 조치를 취하여야 한다.
④ 증거조사를 마친 증거가 증거능력이 없음을 이유로한 이의신청을 이유있다고 인정할 경우에는 그 증거의 전부 또는 일부를 배제한다는 취지의 결정을 하여야 한다.

제140조【중복된 이의신청의 금지】 이의신청에 대한 결정에 의하여 판단이 된 사항에 대하여는 다시 이의신청을 할 수 없다.

제140조의 2【피고인신문의 방법】 피고인을 신문함에 있어서 그 진술을 강요하거나 답변을 유도하거나 그 밖에 위압적·모욕적 신문을 하여서는 아니 된다.
[본조신설 2007.10.29]

제140조의 3【재정인의 퇴정】 재판장은 피고인이 어떤 재정인의 앞에서 충분한 진술을 할 수 없다고 인정한 때에는 그 재정인을 퇴정하게 하고 진술하게 할 수 있다.
[본조신설 2007.10.29]

제141조【석명권 등】 ① 재판장은 소송관계를 명료하게 하기 위하여 검사, 피고인 또는 변호인에게 사실상과 법률상의 사항에 관하여 석명을 구하거나 입증을 촉구할 수 있다.
② 합의부원은 재판장에게 고하고 제1항의 조치를 할 수 있다.
③ 검사, 피고인 또는 변호인은 재판장에 대하여 제1항의 석명을 위한 발문을 요구할 수 있다.

제142조【공소장의 변경】 ① 검사가 법 제298조 제1항에 따라 공소장에 기재한 공소사실 또는 적용법조의 추가, 철회 또는 변경(이하 "공소장의 변경"이라 한다)을 하고자 하는 때에는 그 취지를 기재한 공소장변경허가신청서를 법원에 제출하여야 한다. <개정 2007.10.29>
② 제1항의 공소장변경허가신청서에는 피고인의수에 상응한 부본을 첨부하여야 한다.
③ 법원은 제2항의 부본을 피고인 또는 변호인에게 즉시 송달하여야 한다.
④ 공소장의 변경이 허가된 때에는 검사는 공판기일에 제1항의 공소장변경허가신청서에 의하여 변경된 공소사실·죄명 및 적용법조를 낭독하여야 한다. 다만, 재판장은 필요하다고 인정하는 때에는 공소장변경의 요지를 진술하게 할 수 있다. <개정 2007.10.29>
⑤ 법원은 제1항의 규정에도 불구하고 피고인이 재정하는 공판정에서는 피고인에게 이익이 되거나 피고인이 동의하는 경우 구술에 의한 공소장변경을 허가할 수 있다. <신설 1996.12.3>

제143조【공판절차정지 후의 공판절차의 갱신】 공판개정 후 법 제306조 제1항의 규정에 의하여 공판절차가 정지된 경우에는 그 정지사유가 소멸한 후의 공판기일에 공판절차를 갱신하여야 한다.

제144조【공판절차의 갱신절차】 ① 법 제301조, 법 제301조의 2 또는 제143조에 따른 공판절차의 갱신은 다음 각 호의 규정에 의한다.
1. 재판장은 제127조의 규정에 따라 피고인에게 진술거부권 등을 고지한 후 법 제284조에 따른 인정신문을 하여 피고인임에 틀림없음을 확인하여야 한다.
2. 재판장은 검사로 하여금 공소장 또는 공소장변경허가신청서에 의하여 공소사실, 죄명 및 적용법조를 낭독하게 하거나 그 요지를 진술하게 하여야 한다.
3. 재판장은 피고인에게 공소사실의 인정 여부 및 정상에 관하여 진술할 기회를 주어야 한다.
4. 재판장은 갱신 전의 공판기일에서의 피고인이나 피고인이 아닌 자의 진술 또는 법원의 검증결과를 기재한 조서에 관하여 증거조사를 하여야 한다.
5. 재판장은 갱신전의 공판기일에서 증거조사된 서류 또는 물건에 관하여 다시 증거조사를 하

여야 한다. 다만, 증거능력 없다고 인정되는 서류 또는 물건과 증거로 함이 상당하지 아니하다고 인정되고 검사, 피고인 및 변호인이 이의를 하지 아니하는 서류 또는 물건에 대하여는 그러하지 아니하다.

② 재판장은 제1항 제4호 및 제5호에 규정한 서류 또는 물건에 관하여 증거조사를 함에 있어서 검사, 피고인 및 변호인의 동의가 있는 때에는 그 전부 또는 일부에 관하여 법 제292조·제292조의 2·제292조의 3에 규정한 방법에 갈음하여 상당하다고 인정하는 방법으로 이를 할 수 있다.

[전문개정 2007.10.29]

제145조【변론시간의 제한】 재판장은 필요하다고 인정하는 경우 검사, 피고인 또는 변호인의 본질적인 권리를 해치지 아니하는 범위 내에서 법 제302조 및 법 제303조의 규정에 의한 의견진술의 시간을 제한할 수 있다.

제2절 공판의 재판

제146조【판결서의 작성】 변론을 종결한 기일에 판결을 선고하는 경우에는 선고 후 5일 내에 판결서를 작성하여야 한다.

[전문개정 2007.10.29]

제147조【판결의 선고】 ① 재판장은 판결을 선고할 때 피고인에게 이유의 요지를 말이나 판결서 등본 또는 판결서 초본의 교부 등 적절한 방법으로 설명한다.

② 재판장은 판결을 선고하면서 피고인에게 적절한 훈계를 할 수 있다.

[전문개정 2016.6.27]

제147조의 2【보호관찰의 취지 등의 고지, 보호처분의 기간】 ① 재판장은 판결을 선고함에 있어서 피고인에게 형법 제59조의 2, 형법 제62조의 2의 규정에 의하여 보호관찰, 사회봉사 또는 수강(이하 "보호관찰 등"이라고 한다)을 명하는 경우에는 그 취지 및 필요하다고 인정하는 사항이 적힌 서면을 교부하여야 한다. <개정 2016.2.19>

② 법원은 판결을 선고함에 있어 형법 제62조의 2의 규정에 의하여 사회봉사 또는 수강을 명하는 경우에는 피고인이 이행하여야 할 총 사회봉사시간 또는 수강시간을 정하여야 한다. 이 경우 필요하다고 인정하는 때에는 사회봉사 또는 수강할 강의의 종류나 방법 및 그 시설 등을 지정할 수 있다.

③ 형법 제62조의 2 제2항의 사회봉사명령은 500시간, 수강명령은 200시간을 각 초과할 수 없으며, 보호관찰관이 그 명령을 집행함에는 본인의 정상적인 생활을 방해하지 아니하도록 한다. <개정 1998.6.20>

④ 형법 제62조의 2 제1항의 보호관찰·사회봉사·수강명령은 둘 이상 병과할 수 있다. <신설 1998.6.20>

⑤ 사회봉사·수강명령이 보호관찰과 병과하여 부과된 때에는 보호관찰 기간 내에 이를 집행하여야 한다. <신설 1998.6.20>

[본조신설 1996.12.3]

제147조의 3【보호관찰의 판결 등의 통지】 ① 보호관찰 등을 조건으로 한 판결이 확정된 때에 당해사건이 확정된 법원의 법원사무관 등은 3일 이내에 판결문등본을 대상자의 주거지를 관할하는 보호관찰소의 장에게 송부하여야 한다. <개정 1998.6.20>

② 제1항의 서면에는 법원의 의견 기타 보호관찰 등의 자료가 될 만한 사항을 기재한 서면을 첨부할 수 있다.

[본조신설 1996.12.3]

제147조의 4【보호관찰 등의 성적보고】 보호관찰 등을 명한 판결을 선고한 법원은 보호관찰 등의 기간 중 보호관찰소장에게 보호관찰 등을 받고 있는 자의 성적에 관하여 보고를 하게 할 수 있다.

[본조신설 1996.12.3]

제148조【피고인에 대한 판결서 등본 등의 송달】 ① 법원은 피고인에 대하여 판결을 선고한 때에는 선고일부터 7일 이내에 피고인에게 그 판결서 등본을 송달하여야 한다. 다만, 피고인이 동의하는 경우에는 그 판결서 초본을 송달할 수 있다.

② 제1항에 불구하고 불구속 피고인과 법 제331조의 규정에 의하여 구속영장의 효력이 상실된 구속피고인에 대하여는 피고인이 송달을 신청하는 경

우에 한하여 판결서 등본 또는 판결서 초본을 송달한다.

[전문개정 2016.6.27]

제149조 【집행유예취소청구의 방식】 법 제335조 제1항에 규정한 형의 집행유예취소청구는 취소의 사유를 구체적으로 기재한 서면으로 하여야 한다.

제149조의 2 【자료의 제출】 형의 집행유예취소청구를 한 때에는 취소의 사유가 있다는 것을 인정할 수 있는 자료를 제출하여야 한다.

[본조신설 1996.12.3]

제149조의 3 【청구서부본의 제출과 송달】 ① 형법 제64조 제2항의 규정에 의한 집행유예취소청구를 한 때에는 검사는 청구와 동시에 청구서의 부본을 법원에 제출하여야 한다.

② 법원은 제1항의 부본을 받은 때에는 지체없이 집행유예의 선고를 받은 자에게 송달하여야 한다.

[본조신설 1996.12.3]

제150조 【출석명령】 형의 집행유예취소청구를 받은 법원은 법 제335조 제2항의 규정에 의한 의견을 묻기 위하여 필요하다고 인정할 경우에는 집행유예의 선고를 받은 자 또는 그 대리인의 출석을 명할 수 있다. <개정 1996.12.3>

제150조의 2 【준용규정】 제149조 내지 제150조의 규정은 형법 제61조 제2항의 규정에 의하여 유예한 형을 선고하는 경우에 준용한다.

[본조신설 1996.12.3]

제151조 【경합범 중 다시 형을 정하는 절차 등에의 준용】 제149조, 제149조의 2 및 제150조의 규정은 법 제336조에 규정한 절차에 이를 준용한다. <개정 1996.12.3>

제3편 ▌항 소

제1장 통 칙

제152조 【재소자의 상소장 등의 처리】 ① 교도소장, 구치소장 또는 그 직무를 대리하는 자가 법 제344조 제1항의 규정에 의하여 상소장을 제출받은 때에는 그 제출받은 연월일을 상소장에 부기하여 즉시 이를 원심법원에 송부하여야 한다.

② 제1항의 규정은 교도소장, 구치소장 또는 그 직무를 대리하는 자가 법 제355조에 따라 정식재판청구나 상소권회복청구 또는 상소의 포기나 취하의 서면 및 상소이유서를 제출받은 때 및 법 제487조부터 법 제489조까지의 신청과 그 취하에 이를 준용한다. <개정 2007.10.29>

제153조 【상소의 포기 또는 취하에 관한 동의서의 제출】 ① 법 제350조에 규정한 피고인이 상소의 포기 또는 취하를 할 때에는 법정대리인이 이에 동의하는 취지의 서면을 제출하여야 한다.

② 피고인의 법정대리인 또는 법 제341조에 규정한 자가 상소의 취하를 할 때에는 피고인이 이에 동의하는 취지의 서면을 제출하여야 한다.

제154조 【상소의 포기 또는 취하의 효력을 다투는 절차】 ① 상소의 포기 또는 취하가 부존재 또는 무효임을 주장하는 자는 그 포기 또는 취하당시 소송기록이 있었던 법원에 절차속행의 신청을 할 수 있다.

② 제1항의 신청을 받은 법원은 신청이 이유있다고 인정하는 때에는 신청을 인용하는 결정을 하고 절차를 속행하여야 하며, 신청이 이유없다고 인정하는 때에는 결정으로 신청을 기각하여야 한다.

③ 제2항 후단의 신청기각결정에 대하여는 즉시항고할 수 있다.

제2장 항 소

제155조 【항소이유서, 답변서의 기재】 항소이유서 또는 답변서에는 항소이유 또는 답변내용을 구체적으로 간결하게 명시하여야 한다.

제156조 【항소이유서, 답변서의 부본제출】 항소이유서 또는 답변서에는 상대방의 수에 2를 더한 수의 부본을 첨부하여야 한다. <개정 1996.12.3>

제156조의 2 【국선변호인의 선정 및 소송기록접수통지】 ① 기록의 송부를 받은 항소법원은 법 제33조 제1항 제1호부터 제6호까지 필요적 변호사건에 있어서 변호인이 없는 경우에는 지체 없이 변호인을 선정한 후 그 변호인에게 소송기록접수통지를 하여야 한다. 법 제33조 제3항에 의하여 국선변호

인을 선정한 경우에도 그러하다. <개정 2006.3.23, 2006.8.17>

② 항소법원은 항소이유서 제출기간이 도과하기 전에 피고인으로부터 법 제33조 제2항의 규정에 따른 국선변호인 선정청구가 있는 경우에는 지체 없이 그에 관한 결정을 하여야 하고, 이 때 변호인을 선정한 경우에는 그 변호인에게 소송기록 접수통지를 하여야 한다. <신설 2006.3.23, 2006.8.17>

③ 제1항, 제2항의 규정에 따라 국선변호인 선정결정을 한 후 항소이유서 제출기간 내에 피고인이 책임질 수 없는 사유로 그 선정결정을 취소하고 새로운 국선변호인을 선정한 경우에도 그 변호인에게 소송기록접수통지를 하여야 한다. <신설 2006.3.23>

④ 항소법원이 제2항의 국선변호인 선정청구를 기각한 경우에는 피고인이 국선변호인 선정청구를 한 날로부터 선정청구기각결정등본을 송달받은 날까지의 기간을 법 제361조의 3 제1항이 정한 항소이유서 제출기간에 산입하지 아니한다. 다만, 피고인이 최초의 국선변호인 선정청구기각결정을 받은 이후 같은 법원에 다시 선정청구를 한 경우에는 그 국선변호인 선정청구일로부터 선정청구기각결정등본 송달일까지의 기간에 대해서는 그러하지 아니하다. <신설 2006.3.23>

[본조신설 1996.12.3]

제156조의 3【항소이유 및 답변의 진술】 ① 항소인은 그 항소이유를 구체적으로 진술하여야 한다.

② 상대방은 항소인의 항소이유 진술이 끝난 뒤에 항소이유에 대한 답변을 구체적으로 진술하여야 한다.

③ 피고인 및 변호인은 이익이 되는 사실 등을 진술할 수 있다.

[본조신설 2007.10.29]

제156조의 4【쟁점의 정리】 법원은 항소이유와 답변에 터잡아 해당 사건의 사실상·법률상 쟁점을 정리하여 밝히고 그 증명되어야 하는 사실을 명확히 하여야 한다.

[본조신설 2007.10.29]

제156조의 5【항소심과 증거조사】 ① 재판장은 증거조사절차에 들어가기에 앞서 제1심의 증거관계와 증거조사결과의 요지를 고지하여야 한다.

② 항소심 법원은 다음 각호의 어느 하나에 해당하는 경우에 한하여 증인을 신문할 수 있다.

1. 제1심에서 조사되지 아니한 데에 대하여 고의나 중대한 과실이 없고, 그 신청으로 인하여 소송을 현저하게 지연시키지 아니하는 경우
2. 제1심에서 증인으로 신문하였으나 새로운 중요한 증거의 발견 등으로 항소심에서 다시 신문하는 것이 부득이하다고 인정되는 경우
3. 그 밖에 항소의 당부에 관한 판단을 위하여 반드시 필요하다고 인정되는 경우

[본조신설 2007.10.29]

제156조의 6【항소심에서의 피고인 신문】 ① 검사 또는 변호인은 항소심의 증거조사가 종료한 후 항소이유의 당부를 판단함에 필요한 사항에 한하여 피고인을 신문할 수 있다.

② 재판장은 제1항에 따라 피고인 신문을 실시하는 경우에도 제1심의 피고인 신문과 중복되거나 항소이유의 당부를 판단하는 데 필요 없다고 인정하는 때에는 그 신문의 전부 또는 일부를 제한할 수 있다.

③ 재판장은 필요하다고 인정하는 때에는 피고인을 신문할 수 있다.

[본조신설 2007.10.29]

제156조의 7【항소심에서의 의견진술】 ① 항소심의 증거조사와 피고인 신문절차가 종료한 때에는 검사는 원심 판결의 당부와 항소이유에 대한 의견을 구체적으로 진술하여야 한다.

② 재판장은 검사의 의견을 들은 후 피고인과 변호인에게도 제1항의 의견을 진술할 기회를 주어야 한다.

[본조신설 2007.10.29]

제157조【환송 또는 이송판결이 확정된 경우 소송기록 등의 송부】 법 제366조 또는 법 제367조 본문의 규정에 의한 환송 또는 이송판결이 확정된 경우에는 다음 각 호의 규정에 의하여 처리하여야 한다. <개정 1996.12.3, 2021.1.29>

1. 항소법원은 판결확정일로부터 7일 이내에 소송기록과 증거물을 환송 또는 이송받을 법원에 송부하고, 항소법원에 대응하는 검찰청 검사 또는 수사처검사에게 그 사실을 통지하여야 한다.
2. 제1호의 송부를 받은 법원은 지체없이 그 법원에 대응한 검찰청 검사 또는 수사처검사에게 그

사실을 통지하여야 한다.

3. 피고인이 교도소 또는 구치소에 있는 경우에는 항소법원에 대응한 검찰청 검사 또는 수사처검사는 제1호의 통지를 받은 날로부터 10일 이내에 피고인을 환송 또는 이송받을 법원소재지의 교도소나 구치소에 이감한다.

제158조【변호인 선임의 효력】 원심법원에서의 변호인 선임은 법 제366조 또는 법 제367조의 규정에 의한 환송 또는 이송이 있은 후에도 효력이 있다.

제159조【준용규정】 제2편중 공판에 관한 규정은 항소법원의 공판절차에 이를 준용한다.

제3장 상 고

제160조【상고이유서, 답변서의 부본 제출】 상고이유서 또는 답변서에는 상대방의 수에 4를 더한 수의 부본을 첨부하여야 한다. <개정 1996.12.3>

제161조【피고인에 대한 공판기일의 통지 등】 ① 법원사무관 등은 피고인에게 공판기일통지서를 송달하여야 한다. <개정 1996.12.3>

② 상고심에서는 공판기일을 지정하는 경우에도 피고인의 이감을 요하지 아니한다. <개정 1996.12.3>

③ 상고한 피고인에 대하여 이감이 있는 경우에는 검사는 지체없이 이를 대법원에 통지하여야 한다. <신설 1996.12.3>

[제목개정 1996.12.3]

제161조의 2【참고인 의견서 제출】 ① 국가기관과 지방자치단체는 공익과 관련된 사항에 관하여 대법원에 재판에 관한 의견서를 제출할 수 있고, 대법원은 이들에게 의견서를 제출하게 할 수 있다.

② 대법원은 소송관계를 분명하게 하기 위하여 공공단체 등 그 밖의 참고인에게 의견서를 제출하게 할 수 있다.

[본조신설 2015.1.28]

제162조【대법관전원합의체사건에 관하여 부에서 할 수 있는 재판】 대법관전원합의체에서 본안재판을 하는 사건에 관하여 구속, 구속기간의 갱신, 구속의 취소, 보석, 보석의 취소, 구속의 집행정지, 구속의 집행정지의 취소를 함에는 대법관 3인이상으로써 구성된 부에서 재판할 수 있다.

제163조【판결정정신청의 통지】 법 제400조 제1항에 규정한 판결정정의 신청이 있는 때에는 즉시 그 취지를 상대방에게 통지하여야 한다.

제164조【준용규정】 제155조, 제156조의 2, 제157조 제1호, 제2호의 규정은 상고심의 절차에 이를 준용한다. <개정 1996.12.3>

제4장 항 고

제165조【항고법원의 결정등본의 송부】 항고법원이 법 제413조 또는 법 제414조에 규정한 결정을 한 때에는 즉시 그 결정의 등본을 원심법원에 송부하여야 한다.

제4편 ▌특별소송절차

제1장 재 심

제166조【재심청구의 방식】 재심의 청구를 함에는 재심청구의 취지 및 재심청구의 이유를 구체적으로 기재한 재심청구서에 원판결의 등본 및 증거자료를 첨부하여 관할법원에 제출하여야 한다.

제167조【재심청구취하의 방식】 ① 재심청구의 취하는 서면으로 하여야 한다. 다만, 공판정에서는 구술로 할 수 있다.

② 구술로 재심청구의 취하를 한 경우에는 그 사유를 조서에 기재하여야 한다.

제168조【준용규정】 제152조의 규정은 재심의 청구와 그 취하에 이를 준용한다.

제169조【청구의 경합과 공판절차의 정지】 ① 항소기각의 확정판결과 그 판결에 의하여 확정된 제1심판결에 대하여 각각 재심의 청구가 있는 경우에 항소법원은 결정으로 제1심법원의 소송절차가 종료할 때까지 소송절차를 정지하여야 한다.

② 상고기각의 판결과 그 판결에 의하여 확정된 제1심 또는 제2심의 판결에 대하여 각각 재심의 청구가 있는 경우에 상고법원은 결정으로 제1심법원 또는 항소법원의 소송절차가 종료할 때까지 소송절차를 정지하여야 한다.

제2장 약식절차

제170조【서류 등의 제출】 검사는 약식명령의 청구와 동시에 약식명령을 하는데 필요한 증거서류 및 증거물을 법원에 제출하여야 한다.

제171조【약식명령의 시기】 약식명령은 그 청구가 있은 날로부터 14일 이내에 이를 하여야 한다.

제172조【보통의 심판】 ① 법원사무관 등은 약식명령의 청구가 있는 사건을 법 제450조의 규정에 따라 공판절차에 의하여 심판하기로 한 때에는 즉시 그 취지를 검사에게 통지하여야 한다. <개정 1996.12.3>

② 제1항의 통지를 받은 검사는 5일 이내에 피고인수에 상응한 공소장 부본을 법원에 제출하여야 한다. <개정 1996.12.3>

③ 법원은 제2항의 공소장부본에 관하여 법 제266조에 규정한 조치를 취하여야 한다.

제173조【준용규정】 제153조의 규정은 정식재판청구의 취하에 이를 준용한다.

제5편 ▌재판의 집행

제174조【소송비용의 집행면제 등의 신청 등】 ① 법 제487조 내지 법 제489조의 규정에 의한 신청 및 그 취하는 서면으로 하여야 한다.

② 제152조의 규정은 제1항의 신청과 그 취하에 이를 준용한다.

제175조【소송비용의 집행면제 등의 신청 등의 통지】 법원은 제174조 제1항에 규정한 신청 또는 그 취하의 서면을 제출받은 경우에는 즉시 그 취지를 검사에게 통지하여야 한다.

제6편 ▌보 칙

제176조【신청 기타 진술의 방식】 ① 법원 또는 판사에 대한 신청 기타 진술은 법 및 이 규칙에 다른 규정이 없으면 서면 또는 구술로 할 수 있다.

② 구술에 의하여 신청 기타의 진술을 할 때에는 법원사무관 등의 면전에서 하여야 한다.

③ 제2항의 경우에는 법원사무관 등은 조서를 작성하고 기명날인하여야 한다. <개정 1996.12.3>

제177조【재소자의 신청 기타 진술】 교도소장, 구치소장 또는 그 직무를 대리하는 자는 교도소 또는 구치소에 있는 피고인이나 피의자가 법원 또는 판사에 대한 신청 기타 진술에 관한 서면을 작성하고자 할 때에는 그 편의를 도모하여야 하고, 특히 피고인이나 피의자가 그 서면을 작성할 수 없을 때에는 법 제344조 제2항의 규정에 준하는 조치를 취하여야 한다.

제177조의 2【기일 외 주장 등의 금지】 ① 소송관계인은 기일 외에서 구술, 전화, 휴대전화 문자전송, 그 밖에 이와 유사한 방법으로 신체구속, 공소사실 또는 양형에 관하여 법률상·사실상 주장을 하는 등 법령이나 재판장의 지휘에 어긋나는 절차와 방식으로 소송행위를 하여서는 아니 된다.

② 재판장은 제1항을 어긴 소송관계인에게 주의를 촉구하고 기일에서 그 위반사실을 알릴 수 있다.
[본조신설 2016.9.6]

제178조【영장의 유효기간】 영장의 유효기간은 7일로 한다. 다만, 법원 또는 법관이 상당하다고 인정하는 때에는 7일을 넘는 기간을 정할 수 있다.
[본조신설 1996.12.3]

제179조 삭제 <2016.11.29>

부 칙 〈제828호, 1982. 12. 31〉

① 이 규칙은 1983년 3월 1일부터 시행한다.

② 이 규칙은 이 규칙 시행당시 법원에 계속된 사건에 이를 적용한다. 다만, 이 규칙 시행 전에 행한 소송행위의 효력에 영향을 미치지 아니한다.

③ 형사피고사건의 공시송달을 게재할 신문지의 지정에 관한 규칙(1955.1.7 공포, 대법원규칙 제27호), 외국거주자가 소송행위를 할 법정기간의 연장에 관한 규칙(1979.5.30 공포, 대법원규칙 제684호) 및 국선변호인 선정 등에 관한 규칙(1981.11.21 공포, 대법원규칙 제788호)은 각 이를 폐지한다.

부 칙 〈제2013호, 2006. 3. 23〉

제1조 【시행일】 이 규칙은 공포일로부터 시행한다.
제2조 【경과조치】 제156조의 2의 개정규정은 이 규칙 시행 이후 국선변호인선정청구가 있는 사건부터 적용한다.

부 칙 〈제2038호, 2006. 8. 17〉

제1조 【시행일】 이 규칙은 2006년 8월 20일부터 시행한다.
제2조 【경과조치】 이 규칙은 이 규칙 시행당시 수사 중이거나 법원에 계속 중인 사건에도 적용한다.

부 칙 〈제2106호, 2007. 10. 29〉

제1조 【시행일】 이 규칙은 2008년 1월 1일부터 시행한다.
제2조 【일반적 경과조치】 이 규칙은 이 규칙 시행 당시 수사 중이거나 법원에 계속 중인 사건에도 적용한다. 다만, 이 규칙 시행 전에 종전의 규정에 따라 행한 행위의 효력에는 영향을 미치지 아니한다.
제3조 【다른 규칙의 개정】 ① 범죄인인도법에 의한 인도심사 등의 절차에 관한 규칙 일부를 다음과 같이 개정한다.
제31조 중 "제103조 내지 제106조"를 "제104조부터 제106조까지"로 한다.
② 공소유지 담당변호사 보수 등의 지급에 관한 규칙을 폐지한다. 다만 이 규칙 시행 당시 공소유지 담당변호사가 선정되어 보수를 지급할 경우 그 절차 및 보수액 등에 관하여는 종전의 규정에 따른다.

부 칙 〈제2144호, 2007. 12. 31〉

제1조 【시행일】 이 규칙은 2008.1.22부터 시행한다.
제2조 【경과조치】 이 규칙은 이 규칙 시행 당시에 법원에 계속 중인 사건에도 적용한다.

부 칙 〈제2376호, 2011. 12. 30〉

제1조 【시행일】 이 규칙은 2012년 1월 1일부터 시행한다.
제2조 【경과조치】 이 규칙은 이 규칙 시행 당시 수사 중이거나 법원에 계속 중인 사건에도 적용한다.

부 칙 〈제2403호, 2012. 5. 29〉

이 규칙은 공포한 날부터 시행한다. 다만, 제84조의10의 개정규정은 2013년 1월 1일부터 시행한다.

부 칙 〈제2608호, 2015. 6. 29〉

제1조 【시행일】 이 규칙은 공포한 날부터 시행한다.
제2조 【경과규정】 이 규칙은 이 규칙 시행 당시 법원에 계속 중인 사건에도 적용한다.

부 칙 〈제2641호, 2016. 2. 19〉

제1조 【시행일】 이 규칙은 2016년 3월 1일부터 시행한다.
제2조 【경과규정】 이 규칙은 이 규칙 시행 당시 법원에 계속 중인 사건에도 적용한다. 다만, 이 규칙 시행 전에 종전의 규정에 따라 행한 행위의 효력에는 영향을 미치지 아니한다.

부 칙 〈제2696호, 2016. 11. 29〉
(소년심판규칙)

제1조 【시행일】 이 규칙은 2016년 12월 1일부터 시행한다.
제2조 【경과규정】 이 규칙은 이 규칙 시행 당시 법원에 계속 중인 사건에도 적용한다. 다만, 이 규칙 시행 전에 종전의 규정에 따라 행한 행위의 효력에는 영향을 미치지 아니한다.
제3조 【다른 규칙의 개정】 ① 형사소송규칙 일부를 다음과 같이 개정한다.
제179조를 삭제한다.
② 생략

부 칙 〈제2906호, 2020. 6. 26〉

이 규칙은 공포한 날부터 시행한다.

부 칙 〈제2939호, 2020. 12. 28〉

제1조【시행일】 이 규칙은 2021년 1월 1일부터 시행한다.

제2조【경과조치】 이 규칙은 이 규칙 시행 당시에 법원에 계속 중인 사건에도 적용한다. 다만, 이 규칙 시행 전에 종전의 규정에 따라 행한 행위의 효력에는 영향을 미치지 아니한다.

부 칙 〈제2949호, 2021. 1. 29〉
(고위공직자범죄수사처 설치에 따른 8개 대법원규칙의 일부개정에 관한 규칙)

이 규칙은 공포한 날부터 시행한다.

부 칙 〈제3004호, 2021. 10. 29〉

제1조【시행일】 이 규칙은 2021년 11월 18일부터 시행한다.

제2조【계속사건에 대한 경과조치】 이 규칙은 이 규칙 시행 당시 법원에 계속 중인 사건에 대하여도 적용한다.

부 칙 〈제3016호, 2021. 12. 31〉

제1조【시행일】 이 규칙은 2022년 1월 1일부터 시행한다.

제2조【경과조치】 ① 이 규칙은 이 규칙 시행 후 공소제기된 사건부터 적용한다.
② 이 규칙 시행 전에 종전의 규정에 따라 행한 행위의 효력에는 영향을 미치지 아니한다.

부 칙 〈제3184호, 2024. 12. 31〉

제1조【시행일】 이 규칙은 2025년 1월 17일부터 시행한다.

제2조【의견 청취에 관한 적용례】 제134조의 13 개정규정은 이 규칙 시행 이후 피고인이 피해자의 권리 회복에 필요한 금전을 공탁한 경우부터 적용한다.

CHAPTER 03

국민의 형사재판 참여에 관한 법률

제　정	2007. 6. 1.	법률 제8495호	타법개정	2014. 11. 19.	법률 제12844호
일부개정	2010. 4. 15.	법률 제10258호	일부개정	2016. 1. 19.	법률 제13762호
일부개정	2012. 1. 17.	법률 제11155호	타법개정	2016. 5. 29.	법률 제14184호
타법개정	2013. 3. 23.	법률 제11690호	타법개정	2017. 7. 26.	법률 제14839호

제1장 총 칙

제1조【목적】 이 법은 사법의 민주적 정당성과 신뢰를 높이기 위하여 국민이 형사재판에 참여하는 제도를 시행함에 있어서 참여에 따른 권한과 책임을 명확히 하고, 재판절차의 특례와 그 밖에 필요한 사항에 관하여 규정함을 목적으로 한다.

제2조【정의】 이 법에서 사용하는 용어의 정의는 다음과 같다.
1. "배심원"이란 이 법에 따라 형사재판에 참여하도록 선정된 사람을 말한다.
2. "국민참여재판"이란 배심원이 참여하는 형사재판을 말한다.

제3조【국민의 권리와 의무】 ① 누구든지 이 법으로 정하는 바에 따라 국민참여재판을 받을 권리를 가진다.
② 대한민국 국민은 이 법으로 정하는 바에 따라 국민참여재판에 참여할 권리와 의무를 가진다.

제4조【다른 법령과의 관계】 국민참여재판에 관하여 이 법에 특별한 규정이 없는 때에는 「법원조직법」·「형사소송법」 등 다른 법령을 적용한다.

제2장 대상사건 및 관할

제5조【대상사건】 ① 다음 각 호에 정하는 사건을 국민참여재판의 대상사건(이하 "대상사건"이라 한다)으로 한다. <개정 2012.1.17>
1. 「법원조직법」 제32조 제1항(제2호 및 제5호는 제외한다)에 따른 합의부 관할 사건
2. 제1호에 해당하는 사건의 미수죄·교사죄·방조죄·예비죄·음모죄에 해당하는 사건
3. 제1호 또는 제2호에 해당하는 사건과 「형사소송법」 제11조에 따른 관련 사건으로서 병합하여 심리하는 사건

② 피고인이 국민참여재판을 원하지 아니하거나 제9조 제1항에 따른 배제결정이 있는 경우는 국민참여재판을 하지 아니한다.

제6조【공소사실의 변경 등】 ① 법원은 공소사실의 일부 철회 또는 변경으로 인하여 대상사건에 해당하지 아니하게 된 경우에도 이 법에 따른 재판을 계속 진행한다. 다만, 법원은 심리의 상황이나 그 밖의 사정을 고려하여 국민참여재판으로 진행하는 것이 적당하지 아니하다고 인정하는 때에는 결정으로 당해 사건을 지방법원 본원 합의부가 국민참여재판에 의하지 아니하고 심판하게 할 수 있다.
② 제1항 단서의 결정에 대하여는 불복할 수 없다.
③ 제1항 단서의 결정이 있는 경우에는 당해 재판에 참여한 배심원과 예비배심원은 해임된 것으로 본다.
④ 제1항 단서의 결정 전에 행한 소송행위는 그 결정 이후에도 그 효력에 영향이 없다.

제7조【필요적 국선변호】 이 법에 따른 국민참여재판에 관하여 변호인이 없는 때에는 법원은 직권으로 변호인을 선정하여야 한다.

제8조【피고인 의사의 확인】 ① 법원은 대상사건의 피고인에 대하여 국민참여재판을 원하는지 여부에 관한 의사를 서면 등의 방법으로 반드시 확인하여야 한다. 이 경우 피고인 의사의 구체적인 확인 방법은 대법원규칙으로 정하되, 피고인의 국민

참여재판을 받을 권리가 최대한 보장되도록 하여야 한다.

② 피고인은 공소장 부본을 송달받은 날부터 7일 이내에 국민참여재판을 원하는지 여부에 관한 의사가 기재된 서면을 제출하여야 한다. 이 경우 피고인이 서면을 우편으로 발송한 때, 교도소 또는 구치소에 있는 피고인이 서면을 교도소장·구치소장 또는 그 직무를 대리하는 자에게 제출한 때에 법원에 제출한 것으로 본다.

③ 피고인이 제2항의 서면을 제출하지 아니한 때에는 국민참여재판을 원하지 아니하는 것으로 본다.

④ 피고인은 제9조 제1항의 배제결정 또는 제10조 제1항의 회부결정이 있거나 공판준비기일이 종결되거나 제1회 공판기일이 열린 이후에는 종전의 의사를 바꿀 수 없다.

제9조【배제결정】 ① 법원은 공소제기 후부터 공판준비기일이 종결된 다음날까지 다음 각 호의 어느 하나에 해당하는 경우 국민참여재판을 하지 아니하기로 하는 결정을 할 수 있다. <개정 2012.1.17>

1. 배심원·예비배심원·배심원후보자 또는 그 친족의 생명·신체·재산에 대한 침해 또는 침해의 우려가 있어서 출석의 어려움이 있거나 이 법에 따른 직무를 공정하게 수행하지 못할 염려가 있다고 인정되는 경우
2. 공범 관계에 있는 피고인들 중 일부가 국민참여재판을 원하지 아니하여 국민참여재판의 진행에 어려움이 있다고 인정되는 경우
3. 「성폭력범죄의 처벌 등에 관한 특례법」 제2조의 범죄로 인한 피해자(이하 "성폭력범죄 피해자"라 한다) 또는 법정대리인이 국민참여재판을 원하지 아니하는 경우
4. 그 밖에 국민참여재판으로 진행하는 것이 적절하지 아니하다고 인정되는 경우

② 법원은 제1항의 결정을 하기 전에 검사·피고인 또는 변호인의 의견을 들어야 한다.

③ 제1항의 결정에 대하여는 즉시항고를 할 수 있다.

제10조【지방법원 지원 관할 사건의 특례】 ① 제8조에 따라 피고인이 국민참여재판을 원하는 의사를 표시한 경우 지방법원 지원 합의부가 제9조 제1항의 배제결정을 하지 아니하는 경우에는 국민참여재판절차 회부결정을 하여 사건을 지방법원 본원 합의부로 이송하여야 한다.

② 지방법원 지원 합의부가 심판권을 가지는 사건 중 지방법원 지원 합의부가 제1항의 회부결정을 한 사건에 대하여는 지방법원 본원 합의부가 관할권을 가진다.

제11조【통상절차 회부】 ① 법원은 피고인의 질병 등으로 공판절차가 장기간 정지되거나 피고인에 대한 구속기간의 만료, 성폭력범죄 피해자의 보호, 그 밖에 심리의 제반 사정에 비추어 국민참여재판을 계속 진행하는 것이 부적절하다고 인정하는 경우에는 직권 또는 검사·피고인·변호인이나 성폭력범죄 피해자 또는 법정대리인의 신청에 따라 결정으로 사건을 지방법원 본원 합의부가 국민참여재판에 의하지 아니하고 심판하게 할 수 있다. <개정 2012.1.17>

② 법원은 제1항의 결정을 하기 전에 검사·피고인 또는 변호인의 의견을 들어야 한다.

③ 제1항의 결정에 대하여는 불복할 수 없다.

④ 제1항의 결정이 있는 경우에는 제6조 제3항 및 제4항을 준용한다.

제3장 배심원

제1절 총 칙

제12조【배심원의 권한과 의무】 ① 배심원은 국민참여재판을 하는 사건에 관하여 사실의 인정, 법령의 적용 및 형의 양정에 관한 의견을 제시할 권한이 있다.

② 배심원은 법령을 준수하고 독립하여 성실히 직무를 수행하여야 한다.

③ 배심원은 직무상 알게 된 비밀을 누설하거나 재판의 공정을 해하는 행위를 하여서는 아니 된다.

제13조【배심원의 수】 ① 법정형이 사형·무기징역 또는 무기금고에 해당하는 대상사건에 대한 국민참여재판에는 9인의 배심원이 참여하고, 그 외의 대상사건에 대한 국민참여재판에는 7인의 배심원이 참여한다. 다만, 법원은 피고인 또는 변호인이 공판준비절차에서 공소사실의 주요내용을 인

정한 때에는 5인의 배심원이 참여하게 할 수 있다.
② 법원은 사건의 내용에 비추어 특별한 사정이 있다고 인정되고 검사·피고인 또는 변호인의 동의가 있는 경우에 한하여 결정으로 배심원의 수를 7인과 9인 중에서 제1항과 달리 정할 수 있다.

제14조【예비배심원】 ① 법원은 배심원의 결원 등에 대비하여 5인 이내의 예비배심원을 둘 수 있다.
② 이 법에서 정하는 배심원에 대한 사항은 그 성질에 반하지 아니하는 한 예비배심원에 대하여 준용한다.

제15조【여비·일당 등】 대법원규칙이 정하는 바에 따라 배심원·예비배심원 및 배심원후보자에게 여비·일당 등을 지급한다.

제2절 배심원의 자격

제16조【배심원의 자격】 배심원은 만 20세 이상의 대한민국 국민 중에서 이 법으로 정하는 바에 따라 선정된다.

제17조【결격사유】 다음 각 호의 어느 하나에 해당하는 사람은 배심원으로 선정될 수 없다. <개정 2016.1.19>

1. 피성년후견인 또는 피한정후견인
2. 파산자로서 복권되지 아니한 사람
3. 금고 이상의 실형을 선고받고 그 집행이 종료(종료된 것으로 보는 경우를 포함한다)되거나 집행이 면제된 후 5년을 경과하지 아니한 사람
4. 금고 이상의 형의 집행유예를 선고받고 그 기간이 완료된 날부터 2년을 경과하지 아니한 사람
5. 금고 이상의 형의 선고유예를 받고 그 선고유예기간 중에 있는 사람
6. 법원의 판결에 의하여 자격이 상실 또는 정지된 사람

제18조【직업 등에 따른 제외사유】 다음 각 호의 어느 하나에 해당하는 사람을 배심원으로 선정하여서는 아니 된다. <개정 2016.5.29>

1. 대통령
2. 국회의원·지방자치단체의 장 및 지방의회의원
3. 입법부·사법부·행정부·헌법재판소·중앙선거관리위원회·감사원의 정무직 공무원
4. 법관·검사
5. 변호사·법무사
6. 법원·검찰 공무원
7. 경찰·교정·보호관찰 공무원
8. 군인·군무원·소방공무원 또는 「예비군법」에 따라 동원되거나 교육훈련의무를 이행 중인 예비군

제19조【제척사유】 다음 각 호의 어느 하나에 해당하는 사람은 당해 사건의 배심원으로 선정될 수 없다.

1. 피해자
2. 피고인 또는 피해자의 친족이나 이러한 관계에 있었던 사람
3. 피고인 또는 피해자의 법정대리인
4. 사건에 관한 증인·감정인·피해자의 대리인
5. 사건에 관한 피고인의 대리인·변호인·보조인
6. 사건에 관한 검사 또는 사법경찰관의 직무를 행한 사람
7. 사건에 관하여 전심 재판 또는 그 기초가 되는 조사·심리에 관여한 사람

제20조【면제사유】 법원은 직권 또는 신청에 따라 다음 각 호의 어느 하나에 해당하는 사람에 대하여 배심원 직무의 수행을 면제할 수 있다.

1. 만 70세 이상인 사람
2. 과거 5년 이내에 배심원후보자로서 선정기일에 출석한 사람
3. 금고 이상의 형에 해당하는 죄로 기소되어 사건이 종결되지 아니한 사람
4. 법령에 따라 체포 또는 구금되어 있는 사람
5. 배심원 직무의 수행이 자신이나 제3자에게 위해를 초래하거나 직업상 회복할 수 없는 손해를 입게 될 우려가 있는 사람
6. 중병·상해 또는 장애로 인하여 법원에 출석하기 곤란한 사람
7. 그 밖의 부득이한 사유로 배심원 직무를 수행하기 어려운 사람

제21조【보고·서류송부 요구】 지방법원장 또는 재판장은 국가, 지방자치단체, 공공단체, 그 밖의 법인·단체에 배심원후보자·배심원·예비배심원의 선정 또는 해임에 관한 판단을 위하여 필요한

사항의 보고 또는 그 보관서류의 송부를 요구할 수 있다.

제3절 배심원의 선정

제22조【배심원후보예정자명부의 작성】 ① 지방법원장은 배심원후보예정자명부를 작성하기 위하여 행정안전부장관에게 매년 그 관할 구역 내에 거주하는 만 20세 이상 국민의 주민등록정보에서 일정한 수의 배심원후보예정자의 성명·생년월일·주소 및 성별에 관한 주민등록정보를 추출하여 전자파일의 형태로 송부하여 줄 것을 요청할 수 있다. <개정 2012.1.17, 2013.3.23, 2014.11.19, 2017.7.26>

② 제1항의 요청을 받은 행정안전부장관은 30일 이내에 주민등록자료를 지방법원장에게 송부하여야 한다. <개정 2012.1.17, 2013.3.23, 2014.11.19, 2017.7.26>

③ 지방법원장은 매년 주민등록자료를 활용하여 배심원후보예정자명부를 작성한다.

제23조【배심원후보자의 결정 및 출석통지】 ① 법원은 배심원후보예정자명부 중에서 필요한 수의 배심원후보자를 무작위 추출 방식으로 정하여 배심원과 예비배심원의 선정기일을 통지하여야 한다.

② 제1항의 통지를 받은 배심원후보자는 선정기일에 출석하여야 한다.

③ 법원은 제1항의 통지 이후 배심원의 직무 종사예정기간을 마칠 때까지 제17조부터 제20조까지에 해당하는 사유가 있다고 인정되는 배심원후보자에 대하여는 즉시 그 출석통지를 취소하고 신속하게 당해 배심원후보자에게 그 내용을 통지하여야 한다.

제24조【선정기일의 진행】 ① 법원은 합의부원으로 하여금 선정기일의 절차를 진행하게 할 수 있다. 이 경우 수명법관은 선정기일에 관하여 법원 또는 재판장과 동일한 권한이 있다.

② 선정기일은 공개하지 아니한다.

③ 선정기일에서는 배심원후보자의 명예가 손상되지 아니하고 사생활이 침해되지 아니하도록 배려하여야 한다.

④ 법원은 선정기일의 속행을 위하여 새로운 기일을 정할 수 있다. 이 경우 선정기일에 출석한 배심원후보자에 대하여 새로운 기일을 통지한 때에는 출석통지서의 송달이 있었던 경우와 동일한 효력이 있다.

제25조【질문표】 ① 법원은 배심원후보자가 제28조 제1항에서 정하는 사유에 해당하는지의 여부를 판단하기 위하여 질문표를 사용할 수 있다.

② 배심원후보자는 정당한 사유가 없는 한 질문표에 기재된 질문에 답하여 이를 법원에 제출하여야 한다.

제26조【후보자명부 송부 등】 ① 법원은 선정기일의 2일 전까지 검사와 변호인에게 배심원후보자의 성명·성별·출생연도가 기재된 명부를 송부하여야 한다.

② 법원은 선정절차에 질문표를 사용하는 때에는 선정기일을 진행하기 전에 배심원후보자가 제출한 질문표 사본을 검사와 변호인에게 교부하여야 한다.

제27조【선정기일의 참여자】 ① 법원은 검사·피고인 또는 변호인에게 선정기일을 통지하여야 한다.

② 검사와 변호인은 선정기일에 출석하여야 하며, 피고인은 법원의 허가를 받아 출석할 수 있다.

③ 법원은 변호인이 선정기일에 출석하지 아니한 경우 국선변호인을 선정하여야 한다.

제28조【배심원후보자에 대한 질문과 기피신청】 ① 법원은 배심원후보자가 제17조부터 제20조까지의 사유에 해당하는지 여부 또는 불공평한 판단을 할 우려가 있는지 여부 등을 판단하기 위하여 배심원후보자에게 질문을 할 수 있다. 검사·피고인 또는 변호인은 법원으로 하여금 필요한 질문을 하도록 요청할 수 있고, 법원은 검사 또는 변호인으로 하여금 직접 질문하게 할 수 있다.

② 배심원후보자는 제1항의 질문에 대하여 정당한 사유 없이 진술을 거부하거나 거짓 진술을 하여서는 아니 된다.

③ 법원은 배심원후보자가 제17조부터 제20조까지의 사유에 해당하거나 불공평한 판단을 할 우려가 있다고 인정되는 때에는 직권 또는 검사·피고인·변호인의 기피신청에 따라 당해 배심원후보자에 대하여 불선정결정을 하여야 한다. 검사·피고인 또는 변호인의 기피신청을 기각하는 경우에는 이유를 고지하여야 한다.

제29조【이의신청】 ① 제28조 제3항의 기피신청을 기각하는 결정에 대하여는 즉시 이의신청을 할 수 있다.

② 제1항의 이의신청에 대한 결정은 기피신청 기각결정을 한 법원이 한다.

③ 이의신청에 대한 결정에 대하여는 불복할 수 없다.

제30조【무이유부기피신청】 ① 검사와 변호인은 각자 다음 각 호의 범위 내에서 배심원후보자에 대하여 이유를 제시하지 아니하는 기피신청(이하 "무이유부기피신청"이라 한다)을 할 수 있다.

1. 배심원이 9인인 경우는 5인
2. 배심원이 7인인 경우는 4인
3. 배심원이 5인인 경우는 3인

② 무이유부기피신청이 있는 때에는 법원은 당해 배심원후보자를 배심원으로 선정할 수 없다.

③ 법원은 검사·피고인 또는 변호인에게 순서를 바꿔가며 무이유부기피신청을 할 수 있는 기회를 주어야 한다.

제31조【선정결정 및 불선정결정】 ① 법원은 출석한 배심원후보자 중에서 당해 재판에서 필요한 배심원과 예비배심원의 수에 해당하는 배심원후보자를 무작위로 뽑고 이들을 대상으로 직권, 기피신청 또는 무이유부기피신청에 따른 불선정결정을 한다.

② 제1항의 불선정결정이 있는 경우에는 그 수만큼 제1항의 절차를 반복한다.

③ 제1항 및 제2항의 절차를 거쳐 필요한 수의 배심원과 예비배심원 후보자가 확정되면 법원은 무작위의 방법으로 배심원과 예비배심원을 선정한다. 예비배심원이 2인 이상인 경우에는 그 순번을 정하여야 한다.

④ 법원은 배심원과 예비배심원에게 누가 배심원으로 선정되었는지 여부를 알리지 아니할 수 있다.

제4절 배심원의 해임 등

제32조【배심원의 해임】 ① 법원은 배심원 또는 예비배심원이 다음 각 호의 어느 하나에 해당하는 때에는 직권 또는 검사·피고인·변호인의 신청에 따라 배심원 또는 예비배심원을 해임하는 결정을 할 수 있다.

1. 배심원 또는 예비배심원이 제42조 제1항의 선서를 하지 아니한 때
2. 배심원 또는 예비배심원이 제41조 제2항 각 호의 의무를 위반하여 그 직무를 담당하게 하는 것이 적당하지 아니하다고 인정되는 때
3. 배심원 또는 예비배심원이 출석의무에 위반하고 계속하여 그 직무를 행하는 것이 적당하지 아니한 때
4. 배심원 또는 예비배심원에게 제17조부터 제20조까지의 사유에 해당하는 사실이 있거나 불공평한 판단을 할 우려가 있는 때
5. 배심원 또는 예비배심원이 질문표에 거짓 기재를 하거나 선정절차에서의 질문에 대하여 정당한 사유 없이 진술을 거부하거나 거짓의 진술을 한 것이 밝혀지고 계속하여 그 직무를 행하는 것이 적당하지 아니한 때
6. 배심원 또는 예비배심원이 법정에서 재판장이 명한 사항을 따르지 아니하거나 폭언 또는 그 밖의 부당한 언행을 하는 등 공판절차의 진행을 방해한 때

② 제1항의 결정을 함에 있어서는 검사·피고인 또는 변호인의 의견을 묻고 출석한 당해 배심원 또는 예비배심원에게 진술기회를 부여하여야 한다.

③ 제1항의 결정에 대하여는 불복할 수 없다.

제33조【배심원의 사임】 ① 배심원과 예비배심원은 직무를 계속 수행하기 어려운 사정이 있는 때에는 법원에 사임을 신청할 수 있다.

② 법원은 제1항의 신청에 이유가 있다고 인정하는 때에는 당해 배심원 또는 예비배심원을 해임하는 결정을 할 수 있다.

③ 제2항의 결정을 함에 있어서는 검사·피고인 또는 변호인의 의견을 들어야 한다.

④ 제2항의 결정에 대하여는 불복할 수 없다.

제34조【배심원의 추가선정 등】 ① 제32조 및 제33조에 따라 배심원이 부족하게 된 경우 예비배심원은 미리 정한 순서에 따라 배심원이 된다. 이 때 배심원이 될 예비배심원이 없는 경우 배심원을 추가로 선정한다.

② 국민참여재판 도중 심리의 진행 정도에 비추어 배심원을 추가선정하여 재판에 관여하게 하는 것

이 부적절하다고 판단되는 경우 법원은 다음 각 호의 구분에 따라 남은 배심원만으로 계속하여 국민참여재판을 진행하는 결정을 할 수 있다. 다만, 배심원이 5인 미만이 되는 경우에는 그러하지 아니하다.

1. 1인의 배심원이 부족한 때에는 검사·피고인 또는 변호인의 의견을 들어야 한다.
2. 2인 이상의 배심원이 부족한 때에는 검사·피고인 또는 변호인의 동의를 받아야 한다.

제35조【배심원 등의 임무 종료】 배심원과 예비배심원의 임무는 다음 각 호의 어느 하나에 해당하면 종료한다.

1. 종국재판을 고지한 때
2. 제6조 제1항 단서 또는 제11조에 따라 통상절차 회부결정을 고지한 때

제4장 국민참여재판의 절차

제1절 공판의 준비

제36조【공판준비절차】 ① 재판장은 제8조에 따라 피고인이 국민참여재판을 원하는 의사를 표시한 경우에 사건을 공판준비절차에 부쳐야 한다. 다만, 공판준비절차에 부치기 전에 제9조 제1항의 배제결정이 있는 때에는 그러하지 아니하다.

② 공판준비절차에 부친 이후 피고인이 국민참여재판을 원하지 아니하는 의사를 표시하거나 제9조 제1항의 배제결정이 있는 때에는 공판준비절차를 종결할 수 있다.

③ 지방법원 본원 합의부가 지방법원 지원 합의부로부터 제10조 제1항에 따라 이송받은 사건에 대하여는 이미 공판준비절차를 거친 경우에도 필요한 때에는 공판준비절차에 부칠 수 있다.

④ 검사·피고인 또는 변호인은 증거를 미리 수집·정리하는 등 공판준비절차가 원활하게 진행되도록 협력하여야 한다.

제37조【공판준비기일】 ① 법원은 주장과 증거를 정리하고 심리계획을 수립하기 위하여 공판준비기일을 지정하여야 한다.

② 법원은 합의부원으로 하여금 공판준비기일을 진행하게 할 수 있다. 이 경우 수명법관은 공판준비기일에 관하여 법원 또는 재판장과 동일한 권한이 있다.

③ 공판준비기일은 공개한다. 다만, 법원은 공개함으로써 절차의 진행이 방해될 우려가 있는 때에는 공판준비기일을 공개하지 아니할 수 있다.

④ 공판준비기일에는 배심원이 참여하지 아니한다.

제2절 공판절차

제38조【공판기일의 통지】 공판기일은 배심원과 예비배심원에게 통지하여야 한다.

제39조【소송관계인의 좌석】 ① 공판정은 판사·배심원·예비배심원·검사·변호인이 출석하여 개정한다.

② 검사와 피고인 및 변호인은 대등하게 마주 보고 위치한다. 다만, 피고인신문을 하는 때에는 피고인은 증인석에 위치한다.

③ 배심원과 예비배심원은 재판장과 검사·피고인 및 변호인의 사이 왼쪽에 위치한다.

④ 증인석은 재판장과 검사·피고인 및 변호인의 사이 오른쪽에 배심원과 예비배심원을 마주 보고 위치한다.

제40조【공판정에서의 속기·녹취】 ① 법원은 특별한 사정이 없는 한 공판정에서의 심리를 속기사로 하여금 속기하게 하거나 녹음장치 또는 영상녹화장치를 사용하여 녹음 또는 영상녹화하여야 한다.

② 제1항에 따른 속기록·녹음테이프 또는 비디오테이프는 공판조서와는 별도로 보관되어야 하며, 검사·피고인 또는 변호인은 비용을 부담하고 속기록·녹음테이프 또는 비디오테이프의 사본을 청구할 수 있다.

제41조【배심원의 절차상 권리와 의무】 ① 배심원과 예비배심원은 다음 각 호의 행위를 할 수 있다.

1. 피고인·증인에 대하여 필요한 사항을 신문하여 줄 것을 재판장에게 요청하는 행위
2. 필요하다고 인정되는 경우 재판장의 허가를 받아 각자 필기를 하여 이를 평의에 사용하는 행위

② 배심원과 예비배심원은 다음 각 호의 행위를 하여서는 아니 된다.

1. 심리 도중에 법정을 떠나거나 평의·평결 또는 토의가 완결되기 전에 재판장의 허락 없이 평의·평결 또는 토의 장소를 떠나는 행위
2. 평의가 시작되기 전에 당해 사건에 관한 자신의 견해를 밝히거나 의논하는 행위
3. 재판절차 외에서 당해 사건에 관한 정보를 수집하거나 조사하는 행위
4. 이 법에서 정한 평의·평결 또는 토의에 관한 비밀을 누설하는 행위

제42조【선서 등】 ① 배심원과 예비배심원은 법률에 따라 공정하게 그 직무를 수행할 것을 다짐하는 취지의 선서를 하여야 한다.

② 재판장은 배심원과 예비배심원에 대하여 배심원과 예비배심원의 권한·의무·재판절차, 그 밖에 직무수행을 원활히 하는 데 필요한 사항을 설명하여야 한다.

제43조【간이공판절차 규정의 배제】 국민참여재판에는 「형사소송법」 제286조의 2를 적용하지 아니한다.

제44조【배심원의 증거능력 판단 배제】 배심원 또는 예비배심원은 법원의 증거능력에 관한 심리에 관여할 수 없다.

제45조【공판절차의 갱신】 ① 공판절차가 개시된 후 새로 재판에 참여하는 배심원 또는 예비배심원이 있는 때에는 공판절차를 갱신하여야 한다.

② 제1항의 갱신절차는 새로 참여한 배심원 또는 예비배심원이 쟁점 및 조사한 증거를 이해할 수 있도록 하되, 그 부담이 과중하지 아니하도록 하여야 한다.

제3절 평의·평결·토의 및 판결 선고

제46조【재판장의 설명·평의·평결·토의 등】 ① 재판장은 변론이 종결된 후 법정에서 배심원에게 공소사실의 요지와 적용법조, 피고인과 변호인 주장의 요지, 증거능력, 그 밖에 유의할 사항에 관하여 설명하여야 한다. 이 경우 필요한 때에는 증거의 요지에 관하여 설명할 수 있다.

② 심리에 관여한 배심원은 제1항의 설명을 들은 후 유·무죄에 관하여 평의하고, 전원의 의견이 일치하면 그에 따라 평결한다. 다만, 배심원 과반수의 요청이 있으면 심리에 관여한 판사의 의견을 들을 수 있다.

③ 배심원은 유·무죄에 관하여 전원의 의견이 일치하지 아니하는 때에는 평결을 하기 전에 심리에 관여한 판사의 의견을 들어야 한다. 이 경우 유·무죄의 평결은 다수결의 방법으로 한다. 심리에 관여한 판사는 평의에 참석하여 의견을 진술한 경우에도 평결에는 참여할 수 없다.

④ 제2항 및 제3항의 평결이 유죄인 경우 배심원은 심리에 관여한 판사와 함께 양형에 관하여 토의하고 그에 관한 의견을 개진한다. 재판장은 양형에 관한 토의 전에 처벌의 범위와 양형의 조건 등을 설명하여야 한다.

⑤ 제2항부터 제4항까지의 평결과 의견은 법원을 기속하지 아니한다.

⑥ 제2항 및 제3항의 평결결과와 제4항의 의견을 집계한 서면은 소송기록에 편철한다.

제47조【평의 등의 비밀】 배심원은 평의·평결 및 토의 과정에서 알게 된 판사 및 배심원 각자의 의견과 그 분포 등을 누설하여서는 아니 된다.

제48조【판결선고기일】 ① 판결의 선고는 변론을 종결한 기일에 하여야 한다. 다만, 특별한 사정이 있는 때에는 따로 선고기일을 지정할 수 있다.

② 변론을 종결한 기일에 판결을 선고하는 경우에는 판결서를 선고 후에 작성할 수 있다.

③ 제1항 단서의 선고기일은 변론종결 후 14일 이내로 정하여야 한다.

④ 재판장은 판결선고 시 피고인에게 배심원의 평결결과를 고지하여야 하며, 배심원의 평결결과와 다른 판결을 선고하는 때에는 피고인에게 그 이유를 설명하여야 한다.

제49조【판결서의 기재사항】 ① 판결서에는 배심원이 재판에 참여하였다는 취지를 기재하여야 하고, 배심원의 의견을 기재할 수 있다.

② 배심원의 평결결과와 다른 판결을 선고하는 때에는 판결서에 그 이유를 기재하여야 한다.

제5장 배심원 등의 보호를 위한 조치

제50조【불이익취급의 금지】 누구든지 배심원·예비배심원 또는 배심원후보자인 사실을 이유로 해고하거나 그 밖의 불이익한 처우를 하여서는 아니 된다.

제51조【배심원 등에 대한 접촉의 규제】 ① 누구든지 당해 재판에 영향을 미치거나 배심원 또는 예비배심원이 직무상 취득한 비밀을 알아낼 목적으로 배심원 또는 예비배심원과 접촉하여서는 아니 된다.

② 누구든지 배심원 또는 예비배심원이 직무상 취득한 비밀을 알아낼 목적으로 배심원 또는 예비배심원의 직무에 종사하였던 사람과 접촉하여서는 아니 된다. 다만, 연구에 필요한 경우는 그러하지 아니하다.

제52조【배심원 등의 개인정보 공개금지】 ① 법령으로 정하는 경우를 제외하고는 누구든지 배심원·예비배심원 또는 배심원후보자의 성명·주소와 그 밖의 개인정보를 공개하여서는 아니 된다.

② 배심원·예비배심원 또는 배심원후보자의 직무를 수행하였던 사람들의 개인정보에 대하여는 본인이 동의하는 경우에 한하여 이를 공개할 수 있다.

제53조【배심원 등에 대한 신변보호조치】 ① 재판장은 배심원 또는 예비배심원이 피고인이나 그 밖의 사람으로부터 위해를 받거나 받을 염려가 있다고 인정하는 때 또는 공정한 심리나 평의에 지장을 초래하거나 초래할 염려가 있다고 인정하는 때에는 배심원 또는 예비배심원의 신변안전을 위하여 보호, 격리, 숙박, 그 밖에 필요한 조치를 취할 수 있다.

② 검사, 피고인, 변호인, 배심원 또는 예비배심원은 재판장에게 제1항의 조치를 취하도록 요청할 수 있다.

제6장 연구조직

제54조【사법참여기획단】 ① 국민참여재판에 관한 조사·연구 등을 수행하기 위하여 대법원에 사법참여기획단을 둔다.

② 사법참여기획단은 다음 각 호의 사항에 관한 임무를 수행한다.

1. 모의재판의 실시
2. 국민참여재판의 녹화 및 분석
3. 수사·변호 및 재판절차에 관한 연구
4. 법조 실무자에 대한 교육
5. 국민에 대한 교육 및 홍보
6. 공청회·학술토론회의 개최
7. 그 밖에 국민참여재판의 연구에 필요한 사항

③ 사법참여기획단의 조직과 활동, 그 밖에 필요한 사항은 대법원규칙으로 정한다.

제55조【국민사법참여위원회】 ① 국민참여재판의 시행경과에 대한 분석 등을 통하여 국민참여재판 제도의 최종적인 형태를 결정하기 위하여 대법원에 국민사법참여위원회를 둔다.

② 국민사법참여위원회의 조직과 활동, 그 밖에 필요한 사항은 대법원규칙으로 정한다.

제7장 벌 칙

제56조【배심원 등에 대한 청탁죄】 ① 배심원 또는 예비배심원에게 그 직무에 관하여 청탁을 한 자는 2년 이하의 징역 또는 500만원 이하의 벌금에 처한다.

② 배심원후보자에게 그 직무에 관하여 청탁을 한 자도 제1항과 같다.

제57조【배심원 등에 대한 위협죄】 ① 피고사건에 관하여 당해 피고사건의 배심원·예비배심원 또는 그러한 직에 있었던 자나 그 친족에 대하여 전화·편지·면회, 그 밖의 다른 방법으로 겁을 주거나 불안감을 조성하는 등의 위협행위를 한 자는 2년 이하의 징역 또는 500만원 이하의 벌금에 처한다.

② 피고사건에 관하여 당해 피고사건의 배심원후보자 또는 그 친족에 대하여 제1항의 방법으로 위협행위를 한 자도 제1항과 같다.

제58조【배심원 등에 의한 비밀누설죄】 ① 배심원 또는 예비배심원이 직무상 알게 된 비밀을 누설한 때에는 6개월 이하의 징역 또는 300만원 이하의 벌금에 처한다.

② 배심원 또는 예비배심원이었던 자가 직무상 알게 된 비밀을 누설한 때에도 제1항과 같다. 다만, 연구에 필요한 협조를 한 경우는 그러하지 아니하다.

제59조【배심원 등의 금품 수수 등】 ① 배심원·예비배심원 또는 배심원후보자가 직무와 관련하여 재물 또는 재산상 이익을 수수·요구·약속한 때에는 3년 이하의 징역 또는 1천만원 이하의 벌금에 처한다.

② 배심원·예비배심원 또는 배심원후보자에게 제1항의 재물 또는 재산상 이익을 약속·공여 또는 공여의 의사를 표시한 자도 제1항과 같다.

제60조【배심원후보자의 불출석 등에 대한 과태료】 ① 다음 각 호의 어느 하나에 해당하는 때에 법원은 결정으로 200만원 이하의 과태료를 부과한다.

1. 출석통지를 받은 배심원·예비배심원·배심원후보자가 정당한 사유 없이 지정된 일시에 출석하지 아니한 때
2. 배심원 또는 예비배심원이 정당한 사유 없이 제42조 제1항의 선서를 거부한 때
3. 배심원후보자가 배심원 또는 예비배심원 선정을 위한 질문서에 거짓 기재를 하여 법원에 제출하거나 또는 선정절차에서의 질문에 대하여 거짓 진술을 한 때

② 제1항의 결정에 대하여는 즉시항고할 수 있다.

부 칙〈2007. 6. 1〉

제1조【시행일】 이 법은 2008년 1월 1일부터 시행한다.

부 칙〈법률 제10258호, 2010. 4. 15〉
(성폭력범죄의 처벌 등에 관한 특례법)

제1조【시행일】 이 법은 공포한 날부터 시행한다. <단서 생략>

제2조~제4조 생략

제5조【다른 법률의 개정】 ①부터 ③까지 생략

④ 국민의 형사재판 참여에 관한 법률 일부를 다음과 같이 개정한다.

제5조 제1항 제2호 중 "「성폭력범죄의 처벌 및 피해자보호 등에 관한 법률」 제5조(특수강도강간 등), 제6조(특수강간 등), 제9조(강간 등 상해·치상), 제10조(강간 등 살인·치사)"를 "「성폭력범죄의 처벌 등에 관한 특례법」 제3조(특수강도강간 등), 제4조(특수강간 등), 제8조(강간 등 상해·치상), 제9조(강간 등 살인·치사)"로 한다.

⑤부터 ⑮까지 생략

제6조 생략

부 칙〈법률 제11155호, 2012. 1. 17〉

제1조【시행일】 이 법은 2012년 7월 1일부터 시행한다. 다만, 제22조 제1항 및 제2항의 개정규정은 공포한 날부터 시행한다.

제2조【대상사건 등에 관한 적용례】 제5조 제1항, 제9조 제1항 및 제11조 제1항의 개정규정은 이 법 시행 후 최초로 공소를 제기하는 사건부터 적용한다.

부 칙〈법률 제11690호, 2013. 3. 23〉
(정부조직법)

제1조【시행일】 ① 이 법은 공포한 날부터 시행한다.

② 생략

제2조부터 **제5조**까지 생략

제6조【다른 법률의 개정】 ①부터 <116>까지 생략

<117> 국민의 형사재판 참여에 관한 법률 일부를 다음과 같이 개정한다.

제22조 제1항 및 제2항 중 "행정안전부장관"을 각각 "안전행정부장관"으로 한다.

<118>부터 <710>까지 생략

제7조 생략

부 칙〈법률 제12844호, 2014. 11. 19〉
(정부조직법)

제1조【시행일】 이 법은 공포한 날부터 시행한다. 다만, 부칙 제6조에 따라 개정되는 법률 중 이 법 시행 전에 공포되었으나 시행일이 도래하지 아니한 법률을 개정한 부분은 각각 해당 법률의 시행일부터 시행한다.

제2조부터 **제5조**까지 생략

제6조【다른 법률의 개정】 ①부터 <41>까지 생략
<42> 국민의 형사재판 참여에 관한 법률 일부를 다음과 같이 개정한다.

제22조 제1항 및 제2항 중 "안전행정부장관"을 각각 "행정자치부장관"으로 한다.
<43>부터 <258>까지 생략

제7조 생략

부 칙〈법률 제13762호, 2016. 1. 19.〉

제1조【시행일】 이 법은 공포한 날부터 시행한다.

제2조【금치산자 등에 대한 경과조치】 제17조 제1호의 개정규정에도 불구하고 법률 제10429호 민법 일부개정법률 부칙 제2조에 따라 금치산 또는 한정치산 선고의 효력이 유지되는 사람에 대하여는 종전의 규정에 따른다.

부 칙〈법률 제14184호, 2016. 5. 29〉
(예비군법)

제1조【시행일】 이 법은 공포 후 6개월이 경과한 날부터 시행한다.

제2조【다른 법률의 개정】 ①부터 ③까지 생략
④ 국민의 형사재판 참여에 관한 법률 일부를 다음과 같이 개정한다.
제18조 제8호 중 "「향토예비군설치법」"을 "「예비군법」"으로, "향토예비군"을 "예비군"으로 한다.
⑤부터 ⑪까지 생략

부 칙〈법률 제14839호, 2017. 7. 26〉
(정부조직법)

제1조【시행일】 ① 이 법은 공포한 날부터 시행한다. 다만, 부칙 제5조에 따라 개정되는 법률 중 이 법 시행 전에 공포되었으나 시행일이 도래하지 아니한 법률을 개정한 부분은 각각 해당 법률의 시행일부터 시행한다.

제2조부터 **제4조**까지 생략

제5조【다른 법률의 개정】 ①부터 <33>까지 생략
<34> 국민의 형사재판 참여에 관한 법률 일부를 다음과 같이 개정한다.
제22조 제1항 및 제2항 중 "행정자치부장관"을 각각 "행정안전부장관"으로 한다.
<35>부터 <382>까지 생략

제6조 생략

CHAPTER 04

검사와 사법경찰관의 상호협력과 일반적 수사준칙에 관한 규정

제 정 2020. 10. 7. 대통령령 제31089호 일부개정 2023. 10. 17. 법률 제33808호

제1장 총 칙

제1조【목적】 이 영은 「형사소송법」 제195조에 따라 검사와 사법경찰관의 상호협력과 일반적 수사준칙에 관한 사항을 규정함으로써 수사과정에서 국민의 인권을 보호하고, 수사절차의 투명성과 수사의 효율성을 보장함을 목적으로 한다.

제2조【적용 범위】 검사와 사법경찰관의 협력관계, 일반적인 수사의 절차와 방법에 관하여 다른 법령에 특별한 규정이 있는 경우를 제외하고는 이 영이 정하는 바에 따른다.

제3조【수사의 기본원칙】 ① 검사와 사법경찰관은 모든 수사과정에서 헌법과 법률에 따라 보장되는 피의자와 그 밖의 피해자・참고인 등(이하 "사건관계인"이라 한다)의 권리를 보호하고, 적법한 절차에 따라야 한다.

② 검사와 사법경찰관은 예단(예단)이나 편견 없이 신속하게 수사해야 하고, 주어진 권한을 자의적으로 행사하거나 남용해서는 안 된다.

③ 검사와 사법경찰관은 수사를 할 때 다음 각 호의 사항에 유의하여 실체적 진실을 발견해야 한다.

1. 물적 증거를 기본으로 하여 객관적이고 신빙성 있는 증거를 발견하고 수집하기 위해 노력할 것
2. 과학수사 기법과 관련 지식・기술 및 자료를 충분히 활용하여 합리적으로 수사할 것
3. 수사과정에서 선입견을 갖지 말고, 근거 없는 추측을 배제하며, 사건관계인의 진술을 과신하지 않도록 주의할 것

④ 검사와 사법경찰관은 다른 사건의 수사를 통해 확보된 증거 또는 자료를 내세워 관련이 없는 사건에 대한 자백이나 진술을 강요해서는 안 된다.

제4조【불이익 금지】 검사와 사법경찰관은 피의자나 사건관계인이 인권침해 신고나 그 밖에 인권구제를 위한 신고, 진정, 고소, 고발 등의 행위를 하였다는 이유로 부당한 대우를 하거나 불이익을 주어서는 안 된다.

제5조【형사사건의 공개금지 등】 ① 검사와 사법경찰관은 공소제기 전의 형사사건에 관한 내용을 공개해서는 안 된다.

② 검사와 사법경찰관은 수사의 전(전) 과정에서 피의자와 사건관계인의 사생활의 비밀을 보호하고 그들의 명예나 신용이 훼손되지 않도록 노력해야 한다.

③ 제1항에도 불구하고 법무부장관, 경찰청장 또는 해양경찰청장은 무죄추정의 원칙과 국민의 알 권리 등을 종합적으로 고려하여 형사사건 공개에 관한 준칙을 정할 수 있다.

제2장 협 력

제6조【상호협력의 원칙】 ① 검사와 사법경찰관은 상호 존중해야 하며, 수사, 공소제기 및 공소유지와 관련하여 협력해야 한다.

② 검사와 사법경찰관은 수사와 공소제기 및 공소유지를 위해 필요한 경우 수사・기소・재판 관련 자료를 서로 요청할 수 있다.

③ 검사와 사법경찰관의 협의는 신속히 이루어져야 하며, 협의의 지연 등으로 수사 또는 관련 절차가 지연되어서는 안 된다.

제7조【중요사건 협력절차】 ① 검사와 사법경찰관은 다음 각 호의 어느 하나에 해당하는 사건(이하 "중요사건"이라 한다)의 경우에는 송치 전에 수사할 사항, 증거 수집의 대상, 법령의 적용, 범죄수익 환수를 위한 조치 등에 관하여 상호 의견을 제시・교환할 것을 요청할 수 있다. 이 경우 검사와 사법경찰관은 특별한 사정이 없으면 상대방의 요청에 응해야 한다.

1. 공소시효가 임박한 사건
2. 내란, 외환, 대공(대공), 선거(정당 및 정치자금 관련 범죄를 포함한다), 노동, 집단행동, 테러, 대형참사 또는 연쇄살인 관련 사건
3. 범죄를 목적으로 하는 단체 또는 집단의 조직·구성·가입·활동 등과 관련된 사건
4. 주한 미합중국 군대의 구성원·외국인군무원 및 그 가족이나 초청계약자의 범죄 관련 사건
5. 그 밖에 많은 피해자가 발생하거나 국가적·사회적 피해가 큰 중요한 사건

② 제1항에도 불구하고 검사와 사법경찰관은 다음 각 호의 어느 하나에 따른 공소시효가 적용되는 사건에 대해서는 공소시효 만료일 3개월 전까지 제1항 각 호 외의 부분 전단에 규정된 사항 등에 관하여 상호 의견을 제시·교환해야 한다. 다만, 공소시효 만료일 전 3개월 이내에 수사를 개시한 때에는 지체 없이 상호 의견을 제시·교환해야 한다.

1. 「공직선거법」 제268조
2. 「공공단체등 위탁선거에 관한 법률」 제71조
3. 「농업협동조합법」 제172조 제4항
4. 「수산업협동조합법」 제178조 제5항
5. 「산림조합법」 제132조 제4항
6. 「소비자생활협동조합법」 제86조 제4항
7. 「염업조합법」 제59조 제4항
8. 「엽연초생산협동조합법」 제42조 제5항
9. 「중소기업협동조합법」 제137조 제3항
10. 「새마을금고법」 제85조 제6항
11. 「교육공무원법」 제62조 제5항

[전문개정 2023.10.17]

제8조【검사와 사법경찰관의 협의】 ① 검사와 사법경찰관은 수사와 사건의 송치, 송부 등에 관한 이견의 조정이나 협력 등이 필요한 경우 서로 협의를 요청할 수 있다. 이 경우 특별한 사정이 없으면 상대방의 협의 요청에 응해야 한다. <개정 2023.10.17>

② 제1항에 따른 협의에도 불구하고 이견이 해소되지 않는 경우로서 다음 각 호의 어느 하나에 해당하는 경우에는 해당 검사가 소속된 검찰청의 장과 해당 사법경찰관이 소속된 경찰관서(지방해양경찰관서를 포함한다. 이하 같다)의 장의 협의에 따른다. <개정 2023.10.17>

1. 중요사건에 관하여 상호 의견을 제시·교환하는 것에 대해 이견이 있거나 제시·교환한 의견의 내용에 대해 이견이 있는 경우
2. 「형사소송법」(이하 "법"이라 한다) 제197조의2 제2항 및 제3항에 따른 정당한 이유의 유무에 대해 이견이 있는 경우
3. 법 제197조의 4 제2항 단서에 따라 사법경찰관이 계속 수사할 수 있는지 여부나 사법경찰관이 계속 수사할 수 있는 경우 수사를 계속할 주체 또는 사건의 이송 여부 등에 대해 이견이 있는 경우
4. 법 제245조의 8 제2항에 따른 재수사의 결과에 대해 이견이 있는 경우

제9조【수사기관협의회】 ① 대검찰청, 경찰청 및 해양경찰청 간에 수사에 관한 제도 개선 방안 등을 논의하고, 수사기관 간 협조가 필요한 사항에 대해 서로 의견을 협의·조정하기 위해 수사기관 협의회를 둔다.

② 수사기관협의회는 다음 각 호의 사항에 대해 협의·조정한다.

1. 국민의 인권보호, 수사의 신속성·효율성 등을 위한 제도 개선 및 정책 제안
2. 국가적 재난 상황 등 관련 기관 간 긴밀한 협조가 필요한 업무를 공동으로 수행하기 위해 필요한 사항
3. 그 밖에 제1항의 어느 한 기관이 수사기관협의회의 협의 또는 조정이 필요하다고 요구한 사항

③ 수사기관협의회는 반기마다 정기적으로 개최하되, 제1항의 어느 한 기관이 요청하면 수시로 개최할 수 있다.

④ 제1항의 각 기관은 수사기관협의회에서 협의·조정된 사항의 세부 추진계획을 수립·시행해야 한다.

⑤ 제1항부터 제4항까지의 규정에서 정한 사항 외에 수사기관협의회의 운영 등에 필요한 사항은 수사기관협의회에서 정한다.

제3장 수 사

제1절 통 칙

제10조【임의수사 우선의 원칙과 강제수사 시 유의사항】 ① 검사와 사법경찰관은 수사를 할 때 수사 대상자의 자유로운 의사에 따른 임의수사를 원칙으로 해야 하고, 강제수사는 법률에서 정한 바에 따라 필요한 경우에만 최소한의 범위에서 하되, 수사 대상자의 권익 침해의 정도가 더 적은 절차와 방법을 선택해야 한다.

② 검사와 사법경찰관은 피의자를 체포·구속하는 과정에서 피의자 및 현장에 있는 가족 등 지인들의 인격과 명예를 침해하지 않도록 유의해야 한다.

③ 검사와 사법경찰관은 압수·수색 과정에서 사생활의 비밀, 주거의 평온을 최대한 보장하고, 피의자 및 현장에 있는 가족 등 지인들의 인격과 명예를 침해하지 않도록 유의해야 한다.

제11조【회피】 검사 또는 사법경찰관리는 피의자나 사건관계인과 친족관계 또는 이에 준하는 관계가 있거나 그 밖에 수사의 공정성을 의심 받을 염려가 있는 사건에 대해서는 소속 기관의 장의 허가를 받아 그 수사를 회피해야 한다.

제12조【수사 진행상황의 통지】 ① 검사 또는 사법경찰관은 수사에 대한 진행상황을 사건관계인에게 적절히 통지하도록 노력해야 한다.

② 제1항에 따른 통지의 구체적인 방법·절차 등은 법무부장관, 경찰청장 또는 해양경찰청장이 정한다.

제13조【변호인의 피의자신문 참여·조력】 ① 검사 또는 사법경찰관은 피의자신문에 참여한 변호인이 피의자의 옆자리 등 실질적인 조력을 할 수 있는 위치에 앉도록 해야 하고, 정당한 사유가 없으면 피의자에 대한 법적인 조언·상담을 보장해야 하며, 법적인 조언·상담을 위한 변호인의 메모를 허용해야 한다.

② 검사 또는 사법경찰관은 피의자에 대한 신문이 아닌 단순 면담 등이라는 이유로 변호인의 참여·조력을 제한해서는 안 된다.

③ 제1항 및 제2항은 검사 또는 사법경찰관의 사건관계인에 대한 조사·면담 등의 경우에도 적용한다.

제14조【변호인의 의견진술】 ① 피의자신문에 참여한 변호인은 검사 또는 사법경찰관의 신문 후 조서를 열람하고 의견을 진술할 수 있다. 이 경우 변호인은 별도의 서면으로 의견을 제출할 수 있으며, 검사 또는 사법경찰관은 해당 서면을 사건기록에 편철한다.

② 피의자신문에 참여한 변호인은 신문 중이라도 검사 또는 사법경찰관의 승인을 받아 의견을 진술할 수 있다. 이 경우 검사 또는 사법경찰관은 정당한 사유가 있는 경우를 제외하고는 변호인의 의견진술 요청을 승인해야 한다.

③ 피의자신문에 참여한 변호인은 제2항에도 불구하고 부당한 신문방법에 대해서는 검사 또는 사법경찰관의 승인 없이 이의를 제기할 수 있다.

④ 검사 또는 사법경찰관은 제1항부터 제3항까지의 규정에 따른 의견진술 또는 이의제기가 있는 경우 해당 내용을 조서에 적어야 한다.

제15조【피해자 보호】 ① 검사 또는 사법경찰관은 피해자의 명예와 사생활의 평온을 보호하기 위해 「범죄피해자 보호법」 등 피해자 보호 관련 법령의 규정을 준수해야 한다.

② 검사 또는 사법경찰관은 피의자의 범죄수법, 범행 동기, 피해자와의 관계, 언동 및 그 밖의 상황으로 보아 피해자가 피의자 또는 그 밖의 사람으로부터 생명·신체에 위해를 입거나 입을 염려가 있다고 인정되는 경우에는 직권 또는 피해자의 신청에 따라 신변보호에 필요한 조치를 강구해야 한다.

제2절 수사의 개시

제16조【수사의 개시】 ① 검사 또는 사법경찰관이 다음 각 호의 어느 하나에 해당하는 행위에 착수한 때에는 수사를 개시한 것으로 본다. 이 경우 검사 또는 사법경찰관은 해당 사건을 즉시 입건해야 한다.

1. 피혐의자의 수사기관 출석조사
2. 피의자신문조서의 작성

3. 긴급체포
4. 체포·구속영장의 청구 또는 신청
5. 사람의 신체, 주거, 관리하는 건조물, 자동차, 선박, 항공기 또는 점유하는 방실에 대한 압수·수색 또는 검증영장(부검을 위한 검증영장은 제외한다)의 청구 또는 신청

② 검사 또는 사법경찰관은 수사 중인 사건의 범죄 혐의를 밝히기 위한 목적으로 관련 없는 사건의 수사를 개시하거나 수사기간을 부당하게 연장해서는 안 된다.

③ 검사 또는 사법경찰관은 입건 전에 범죄를 의심할 만한 정황이 있어 수사 개시 여부를 결정하기 위한 사실관계의 확인 등 필요한 조사를 할 때에는 적법절차를 준수하고 사건관계인의 인권을 존중하며, 조사가 부당하게 장기화되지 않도록 신속하게 진행해야 한다.

④ 검사 또는 사법경찰관은 제3항에 따른 조사 결과 입건하지 않는 결정을 한 때에는 피해자에 대한 보복범죄나 2차 피해가 우려되는 경우 등을 제외하고는 피혐의자 및 사건관계인에게 통지해야 한다.

⑤ 제4항에 따른 통지의 구체적인 방법 및 절차 등은 법무부장관, 경찰청장 또는 해양경찰청장이 정한다.

⑥ 제3항에 따른 조사와 관련한 서류 등의 열람 및 복사에 관하여는 제69조 제1항, 제3항, 제5항(같은 조 제1항 및 제3항을 준용하는 부분으로 한정한다. 이하 이 항에서 같다) 및 제6항(같은 조 제1항, 제3항 및 제5항에 따른 신청을 받은 경우로 한정한다)을 준용한다.

제16조의 2 【고소·고발 사건의 수리 등】 ① 검사 또는 사법경찰관은 고소 또는 고발을 받은 경우에는 이를 수리해야 한다.

② 검사 또는 사법경찰관은 고소 또는 고발에 따라 범죄를 수사하는 경우에는 고소 또는 고발을 수리한 날부터 3개월 이내에 수사를 마쳐야 한다. [본조신설 2023.10.17]

제17조 【변사자의 검시 등】 ① 사법경찰관은 변사자 또는 변사한 것으로 의심되는 사체가 있으면 변사사건 발생사실을 검사에게 통보해야 한다.

② 검사는 법 제222조 제1항에 따라 검시를 했을 경우에는 검시조서를, 검증영장이나 같은 조 제2항에 따라 검증을 했을 경우에는 검증조서를 각각 작성하여 사법경찰관에게 송부해야 한다.

③ 사법경찰관은 법 제222조 제1항 및 제3항에 따라 검시를 했을 경우에는 검시조서를, 검증영장이나 같은 조 제2항 및 제3항에 따라 검증을 했을 경우에는 검증조서를 각각 작성하여 검사에게 송부해야 한다.

④ 검사와 사법경찰관은 법 제222조에 따라 변사자의 검시를 한 사건에 대해 사건 종결 전에 수사할 사항 등에 관하여 상호 의견을 제시·교환해야 한다.

제18조 【검사의 사건 이송 등】 ① 검사는 「검찰청법」 제4조 제1항 제1호 각 목에 해당되지 않는 범죄에 대한 고소·고발·진정 등이 접수된 때에는 사건을 검찰청 외의 수사기관에 이송해야 한다. <개정 2023.10.17>

② 검사는 다음 각 호의 어느 하나에 해당하는 때에는 사건을 검찰청 외의 수사기관에 이송할 수 있다.

1. 법 제197조의 4 제2항 단서에 따라 사법경찰관이 범죄사실을 계속 수사할 수 있게 된 때
2. 그 밖에 다른 수사기관에서 수사하는 것이 적절하다고 판단되는 때

③ 검사는 제1항 또는 제2항에 따라 사건을 이송하는 경우에는 관계 서류와 증거물을 해당 수사기관에 함께 송부해야 한다.

④ 검사는 제2항 제2호에 따른 이송을 하는 경우에는 특별한 사정이 없으면 사건을 수리한 날부터 1개월 이내에 이송해야 한다. <신설 2023.10.17>

제3절 임의수사

제19조 【출석요구】 ① 검사 또는 사법경찰관은 피의자에게 출석요구를 할 때에는 다음 각 호의 사항을 유의해야 한다.

1. 출석요구를 하기 전에 우편·전자우편·전화를 통한 진술 등 출석을 대체할 수 있는 방법의 선택 가능성을 고려할 것

2. 출석요구의 방법, 출석의 일시·장소 등을 정할 때에는 피의자의 명예 또는 사생활의 비밀이 침해되지 않도록 주의할 것
3. 출석요구를 할 때에는 피의자의 생업에 지장을 주지 않도록 충분한 시간적 여유를 두도록 하고, 피의자가 출석 일시의 연기를 요청하는 경우 특별한 사정이 없으면 출석 일시를 조정할 것
4. 불필요하게 여러 차례 출석요구를 하지 않을 것

② 검사 또는 사법경찰관은 피의자에게 출석요구를 하려는 경우 피의자와 조사의 일시·장소에 관하여 협의해야 한다. 이 경우 변호인이 있는 경우에는 변호인과도 협의해야 한다.

③ 검사 또는 사법경찰관은 피의자에게 출석요구를 하려는 경우 피의사실의 요지 등 출석요구의 취지를 구체적으로 적은 출석요구서를 발송해야 한다. 다만, 신속한 출석요구가 필요한 경우 등 부득이한 사정이 있는 경우에는 전화, 문자메시지, 그 밖의 상당한 방법으로 출석요구를 할 수 있다.

④ 검사 또는 사법경찰관은 제3항 본문에 따른 방법으로 출석요구를 했을 때에는 출석요구서의 사본을, 같은 항 단서에 따른 방법으로 출석요구를 했을 때에는 그 취지를 적은 수사보고서를 각각 사건기록에 편철한다.

⑤ 검사 또는 사법경찰관은 피의자가 치료 등 수사관서에 출석하여 조사를 받는 것이 현저히 곤란한 사정이 있는 경우에는 수사관서 외의 장소에서 조사할 수 있다.

⑥ 제1항부터 제5항까지의 규정은 피의자 외의 사람에 대한 출석요구의 경우에도 적용한다.

제20조【수사상 임의동행 시의 고지】 검사 또는 사법경찰관은 임의동행을 요구하는 경우 상대방에게 동행을 거부할 수 있다는 것과 동행하는 경우에도 언제든지 자유롭게 동행 과정에서 이탈하거나 동행 장소에서 퇴거할 수 있다는 것을 알려야 한다.

제21조【심야조사 제한】 ① 검사 또는 사법경찰관은 조사, 신문, 면담 등 그 명칭을 불문하고 피의자나 사건관계인에 대해 오후 9시부터 오전 6시까지 사이에 조사(이하 "심야조사"라 한다)를 해서는 안 된다. 다만, 이미 작성된 조서의 열람을 위한 절차는 자정 이전까지 진행할 수 있다.

② 제1항에도 불구하고 다음 각 호의 어느 하나에 해당하는 경우에는 심야조사를 할 수 있다. 이 경우 심야조사의 사유를 조서에 명확하게 적어야 한다.

1. 피의자를 체포한 후 48시간 이내에 구속영장의 청구 또는 신청 여부를 판단하기 위해 불가피한 경우
2. 공소시효가 임박한 경우
3. 피의자나 사건관계인이 출국, 입원, 원거리 거주, 직업상 사유 등 재출석이 곤란한 구체적인 사유를 들어 심야조사를 요청한 경우(변호인이 심야조사에 동의하지 않는다는 의사를 명시한 경우는 제외한다)로서 해당 요청에 상당한 이유가 있다고 인정되는 경우
4. 그 밖에 사건의 성질 등을 고려할 때 심야조사가 불가피하다고 판단되는 경우 등 법무부장관, 경찰청장 또는 해양경찰청장이 정하는 경우로서 검사 또는 사법경찰관의 소속 기관의 장이 지정하는 인권보호 책임자의 허가 등을 받은 경우

제22조【장시간 조사 제한】 ① 검사 또는 사법경찰관은 조사, 신문, 면담 등 그 명칭을 불문하고 피의자나 사건관계인을 조사하는 경우에는 대기시간, 휴식시간, 식사시간 등 모든 시간을 합산한 조사시간(이하 "총조사시간"이라 한다)이 12시간을 초과하지 않도록 해야 한다. 다만, 다음 각 호의 어느 하나에 해당하는 경우에는 예외로 한다.

1. 피의자나 사건관계인의 서면 요청에 따라 조서를 열람하는 경우
2. 제21조 제2항 각 호의 어느 하나에 해당하는 경우

② 검사 또는 사법경찰관은 특별한 사정이 없으면 총조사시간 중 식사시간, 휴식시간 및 조서의 열람시간 등을 제외한 실제 조사시간이 8시간을 초과하지 않도록 해야 한다.

③ 검사 또는 사법경찰관은 피의자나 사건관계인에 대한 조사를 마친 때부터 8시간이 지나기 전에는 다시 조사할 수 없다. 다만, 제1항 제2호에 해당하는 경우에는 예외로 한다.

제23조【휴식시간 부여】 ① 검사 또는 사법경찰관은 조사에 상당한 시간이 소요되는 경우에는 특별

한 사정이 없으면 피의자 또는 사건관계인에게 조사 도중에 최소한 2시간마다 10분 이상의 휴식시간을 주어야 한다.

② 검사 또는 사법경찰관은 조사 도중 피의자, 사건관계인 또는 그 변호인으로부터 휴식시간의 부여를 요청받았을 때에는 그때까지 조사에 소요된 시간, 피의자 또는 사건관계인의 건강상태 등을 고려해 적정하다고 판단될 경우 휴식시간을 주어야 한다.

③ 검사 또는 사법경찰관은 조사 중인 피의자 또는 사건관계인의 건강상태에 이상 징후가 발견되면 의사의 진료를 받게 하거나 휴식하게 하는 등 필요한 조치를 해야 한다.

제24조【신뢰관계인의 동석】 ① 법 제244조의 5에 따라 피의자와 동석할 수 있는 신뢰관계에 있는 사람과 법 제221조 제3항에서 준용하는 법 제163조의 2에 따라 피해자와 동석할 수 있는 신뢰관계에 있는 사람은 피의자 또는 피해자의 직계친족, 형제자매, 배우자, 가족, 동거인, 보호·교육시설의 보호·교육담당자 등 피의자 또는 피해자의 심리적 안정과 원활한 의사소통에 도움을 줄 수 있는 사람으로 한다.

② 피의자, 피해자 또는 그 법정대리인이 제1항에 따른 신뢰관계에 있는 사람의 동석을 신청한 경우 검사 또는 사법경찰관은 그 관계를 적은 동석신청서를 제출받거나 조서 또는 수사보고서에 그 관계를 적어야 한다.

제25조【자료·의견의 제출기회 보장】 ① 검사 또는 사법경찰관은 조사과정에서 피의자, 사건관계인 또는 그 변호인이 사실관계 등의 확인을 위해 자료를 제출하는 경우 그 자료를 수사기록에 편철한다.

② 검사 또는 사법경찰관은 조사를 종결하기 전에 피의자, 사건관계인 또는 그 변호인에게 자료 또는 의견을 제출할 의사가 있는지를 확인하고, 자료 또는 의견을 제출받은 경우에는 해당 자료 및 의견을 수사기록에 편철한다.

제26조【수사과정의 기록】 ① 검사 또는 사법경찰관은 법 제244조의 4에 따라 조사(신문, 면담 등 명칭을 불문한다. 이하 이 조에서 같다) 과정의 진행경과를 다음 각 호의 구분에 따른 방법으로 기록해야 한다.

1. 조서를 작성하는 경우 : 조서에 기록(별도의 서면에 기록한 후 조서의 끝부분에 편철하는 것을 포함한다)
2. 조서를 작성하지 않는 경우 : 별도의 서면에 기록한 후 수사기록에 편철

② 제1항에 따라 조사과정의 진행경과를 기록할 때에는 다음 각 호의 구분에 따른 사항을 구체적으로 적어야 한다.

1. 조서를 작성하는 경우에는 다음 각 목의 사항
   가. 조사 대상자가 조사장소에 도착한 시각
   나. 조사의 시작 및 종료 시각
   다. 조사 대상자가 조사장소에 도착한 시각과 조사를 시작한 시각에 상당한 시간적 차이가 있는 경우에는 그 이유
   라. 조사가 중단되었다가 재개된 경우에는 그 이유와 중단 시각 및 재개 시각
2. 조서를 작성하지 않는 경우에는 다음 각 목의 사항
   가. 조사 대상자가 조사장소에 도착한 시각
   나. 조사 대상자가 조사장소를 떠난 시각
   다. 조서를 작성하지 않는 이유
   라. 조사 외에 실시한 활동
   마. 변호인 참여 여부

제4절 강제수사

제27조【긴급체포】 ① 사법경찰관은 법 제200조의 3 제2항에 따라 긴급체포 후 12시간 내에 검사에게 긴급체포의 승인을 요청해야 한다. 다만, 다음 각 호의 어느 하나에 해당하는 경우에는 긴급체포 후 24시간 이내에 긴급체포의 승인을 요청해야 한다. <개정 2023.10.17>

1. 제51조 제1항 제4호 가목에 따른 피의자중지 또는 제52조 제1항 제3호에 따른 기소중지 결정이 된 피의자를 소속 경찰관서가 위치하는 특별시·광역시·특별자치시·도 또는 특별자치도 외의 지역에서 긴급체포한 경우
2. 「해양경비법」 제2조 제2호에 따른 경비수역에서 긴급체포한 경우

② 제1항에 따라 긴급체포의 승인을 요청할 때에는 범죄사실의 요지, 긴급체포의 일시·장소, 긴급체포의 사유, 체포를 계속해야 하는 사유 등을 적은 긴급체포 승인요청서로 요청해야 한다. 다만, 긴급한 경우에는 「형사사법절차 전자화 촉진법」 제2조 제4호에 따른 형사사법정보시스템(이하 "형사사법정보시스템"이라 한다) 또는 팩스를 이용하여 긴급체포의 승인을 요청할 수 있다.

③ 검사는 사법경찰관의 긴급체포 승인 요청이 이유 있다고 인정하는 경우에는 지체 없이 긴급체포 승인서를 사법경찰관에게 송부해야 한다.

④ 검사는 사법경찰관의 긴급체포 승인 요청이 이유 없다고 인정하는 경우에는 지체 없이 사법경찰관에게 불승인 통보를 해야 한다. 이 경우 사법경찰관은 긴급체포된 피의자를 즉시 석방하고 그 석방 일시와 사유 등을 검사에게 통보해야 한다.

제28조【현행범인 조사 및 석방】 ① 검사 또는 사법경찰관은 법 제212조 또는 제213조에 따라 현행범인을 체포하거나 체포된 현행범인을 인수했을 때에는 조사가 현저히 곤란하다고 인정되는 경우가 아니면 지체 없이 조사해야 하며, 조사 결과 계속 구금할 필요가 없다고 인정할 때에는 현행범인을 즉시 석방해야 한다.

② 검사 또는 사법경찰관은 제1항에 따라 현행범인을 석방했을 때에는 석방 일시와 사유 등을 적은 피의자 석방서를 작성해 사건기록에 편철한다. 이 경우 사법경찰관은 석방 후 지체 없이 검사에게 석방 사실을 통보해야 한다.

제29조【구속영장의 청구·신청】 ① 검사 또는 사법경찰관은 구속영장을 청구하거나 신청하는 경우 법 제209조에서 준용하는 법 제70조 제2항의 필요적 고려사항이 있을 때에는 구속영장 청구서 또는 신청서에 그 내용을 적어야 한다.

② 검사 또는 사법경찰관은 체포한 피의자에 대해 구속영장을 청구하거나 신청할 때에는 구속영장 청구서 또는 신청서에 체포영장, 긴급체포서, 현행범인 체포서 또는 현행범인 인수서를 첨부해야 한다.

제30조【구속 전 피의자 심문】 사법경찰관은 법 제201조의 2 제3항 및 같은 조 제10항에서 준용하는 법 제81조 제1항에 따라 판사가 통지한 피의자 심문 기일과 장소에 체포된 피의자를 출석시켜야 한다.

제31조【체포·구속영장의 재청구·재신청】 검사 또는 사법경찰관은 동일한 범죄사실로 다시 체포·구속영장을 청구하거나 신청하는 경우(체포·구속영장의 청구 또는 신청이 기각된 후 다시 체포·구속영장을 청구하거나 신청하는 경우와 이미 발부받은 체포·구속영장과 동일한 범죄사실로 다시 체포·구속영장을 청구하거나 신청하는 경우를 말한다)에는 그 취지를 체포·구속영장 청구서 또는 신청서에 적어야 한다.

제32조【체포·구속영장 집행 시의 권리 고지】 ① 검사 또는 사법경찰관은 피의자를 체포하거나 구속할 때에는 법 제200조의 5(법 제209조에서 준용하는 경우를 포함한다)에 따라 피의자에게 피의사실의 요지, 체포·구속의 이유와 변호인을 선임할 수 있음을 말하고, 변명할 기회를 주어야 하며, 진술거부권을 알려주어야 한다.

② 제1항에 따라 피의자에게 알려주어야 하는 진술거부권의 내용은 법 제244조의 3 제1항 제1호부터 제3호까지의 사항으로 한다.

③ 검사와 사법경찰관이 제1항에 따라 피의자에게 그 권리를 알려준 경우에는 피의자로부터 권리 고지 확인서를 받아 사건기록에 편철한다.

제32조의 2【체포·구속영장 사본의 교부】 ① 검사 또는 사법경찰관은 영장에 따라 피의자를 체포하거나 구속하는 경우에는 법 제200조의 6 또는 제209조에서 준용하는 법 제85조 제1항 또는 제4항에 따라 피의자에게 반드시 영장을 제시하고 그 사본을 교부해야 한다.

② 검사 또는 사법경찰관은 제1항에 따라 피의자에게 영장을 제시하거나 영장의 사본을 교부할 때에는 사건관계인의 개인정보가 피의자의 방어권 보장을 위해 필요한 정도를 넘어 불필요하게 노출되지 않도록 유의해야 한다.

③ 검사 또는 사법경찰관은 제1항에 따라 피의자에게 영장의 사본을 교부한 경우에는 피의자로부터 영장 사본 교부 확인서를 받아 사건기록에 편철한다.

④ 피의자가 영장의 사본을 수령하기를 거부하거나 영장 사본 교부 확인서에 기명날인 또는 서명하는 것을 거부하는 경우에는 검사 또는 사법경찰관이 영장 사본 교부 확인서 끝 부분에 그 사유를 적고 기명날인 또는 서명해야 한다.

[본조신설 2023.10.17]

제33조【체포 · 구속 등의 통지】 ① 검사 또는 사법경찰관은 피의자를 체포하거나 구속하였을 때에는 법 제200조의 6 또는 제209조에서 준용하는 법 제87조에 따라 변호인이 있으면 변호인에게, 변호인이 없으면 법 제30조 제2항에 따른 사람 중 피의자가 지정한 사람에게 24시간 이내에 서면으로 사건명, 체포 · 구속의 일시 · 장소, 범죄사실의 요지, 체포 · 구속의 이유와 변호인을 선임할 수 있음을 통지해야 한다.

② 검사 또는 사법경찰관은 제1항에 따른 통지를 하였을 때에는 그 통지서 사본을 사건기록에 편철한다. 다만, 변호인 및 법 제30조 제2항에 따른 사람이 없어서 체포 · 구속의 통지를 할 수 없을 때에는 그 취지를 수사보고서에 적어 사건기록에 편철한다.

③ 제1항 및 제2항은 법 제214조의 2 제2항에 따라 검사 또는 사법경찰관이 같은 조 제1항에 따른 자 중에서 피의자가 지정한 자에게 체포 또는 구속의 적부심사를 청구할 수 있음을 통지하는 경우에도 준용한다.

제34조【체포 · 구속영장 등본의 교부】 검사 또는 사법경찰관은 법 제214조의 2 제1항에 따른 자가 체포 · 구속영장 등본의 교부를 청구하면 그 등본을 교부해야 한다.

제35조【체포 · 구속영장의 반환】 ① 검사 또는 사법경찰관은 체포 · 구속영장의 유효기간 내에 영장의 집행에 착수하지 못했거나, 그 밖의 사유로 영장의 집행이 불가능하거나 불필요하게 되었을 때에는 즉시 해당 영장을 법원에 반환해야 한다. 이 경우 체포 · 구속영장이 여러 통 발부된 경우에는 모두 반환해야 한다.

② 검사 또는 사법경찰관은 제1항에 따라 체포 · 구속영장을 반환하는 경우에는 반환사유 등을 적은 영장반환서에 해당 영장을 첨부하여 반환하고, 그 사본을 사건기록에 편철한다.

③ 제1항에 따라 사법경찰관이 체포 · 구속영장을 반환하는 경우에는 그 영장을 청구한 검사에게 반환하고, 검사는 사법경찰관이 반환한 영장을 법원에 반환한다.

제36조【피의자의 석방】 ① 검사 또는 사법경찰관은 법 제200조의 2 제5항 또는 제200조의 4 제2항에 따라 구속영장을 청구하거나 신청하지 않고(사법경찰관이 구속영장의 청구를 신청하였으나 검사가 그 신청을 기각한 경우를 포함한다) 체포 또는 긴급체포한 피의자를 석방하려는 때에는 다음 각 호의 구분에 따른 사항을 적은 피의자 석방서를 작성해야 한다. <개정 2023.10.17>

1. 체포한 피의자를 석방하려는 때 : 체포 일시 · 장소, 체포 사유, 석방 일시 · 장소, 석방 사유 등
2. 긴급체포한 피의자를 석방하려는 때 : 법 제200조의 4 제4항 각 호의 사항

② 사법경찰관은 제1항에 따라 피의자를 석방한 경우 다음 각 호의 구분에 따라 처리한다. <개정 2023.10.17>

1. 체포한 피의자를 석방한 때 : 지체 없이 검사에게 석방사실을 통보하고, 그 통보서 사본을 사건기록에 편철한다.
2. 긴급체포한 피의자를 석방한 때 : 즉시 검사에게 석방 사실을 보고하고, 그 보고서 사본을 사건기록에 편철한다.

제37조【압수 · 수색 또는 검증영장의 청구 · 신청】 검사 또는 사법경찰관은 압수 · 수색 또는 검증영장을 청구하거나 신청할 때에는 압수 · 수색 또는 검증의 범위를 범죄 혐의의 소명에 필요한 최소한으로 정해야 하고, 수색 또는 검증할 장소 · 신체 · 물건 및 압수할 물건 등을 구체적으로 특정해야 한다. 이 경우 수사기밀이나 사건관계인의 개인정보가 압수 · 수색 또는 검증을 필요로 하는 사유의 소명에 필요한 정도를 넘어 불필요하게 노출되지 않도록 유의해야 한다. <개정 2023.10.17>

제38조【압수 · 수색 또는 검증영장의 제시 · 교부】 ① 검사 또는 사법경찰관은 법 제219조에서 준용하는 법 제118조에 따라 영장을 제시할 때에는 처분을 받는 자에게 법관이 발부한 영장에 따른 압

수 · 수색 또는 검증이라는 사실과 영장에 기재된 범죄사실 및 수색 또는 검증할 장소 · 신체 · 물건, 압수할 물건 등을 명확히 알리고, 처분을 받는 자가 해당 영장을 열람할 수 있도록 해야 한다. 이 경우 처분을 받는 자가 피의자인 경우에는 해당 영장의 사본을 교부해야 한다. <개정 2023.10.17>

② 압수 · 수색 또는 검증의 처분을 받는 자가 여럿인 경우에는 모두에게 개별적으로 영장을 제시해야 한다. 이 경우 피의자에게는 개별적으로 해당 영장의 사본을 교부해야 한다. <개정 2023.10.17>

③ 검사 또는 사법경찰관은 제1항 및 제2항에 따라 피의자에게 영장을 제시하거나 영장의 사본을 교부할 때에는 사건관계인의 개인정보가 피의자의 방어권 보장을 위해 필요한 정도를 넘어 불필요하게 노출되지 않도록 유의해야 한다. <신설 2023.10.17>

④ 검사 또는 사법경찰관은 제1항 후단 및 제2항 후단에 따라 피의자에게 영장의 사본을 교부한 경우에는 피의자로부터 영장 사본 교부 확인서를 받아 사건기록에 편철한다. <신설 2023.10.17>

⑤ 피의자가 영장의 사본을 수령하기를 거부하거나 영장 사본 교부 확인서에 기명날인 또는 서명하는 것을 거부하는 경우에는 검사 또는 사법경찰관이 영장 사본 교부 확인서 끝 부분에 그 사유를 적고 기명날인 또는 서명해야 한다. <신설 2023.10.17>

[제목개정 2023.10.17]

제39조 【압수 · 수색 또는 검증영장의 재청구 · 재신청 등】 압수 · 수색 또는 검증영장의 재청구 · 재신청(압수 · 수색 또는 검증영장의 청구 또는 신청이 기각된 후 다시 압수 · 수색 또는 검증영장을 청구하거나 신청하는 경우와 이미 발부받은 압수 · 수색 또는 검증영장과 동일한 범죄사실로 다시 압수 · 수색 또는 검증영장을 청구하거나 신청하는 경우를 말한다)과 반환에 관해서는 제31조 및 제35조를 준용한다.

제40조 【압수조서와 압수목록】 검사 또는 사법경찰관은 증거물 또는 몰수할 물건을 압수했을 때에는 압수의 일시 · 장소, 압수 경위 등을 적은 압수조서와 압수물건의 품종 · 수량 등을 적은 압수목록을 작성해야 한다. 다만, 피의자신문조서, 진술조서, 검증조서에 압수의 취지를 적은 경우에는 그렇지 않다.

제41조 【전자정보의 압수 · 수색 또는 검증 방법】

① 검사 또는 사법경찰관은 법 제219조에서 준용하는 법 제106조 제3항에 따라 컴퓨터용디스크 및 그 밖에 이와 비슷한 정보저장매체(이하 이 항에서 "정보저장매체 등"이라 한다)에 기억된 정보(이하 "전자정보"라 한다)를 압수하는 경우에는 해당 정보저장매체 등의 소재지에서 수색 또는 검증한 후 범죄사실과 관련된 전자정보의 범위를 정하여 출력하거나 복제하는 방법으로 한다.

② 제1항에도 불구하고 제1항에 따른 압수 방법의 실행이 불가능하거나 그 방법으로는 압수의 목적을 달성하는 것이 현저히 곤란한 경우에는 압수 · 수색 또는 검증 현장에서 정보저장매체 등에 들어있는 전자정보 전부를 복제하여 그 복제본을 정보저장매체 등의 소재지 외의 장소로 반출할 수 있다.

③ 제1항 및 제2항에도 불구하고 제1항 및 제2항에 따른 압수 방법의 실행이 불가능하거나 그 방법으로는 압수의 목적을 달성하는 것이 현저히 곤란한 경우에는 피압수자 또는 법 제123조에 따라 압수 · 수색영장을 집행할 때 참여하게 해야 하는 사람(이하 "피압수자 등"이라 한다)이 참여한 상태에서 정보저장매체 등의 원본을 봉인하여 정보저장매체 등의 소재지 외의 장소로 반출할 수 있다.

제42조 【전자정보의 압수 · 수색 또는 검증 시 유의사항】 ① 검사 또는 사법경찰관은 전자정보의 탐색 · 복제 · 출력을 완료한 경우에는 지체 없이 피압수자 등에게 압수한 전자정보의 목록을 교부해야 한다.

② 검사 또는 사법경찰관은 제1항의 목록에 포함되지 않은 전자정보가 있는 경우에는 해당 전자정보를 지체 없이 삭제 또는 폐기하거나 반환해야 한다. 이 경우 삭제 · 폐기 또는 반환확인서를 작성하여 피압수자 등에게 교부해야 한다.

③ 검사 또는 사법경찰관은 전자정보의 복제본을 취득하거나 전자정보를 복제할 때에는 해시값(파일의 고유값으로서 일종의 전자지문을 말한다)을 확인하거나 압수 · 수색 또는 검증의 과정을 촬영하는 등 전자적 증거의 동일성과 무결성(무결성)

을 보장할 수 있는 적절한 방법과 조치를 취해야 한다.

④ 검사 또는 사법경찰관은 압수·수색 또는 검증의 전 과정에 걸쳐 피압수자 등이나 변호인의 참여권을 보장해야 하며, 피압수자 등과 변호인이 참여를 거부하는 경우에는 신뢰성과 전문성을 담보할 수 있는 상당한 방법으로 압수·수색 또는 검증을 해야 한다.

⑤ 검사 또는 사법경찰관은 제4항에 따라 참여한 피압수자 등이나 변호인이 압수 대상 전자정보와 사건의 관련성에 관하여 의견을 제시한 때에는 이를 조서에 적어야 한다.

제43조【검증조서】 검사 또는 사법경찰관은 검증을 한 경우에는 검증의 일시·장소, 검증 경위 등을 적은 검증조서를 작성해야 한다.

제44조【영장심의위원회】 법 제221조의 5에 따른 영장심의위원회의 위원은 해당 업무에 전문성을 가진 중립적 외부 인사 중에서 위촉해야 하며, 영장심의위원회의 운영은 독립성·객관성·공정성이 보장되어야 한다.

제5절 시정조치요구

제45조【시정조치 요구의 방법 및 절차 등】 ① 검사는 법 제197조의 3 제1항에 따라 사법경찰관에게 사건기록 등본의 송부를 요구할 때에는 그 내용과 이유를 구체적으로 적은 서면으로 해야 한다.

② 사법경찰관은 제1항에 따른 요구를 받은 날부터 7일 이내에 사건기록 등본을 검사에게 송부해야 한다.

③ 검사는 제2항에 따라 사건기록 등본을 송부받은 날부터 30일(사안의 경중 등을 고려하여 10일의 범위에서 한 차례 연장할 수 있다) 이내에 법 제197조의 3 제3항에 따른 시정조치 요구 여부를 결정하여 사법경찰관에게 통보해야 한다. 이 경우 시정조치 요구의 통보는 그 내용과 이유를 구체적으로 적은 서면으로 해야 한다.

④ 사법경찰관은 제3항에 따라 시정조치 요구를 통보받은 경우 정당한 이유가 있는 경우를 제외하고는 지체 없이 시정조치를 이행하고, 그 이행 결과를 서면에 구체적으로 적어 검사에게 통보해야 한다.

⑤ 검사는 법 제197조의 3 제5항에 따라 사법경찰관에게 사건송치를 요구하는 경우에는 그 내용과 이유를 구체적으로 적은 서면으로 해야 한다.

⑥ 사법경찰관은 제5항에 따라 서면으로 사건송치를 요구받은 날부터 7일 이내에 사건을 검사에게 송치해야 한다. 이 경우 관계 서류와 증거물을 함께 송부해야 한다.

⑦ 제5항 및 제6항에도 불구하고 검사는 공소시효 만료일의 임박 등 특별한 사유가 있을 때에는 제5항에 따른 서면에 그 사유를 명시하고 별도의 송치기한을 정하여 사법경찰관에게 통지할 수 있다. 이 경우 사법경찰관은 정당한 이유가 있는 경우를 제외하고는 통지받은 송치기한까지 사건을 검사에게 송치해야 한다.

제46조【징계요구의 방법 등】 ① 검찰총장 또는 각급 검찰청 검사장은 법 제197조의 3 제7항에 따라 사법경찰관리의 징계를 요구할 때에는 서면에 그 사유를 구체적으로 적고 이를 증명할 수 있는 관계 자료를 첨부하여 해당 사법경찰관리가 소속된 경찰관서의 장(이하 "경찰관서장"이라 한다)에게 통보해야 한다.

② 경찰관서장은 제1항에 따른 징계요구에 대한 처리 결과와 그 이유를 징계를 요구한 검찰총장 또는 각급 검찰청 검사장에게 통보해야 한다.

제47조【구제신청 고지의 확인】 사법경찰관은 법 제197조의 3 제8항에 따라 검사에게 구제를 신청할 수 있음을 피의자에게 알려준 경우에는 피의자로부터 고지 확인서를 받아 사건기록에 편철한다. 다만, 피의자가 고지 확인서에 기명날인 또는 서명하는 것을 거부하는 경우에는 사법경찰관이 고지 확인서 끝부분에 그 사유를 적고 기명날인 또는 서명해야 한다.

제6절 수사의 경합

제48조【동일한 범죄사실 여부의 판단 등】 ① 검사와 사법경찰관은 법 제197조의 4에 따른 수사의 경합과 관련하여 동일한 범죄사실 여부나 영

장(「통신비밀보호법」 제6조 및 제8조에 따른 통신제한조치허가서 및 같은 법 제13조에 따른 통신사실 확인자료제공 요청 허가서를 포함한다. 이하 이 조에서 같다) 청구 · 신청의 시간적 선후 관계 등을 판단하기 위해 필요한 경우에는 그 필요한 범위에서 사건기록의 상호 열람을 요청할 수 있다.

② 제1항에 따른 영장 청구 · 신청의 시간적 선후 관계는 검사의 영장청구서와 사법경찰관의 영장신청서가 각각 법원과 검찰청에 접수된 시점을 기준으로 판단한다.

③ 검사는 제2항에 따른 사법경찰관의 영장신청서의 접수를 거부하거나 지연해서는 안 된다.

제49조【수사경합에 따른 사건송치】 ① 검사는 법 제197조의 4 제1항에 따라 사법경찰관에게 사건송치를 요구할 때에는 그 내용과 이유를 구체적으로 적은 서면으로 해야 한다.

② 사법경찰관은 제1항에 따른 요구를 받은 날부터 7일 이내에 사건을 검사에게 송치해야 한다. 이 경우 관계 서류와 증거물을 함께 송부해야 한다.

제50조【중복수사의 방지】 검사는 법 제197조의 4 제2항 단서에 따라 사법경찰관이 범죄사실을 계속 수사할 수 있게 된 경우에는 정당한 사유가 있는 경우를 제외하고는 그와 동일한 범죄사실에 대한 사건을 이송하는 등 중복수사를 피하기 위해 노력해야 한다.

제4장 사건송치와 수사종결

제1절 통 칙

제51조【사법경찰관의 결정】 ① 사법경찰관은 사건을 수사한 경우에는 다음 각 호의 구분에 따라 결정해야 한다.

1. 법원송치
2. 검찰송치
3. 불송치
   가. 혐의없음 1) 범죄인정안됨 2) 증거불충분
   나. 죄가안됨
   다. 공소권없음
   라. 각하
4. 수사중지
   가. 피의자중지
   나. 참고인중지
5. 이송

② 사법경찰관은 하나의 사건 중 피의자가 여러 사람이거나 피의사실이 여러 개인 경우로서 분리하여 결정할 필요가 있는 경우 그중 일부에 대해 제1항 각 호의 결정을 할 수 있다.

③ 사법경찰관은 제1항 제3호 나목 또는 다목에 해당하는 사건이 다음 각 호의 어느 하나에 해당하는 경우에는 해당 사건을 검사에게 이송한다. <개정 2023.10.17>

1. 「형법」 제10조 제1항에 따라 벌할 수 없는 경우
2. 기소되어 사실심 계속 중인 사건과 포괄일죄를 구성하는 관계에 있거나 「형법」 제40조에 따른 상상적 경합 관계에 있는 경우

④ 사법경찰관은 제1항 제4호에 따른 수사중지 결정을 한 경우 7일 이내에 사건기록을 검사에게 송부해야 한다. 이 경우 검사는 사건기록을 송부받은 날부터 30일 이내에 반환해야 하며, 그 기간 내에 법 제197조의 3에 따라 시정조치요구를 할 수 있다.

⑤ 사법경찰관은 제4항 전단에 따라 검사에게 사건기록을 송부한 후 피의자 등의 소재를 발견한 경우에는 소재 발견 및 수사 재개 사실을 검사에게 통보해야 한다. 이 경우 통보를 받은 검사는 지체 없이 사법경찰관에게 사건기록을 반환해야 한다.

제52조【검사의 결정】 ① 검사는 사법경찰관으로부터 사건을 송치받거나 직접 수사한 경우에는 다음 각 호의 구분에 따라 결정해야 한다.

1. 공소제기
2. 불기소
   가. 기소유예
   나. 혐의없음 1) 범죄인정안됨 2) 증거불충분
   다. 죄가안됨
   라. 공소권없음
   마. 각하
3. 기소중지

4. 참고인중지
5. 보완수사요구
6. 공소보류
7. 이송
8. 소년보호사건 송치
9. 가정보호사건 송치
10. 성매매보호사건 송치
11. 아동보호사건 송치

② 검사는 하나의 사건 중 피의자가 여러 사람이거나 피의사실이 여러 개인 경우로서 분리하여 결정할 필요가 있는 경우 그중 일부에 대해 제1항 각 호의 결정을 할 수 있다.

제53조【수사 결과의 통지】 ① 검사 또는 사법경찰관은 제51조 또는 제52조에 따른 결정을 한 경우에는 그 내용을 고소인·고발인·피해자 또는 그 법정대리인(피해자가 사망한 경우에는 그 배우자·직계친족·형제자매를 포함한다. 이하 "고소인등"이라 한다)과 피의자에게 통지해야 한다. 다만, 다음 각 호의 어느 하나에 해당하는 경우에는 고소인등에게만 통지한다. <개정 2023.10.17>

1. 제51조 제1항 제4호 가목에 따른 피의자중지 결정 또는 제52조 제1항 제3호에 따른 기소중지 결정을 한 경우
2. 제51조 제1항 제5호 또는 제52조 제1항 제7호에 따른 이송(법 제256조에 따른 송치는 제외한다) 결정을 한 경우로서 검사 또는 사법경찰관이 해당 피의자에 대해 출석요구 또는 제16조 제1항 각 호의 어느 하나에 해당하는 행위를 하지 않은 경우

② 고소인 등은 법 제245조의 6에 따른 통지를 받지 못한 경우 사법경찰관에게 불송치 통지서로 통지해 줄 것을 요구할 수 있다.

③ 제1항에 따른 통지의 구체적인 방법·절차 등은 법무부장관, 경찰청장 또는 해양경찰청장이 정한다.

제54조【수사중지 결정에 대한 이의제기 등】 ① 제53조에 따라 사법경찰관으로부터 제51조 제1항 제4호에 따른 수사중지 결정의 통지를 받은 사람은 해당 사법경찰관이 소속된 바로 위 상급경찰관서의 장에게 이의를 제기할 수 있다.

② 제1항에 따른 이의제기의 절차·방법 및 처리 등에 관하여 필요한 사항은 경찰청장 또는 해양경찰청장이 정한다.

③ 제1항에 따른 통지를 받은 사람은 해당 수사중지 결정이 법령위반, 인권침해 또는 현저한 수사권 남용이라고 의심되는 경우 검사에게 법 제197조의 3 제1항에 따른 신고를 할 수 있다.

④ 사법경찰관은 제53조에 따라 고소인 등에게 제51조 제1항 제4호에 따른 수사중지 결정의 통지를 할 때에는 제3항에 따라 신고할 수 있다는 사실을 함께 고지해야 한다.

제55조【소재수사에 관한 협력 등】 ① 검사와 사법경찰관은 소재불명(소재불명)인 피의자나 참고인을 발견한 때에는 해당 사실을 통보하는 등 서로 협력해야 한다.

② 검사는 법 제245조의 5 제1호 또는 법 제245조의 7 제2항에 따라 송치된 사건의 피의자나 참고인의 소재 확인이 필요하다고 판단하는 경우 피의자나 참고인의 주소지 또는 거소지 등을 관할하는 경찰관서의 사법경찰관에게 소재수사를 요청할 수 있다. 이 경우 요청을 받은 사법경찰관은 이에 협력해야 한다.

③ 검사 또는 사법경찰관은 제51조 제1항 제4호 또는 제52조 제1항 제3호·제4호에 따라 수사중지 또는 기소중지·참고인중지된 사건의 피의자 또는 참고인을 발견하는 등 수사중지 결정 또는 기소중지·참고인중지 결정의 사유가 해소된 경우에는 즉시 수사를 진행해야 한다.

제56조【사건기록의 등본】 ① 검사 또는 사법경찰관은 사건 관계 서류와 증거물을 분리하여 송부하거나 반환할 필요가 있으나 해당 서류와 증거물의 분리가 불가능하거나 현저히 곤란한 경우에는 그 서류와 증거물을 등사하여 송부하거나 반환할 수 있다.

② 검사 또는 사법경찰관은 제45조 제1항, 이 조 제1항 등에 따라 사건기록 등본을 송부받은 경우 이를 다른 목적으로 사용할 수 없으며, 다른 법령에 특별한 규정이 있는 경우를 제외하고는 그 사용 목적을 위한 기간이 경과한 때에 즉시 이를 반환하거나 폐기해야 한다.

제57조【송치사건 관련 자료 제공】 검사는 사법경찰관이 송치한 사건에 대해 검사의 공소장, 불기소결정서, 송치결정서 및 법원의 판결문을 제공할 것을 요청하는 경우 이를 사법경찰관에게 지체 없이 제공해야 한다.

제2절 사건송치와 보완수사요구

제58조【사법경찰관의 사건송치】 ① 사법경찰관은 관계 법령에 따라 검사에게 사건을 송치할 때에는 송치의 이유와 범위를 적은 송치 결정서와 압수물 총목록, 기록목록, 범죄경력 조회 회보서, 수사경력 조회 회보서 등 관계 서류와 증거물을 함께 송부해야 한다.

② 사법경찰관은 피의자 또는 참고인에 대한 조사과정을 영상녹화한 경우에는 해당 영상녹화물을 봉인한 후 검사에게 사건을 송치할 때 봉인된 영상녹화물의 종류와 개수를 표시하여 사건기록과 함께 송부해야 한다.

③ 사법경찰관은 사건을 송치한 후에 새로운 증거물, 서류 및 그 밖의 자료를 추가로 송부할 때에는 이전에 송치한 사건명, 송치 연월일, 피의자의 성명과 추가로 송부하는 서류 및 증거물 등을 적은 추가송부서를 첨부해야 한다.

제59조【보완수사요구의 대상과 범위】 ① 검사는 사법경찰관으로부터 송치받은 사건에 대해 보완수사가 필요하다고 인정하는 경우에는 직접 보완수사를 하거나 법 제197조의 2 제1항 제1호에 따라 사법경찰관에게 보완수사를 요구할 수 있다. 다만, 송치사건의 공소제기 여부 결정에 필요한 경우로서 다음 각 호의 어느 하나에 해당하는 경우에는 특별히 사법경찰관에게 보완수사를 요구할 필요가 있다고 인정되는 경우를 제외하고는 검사가 직접 보완수사를 하는 것을 원칙으로 한다. <개정 2023.10.17>

1. 사건을 수리한 날(이미 보완수사요구가 있었던 사건의 경우 보완수사 이행 결과를 통보받은 날을 말한다)부터 1개월이 경과한 경우
2. 사건이 송치된 이후 검사가 해당 피의자 및 피의사실에 대해 상당한 정도의 보완수사를 한 경우
3. 법 제197조의 3 제5항, 제197조의 4 제1항 또는 제198조의 2 제2항에 따라 사법경찰관으로부터 사건을 송치받은 경우
4. 제7조 또는 제8조에 따라 검사와 사법경찰관이 사건 송치 전에 수사할 사항, 증거수집의 대상 및 법령의 적용 등에 대해 협의를 마치고 송치한 경우

② 검사는 법 제197조의 2 제1항에 따른 보완수사요구 여부를 판단하는 경우 필요한 보완수사의 정도, 수사 진행 기간, 구체적 사건의 성격에 따른 수사 주체의 적합성 및 검사와 사법경찰관의 상호 존중과 협력의 취지 등을 종합적으로 고려한다. <신설 2023.10.17>

③ 검사는 법 제197조의 2 제1항 제1호에 따라 사법경찰관에게 송치사건 및 관련사건(법 제11조에 따른 관련사건 및 법 제208조 제2항에 따라 간주되는 동일한 범죄사실에 관한 사건을 말한다. 다만, 법 제11조 제1호의 경우에는 수사기록에 명백히 현출(현출)되어 있는 사건으로 한정한다)에 대해 다음 각 호의 사항에 관한 보완수사를 요구할 수 있다. <개정 2023.10.17>

1. 범인에 관한 사항
2. 증거 또는 범죄사실 증명에 관한 사항
3. 소송조건 또는 처벌조건에 관한 사항
4. 양형 자료에 관한 사항
5. 죄명 및 범죄사실의 구성에 관한 사항
6. 그 밖에 송치받은 사건의 공소제기 여부를 결정하는 데 필요하거나 공소유지와 관련해 필요한 사항

④ 검사는 사법경찰관이 신청한 영장(「통신비밀보호법」 제6조 및 제8조에 따른 통신제한조치허가서 및 같은 법 제13조에 따른 통신사실 확인자료 제공 요청 허가서를 포함한다. 이하 이 항에서 같다)의 청구 여부를 결정하기 위해 필요한 경우 법 제197조의 2 제1항 제2호에 따라 사법경찰관에게 보완수사를 요구할 수 있다. 이 경우 보완수사를 요구할 수 있는 범위는 다음 각 호와 같다. <개정 2023.10.17>

1. 범인에 관한 사항
2. 증거 또는 범죄사실 소명에 관한 사항

3. 소송조건 또는 처벌조건에 관한 사항
4. 해당 영장이 필요한 사유에 관한 사항
5. 죄명 및 범죄사실의 구성에 관한 사항
6. 법 제11조(법 제11조 제1호의 경우는 수사기록에 명백히 현출되어 있는 사건으로 한정한다)와 관련된 사항
7. 그 밖에 사법경찰관이 신청한 영장의 청구 여부를 결정하기 위해 필요한 사항

제60조【보완수사요구의 방법과 절차】 ① 검사는 법 제197조의 2 제1항에 따라 보완수사를 요구할 때에는 그 이유와 내용 등을 구체적으로 적은 서면과 관계 서류 및 증거물을 사법경찰관에게 함께 송부해야 한다. 다만, 보완수사 대상의 성질, 사안의 긴급성 등을 고려하여 관계 서류와 증거물을 송부할 필요가 없거나 송부하는 것이 적절하지 않다고 판단하는 경우에는 해당 관계 서류와 증거물을 송부하지 않을 수 있다.

② 보완수사를 요구받은 사법경찰관은 제1항 단서에 따라 송부받지 못한 관계 서류와 증거물이 보완수사를 위해 필요하다고 판단하면 해당 서류와 증거물을 대출하거나 그 전부 또는 일부를 등사할 수 있다.

③ 사법경찰관은 법 제197조의 2 제1항에 따른 보완수사요구가 접수된 날부터 3개월 이내에 보완수사를 마쳐야 한다. <신설 2023.10.17>

④ 사법경찰관은 법 제197조의 2 제2항에 따라 보완수사를 이행한 경우에는 그 이행 결과를 검사에게 서면으로 통보해야 하며, 제1항 본문에 따라 관계 서류와 증거물을 송부받은 경우에는 그 서류와 증거물을 함께 반환해야 한다. 다만, 관계 서류와 증거물을 반환할 필요가 없는 경우에는 보완수사의 이행 결과만을 검사에게 통보할 수 있다. <개정 2023.10.17>

⑤ 사법경찰관은 법 제197조의 2 제1항 제1호에 따라 보완수사를 이행한 결과 법 제245조의 5 제1호에 해당하지 않는다고 판단한 경우에는 제51조 제1항 제3호에 따라 사건을 불송치하거나 같은 항 제4호에 따라 수사중지할 수 있다. <개정 2023.10.17>

제61조【직무배제 또는 징계 요구의 방법과 절차】 ① 검찰총장 또는 각급 검찰청 검사장은 법 제197조의 2 제3항에 따라 사법경찰관의 직무배제 또는 징계를 요구할 때에는 그 이유를 구체적으로 적은 서면에 이를 증명할 수 있는 관계 자료를 첨부하여 해당 사법경찰관이 소속된 경찰관서장에게 통보해야 한다.

② 제1항의 직무배제 요구를 통보받은 경찰관서장은 정당한 이유가 있는 경우를 제외하고는 그 요구를 받은 날부터 20일 이내에 해당 사법경찰관을 직무에서 배제해야 한다.

③ 경찰관서장은 제1항에 따른 요구의 처리 결과와 그 이유를 직무배제 또는 징계를 요구한 검찰총장 또는 각급 검찰청 검사장에게 통보해야 한다.

제3절 사건불송치와 재수사요청

제62조【사법경찰관의 사건불송치】 ① 사법경찰관은 법 제245조의 5 제2호 및 이 영 제51조 제1항 제3호에 따라 불송치 결정을 하는 경우 불송치의 이유를 적은 불송치 결정서와 함께 압수물 총목록, 기록목록 등 관계 서류와 증거물을 검사에게 송부해야 한다.

② 제1항의 경우 영상녹화물의 송부 및 새로운 증거물 등의 추가 송부에 관하여는 제58조 제2항 및 제3항을 준용한다.

제63조【재수사요청의 절차 등】 ① 검사는 법 제245조의 8에 따라 사법경찰관에게 재수사를 요청하려는 경우에는 법 제245조의 5 제2호에 따라 관계 서류와 증거물을 송부받은 날부터 90일 이내에 해야 한다. 다만, 다음 각 호의 어느 하나에 해당하는 경우에는 관계 서류와 증거물을 송부받은 날부터 90일이 지난 후에도 재수사를 요청할 수 있다.
1. 불송치 결정에 영향을 줄 수 있는 명백히 새로운 증거 또는 사실이 발견된 경우
2. 증거 등의 허위, 위조 또는 변조를 인정할 만한 상당한 정황이 있는 경우

② 검사는 제1항에 따라 재수사를 요청할 때에는 그 내용과 이유를 구체적으로 적은 서면으로 해야 한다. 이 경우 법 제245조의 5 제2호에 따라 송부받은 관계 서류와 증거물을 사법경찰관에게 반환해야 한다.

③ 검사는 법 제245조의 8에 따라 재수사를 요청한 경우 그 사실을 고소인등에게 통지해야 한다.

④ 사법경찰관은 법 제245조의 8 제1항에 따른 재수사의 요청이 접수된 날부터 3개월 이내에 재수사를 마쳐야 한다. <신설 2023.10.17>

제64조【재수사 결과의 처리】 ① 사법경찰관은 법 제245조의 8 제2항에 따라 재수사를 한 경우 다음 각 호의 구분에 따라 처리한다.

1. 범죄의 혐의가 있다고 인정되는 경우 : 법 제245조의 5 제1호에 따라 검사에게 사건을 송치하고 관계 서류와 증거물을 송부
2. 기존의 불송치 결정을 유지하는 경우 : 재수사 결과서에 그 내용과 이유를 구체적으로 적어 검사에게 통보

② 검사는 사법경찰관이 제1항 제2호에 따라 재수사 결과를 통보한 사건에 대해서 다시 재수사를 요청하거나 송치 요구를 할 수 없다. 다만, 검사는 사법경찰관이 사건을 송치하지 않은 위법 또는 부당이 시정되지 않아 사건을 송치받아 수사할 필요가 있는 다음 각 호의 경우에는 법 제197조의 3에 따라 사건송치를 요구할 수 있다. <개정 2023.10.17>

1. 관련 법령 또는 법리에 위반된 경우
2. 범죄 혐의의 유무를 명확히 하기 위해 재수사를 요청한 사항에 관하여 그 이행이 이루어지지 않은 경우. 다만, 불송치 결정의 유지에 영향을 미치지 않음이 명백한 경우는 제외한다.
3. 송부받은 관계 서류 및 증거물과 재수사 결과만으로도 범죄의 혐의가 명백히 인정되는 경우
4. 공소시효 또는 형사소추의 요건을 판단하는 데 오류가 있는 경우

③ 검사는 제2항 각 호 외의 부분 단서에 따른 사건송치 요구 여부를 판단하기 위해 필요한 경우에는 사법경찰관에게 관계 서류와 증거물의 송부를 요청할 수 있다. 이 경우 요청을 받은 사법경찰관은 이에 협력해야 한다. <신설 2023.10.17>

④ 검사는 재수사 결과를 통보받은 날(제3항에 따라 관계 서류와 증거물의 송부를 요청한 경우에는 관계 서류와 증거물을 송부받은 날을 말한다)부터 30일 이내에 제2항 각 호 외의 부분 단서에 따른 사건송치 요구를 해야 하고, 그 기간 내에 사건송치 요구를 하지 않을 경우에는 송부받은 관계 서류와 증거물을 사법경찰관에게 반환해야 한다. <신설 2023.10.17>

제65조【재수사 중의 이의신청】 사법경찰관은 법 제245조의 8 제2항에 따라 재수사 중인 사건에 대해 법 제245조의 7 제1항에 따른 이의신청이 있는 경우에는 재수사를 중단해야 하며, 같은 조 제2항에 따라 해당 사건을 지체 없이 검사에게 송치하고 관계 서류와 증거물을 송부해야 한다.

제5장 보 칙

제66조【재정신청 접수에 따른 절차】 ① 사법경찰관이 수사 중인 사건이 법 제260조 제2항 제3호에 해당하여 같은 조 제3항에 따라 지방검찰청 검사장 또는 지청장에게 재정신청서가 제출된 경우 해당 지방검찰청 또는 지청 소속 검사는 즉시 사법경찰관에게 그 사실을 통보해야 한다.

② 사법경찰관은 제1항의 통보를 받으면 즉시 검사에게 해당 사건을 송치하고 관계 서류와 증거물을 송부해야 한다.

③ 검사는 제1항에 따른 재정신청에 대해 법원이 법 제262조 제2항 제1호에 따라 기각하는 결정을 한 경우에는 해당 결정서를 사법경찰관에게 송부해야 한다. 이 경우 제2항에 따라 송치받은 사건을 사법경찰관에게 이송해야 한다.

제67조【형사사법정보시스템의 이용】 검사 또는 사법경찰관은 「형사사법절차 전자화 촉진법」 제2조 제1호에 따른 형사사법업무와 관련된 문서를 작성할 때에는 형사사법정보시스템을 이용해야 하며, 그에 따라 작성한 문서는 형사사법정보시스템에 저장·보관해야 한다. 다만, 다음 각 호의 어느 하나에 해당하는 문서로서 형사사법정보시스템을 이용하는 것이 곤란한 경우는 그렇지 않다.

1. 피의자나 사건관계인이 직접 작성한 문서
2. 형사사법정보시스템에 작성 기능이 구현되어 있지 않은 문서
3. 형사사법정보시스템을 이용할 수 없는 시간 또

는 장소에서 불가피하게 작성해야 하거나 형사사법정보시스템의 장애 또는 전산망 오류 등으로 형사사법정보시스템을 이용할 수 없는 상황에서 불가피하게 작성해야 하는 문서

제68조【사건 통지 시 주의사항 등】 검사 또는 사법경찰관은 제12조에 따라 수사 진행상황을 통지하거나 제53조에 따라 수사 결과를 통지할 때에는 해당 사건의 피의자 또는 사건관계인의 명예나 권리 등이 부당하게 침해되지 않도록 주의해야 한다.

제69조【수사서류 등의 열람·복사】 ① 피의자, 사건관계인 또는 그 변호인은 검사 또는 사법경찰관이 수사 중인 사건에 관한 본인의 진술이 기재된 부분 및 본인이 제출한 서류의 전부 또는 일부에 대해 열람·복사를 신청할 수 있다.

② 피의자, 사건관계인 또는 그 변호인은 검사가 불기소 결정을 하거나 사법경찰관이 불송치 결정을 한 사건에 관한 기록의 전부 또는 일부에 대해 열람·복사를 신청할 수 있다.

③ 피의자 또는 그 변호인은 필요한 사유를 소명하고 고소장, 고발장, 이의신청서, 항고장, 재항고장(이하 "고소장 등"이라 한다)의 열람·복사를 신청할 수 있다. 이 경우 열람·복사의 범위는 피의자에 대한 혐의사실 부분으로 한정하고, 그 밖에 사건관계인에 관한 사실이나 개인정보, 증거방법 또는 고소장 등에 첨부된 서류 등은 제외한다.

④ 체포·구속된 피의자 또는 그 변호인은 현행범인체포서, 긴급체포서, 체포영장, 구속영장의 열람·복사를 신청할 수 있다.

⑤ 피의자 또는 사건관계인의 법정대리인, 배우자, 직계친족, 형제자매로서 피의자 또는 사건관계인의 위임장 및 신분관계를 증명하는 문서를 제출한 사람도 제1항부터 제4항까지의 규정에 따라 열람·복사를 신청할 수 있다.

⑥ 검사 또는 사법경찰관은 제1항부터 제5항까지의 규정에 따른 신청을 받은 경우에는 해당 서류의 공개로 사건관계인의 개인정보나 영업비밀이 침해될 우려가 있거나 범인의 증거인멸·도주를 용이하게 할 우려가 있는 경우 등 정당한 사유가 있는 경우를 제외하고는 열람·복사를 허용해야 한다.

제70조【영의 해석 및 개정】 ① 이 영을 해석하거나 개정하는 경우에는 법무부장관은 행정안전부장관과 협의하여 결정해야 한다.

② 제1항에 따른 해석 및 개정에 관한 법무부장관의 자문에 응하기 위해 법무부에 외부전문가로 구성된 자문위원회를 둔다.

제71조【민감정보 및 고유식별정보 등의 처리】 검사 또는 사법경찰관리는 범죄 수사 업무를 수행하기 위해 불가피한 경우 「개인정보 보호법」 제23조에 따른 민감정보, 같은 법 시행령 제19조에 따른 주민등록번호, 여권번호, 운전면허의 면허번호 또는 외국인등록번호나 그 밖의 개인정보가 포함된 자료를 처리할 수 있다.

부 칙〈법률 제31089호, 2020. 10. 7.〉

제1조【시행일】 이 영은 2021년 1월 1일부터 시행한다.

제2조【다른 법령의 폐지】 「검사의 사법경찰관리에 대한 수사지휘 및 사법경찰관리의 수사준칙에 관한 규정」은 폐지한다.

제3조【일반적 적용례】 이 영은 이 영 시행 당시 수사 중이거나 법원에 계속 중인 사건에 대해서도 적용한다. 다만, 이 영 시행 전에 부칙 제2조에 따라 폐지되는 「검사의 사법경찰관리에 대한 수사지휘 및 사법경찰관리의 수사준칙에 관한 규정」에 따라 한 행위의 효력에는 영향을 미치지 않는다.

부 칙〈법률 제33808호, 2023. 10. 17.〉

제1조【시행일】 이 영은 2023년 11월 1일부터 시행한다.

제2조【일반적 적용례】 이 영은 이 영 시행 당시 수사 중이거나 법원에 계속 중인 사건에 대해서도 적용한다.

공편저자 약력·저서

조충환

• 중앙대학교 법학박사(형사법전공)
現 • 교재집필 및 연구
前 • 박문각 경찰승진 형사소송법 대표교수
• 중앙대·울산대 출강
• 노량진 남부경찰학원 대표강사
• 노량진 남부행정고시학원 대표강사
• 노량진 한교경찰학원 대표강사
• 노량진 베리타스경찰학원 대표강사
• 법무부 출간 교정지 출제위원
• 경찰청 인터넷방송 초빙교수

주요저서

• SPA 형법
• SPA 형사소송법
• 객관식 테마 형법
• 객관식 테마 형사소송법
• ALL THAT 올댓 형사법 형법 총론
• ALL THAT 올댓 형사법 형법 각론
• ALL THAT 올댓 형사법 수사·증거
• 수사경과 대비 형사법능력평가
• COPSPA 경찰 형법
• COPSPA 경찰 형사소송법
• 3+3 형법
• 3+3 형사소송법
• 논문 다수

상 훈

• 중앙대 강의평가 우수강사 총장 표창(3회)
• 모범강사 전국학원연합회 회장표창

양 건

現 • 박문각 경찰승진 형법 대표교수
• 공무원저널 형사법 판례교실 집필위원
• 법률저널 경찰·교정직 집필위원
前 • 조이에듀경찰학원 형법 대표강사
• 신림동 태학관 법정연구회 강의
• 종로행정고시학원 경찰승진 형법 대표강사
• 중앙경찰고시학원 형법 대표강사
• 경찰승진특강
• 노량진 한교경찰학원 대표강사(형법)
• 노량진 베리타스경찰학원 대표강사(형법)

주요저서

• SPA 형법
• SPA 형사소송법
• 객관식 테마 형법
• 객관식 테마 형사소송법
• ALL THAT 올댓 형사법 형법 총론
• ALL THAT 올댓 형사법 형법 각론
• ALL THAT 올댓 형사법 수사·증거
• 수사경과 대비 형사법능력평가
• COPSPA 경찰 형법
• COPSPA 경찰 형사소송법
• 3+3 형법
• 3+3 형사소송법

SPA

2026 판례·기출 증보판

조충환·양건

형사소송법 Ⅲ

초판인쇄 : 2025년 2월 10일
초판발행 : 2025년 2월 15일
편 저 : 조충환·양건
발 행 인 : 박 용
발 행 처 : (주)박문각출판
등 록 : 2015. 4. 29. 제2019-000137호
주 소 : 06654 서울시 서초구 효령로 283 서경 B/D
전 화 : (02) 6466-7202
팩 스 : (02) 584-2927

저자와의 협의하에 인지생략

정가 69,000원
ISBN 979-11-7262-545-0
ISBN 979-11-7262-542-9(세트)